dirigé
Noël

Chronoreg

DANIEL SERNINE

roman

ÉDITIONS QUÉBEC/AMÉRIQUE
425, RUE SAINT-JEAN-BAPTISTE, MONTRÉAL, QUÉBEC H2Y 2Z7 (514) 393-1450

Du même auteur

Pour les adultes

Les contes de l'ombre, recueil de contes fantastiques, Montréal, éditions Sélect, 1979, 190 p.

Légendes du vieux manoir, recueil de contes fantastiques, Montréal, éditions Sélect, 1979, 149 p.

Le Vieil Homme et l'espace, recueil de nouvelles de science-fiction, Longueuil, éditions Le Préambule, 1981, 239 p.

Les Méandres du temps, roman de science-fiction, Longueuil, éditions Le Préambule, 1983, 356 p.

Quand vient la nuit, recueil de contes fantastiques, Longueuil, éditions Le Préambule, 1983, 265 p.

Aurores boréales 2, anthologie présentée par Daniel Sernine, Longueuil, éditions Le Préambule, 1985, 290 p.

Nuits blêmes, recueil de nouvelles fantastiques, Montréal, XYZ Éditeur, 1990, 126 p.

Boulevard des Étoiles, recueil de nouvelles de science-fiction, Montréal, Publications Ianus, 1991, 213 p.

Boulevard des Étoiles 2: À la Recherche de monsieur Goodtheim, recueil de nouvelles de science-fiction, Montréal, Publications Ianus, 1991, 221 p.

L'auteur a aussi publié seize livres pour jeunes, dont

Organisation Argus, roman de science-fiction, Montréal, éditions Paulines, 1979, 113 p.
Traduction anglaise: *Those Who Watch Over the Earth.*

Le Trésor du «Scorpion», roman, Montréal, éditions Paulines, 1980, 144 p.
Traduction anglaise: *Scorpion's Treasure.*

L'Épée Arhapal, roman fantastique, Montréal, éditions Paulines, 1981, 174 p.
Traduction anglaise: *The Sword of Arhapal.*

Argus intervient, roman de science-fiction, Montréal, éditions Paulines, 1983, 159 p.
Traduction anglaise: *Argus Steps In.*

Ludovic, roman de fantastique épique, Montréal, éditions Pierre Tisseyre, 1983, 270 p. Finaliste, prix du Conseil des Arts en Littérature de Jeunesse. Réédition: Saint-Lambert, éditions Héritage, 1992.

Le Cercle violet, roman fantastique, Montréal, éditions Pierre Tisseyre, 1984, 231 p. Lauréat, prix du Conseil des Arts en Littérature de Jeunesse.

Quatre destins, récits fantastiques, Montréal, éditions Paulines, 1990, 105 p. Finaliste, prix du Conseil des Arts en Littérature de Jeunesse.

Le Cercle de Khaleb, roman fantastique, Saint-Lambert, éditions Héritage, 1991, 363 p.

Données de catalogage avant publication (Canada)

Sernine, Daniel

Chronoreg

(Collection Littérature d'Amérique)

ISBN 2-89037-571-4

I. Titre. II. Collection.

PS8587.E77C56 1992 C843'.54 C92-096227-0
PS9587.E77C56 1992
PQ3919.2.S47C56 1992

Dépôt légal:
1er trimestre 1992
Bibliothèque nationale du Québec
Bibliothèque nationale du Canada

Montage: Andréa Joseph

Table des matières

Première partie

1

Trois hélijets survolent le village à basse altitude. Dans le battement sourd des rotors, trois ombres massives glissent sur les façades.

Lorsque les vitrines de la taverne cessent de vibrer, le temps s'arrête à nouveau et il n'y a plus de mouvement que celui des ventilateurs au plafond. Denis Blackburn se tourne, lève ses verres fumés. D'une poche intérieure il sort un sachet transparent dont il verse le contenu dans sa paume. Douze capsules bleutées; il les a souvent regardées depuis hier.

Un narcotrafiquant descendait de l'avion de Miami. On l'a repéré et, au comptoir de la douane, on a cassé sa valise pour en ouvrir le double fond. L'Étatsunien a voulu s'enfuir avec une poignée de sachets, il y a eu bousculade, on l'a plaqué au mur. Blackburn a vu un douanier ramasser un sachet tombé à l'écart et le mettre dans sa poche. «Chronoreg», a compris Blackburn parmi les éclats de l'altercation. Il a saisi le douanier par le bras et l'a tiré à l'écart, fermement, à la faveur de la pagaille.

— Cinq cents dollars U.S., a-t-il prononcé à voix basse.

Le fonctionnaire a vite compris la situation, jaugeant d'un regard le visage déterminé de Blackburn, les yeux sans douceur, le complet trop strict pour être celui d'un simple touriste. Et la poigne qui ne quittait pas son bras, faisant même mine de le ramener vers le cercle agité des policiers et des officiers.

— Huit cents.

— Tu as du front! Six cents.

Dans la cohue de l'aérogare, l'échange s'est fait prestement, inaperçu.

Chronoreg: retour vers le passé. Est-ce un mythe, un racontar, une gigantesque fraude? Il n'y a qu'un moyen de savoir: la capsule passe avec une gorgée de bière tiède, sans même que Blackburn la sente.

• • •

La veille, à l'aube.

À l'aéroport international Benito Juarez, l'épouvantable cohue de l'aérogare lui offrait un aperçu de la métropole mexicaine et il espérait ne pas en avoir d'autre. La baie vitrée lui donnait vue sur l'immense nappe de brume sèche qui recouvrait la cité.

Vingt-six millions d'habitants.

Ce jour-là encore, des milliers de citadins et de nouveau-nés mourraient étouffés. Un chiffre dont on ne s'alarmait plus depuis les canicules meurtrières cinq ans plus tôt, alors qu'avaient péri, certains jours, des dizaines de milliers de mouches humaines.

Des grappes de mouches, grouillant à perte de vue sur des centaines de kilomètres carrés, c'est ainsi que Blackburn les avait imaginés tandis que l'avion de ligne survolait en chute contrôlée l'infernale métropole.

Son cerveau un peu rajusté par le café, l'homme se dirigea vers une cabine vidéophonique, sans oublier son attaché-case — l'habit qui faisait le moine, l'accessoire qui faisait le courrier. À cette heure, à l'aurore, le consulat ne serait pas ouvert, mais il laisserait un message. «Courrier diplomatique, pour madame la consule. Serai au consulat dès l'ouverture. Dois rencontrer Danielle Perrier en personne.»

C'est après son appel, en route vers la porte 122 pour sa correspondance, que Blackburn fut témoin de l'arrestation du narcotrafiquant de Miami.

• • •

— *¿Cerveza? ¿Cerveza?*

Le tenancier et les chants plaintifs d'une radio ramènent Blackburn à la réalité de la taverne. Au fond de la salle, une antique machine distributrice, dont le circuit réfrigérant se remet en marche aux quarts d'heure, proclame Tapio Cola en lettres rouges et brunes.

Blackburn est bien de retour à Comitan, dans l'instant présent.

Aucun moyen de savoir combien de temps s'est passé. Dehors, les façades sont toujours aussi éblouissantes; la chaleur semble avoir augmenté, si c'est possible.

Deux camionnettes de l'armée régulière passent en soulevant la poussière de la rue; leurs lignes inspirées par l'aérodynamisme étaient ultramodernes vingt ans plus tôt.

Blackburn a dû faire un signe d'assentiment au tenancier car il y a à nouveau devant lui un bock de Carta Blanca.

Pellagro n'est pas encore revenu; peut-être Blackburn a-t-il eu tort de lui faire confiance, il a l'air d'un opportuniste de la pire espèce. Blackburn, de son côté, n'a guère eu de succès: les villageois, indiens en bonne partie, doivent le prendre pour un informateur de l'armée, chargé de repérer ceux qui collaboraient avec les rebelles.

Il ressort son sachet de plastique, prend entre ses doigts une deuxième capsule bleutée. On raconte que des doses massives de chronoreg pur ont déjà **physiquement** ramené quelqu'un dans le temps. Il faut être déjà sérieusement parti pour croire à cela.

Mais que risque Blackburn — à part une embolie cérébrale?

• • •

Hier matin.

Sous un ciel blanc dont la luminosité blessait les yeux, Vera Cruz était une étuve. À chaque pas, l'asphalte semblait vouloir vous arracher vos chaussures. Dans le consulat, la climatisation même partielle était une bénédiction. Blackburn attendit en silence tandis que la consule examinait et contrôlait ses pièces d'identité, puis ouvrait l'attaché-case pour en étudier le contenu.

— Je ne comprends pas, fit-elle enfin à mi-voix. Il n'y a rien de crucial là-dedans, même rien d'important.

Elle leva vers le militaire des yeux au regard pénétrant:

— D'habitude, lorsqu'ils emploient un courrier nouveau pour qu'il ne soit pas identifié, c'est qu'ils ont des documents d'une importance critique à faire voyager.

— C'est moi qui ai demandé ce travail de courrier, et pour un seul aller-retour. J'avais à faire ce voyage, c'était urgent. C'est le moyen que j'ai trouvé. Ils me devaient une rétribution... une récompense... et j'ai exigé ce voyage.

— Vous avez des amis influents, commandant Blackburn, observa Danielle Perrier en dissimulant de son mieux l'irritation qu'elle devait éprouver.

Il lui tendit la mini-disquette portant ses lettres de référence; Danielle Perrier l'inséra dans le lecteur d'un micrord.

— Vous avez pris connaissance de cette lettre du ministre? lui demanda-t-elle après un moment.

— Je n'ai pas lu le texte.

Elle le dévisagea:

— Le ministre me demande de vous aider dans vos recherches comme je l'aiderais lui-même s'il venait en personne dans pareilles circonstances. Pour vous endosser de façon si entière, il devait vraiment vous devoir gros.

— Son collègue de la Défense me devait très gros.

Et maintenant, c'est moi qui leur dois gros. Encore une fois. Pourvu que je ne fasse pas tout ceci pour rien.

— Alors, parlez-moi de cette démarche, dit Danielle Perrier en s'adossant dans son fauteuil. Vous recherchez une personne, si je comprends bien?

• • •

De retour au présent.

Quelqu'un vient d'éteindre la radio, au moment où la patrouille est entrée dans la taverne pour un contrôle d'identité. Pendant que ses hommes interpellent les autres clients, un officier s'approche de Blackburn, que son complet vert clair pas trop défraîchi identifie comme un citadin et presque sûrement un étranger. Il prend son passeport, la mini-disquette portant ses lettres de référence, et va consulter un micrord dans l'une des camionnettes. Après quelques minutes à pianoter sur le clavier et à scruter un écran fatigué, il vient remettre ses documents à Blackburn. Il semble plus réservé qu'impressionné, se demandant ce que vient faire ici cet attaché militaire d'un consulat, et surtout quelle position affiche son gouvernement; la prudence et la discrétion semblent indiquées.

Les soldats partent avec deux Mexicains dont les papiers n'étaient pas en règle. Avec leur arrestation, Blackburn sent monter d'un cran l'hostilité des autres clients de la taverne, heureusement peu nombreux. Comment peuvent-ils croire, maintenant, que ses questions de tout à l'heure étaient innocentes et sincères? Et Pellagro qui ne se pointe toujours pas! Aurait-il rencontré des ennuis?

Un peu de la chaleur de la rue est entrée chaque fois que

s'ouvrait la porte, et Blackburn n'ose imaginer quel four ce doit être désormais, sous l'implacable soleil. La glacière de Tapio Cola ronronne presque sans arrêt, maintenant. Dans la paume de Blackburn, les capsules de chronoreg ont l'air de gouttes glacées, translucides et bleutées, de cette glace qui fige le temps et restitue le passé.

• • •

La veille.

Le señor Iturros, à la salle des nouvelles de *Prensa Latina*, se montra bien disposé mais il était si affairé qu'il semblait oublier la présence de Blackburn, sinon sa requête, durant des demi-heures entières.

L'après-midi s'allongeait. Iturros interrogeait certains de ses journalistes, lorsqu'il les avait au bout du fil, sur un étranger du nom de Bouliane qu'ils auraient pu rencontrer dans la zone de combat — Blackburn avait apporté un jeu de photos et d'holos. Mais les correspondants les mieux placés pour répondre, ceux qui étaient en territoire disputé, Iturros ne pouvait les rejoindre, il devait attendre leur appel.

Transpirant parmi les journalistes en sueur, Blackburn s'immergeait dans l'actualité centraméricaine. Sur les divers écrans passaient et repassaient des séquences filmées dont on faisait le montage pour les actualités de vingt heures. Les bourgeois des cités mexicaines auraient même droit, ce soir, à la guérilla dans leur salon: une équipe de reportage holo était parvenue sur place, à San Gil de Lacantum, en pleine zone contrôlée par les rebelles, et transmettait à l'instant un holofilm à l'agence. Dix ans plus tôt, pareil équipement aurait occupé un studio entier; maintenant il était portatif et produisait des images en couleurs réelles.

La rumeur voulait — et c'est ce qui excitait toute la salle de nouvelles — que les guérilleros se préparaient, dès cette nuit ou la prochaine, à investir Comitan. Cette petite ville commandait la route principale de l'État; une majorité de la population y était acquise aux rebelles.

C'est là qu'était Sébastien, à San Gil de Lacantum; la consule Perrier avait pu l'établir avec une quasi-certitude. Blackburn regarda l'holofilm, autant de fois que le repassèrent les monteurs. Il détailla chaque rebelle qu'on pouvait apercevoir, mais aucun n'était Sébastien. Toutefois cela lui donna l'idée d'examiner le film des reportages antérieurs sur cette région et sa guérilla. Depuis des semaines, des mois peut-être, que Sébastien s'était joint à leur camp, sûrement il y avait des chances qu'un reporter l'ait filmé par hasard.

On mena Blackburn à la salle des archives. Il n'avait pas eu tort. Sébastien était là, son image réduite à un motif d'aimantations rémanentes sur une bande magnétoscopique. D'après la vignette autocollante, le reportage remontait à plus d'un mois, dans la région d'Usumacinta, à la frontière guatémaltèque. Sébastien était au second plan d'un groupe de rebelles au repos, dont quelques-uns n'étaient manifestement pas du type indien ou latino-américain. De jeunes internationalistes, reporters ou coopérants d'organismes internationaux, séduits par une cause juste et la perspective d'une vie aventureuse.

Imbéciles.

• • •

Comitan, où se trouve maintenant Blackburn, n'est en somme qu'un gros village, et les bâtisses de sa rue principale n'ont guère que deux ou trois étages. Blanches. Disparates. Avec les enseignes vétustes et les poteaux obliques du téléphone. Et les vieilles distributrices de Tapio Cola.

Elle est loin, l'Eldorado des légendes, la Cité de l'Homme Doré, rêvée par les aventuriers délirant sous le soleil, étouffant dans la moiteur des jungles. Rêvée? Ne se dresse-t-elle pas encore, dans les montagnes de Colombie ou sur le plateau des Guyanes, recelant toujours le trésor caché des Incas? Deux ou trois mille kilomètres, à vol de condor: c'est tout près. Il semble à Blackburn qu'il l'a déjà aperçue, il ne sait dans quelle vie antérieure ou dans quel rêve récent.

Une rafale de mitraillette éclate à quelque distance. Blackburn se raidit, instantanément ramené au moment présent. Mais les coups de feu n'ont pas de suite: quelque soldat nerveux aura tiré en l'air parce qu'un civil interpellé n'obtempérait pas assez vite.

Blackburn considère les capsules bleutées, dans leur sachet transparent. Il ne les cache plus, elles sont sur le comptoir, et le tenancier doit les avoir vues sans soupçonner avec certitude ce qu'elles sont. Peut-on avoir entendu parler du chronoreg, dans ce bled? Seuls les riches, dans leurs villégiatures du Pacifique et du Yucatán, peuvent s'en offrir; c'est eux que venait tondre le narcotrafiquant de Miami, par fournisseurs interposés.

Chronoreg. Sa réputation est surfaite: jusqu'ici Blackburn n'a eu que des flashbacks, des retours de souvenirs. Des événements très récents, tirés de sa propre mémoire, sans rien qui les distinguât sauf leur précision cinématographique, comme dans un rêve. Or ce n'est pas dans son passé récent à lui que Blackburn veut retourner. C'est dans celui de Sébastien, dans celui de ce bled: hier, avant la bataille.

Peut-être qu'en prenant deux ou trois capsules à la fois?

• • •

— Votre invitation, je vous prie, demanda l'automate. Bienvenue, madame la consule.

C'est ainsi que Blackburn fut accueilli à la réception, hier, par un robot à forme humaine qui avait manifestement un lecteur optique à la place d'un œil et une banque préétablie de paroles. Le carton d'invitation, c'était celui de Danielle Perrier; elle le lui avait envoyé à son hôtel avec un mot le priant de la rejoindre à cette réception, où elle serait en fin de soirée avec des résultats concrets en rapport avec son enquête.

La réception au consulat japonais était prétexte à une démonstration des plus récents robots domestiques nippons, du portier programmable au steward stylé. Leur visage était parfait, quoique leur jeu d'expressions fût limité; leurs quelques gestes étaient au point. Leur locomotion était assurée par les roulettes de leurs pieds, mais des tiges sous leur pantalon ample créaient l'illusion d'une marche à petits pas. Plus tard dans la soirée, des invités éméchés s'amuseraient à leur faire des crocs-en-jambe.

Blackburn prit une coupe sur le plateau que présentait un automate et se mit à la recherche de Danielle Perrier. Sur un vaste patio attenant à la villa, cinq femmes se pavanaient; l'une d'elles était l'épouse américano-japonaise de l'ambassadeur. L'accompagnaient quatre femmes de son type, maquillées pour lui ressembler et vêtues de tons complémentaires. Les cinq tenaient en laisse cinq clones d'un même lévrier afghan, reconnaissables à la pointe sombre des poils de leur tête.

Mais Blackburn ne s'y intéressa guère, sachant qu'une offensive majeure était prévue pour cette nuit même dans la région de Comitan, où Sébastien se trouvait sans doute. Impossible de se rendre là-bas: tout l'État de Chiapas se trouvait sous la loi martiale et les déplacements étaient sévèrement restreints.

Dans l'une des pièces de la villa, un holoviseur était branché et l'heure des actualités se prolongeait en raison d'un reportage spécial; quelques invités regardaient en silence. Blackburn, entré sans savoir, comprit vite la gravité du moment. L'annonceur, lançant des regards inquiets à son réalisateur hors champ, tentait de rétablir la communication avec un reporter sur place.

Soudain l'holovision surgit dans la tête même de Blackburn, comme un arc électrique saute d'une borne à l'autre. Le tir fulgurant des canons laser, l'intense et bref bourdonnement qui l'accompagnait, crispant tout le corps comme l'aurait fait une secousse galvanique, l'inextricable confusion sonore faite d'explosions, de détonations, de rafales, moteurs de camions emballés, grondement des chars d'assaut et vacarme de leurs chenilles, cohue de cris et d'appels...

Blackburn recula, la tête entre les mains, tandis qu'une présence, tel un appel déchirant, dominait toute la vision: *Sébastien!* Mais la scène, chassée de son cerveau, refusait de disparaître: elle était devant lui, maintenant, entre les plateaux massifs de l'holoviseur. Le reporter, éclairé par un projecteur, illuminé de l'arrière par le tir intermittent des canons laser, criait dans son micro devant des caméras enfin stabilisées. Il était à Comitan, où les forces gouvernementales essayaient de repousser l'assaut des rebelles, grossi par des insurgés de la ville même et des sections internationales de jeunes révolutionnaires.

Sébastien!

L'issue des combats était encore incertaine, l'armée forte de ses blindés étatsuniens armés de lasers, les rebelles avantagés par leur mobilité et leur nombre. À chaque explosion proche, le reporter se transformait en une silhouette indécise, translucide, parcourue de scintillements irisés. Il y eut un éclair orangé: le reporter se pencha, rentrant la tête entre les épaules, les mains sur les oreilles. Puis, un tourbillon de fumée le masquant à demi, il remonta sur son nez un foulard qu'il portait au cou. Agitant la main qui tenait encore son micro, il fit signe aux caméras d'interrompre.

L'annonceur des actualités succéda au reporter affolé. Blackburn battit en retraite, s'adossa au mur à l'extérieur du salon.

— Ça ne va pas? s'inquiéta une femme sortie sur ses talons. Vous êtes pâle comme un linge.

Il secoua la tête, tant en signe de dénégation que pour chasser le malaise qui écartelait ses neurones.

— Ce n'est rien, ça m'est déjà arrivé.

Que ce fût déjà arrivé n'enlevait rien au sérieux de cette

attaque-ci. Une véritable attaque, oui, comme une agression de son esprit par des images violentes, des sensations... venues autrement que par ses sens.

— Vous êtes le commandant Blackburn?

Il se redressa. Qui était-elle, cette belle inconnue qui savait son nom? Son teint et ses cheveux étaient nettement latino-américains, avec une trace apparente de sang indien, mais son accent était indéfinissable, et ses yeux d'un gris-vert trop pâle pour passer inaperçus. Elle venait de poser les doigts sur ses tempes à lui, comme dans l'espoir de le soulager d'un mal de tête. Il eut la vision fugitive d'une cité haut perchée, inondée de soleil, blanche et or sur un socle de verdure: Eldorado, légendaire, impérissable...

— Lavilia Carlis. Je suis une amie de Danielle Perrier.

Interloqué, il serra brièvement la main qu'elle lui tendait maintenant. Il en garda une sensation quasi érotique qui, en d'autres circonstances, l'aurait troublé.

— Elle est ici? Danielle Perrier?

— Elle est en conversation avec un ministre. Elle vous rejoindra dès que possible. Vous devriez prendre l'air sur la terrasse. On y sent un vent de mer qui est presque frais.

La porte-fenêtre était proche; Blackburn ne se fit pas prier.

— Danielle travaille le ministre et son chef de cabinet depuis une ou deux heures déjà.

— Elle vous a parlé de mes démarches?

— Oui, nous avons dîné ensemble. C'est moi qui l'ai... mise en contact avec l'attaché du ministre.

Il l'observait, élégante et discrète, son nez aquilin enlevant toute banalité à sa beauté. Qui pouvait-elle être, avec cet accent qui, somme toute, était une absence d'accent, et ce nom évoquant vingt nationalités différentes? Elle semblait à son aise dans pareille réception, en tout cas.

— Je suis curieuse, commandant. Qu'est-ce qui vous a fait penser que votre ami était soudain en danger?

— Une zone de guérilla est rarement de tout repos.

— Oui, mais il y est depuis des mois. Même en tant que journaliste, il courait des risques en allant là-bas.

— Il y a longtemps que ses amis et sa famille tentent de le ramener à la raison. Il n'est pas fait pour la guerre.

— Et le danger est plus grand avec cette nouvelle campagne de la guérilla.

Qu'est-ce qui le retenait de la quitter comme une importune?

Elle insistait, et pourtant il ne sentait pas une intrusion. Son charme relevait de la mise en confiance plutôt que de la provocation. Même avec Danielle Perrier, qui était pourtant sa concitoyenne, il était resté réservé plus longtemps.

— Les nouvelles de cette offensive ne me sont venues qu'aujourd'hui. Non, ce n'est pas ça.

— Une prémonition, alors.

Elle le fixait de ses yeux clairs, et ce n'était même pas une question, elle semblait sûre de la réponse.

— Appelons ça un pressentiment.

— Vous êtes prudent: c'est un mot que la plupart des gens emploient pour désigner une intuition, guère plus.

Il croyait sentir un effleurement... sur son esprit. Comme la pression d'un contact, d'un essai de contact.

— Tout à l'heure, devant l'holovision, c'est ce qui vous est arrivé? Une prémonition?

— Des images, des sons. Un... un appel. Comme si j'étais sur place.

— Voyance. Cela vous était arrivé auparavant?

— Voilà trois semaines. Et, encore, avant-hier.

— Les mêmes images?

— Exactement les mêmes.

Il se retira mentalement, se ferma à cette interlocutrice qui lui avait enlevé toute prudence, toute réserve.

— Vous étudiez ces phénomènes? demanda-t-il sur le ton presque hostile d'un homme qui défierait quiconque de se moquer.

— Moi aussi je les vis. Parfois.

Doucement, elle parlait. Ignorant délibérément sa méfiance.

— J'ai senti votre désarroi, tout à l'heure dans le salon. Je sais ce que c'est.

Il s'apaisa. Mais il ne quitterait plus sa réserve.

À ce moment, Danielle Perrier parut sur la terrasse.

— Je vois que vous vous êtes trouvés, commenta-t-elle en regardant Lavilia Carlis.

Puis, s'adressant à Blackburn:

— Le ministre de l'Intérieur nous autorise à aller dans l'État de Chiapas. Nous aurons les laissez-passer demain matin.

Un rugissement aigu s'impose peu à peu, noyant la conversation des personnages.

— ... reconnu sur un reportage vidéo... quelques semaines...

Une vibration s'empare des baies vitrées, des verres sur les tables, des bouteilles. Le rugissement devient grondement, tel celui du tonnerre, mais régulier et croissant rapidement.

— ... nous rendre d'abord à San Cristobal de Las Casas... Comitan n'est qu'à une centaine de kilomètres de là...

Les tables, la glacière de Tapio Cola et les stores de la taverne se matérialisent au moment où le grondement atteint son paroxysme. La vitrine portant le mot *taberna* s'effondre en cascade; le patron vocifère en serrant les poings sur ses tempes. À travers les stores verticaux dont l'angle d'ouverture est favorable, on voit deux chasseurs s'éloigner en survolant la rue principale à basse altitude, ployant les antennes de télévision dans l'ouragan de leur passage.

Il y a une main sur le bras de Blackburn, et elle le secoue à nouveau dès que le vacarme est éteint.

— Señor. Señor Blackburn.

Il tourne la tête, se retrouve face à un visage qui reste flou un instant, puis se précise lorsque ses pupilles réagissent. Il lui faut encore un moment pour reconnaître Pellagro, le journaliste de l'EXCELSIOR qui les a aidés dans leurs recherches, ici, à Comitan.

Blackburn cherche en vain à renouer avec la réception d'hier au consulat, la musique feutrée de l'orchestre, le punch fruité et grisant, les fragrances suaves du jardin, le visage envoûtant de Lavilia. Mais Pellagro le retient dans la réalité de l'instant présent, le presse de le suivre à l'extérieur.

La rue principale est un four, malgré que les rayons du soleil soient maintenant très obliques. Devant la taverne, la voiture de Pellagro, une tout-terrain marquée par dix ou quinze ans de service. Pellagro et Danielle Perrier sont allés chacun de leur côté, ce midi, suivant des pistes différentes; Blackburn, pour sa part, devait questionner des villageois, sans s'éloigner de la taverne qui leur servirait de point de ralliement. Danielle a-t-elle eu quelque succès auprès des autorités militaires du village? On doit avoir peu de temps à consacrer à une étrangère menant une enquête privée, fût-elle consule et munie d'un laissez-passer ministériel.

Pellagro, lui, semble avoir eu plus de succès mais il reste laconique, parlant d'une clinique ou d'un dispensaire géré par un médecin, aux limites du village, où les rebelles se seraient repliés avant leur déroute finale.

Dans la rue, il faut contourner les restes de barricades et les décombres que des camions de l'armée équipés de versoirs ont sommairement déblayés. Partout, des traces d'incendie, des cratères d'obus, des impacts de balles sur les façades. La carcasse tordue d'un semi-blindé qui a explosé, son réservoir sans doute touché de plein fouet par le seul canon-laser des insurgés. Au rez-de-chaussée de l'unique hôtel, un édifice remarquable par son style et sa hauteur, on s'affaire à extraire une jeep qui a défoncé façade et vitrine. Dans une rue transversale, un char d'assaut noirci, déboîté par une roquette dont la chaleur a littéralement fait fondre une partie du blindage.

Dans la cour de l'école, un hélijet en attente, ses rotors brassant l'air en d'épais sifflements. Sur des toits ou abrités derrière des sacs de sable, mortiers et lance-roquettes sont à l'affût, braqués vers le flanc verdoyant des montagnes.

Une succession de tableaux, de scènes, qui ne parviennent pas à s'imposer à Blackburn comme étant **la** réalité, celle du moment présent. La main dans sa poche, il sent entre ses doigts les petites capsules dans leur sachet: il n'en reste qu'une demi-douzaine. De temps à autre une image revient à Blackburn, aussi précise qu'un hologramme: le *Piper* prêté par un millionnaire ami de Lavilia Carlis, l'aurore dans un ciel limpide, teintant de rose le dessous de la couche nébuleuse, la piste de San Cristobal et son aérogare.

Un freinage ramène Blackburn à l'instant présent. Un barrage militaire, sur la route. Plus loin, deux maisons de ferme endommagées et une bâtisse sans style, vestige de quelque plan d'aide internationale. À quelque distance de là, la terre est dévastée autour des ruines fumantes d'un hangar et de quelques cabanes.

— C'est le monsieur dont je t'ai parlé, explique Pellagro à l'officier du barrage. Il a des documents.

Et Blackburn de montrer une fois de plus ses pièces d'identité, l'accréditation du consulat, le laissez-passer du ministre de l'Intérieur. Et d'expliquer: un jeune homme de bonne famille... S'est laissé entraîner... A peut-être participé aux combats de la nuit dernière... Relations influentes, éviter les complications diplomatiques....

On les laisse passer.

Autour du dispensaire, des gardes armés. Dans la cour, à l'ombre d'auvents en toile et de maigres arbres, des blessés: les «moins graves». Tous des rebelles, car l'armée a son propre hôpital de campagne, installé dans l'église du village. Pas de Sébastien ici.

À l'intérieur, le personnel médical est dépassé. On ignore Blackburn, Pellagro et les deux militaires qui les suivent, ou on leur témoigne une hostilité ouverte. Le trop-plein de blessés graves déborde dans les corridors, sur les paliers, sur de minces matelas posés à même le sol. Des amputés, démembrés par les explosions de la nuit dernière. Des grands brûlés, effleurés par les lasers. Des mourants, l'abdomen criblé de balles.

Sébastien n'est pas de leur nombre.

Blackburn s'astreint à regarder chaque visage, comme hier midi sur les vidéos des archives de presse. Mais aujourd'hui ces visages lui retournent son regard, ils souffrent, ils craignent, ils haïssent, devinant par quelque sensibilité de victime qu'il est lui aussi un militaire.

Sébastien n'est pas là. Danielle Perrier l'aura-t-elle trouvé, parmi les prisonniers qu'on a parqués dans la cour d'une caserne et qu'elle devait, de son côté, tenter de visiter? À moins que Sébastien ne soit au nombre des quelques rebelles qui se sont échappés, à l'aube, vers leur refuge des montagnes.

Lavilia a appelé «prémonitions» les visions claires et envahissantes qui l'ont mené dans ce bled; mais ce que Blackburn éprouve en cet instant, c'est un pressentiment, intense et étouffant, tel un étau; ou plutôt un moulage de plâtre trop étroit qui lui comprimerait le torse, la gorge, se resserrant à chaque minute sur des charnières inflexibles.

Dans le couloir encombré, une bousculade met en présence Blackburn et le médecin local, celui qui dirige le dispensaire et qui, depuis la nuit dernière, opère sans discontinuer. Il a des cernes jusqu'au milieu des joues et le bord des yeux d'un rose sanglant. Dans la salle d'examen hâtivement adaptée à la chirurgie, deux brancardiers soulèvent un corps inerte dans une couverture imbibée de sang.

— *Por favor...*

Pellagro, à qui toute cette enquête a donné un sentiment d'importance, répète une fois de plus la question de Blackburn. Le médecin leur jette au visage une réponse ponctuée d'une injure — c'est le seul mot que Blackburn identifie dans cette réplique peu amène.

— *¿Que dice?*

— Il dit d'aller voir au frigo.

— C'est tout?

— Et de... faire votre choix... avant qu'on les jette tous à la fosse.

L'incessant brouhaha devient pour Blackburn une rumeur indistincte à mesure que les minutes passent: gémissements, appels, plaintes, consignes lancées par des voix surmenées, ordres des gardes, se confondent en un bourdonnement d'hallucination.

Une large porte fermée, quelques marches descendant vers la chambre froide; de chaque côté de l'escalier, des corps empilés. Et l'odeur.

La porte de la glacière, en bois doublé de métal, est grande ouverte pour distribuer la fraîcheur de son unité réfrigérante, surchargée de givre. À l'intérieur, l'entassement est total, impitoyable. Certains cadavres, déposés là après être longtemps restés dans une autre position, montrent les lividités violettes de leur dos, ou de leur poitrine et de leur face.

Le revers de son veston devant le visage, Blackburn s'avance seul, Pellagro étant resté en retrait. Il pourrait rentrer chez lui dès maintenant, Blackburn, tant la certitude est forte: identifier le corps n'est plus qu'une formalité. Mais il doit s'infliger cette vision, il doit se l'infliger comme une flagellation, pour avoir laissé le garçon venir ici, pour n'être pas venu le chercher dès la première allusion à ses intentions, pour s'être contenté de lettres raisonnables et tolérantes où il le reconnaissait seul maître de ses décisions.

Personne ne l'aide. En cet instant il est seul dans ce bled, seul au centre d'un monceau de cadavres, et il doit les toucher, soulever des jambes rigides, des têtes déboîtées, repousser des torses dénudés, couleur de plomb.

Et là, cette tête bouclée sous un pied nu et sale, ces cheveux châtains chargés de terre, de brindilles et de sang séché, ce profil dont l'autre face est sans doute noire déjà, c'est Sébastien, son Sébastien, malgré le rictus de la lèvre ouverte et de la mâchoire brisée, malgré l'œil vitreux qu'envahit la glaire, son Sébastien qui se laissait si peu aimer et qui se dérobe à jamais à l'étreinte de quiconque.

• • •

Blackburn crie. Il martèle comme un furieux le corps qui pèse sur celui de son aimé. Il sort mi-hurlant, mi-vociférant.

Dehors il se retrouve à l'arrière de la bâtisse et voit à quelque distance la fosse qu'achève de creuser une rétrocaveuse de l'armée, pour les morts de la nuit dernière. Il abreuve d'injures les soldats fossoyeurs.

En courant sans but, il se heurte au mur lézardé d'une maison proche, s'y meurtrit les poings dans un accès de rage.

Puis il se fourre les six dernières capsules bleues dans la bouche, plongeant la tête dans une auge d'eau tiède pour avaler d'un seul coup.

2

Ce pourrait être l'enfer: l'homme, pressé de tout connaître, a inventé la guerre pour en avoir un avant-goût. Le hurlement des chasseurs déchire l'air, se multipliant au flanc des montagnes de sorte qu'il vient de partout à la fois. Le sol vibre sous les explosions qui se succèdent en un grondement de séisme. Le tir des mortiers, des mitrailleuses lourdes, des armes automatiques, est presque inaudible là-dessous, ne faisant que combler les intervalles entre les déflagrations. Dans le ciel oscillent de petits soleils aveuglants, qui jettent un éclairage rosé sur Comitan et ses environs.

Blackburn se retourne sur le ventre, se protège la tête pour recevoir les gravats d'une explosion proche. Puis il se lève, court vers une conciergerie. Au pied de ce qui reste d'un escalier, un rebelle gît parmi les planches, le flanc ouvert. Il est de grande taille, manifestement pas mexicain; Blackburn le débotte, le déshabille, enfile l'ample tenue de campagne par-dessus ses propres vêtements trop repérables.

Il ressort dans la ruelle, court vers l'extrémité la plus lointaine. Il traverse une rue, le temps de réaliser qu'il est sur la ligne de front. Un camion semi-blindé éclate, atteint par une roquette que Blackburn a entendu chuinter derrière lui. Le coin d'une maison le protège des fragments de métal, qui déchiquettent bois et plâtre.

Le rugissement des chasseurs s'est éloigné. Pour être bientôt remplacé par le vrombissement des hélijets. Les faisceaux de leurs projecteurs plongent verticalement jusqu'au fond des allées et des cours. Blackburn saute de côté pour en éviter un, défonce de l'épaule une porte à demi décrochée, et déboule quelques marches jusqu'au plancher d'une arrière-boutique. À travers une portière en perles de verroterie, il voit les faisceaux éblouissants balayer la vitrine protégée par des planches en X. La lumière éveille des reflets sur les chromes d'un fauteuil: c'est un petit salon de barbier.

Une explosion fait vibrer la façade et projette à travers la vitrine une jeep gouvernementale, jonchant fauteuils et comptoir de ses passagers. Blackburn voit luire des binoculaires sur l'épaule d'un officier. Il s'approche, désentortille la courroie du cou de l'homme. Il n'est pas mort, il a les yeux grands ouverts et devient volubile dès qu'il voit Blackburn. Il ne sent plus son corps, se lamente-t-il, il ne peut bouger ni bras ni jambes; seul l'éclat de verre enfoncé dans sa joue le torture.

De l'arrière-boutique, Blackburn peut rejoindre un escalier. Il compte six volées de marches: deux étages, donc, outre le rez-de-chaussée. Une des plus hautes bâtisses. Ce semble être un petit hôtel, qui a même dû être coquet en son temps.

Il débouche sur la toiture, étroit rectangle allongé. Sous l'auvent qui abrite la dernière volée de l'escalier, Blackburn porte à ses yeux les binoculaires. Il a peine à ajuster le foyer, le contraste; les diodes et les petits chiffres lumineux ne lui sont d'aucun secours.

Il parvient enfin à se situer: il regarde vers le centre du village, vers les positions reprises par l'armée. Il aperçoit même, sur une petite place, le car de reportage de la télévision nationale, les minuscules projecteurs d'un blanc bleuté, l'appareillage des holocaméras. Des soldats au pas de course lui cachent parfois le reporter, et parfois c'est une volute de fumée, mais Blackburn parvient à suivre ses gestes, sa réaction instinctive de baisser la tête lorsqu'un obus éclate au coin de la place, son signal d'interruption tandis qu'il remonte sur son visage le foulard qu'il porte au cou.

Les rebelles, donc, sont dans l'autre direction. Blackburn s'aventure hors de l'abri de l'auvent, s'accroupit entre une cloison et le cube en tôle d'un appareil de ventilation. Avec les jumelles, il découvre le dispensaire qui se dresse aux limites du village, il repère dans les champs les positions des insurgés, sur lesquelles s'appuie leur repli.

Le toit de cet hôtel offre un excellent point d'observation; pourquoi l'armée ne l'occupe-t-elle pas? La réponse lui vient aussitôt, dressant du même coup une barrière entre Sébastien et lui: il est sur la ligne de front, cette position appartenait à la guérilla il y a moins d'une heure, et maintenant Blackburn se trouve du côté gouvernemental. Lequel a compris l'importance du poste, car un hélijet descend vers la toiture, s'arrête à moins d'un mètre d'elle, le souffle de ses rotors secouant l'auvent de tôle comme une lanterne en papier. Blackburn, courbé, se précipite sous l'auvent, dévale l'escalier, alors même que les premiers soldats sautent de l'hélijet. Si quelqu'un l'a vu, ses avertissements sont perdus dans l'ouragan des rotors.

Au rez-de-chaussée enfumé, des civils, manœuvrant les lances de ce qui est peut-être l'unique camion à incendie du village, achèvent d'éteindre un début d'incendie causé par la jeep renversée.

Blackburn s'élance à nouveau dans la ruelle. Elle croise une autre rue, puis encore une. Il se jette à terre parmi les décombres et les machines à sous d'un casse-croûte éventré. Là, devant, dans cet espace de rue qu'encadrent deux maisons, un char d'assaut avance au pas, sa tourelle pivotant d'une cible à l'autre. Un deuxième le suit, s'arrête juste en face de la ruelle et y pointe son court canon aux phosphorescences mauves. Un bourdonnement prolongé, qui soulève le cœur, et Blackburn sent l'air au-dessus de lui s'embraser en crépitant, dans un mouvement de balayage. Derrière lui, un camion de livraison civil est traversé comme du beurre, le métal fusant avec des pétillements de brasier, emplissant la ruelle d'une fumée âcre. Blackburn se recroqueville.

Il a soudainement conscience qu'il n'est pas seul. Il ne l'a jamais vraiment été, jusqu'ici: une maison, parfois même seulement un mur, le séparait d'une section d'assaut remontant une allée au pas de course, d'une compagnie en train d'occuper un quadrilatère. Mais maintenant les présences sont à quelques mètres, sous un porche, dans une encoignure, derrière une porte à demi arrachée.

Il perçoit un mouvement parmi des ferrailles, une lueur furtive lui révèle le tube massif d'un lance-roquettes. Une longue flamme jaillit: à quelques dizaines de mètres, le char d'assaut éclate, et Blackburn est sourd pour un instant.

Aussitôt les rebelles embusqués s'élancent, et il se jette instinctivement à leur poursuite. Ils émergent dans la rue, l'arrosant de leurs mitraillettes, se grillant au char ardent comme une braise. Blackburn sent une balle lui lacérer le haut d'une fesse, telle une brûlure au fer blanc, mais cela ne l'arrête pas.

La rue traversée, à nouveau l'ombre de la venelle: les rebelles s'engouffrent dans un escalier étroit. Une femme referme une trappe derrière eux. C'est une cave, creusée sans doute clandestinement car les maisons mexicaines ne comportent jamais de sous-sol.

Des tunnels grossièrement étayés, aux parois cimentées en hâte, des passages sous les maisons, des casemates sous les jardins de villageois amis: la guérilla, active à la frontière proche, avait depuis longtemps ses alliés à Comitan. Le réseau ne se ramifie que sous un secteur restreint, mais la distance de quelques pâtés suffit à mener les fugitifs au-delà du front, du côté rebelle.

À la lueur crue des lampes à manchon pendues ici et là, Blackburn reconnaît un visage, celui d'un jeune homme courant à ses côtés. Ce visage qui l'avait tant frappé alors qu'il examinait les reportages vidéo, ce visage évoquant l'acteur Christian Slater quand il était jeune, mais plutôt châtain. Un Belge, ou un Néerlandais, racontant au reporter comment il s'était joint à l'insurrection, se faisant le porte-parole de quelques aventuriers venus jouer à la guerre. Sébastien était du groupe; c'est sur ce ruban précisément que Blackburn l'avait identifié.

Une piste, donc, une bouée à ne pas perdre de vue. Ces jeunes gens étaient compagnons d'armes, formant peut-être une brigade.

Mais la bousculade des événements en décide autrement. Leur nombre grossi par d'autres rebelles, ils émergent bientôt une vingtaine dans la cour d'un entrepreneur de construction, à l'orée du village. Ils galopent le long d'une allée. D'un côté, une palissade; de l'autre, des potagers, quelques arbustes, des cabanes; trois mitrailleuses lourdes retranchées derrière des remblais sommaires. Là-dessus, l'éclairage cru des fusées roses, venant d'un point du ciel, d'un autre, puis de trois à la fois, multipliant au sol des ombres mouvantes. Soudain, coup sur coup, une trentaine d'explosions en moins d'une minute. Les impacts d'obus soulèvent la terre, soufflent palissades et cabanes, éparpillent les hommes.

Parmi les éclairs, Blackburn un instant retourné voit que Sébastien le suit, qu'il courait probablement dans les mêmes tunnels que lui un moment plus tôt, mais derrière lui, inaperçu dans les étroits boyaux où les lampes heurtées bousculaient les ombres.

Une gifle formidable renverse Blackburn, le jette parmi les broussailles où il reçoit une grêle de légumes et de mottes.

Terre et débris cessent de gicler; dans le calme revenu, on entend arriver l'écho des derniers coups de canons qui ont fait tant de ravages.

Blackburn s'extrait des décombres. Tout son corps lui fait mal tel celui d'un roué; sa blessure au bas du dos est une constante brûlure. Parmi cadavres et agonisants, il rampe vers l'endroit où était Sébastien l'instant d'avant. Il scrute les visages à la lueur des éclairs.

Là-haut, ses murs confondus par endroits avec la falaise, la cité se dresse, Eldorado. Sa blancheur est semée d'or, et des arbres nichent dans ses coins d'ombre.

Les gens y marchent parés d'or, dit-on, et tout le pays en est riche: la vallée, verdoyante, est incrustée de scintillements jaunes, fenêtres ou corniche de quelque pavillon isolé, de quelque temple au sein de la jungle.

La brume, parfois, brume descendue des hautes montagnes, cache Eldorado et la renvoie au pays des rêves.

• • •

Lorsque Blackburn ouvre les yeux, cela fait déjà un moment qu'il entend parler autour de lui, plus ou moins consciemment. Il distingue une femme qui lui tourne le dos, quittant la chambre.

— Hé.

Mais sa tentative de se redresser l'étourdit et il doit fermer les yeux, luttant contre une vague impression de nausée, se rendant surtout compte qu'il n'a aucune sensation de son corps. Ou plutôt si: le sentiment d'être une masse informe d'ouate, mais sans l'euphorie de la légèreté.

Il rouvre les yeux, met un moment à identifier la femme qu'il a rencontrée à la réception du consulat, et encore plus longtemps à retrouver son nom.

— Danielle Perrier m'a demandé de venir prendre de vos nouvelles, lui explique-t-elle.

Puis, comprenant qu'il faut peut-être commencer par des choses plus élémentaires:

— Je suis Lavilia Carlis, vous vous souvenez de moi? J'ai obtenu qu'on vous prête cet avion pour aller à San Cristobal.

Il fait un petit signe de la tête, un «oui» bien incertain.

— Vous vous appelez Denis Blackburn, vous êtes à Vera Cruz.

— Oui oui, ça va, murmure-t-il.

— Danielle Perrier vous a fait hospitaliser. Dans une clinique privée que lui a recommandée le señor Cayre; il a sa sœur ici et elle est traitée aux petits soins.

La chambre est exiguë mais propre, sinon agréable. Du coin de l'œil, il devine une bouteille de soluté d'où un tube descend vers son bras.

— Ils ont eu du mal à vous retrouver, à ce qu'il paraît.

— Qui, «ils»?

— Danielle. Et ce journaliste, Pellagro. Vous êtes sorti en courant du dispensaire où... Le dispensaire de Comitan.

— C'était entouré de gardes.

— Ils vous ont vu courir vers une maison proche. Ils ont mis deux ou trois heures à vous retrouver.

— Je n'ai pourtant pas pu aller loin.

— Vous êtes tombé dans le puits d'une maison abandonnée. Un puits asséché, fermé par une trappe. Vous avez dû vous assommer dans votre chute.

Il revoit la maison, son toit en partie écroulé, sa cour jonchée de débris, avec une auge en pierre ou un bassin. Il y a bu, le visage plongé dans l'eau.

— Vous avez fait le trajet de retour dans un état de torpeur... alarmant. Les médecins disent que vous aviez absorbé quelque chose... Vous vous rappelez?

— Chronoreg.

— Ils ont identifié ça dans votre sang, oui. Des molécules avec un nom long comme le bras. Ils disent que vous êtes chanceux de vous en tirer sans dommage permanent au cerveau.

— Toujours été chanceux.

Il doit vraiment être en train de revenir à lui, s'il commence à faire de l'ironie. L'ouate dont est fait son corps commence à gagner en densité et en substance.

— Il a fallu beaucoup de persuasion pour s'assurer leur silence: ils sont tenus de rapporter à la police tout cas indiquant l'usage de chronoreg.

— Ce devait être légal, c'est un policier qui me l'a vendu. Non, un douanier.

Il sourirait presque, si ce n'était cette nausée qui s'affirme elle aussi à mesure que son corps redevient tangible.

— Ils ont été intrigués par des marques sur votre corps.

Il abaisse les yeux, relève un peu les avant-bras; ses deux mains sont enveloppées de bandages.

— Pas sur vos mains. Celles-là, explique Lavilia, il paraît que vous vous les êtes faites dans les décombres de cette maison où on vous a retrouvé.

Avec son aide, les souvenirs commencent à affluer. Blackburn ne les presse pas, sachant que les pires arriveront assez vite — il les sent déjà approcher.

— Mais votre corps est plein de marques, des contusions, des ecchymoses, des estafilades, même des brûlures légères.

— Encore beau que je m'en sois sorti à si bon compte: c'était la guerre, là-bas.

Mais il ne va pas plus loin: en fait il n'aurait dû s'en sortir que criblé de balles, rôti, avec quelques fractures en prime.

— Vous pouvez m'en montrer?

— Je ne sais pas où... hésite Lavilia.

— Déboutonnez ça.

Elle fait ce qu'il lui demande, dénudant son torse. Deux rangées presque parallèles le traversent, en diagonale, de la hanche droite au pectoral gauche. Deux rangées d'ecchymoses, larges comme des pièces de cent pesos, comme si des billes de caoutchouc l'avaient cinglé en rafale.

Ailleurs, des estafilades, juste des marques roses sans véritable lacération de l'épiderme. Et d'autres lésions imprécises, où la peau n'est ni perforée ni déchirée, mais en apparence seulement irritée ou enflammée; aucune de celles-là n'est douloureuse.

Il reste un long moment sans parler, fixant le plafond de ses yeux grands ouverts. Discrètement, Lavilia reboutonne le haut de son pyjama.

— Combien de temps? demande-t-il enfin à mi-voix.

— Une vingtaine d'heures. Danielle Perrier et vous étiez à Comitan hier, nous sommes le 11, en après-midi.

Trop tard, donc? Sébastien est mort depuis quarante heures ou plus.

— Danielle Perrier a pris des dispositions pour....

Elle hésite sous le regard de Blackburn.

— ... le corps de votre ami. Elle l'a fait transférer à Tuxtlan Gutierez. De là, par avion-cargo réfrigéré, à Mexico, où il a été embaumé. Présentement il doit être en route vers Montréal; sa famille a été prévenue et doit accueillir la dépouille.

— Ils ne sont pas riches, dit-il machinalement, à mi-voix.

— Mon ami Cayre a pourvu à toutes les dépenses. Il a été touché par... par votre histoire, et celle de Sébastien.

Cayre, oui. Voilà son nom. Le millionnaire qui a prêté son avion personnel, au pied levé, sur les instances de Lavilia.

— Il faudra que j'aille le remercier. Au nom de la famille.

A-t-il pleuré toutes les larmes de son corps? Il ne s'en souvient pas. Il garde l'œil sec, et c'est une douleur presque physique qui l'étreint, plutôt qu'une détresse morale.

Quarante heures. Est-ce que le chronoreg pourrait ramener Blackburn avant le début des combats? Il s'agirait alors d'une cinquantaine d'heures. Or une demi-douzaine de capsules n'ont ramené Blackburn que vingt heures en arrière, et il a frôlé l'hémorragie cérébrale.

Est-ce qu'il a **vraiment** été ramené en arrière, physiquement? Serait-ce pour cela qu'on ne le retrouvait pas, pendant son «absence»?

— Voulez-vous que je vous laisse seul, Denis?

Il lève les yeux:

— Hm?

— Préférez-vous rester seul?

— Seul. Oui.

Elle s'éloigne vers la porte.

— Oh, et...

Elle se retourne.

— Merci, Lavilia...

• • •

Blackburn ne compte pas rester longtemps au lit. Ses nausées passées, ses sensations complètement revenues, il lui reste seulement une lassitude qu'un peu de mouvement chassera bien. Par la fenêtre, entre de maigres palmes, il voit les dirigeables en approche vers le statoport, alourdis du plomb, du zinc ou de la pyrite des montagnes centrales. Malgré la fenêtre fermée, il entend le vrombissement de leurs hélices lorsqu'elles inversent leur spire afin de briser leur élan.

Il se rappelle avoir emmené Sébastien voir les premiers aérostats de l'ère moderne, une semaine d'été où il en avait la garde. Le gamin — il avait douze ou treize ans — lui avait alors demandé comment étaient les dirigeables «dans son temps». Blackburn avait dû lui expliquer que le dernier zeppelin avait flambé un quart de siècle avant sa propre naissance. Cela avait été pour lui la première occasion de réaliser qu'il était irrémédiablement un «vieux» aux yeux de la génération suivante.

Le temps qui passe. Blackburn y a toujours été sensible — hypersensible, peut-être. Sans bruit il passe, mais écrasant. Telle cette ombre qui bloque soudain tout soleil sur l'hôpital: un dirigeable géant, sa quinzaine d'hélices propulsées électriquement, sa carcasse doublée d'une armature de panneaux solaires d'un noir luisant.

Retourner à Comitan, retourner dans le passé. Chaque heure écoulée éloigne Blackburn irrémédiablement de Sébastien. Il faudrait ravoir du chronoreg: quinze, vingt capsules... Est-ce qu'il y a un rapport direct et nécessaire entre le nombre de capsules absorbées et la distance du saut en arrière? Est-ce qu'il y en a un avec la gravité des effets secondaires, y a-t-il moyen de les contourner? Une priorité, en tout cas: agir vite. Mais Blackburn n'a pas encore l'énergie nécessaire. Et où aller?

Chez Lavilia, chez le señor Cayre.

Cayre a bâti sa fortune sur des plantations de cannabis, à l'époque où le commerce en était encore illégal. Il a sûrement des contacts avec les trafiquants de drogues encore clandestines, s'il n'y est pas lui-même impliqué à titre de financier. Et Lavilia... Dans leur milieu, riche et désœuvré, la consommation doit être florissante.

L'argent? Lavilia encore. Mais il serait contraint de lui expliquer, et elle tenterait de le dissuader. Faire virer des fonds de chez lui? Il a apporté au Mexique tout ce qu'il avait d'épargnes. L'hôtel, la rétribution de Pellagro, quelques pots-de-vin et, bien sûr, le sachet de chronoreg, ont à demi vidé sa bourse. Téléphoner à des amis, au Québec, leur demander de faire des virements? Et il se ferait aussi avancer des fonds sur sa carte American Express. Tout cela mis ensemble devrait suffire. Il ne se fait pas d'illusion: cinquante dollars la capsule, il a obtenu ce prix seulement parce que le douanier était coincé. Sur le marché, ce sera le triple, peut-être plus.

Il se redresse un peu dans son lit et, par l'inter, demande qu'on lui apporte un vidéophone.

• • •

Le consulat a une ligne directe avec Montréal et Québec, sans quoi Blackburn serait encore à s'escrimer avec les téléphonistes mexicaines. De toutes les personnes que Blackburn espérait contacter là-bas, il n'en rejoint que trois, mais parmi elles se trouvent les deux sur lesquelles il comptait le plus, Florence et Laura.

Laura ne pose qu'une question, «c'est pour Sébastien?». Il répond «oui, il est mort». Et il se met à pleurer, silencieusement, abondamment: les vannes viennent enfin de s'ouvrir.

Florence, elle, pose beaucoup de questions. Blackburn ne lui dit pas que Sébastien est mort: il parle de recherches et d'enquêtes à mener, difficiles, coûteuses. Il doit s'impatienter, exiger une réponse.

À Danielle Perrier il raconte qu'il est complètement fauché et ne veut pas abuser de la générosité du señor Cayre. À l'American Express, il dit qu'il passera le lendemain avec toutes les références nécessaires; n'est-il pas, provisoirement, membre du corps diplomatique? Son séjour se prolonge plus que prévu et il a besoin de liquidités.

Dans son portefeuille, il lui reste deux mille dollars états-uniens.

Lorsque l'infirmière vient l'examiner, peu avant le repas du soir, il raccroche le combiné du vidéophone pour la dernière fois, comptant neuf mille dollars de plus à son actif. Elle lui trouve un peu de fièvre et lui reproche de s'être autant dépensé; si elle avait su, elle n'aurait pas autorisé qu'on lui apporte ainsi un vidéophone. Effectivement il est épuisé. Mais il prévient qu'il part dès ce soir.

Puis il mange, sans appétit; il sait qu'il aura besoin d'énergie dans les jours qui viennent.

Blackburn se souvient d'un certain soir. À New York, il neigeait; à Houston, il faisait vingt-cinq degrés. Il se rappelle les lampadaires et les phares des cités, s'étirant en traînées lumineuses tandis que le train filait ses 600 kilomètres/heure. De New York à Washington, ça n'avait été qu'un tunnel phosphorescent d'une demi-heure.

Sébastien et Blackburn avaient passé une partie de l'après-midi ensemble, à New York, mais cela leur avait paru si bref que l'aîné avait acheté lui aussi une place sur *Elecstreak* afin de prolonger la conversation. Après un mois de formation dans un institut de coopération internationale parrainé par l'O.N.U., Sébastien allait prendre à Houston son avion pour Guatemala City. Quant à Blackburn, il était en mission à New York — c'était juste avant la rupture des relations diplomatiques.

Il se rappelle, il n'avait pas essayé de dissuader Sébastien, à ce moment-là. Il n'était encore question que d'un projet d'aide au développement et d'une série de reportages pour un magazine tiers-mondiste.

Mais Blackburn avait senti... un début de lucidité, peut-être. Il y avait eu aux actualités un reportage, rendant publique une fuite: un rapport secret faisait état d'une baisse sérieuse de la production dans les cultures sous-marines des Bermudes. Entreprise colossale, au coût exorbitant, les cultures n'avaient jamais présenté un bilan encourageant, et voilà que la production déjà médiocre s'effondrait graduellement. Mais on n'en connaissait pas encore la cause — du moins on ne la révélait pas.

Les ressources alimentaires sous-marines avaient été un des espoirs en lesquels Sébastien croyait. Ce séjour en Amérique centrale en était un autre. Mais il avait aussi évoqué une amie, engagée dans la guérilla:

— C'est pas ça, la solution, disait-il. C'est renoncer à chercher une solution.

— C'est une autre solution, avait répliqué Blackburn. C'est celle des armes.

— C'est une renonciation. Pour Claire, c'en est une: un jour ou l'autre elle sera prise ou tuée, elle le sait.

— Elle te l'a dit?

— J'ai eu l'impression qu'elle le souhaite.

— Une forme de suicide? Héroïque?

Sébastien n'avait pas répondu à cette remarque. Peut-être se rendait-il compte, tandis que le train filait vers le sud à la moitié de la vitesse du son, qu'il était au point de départ du même cheminement que son amie Claire. Et peut-être doutait-il déjà que son cheminement à lui réussirait mieux.

Blackburn avait contemplé son visage, pendant qu'*Elecstreak* traversait les champs pétrolifères de la Louisiane. C'était encore un adolescent, duvet blond au menton, des yeux bleus dans un visage juvénile. Pourtant il venait de gagner un concours international de reporters amateurs.

À l'époque où Sébastien partait pour l'Amérique centrale, tout pouvait encore changer; rien n'était écrit. Peu après, quand il avait commencé à parler d'échec, d'impasse, un an avant Comitan, rien n'était encore écrit. Alors même que lui et ses camarades armés convergeaient vers Comitan, rien n'était écrit.

Tout pourrait être changé. Le temps n'est pas, n'est plus, un sens unique.

• • •

Quitter l'hôpital n'est pas chose facile. Mais, comme la fièvre de Blackburn est tombée et comme sa tension est proche de la normale, on renonce à le dissuader; il promet de ne pas aller loin. On lui rappelle qu'il est attendu le lendemain matin afin de subir un examen neurologique complet. On lui refait des bandages moins encombrants qui libèrent ses doigts et dégagent un peu son front.

Le voici enfin sorti, dans l'air encore chaud du soir qui lui donne un étourdissement; pour peu il rentrerait se réfugier dans sa chambre climatisée. Des vélix passent en gémissant, soulevant sous eux la poussière de la rue. Il hèle un taxi.

— Villa Cayre, *calle* Orilla.

Après un quart d'heure, le vélix s'immobilise et touche terre devant les grilles du domaine Cayre, loin du centre-ville. Blackburn sonne, devant la caméra encastrée dans un pilier de la grille. Il se nomme, demande à être reçu par le señor Cayre.

— Le *dueño* est absent, señor. Il ne reviendra que dans quelques jours.

— Est-ce que la señora Carlis est là, *por suerte?*

— *Venga usted.*

La grille s'ouvre sans bruit. Il y a une courte allée et quelques volées de marches pour atteindre l'entrée de la résidence. Lavilia Carlis, prévenue sans doute, l'accueille dès le seuil. On la croirait une vieille amie qui n'a pas vu Blackburn depuis des semaines.

— Je tenais à remercier personnellement le señor Cayre.

— Il vient de quitter le pays. Un voyage d'affaires, plutôt urgent. Il espère que vous l'attendrez ici.

— C'est que...

— Rien du tout. Vous êtes son invité. Vous avez besoin de repos: une semaine au moins, d'après les docteurs qui vous ont soigné. D'ailleurs, il vous reste des examens à subir, non?

Blackburn se rembrunit: une semaine de plus sous ce soleil brûlant, ce même soleil qui faisait de Comitan un enfer? Du reste, les échéanciers sont bien plus proches, pour lui et pour Sébastien. Deux jours qu'il est mort, Sébastien...

— Nous verrons. Théoriquement, je suis encore au service du consulat.

— Danielle Perrier prolongera bien votre congé de santé.

Elle l'entraîne à l'intérieur, où Blackburn se rend compte qu'il y a une réception.

— C'est très intime: quelques dizaines d'amis au plus. Vous devriez faire connaissance, ça vous changerait les idées. La pire chose à faire, ces jours-ci, serait de macérer seul avec vos pensées.

Mais il n'a pas envie de mondanités.

— J'aimerais avoir une conversation avec vous. En privé.

Perplexe, mais attentive à son souhait, elle le mène à l'étage après s'être excusée auprès de quelques invités. Elle écoute son histoire avec sympathie: le départ précipité, avec de maigres fonds, l'emprunt personnel à la consule Perrier, les dépenses considérables pour gagner Comitan, glaner des renseignements, obtenir des appuis. Il est dans la gêne et voudrait acquitter dès demain cette dette embarrassante envers sa compatriote.

Lavilia accepte d'emblée. S'étonne un peu de la somme qu'il énonce, mais ne dit rien. Se montre franchement intriguée de son insistance à toucher la somme dès ce soir. Par son micrord, elle effectue sur-le-champ un virement au nom de Blackburn, au bureau de Vera Cruz de l'American Express.

L'homme soupire, un peu soulagé. Maintenant il suffit de trouver le *pusher* local; en pareille réception, il y en a sûrement un.

Blackburn et Lavilia descendent ensemble, dérivent parmi les invités. Il profite de ce que son hôtesse est arrêtée par un couple pour la quitter discrètement. Il entre dans un salon, détaillant chacun des convives. L'holovision est allumée, montrant les informations de fin de soirée. Il est question bien sûr de l'insurrection dans l'État de Chiapas.

L'autre grand souci de l'heure, ce sont les relevés de radioactivité de mois en mois plus alarmants, que l'on fait au sud-est des Bermudes, dans la mer des Sargasses. Ce dont tout le monde se doutait vient d'être confirmé: des fuites dans des conteneurs immergés par sept mille mètres de fond voilà un demi-siècle, renfermant des résidus de combustible nucléaire. C'est à ces fuites que serait dû le dépérissement des immenses cultures sous-marines des Bermudes, à quelques centaines de kilomètres de là, dépérissement dont on s'est tant ému l'an dernier.

La nouvelle du jour, dans le domaine judiciaire, est le démantèlement d'un réseau de trafiquants qui détenaient le monopole de l'héroïne, de la coqueplus et du chronoreg dans les Caraïbes, le Mexique et la Floride. Le point tournant de l'opération policière a été l'arrestation, trois jours plus tôt, à l'aéroport Benito Juarez, d'un important grossiste et lieutenant du réseau, un Étatsunien originaire de Miami. C'est d'ailleurs à Miami qu'a été découvert le laboratoire clandestin où on produisait le chronoreg. Le reportage montre des policiers démantelant les installations — les seules jamais repérées depuis que le chronoreg est sur le marché.

Soudain attentif, Blackburn n'a rien manqué du reportage en espagnol et il en a compris l'essentiel: c'est par une chance inouïe qu'une douzaine de capsules bleues sont venues entre ses mains à l'aéroport de Mexico, et une bonne fortune pareille ne se présentera plus jamais. On peut être sûr qu'aucun *pusher*, des Guyanes jusqu'au Grand-Nord, ne cédera la moindre capsule pour moins de mille dollars pièce. Et que toutes celles restantes sont déjà vendues à l'heure qu'il est.

Quelqu'un, quelque part, s'acharne sur la tête de Blackburn avec un gros maillet.

• • •

Blackburn s'est trouvé un bar, parmi les quelques-uns qui agrémentent la villa; mieux encore, un bar sans barman. C'est au bout d'une terrasse, où est creusée la piscine entourée de verdure. Il n'y a d'éclairage que les projecteurs, sous l'eau, qui en font un grand carré de jade fluide où, de temps à autre, viennent se sertir les beaux corps des invités.

La moitié des nageurs repartent sans avoir aperçu Blackburn. Ceux qui le voient, accoudé au bar, doivent comprendre qu'il préfère rester isolé car ils lui adressent seulement de discrets sourires. Un seul fait mine de le draguer, un jeune homme aux yeux sombres entre de longs cils; il fuit lorsqu'il voit Blackburn s'enfouir le visage dans les mains en étouffant un brusque sanglot.

Cette fois c'est fini, tout espoir est perdu. Le cadavre de Sébastien, un moment en stase dans un vortex du temps créé par l'espoir, peut commencer à pourrir: Blackburn ne reviendra plus vers le passé pour empêcher sa mort.

Où trouver du chronoreg, maintenant? La filière de Miami devait fournir toute l'Amérique du Nord et les Caraïbes, sinon les Amériques au complet. Sans connaissance du milieu, sans aucun contact, comment identifier les villes et les pays qui s'approvisionnent à une autre filière, comment repérer les grossistes susceptibles d'avoir une réserve de cette drogue? Il lui faudrait des jours, sinon des semaines, et combien de capsules obtiendrait-il, durant une telle pénurie? Du reste, il y a une limite à la portée du saut en arrière qu'on peut faire: deux jours, trois au maximum, au-delà de quoi la dose nécessaire est fatale.

Non, c'était un espoir absurde au départ. Sébastien, son Sébastien, est bien mort. Il a abreuvé de son sang la terre de ce bled, il se décompose déjà.

Et lui, Blackburn, s'éteint tranquillement, étouffé de chagrin.

Depuis longtemps, maintenant, aucun invité n'est venu se baigner, et le cristal vert de la piscine est presque figé dans sa fluidité. Blackburn, éclairé par en dessous, a un teint verdâtre; il ne dort toujours pas, l'alcool ayant sur lui un effet stimulant qui combat sa fatigue, le laissant dans un état de stupeur sans conscience du temps.

Il se rend compte que Lavilia est devant lui, sa longue robe blanche marbrée de lueurs vertes par l'eau de la piscine. Il la regarde dans les yeux, son propre regard brouillé par le film d'eau qui baigne ses globes rougis. Les yeux pâles de Lavilia sont verts, cette nuit, et sa beauté a quelque chose de troublant, comme lorsqu'on rencontre en personne un de ces modèles qui semblent exister seulement dans les pages glacées des magazines.

Elle lui offre une baignade — ou lui dit qu'il lui en faut une. Elle a parlé si doucement que seul le sens lui parvient, sans paraître avoir été porté par une voix et des paroles. Elle l'aide à se dévêtir, ou elle le dévêt elle-même, il ne sait. Elle, n'a que cette robe-fourreau à laisser glisser.

Ils s'enfoncent ensemble dans l'eau tiède, elle lovée à lui de quelque façon pour l'empêcher de couler au cas où il oublierait de battre des jambes; mais il le fait, machinalement, privé de toute sensation hormis de cette chaleur qui est autant celle de Lavilia que celle de l'eau.

Il se laisse couler, flotter entre deux eaux jusqu'à ce que, forcé d'expirer, il remonte brièvement pour replonger aussitôt. Lavilia nage sous la surface, yeux grands ouverts, faisant du surplace devant lui ou tournant autour, ses joues gonflées, une chaîne de bulles à son visage s'égarant dans la méduse de ses cheveux, le corps phosphorescent dans la lumière des projecteurs.

À un moment il a dû tendre les bras, car la voici qui prend ses mains. De manière informelle, ils exécutent une lente figure dans l'eau devenue leur seul espace.

Eldorado a de telles eaux, vertes comme des lacs de montagne mais tièdes parce que contenues en de vastes bassins en or abreuvés de soleil tout le jour. De jeunes prêtresses y nagent, ou des vestales, indolemment, les servantes captives d'un immémorial culte au soleil. Lorsqu'elles en sortent et se vêtent de lin, blanches les soirs de lune, elles dansent pour celle qui est leur complice, esclave comme elles de l'astre du jour, heureuses seulement dans la fraîcheur de la nuit.

Sur le gazon de la terrasse, avec comme draps d'immaculées serviettes blanches, Blackburn et Lavilia font l'amour, doucement, le temps aboli absolument, et lui s'endort pendant qu'il est encore en elle, avec l'impression qu'ils sont toujours sous l'eau, que c'est sa place pour l'éternité.

3

Lorsque Blackburn s'éveille dans sa chambre d'hôpital, il n'est pas conscient de l'avoir déjà quittée une fois. C'est seulement la couleur verte des accessoires de la salle de bain qui lui rappelle brusquement la piscine de la villa Cayre, la soirée de déréliction, la brève nuit d'oubli entre les bras de Lavilia. Il n'a aucun souvenir d'avoir été ramené ici, il ignore même si c'était durant la nuit ou au petit matin.

L'arrivée d'un médecin et d'un infirmier ne lui laisse pas le temps de sombrer à nouveau. Il se laisse mener vers une salle d'examen où on lui offre un jus de fruit avant de l'asseoir sous un réseau d'électrodes-tiges dont on ajuste les extrémités sur son crâne immobilisé.

Plus tard, après quelques réglages à ses appareils, le docteur relance son patient:

— C'est de la pure saleté qu'on vous avait vendue là, vous savez?

Irrité, Blackburn ne répond pas.

— Je ne moralise pas: vous n'êtes plus un enfant. Je parle de la qualité du produit: c'était du poison.

Cette fois, Blackburn le regarde.

— Lorsqu'on le prend pur, le chronoreg n'est toxique qu'à forte dose. Ces trafiquants de Miami, c'étaient de vrais criminels.

— Combien... Le chronoreg pur, il y a du danger à partir de combien de capsules?

— Vous auriez pu absorber le double de ce que vous avez pris sans être plus amoché que vous l'êtes. Je parle du produit pur.

Une lueur d'espoir après tout? La limite ne serait plus à cinquante ou soixante heures, mais à cent ou cent vingt? Un saut de cinq jours dans le passé? Chaque heure redevient précieuse, alors.

Mais le chronoreg est devenu plus rare et plus précieux que les cailloux de Mars. Puisant à toutes les sources imaginables, hier, Blackburn a mis des heures à rassembler onze mille dollars étatsuniens. Il lui en faudrait le double.

Dire que chaque patient de cet hôpital privé serait sans doute capable de réaliser cette somme en levant le petit doigt!

• • •

Blackburn repère sans trop de peine l'armoire qu'il cherchait, dans le bureau de l'infirmière de l'étage, désert comme dans toutes les administrations latines à l'heure de la méridienne. Ouvrir la serrure à combinaison est facile à l'aide d'un stéthoscope; l'électronique et la mécanique de précision ont été ses spécialités dans l'armée, jusqu'à ce qu'un accident oblige les chirurgiens à refaire entièrement sa main et une partie de son visage.

Il a plus de difficulté à trouver parmi les centaines de flacons, de fioles et d'ampoules, une drogue qui puisse servir ses fins. Mais son séjour au Bureau des recherches spéciales n'a pas été inutile lui non plus. Blackburn se rappelle deux ou trois noms génériques de drogues qui feraient l'affaire, et il en reconnaît une sur les tablettes: céréphédrine. Un stimulant qui amènera ses capacités mentales et psychiques à leur optimum, et même un peu plus loin. Il se fait une injection.

En sortant du bureau, il se trouve nez à nez avec une garde-malade. Elle le prend à partie: il n'a pas le droit de quitter sa chambre ainsi et de se promener sur l'étage, encore moins d'entrer dans les bureaux privés.

Il prend son air le plus sympathique, il la regarde dans les yeux avec intensité. Il s'excuse, jouant celui qui s'est égaré dans une maison inconnue et qui lit la langue locale avec difficulté. La garde s'apaise. *Si vite? Est-ce que la drogue agirait déjà?* Mais sa faculté est naturelle, il devrait le savoir; on le lui a assez répété. Tout à l'heure, ce sera autrement plus difficile.

— Je voudrais savoir où est la chambre de la señora Cayre.

— Señora Cayre?

— La sœur du millionnaire.

— Oh. Elle s'appelle Gallieri. Chambre 505.

— Elle et le señor Cayre ont été très généreux pour moi, et je voudrais la remercier. Elle est en état de recevoir?

— Oui, elle n'a eu qu'une opération aux jambes.

— Vous allez oublier cette rencontre.

Il s'éloigne vers l'ascenseur. Il sent venir une maîtrise de l'espagnol qu'il ne se connaissait pas: tout était là, parmi ses neurones, et les filons les plus ténus de sa mémoire sont mis à contribution.

Il frappe à la porte 505.

— Señora Gallieri? fait-il en entrant. Je suis un ami de votre frère.

Elle remarque les pansements à ses mains.

— Oui, Lavilia m'a parlé de vous hier, señor...

— Blackburn.

— Vous paraissez beaucoup mieux qu'elle ne le disait.

La señora Gallieri semble bien elle aussi, du moins elle a un bon moral et un bon tonus; ses jambes sont cachées par le drap, mais elle est à demi assise. Tant mieux: sa lucidité et sa clarté de jugement ne seront pas mises en question.

Il approche une chaise et s'assied. Il saisit le regard de la femme et ne le lâche plus. Une quinquagénaire pleine de vitalité en apparence — une vitalité superficielle, entretenue. Elle a un cancer, son subconscient l'a compris, mais elle-même ne se l'est pas encore avoué. Ce qu'elle redoute par-dessus tout c'est la commisération, et elle-même ne s'apitoie pas volontiers sur autrui.

Ça marche! Comme autrefois au Bureau des recherches spéciales.

— J'ai pu voir que les Cayre sont d'une grande générosité. Votre famille...

Fausse route. Son individualité est plus forte que son sentiment d'appartenance, son sens du clan. Elle a toujours eu du ressentiment à vivre dans l'ombre de son aîné riche et célèbre. C'est pour cela qu'elle a accepté de porter le nom de son mari, personnage moins envahissant.

— Je serai direct, señora, même si cela coûte beaucoup à mon orgueil.

Il n'a pas tort, cette fois: elle réagit favorablement à la sincérité, à la franchise.

— Lavilia vous aura parlé de mes... difficultés ici.

— Oui, c'est terrible, votre jeune ami...

Blackburn est en elle, maintenant; cette réplique, il l'avait entendue à même son esprit avant qu'elle ne soit transmise par ses oreilles.

— Nous avons eu de la difficulté à récupérer le corps...

Aucune réaction au mensonge.

— ... il semble que ça coûtera très cher de le faire rapatrier.

Elle n'est pas au courant des dispositions prises par son frère, elle ignore que le cercueil est déjà rendu à Montréal, en route pour Chicoutimi probablement.

— ... des épargnes assez substantielles; je pourrai y puiser dès que je serai de retour chez moi...

Blackburn a pris un ton posé, maintenant. Délibérément monotone. Il essaie de faire passer par ses yeux toute l'énergie déployée. Il parle, beaucoup. Plus qu'il n'a l'habitude de le faire. Il questionne, discrètement. Puis, plus explicitement. Elle répond, avec le plus grand naturel. Des choses qu'elle ne devrait pas confier à un étranger. Des noms de banques, de succursales; des chiffres. Plus profond, il y a une protestation, mais Blackburn la tient à distance.

Il n'a plus à la fixer à un demi-mètre, maintenant. Il peut bouger, s'éloigner, apporter la petite table de lit, du papier à lettre, approcher le vidéophone. L'esprit de la señora Gallieri reste à sa portée, c'est ce qui compte. Le pouvoir est enivrant. Mais le Bureau des recherches spéciales a été démantelé à temps: Blackburn commençait à s'habituer aux drogues qu'on y employait, et il en a ressenti le manque pendant des mois après la fermeture des laboratoires.

— Vingt mille dollars étatsuniens.

— Vingt mille!

La protestation de la femme a trouvé le chemin de ses lèvres.

Blackburn pousse. Presse. Serre. Il sent naître un mal de tête: sa propre tête. Il rétablit le rapport de force. Sa domination.

— Vingt mille, cela vous paraît tout à fait raisonnable, cela vous paraîtra ainsi demain et après-demain, et la semaine prochaine. **C'est** raisonnable. Nous en avons discuté: depuis hier, nous discutons. Vous avez eu le temps de réfléchir, amplement. Ça vous a paru raisonnable, avec toutes les références que j'offre. Et...

— Je ne mettais pas en doute...

— Vous avez vérifié. Au consulat. À l'American Express. Auprès de Lavilia Carlis. Et du señor Cayre. C'est comme si vous avanciez de l'argent à votre fils Miguel.

Miguel, oui. Luis, elle n'aurait pas confiance; mais Miguel, autant qu'il voudra. Il ne demande jamais, du reste.

— Écrivez donc cette lettre à votre banquier. Soigneusement.

Ne rien bâcler, même si Blackburn commence à sentir des pulsations à ses tempes. Il n'en est pas à un mal de tête près.

— Ensuite vous téléphonerez. Vous serez directe, sûre de vous. Naturelle, de bonne humeur, mais ferme. Lucide, éveillée, pleine d'esprit.

Ne pas avoir l'air hypnotisée ou droguée. Elle n'est pas droguée, du reste, elle est manipulée, telle une marionnette à gaine. Blackburn imagine sa propre main plongée dans le cerveau de la femme. *Je commence à déraper! Vivement que ça achève!*

— Vous appelez le señor Advis, maintenant; ne laissez pas la téléphoniste gaspiller votre temps.

Elle a horreur des employés qui vous font perdre votre temps.

— Vous lui dites que je passerai vers seize heures.

Et pour affronter le señor Advis, peut-être une autre injection...

• • •

Quitter l'hôpital n'est pas chose aisée. La tension artérielle de Blackburn est excessive, malgré l'heure de repos qu'il s'est imposée en quittant sa bienfaitrice. Le médecin de ce matin souhaite le garder sous observation jusqu'à demain. Mais Blackburn ne veut rien entendre: il promet de se reposer à la villa Cayre, de se laisser examiner aussi souvent qu'il faudra par le médecin personnel du millionnaire, mais il refuse de rester couché ici une heure de plus.

Le docteur voit bien qu'il ne viendra pas à bout de sa détermination. De mauvaise humeur, il lui signe son congé en lui souhaitant une hémorragie cérébrale massive la prochaine fois qu'il gobera des capsules.

L'après-midi s'étire vers son heure la plus torride, et le souffle des vélix qui passent est brûlant. Blackburn en arrête un et se fait conduire au centre-ville. Le comptoir de l'American Express. Le consulat. La banque dont señora Gallieri a avisé le directeur.

Il semble que la chance ait enfin tourné, pour Blackburn. Les virements promis hier ont été effectués sans anicroche. Danielle Perrier a un chèque tout prêt pour lui. Le banquier se laisse convaincre, hypnose aidant, de la régularité du prêt personnel consenti par la señora Gallieri. Il a d'ailleurs vérifié que Blackburn était bien connu du consulat et du señor Cayre.

Lorsqu'il s'assoit à nouveau dans un vélix, le sang battant à ses tempes, une sensation de pression derrière les yeux, il a plus de trente mille dollars dans son portefeuille.

Vera Cruz et ses banlieues sont clair-obscur sous le bref crépuscule des tropiques. Villa Cayre, Blackburn sonne à la grille avec le sentiment de devenir déjà un habitué.

— Je me doutais bien qu'ils ne réussiraient pas à vous garder plus longtemps, dit Lavilia en descendant à sa rencontre. Je suis sûre que ce n'est pas sage, de votre part. Vous êtes blême.

Un étourdissement se charge de lui donner raison: dans les marches, il chancelle, et tomberait si la poigne inattendue de Lavilia ne le retenait.

— Voilà, vous êtes bien récompensé, se fâche-t-elle. C'est au lit que vous allez, et directement.

• • •

Il est passé minuit lorsque Blackburn se réveille, totalement désorienté. À la lueur d'une veilleuse, le décor luxueux lui est inconnu et l'homme met littéralement des minutes à se rappeler où il est. Par la grande fenêtre ouverte, il voit passer un hélicoptère quasi silencieux, anthracite, visible dans la nuit grâce surtout aux reflets sur sa coque polie et aux lueurs dans sa cabine. *Prototype*, songe-t-il immédiatement devant ces lignes ultra-modernes, inconnues de lui, et il se croit au quartier général de quelque base d'essai. Puis il le voit remonter, presque d'un bond, avec pour tout bruit le chuintement de l'air. C'est seulement en reconnaissant Lavilia Carlis dans la lueur rouge du cockpit, assise aux côtés du pilote, qu'il se rappelle son arrivée peu glorieuse à la villa Cayre.

Où peut-elle aller ainsi, en hâte, et qui sont les personnes assises à l'arrière? Mais Blackburn a d'autres préoccupations.

Il n'est pas vraiment frais et dispos; toutefois il n'a plus qu'un vague mal de tête et, au creux de l'estomac, une sensation à mi-chemin entre la nausée et la fringale. Une douche glacée chasse son impression de lendemain de cuite. Lorsqu'il sort de sa chambre, vêtu de propre, il a une idée précise de ce qu'il compte faire.

Ce soir encore il y a réception chez le millionnaire. Aucune prétention à «l'intimité» cette fois-ci: les invités se pressent par dizaines et par vingtaines. Blackburn erre parmi eux, cherchant un éventuel majordome. Il en repère finalement un, qui distribue des consignes à quelques serviteurs.

— Dites-moi, mon brave...
— Le señor est reposé?
— Oui, merci. Dites-moi, le señor Cayre et la señora Carlis organisent souvent de ces réceptions...
— Souvent.
— Il y vient des gens de toute sorte...
— Comme vous voyez.
— On y boit beaucoup, on y fait usage de drogues...
— Vous savez, señor... réplique le domestique sans se compromettre.
— Moi, je ne connais personne, ici. Si vous pouviez me montrer le señor ou la señora qui s'occupe de...
Il glisse un billet de banque dans la poche-mouchoir du majordome.
— Vous le trouverez à l'opéra, je crois.
— À l'opéra?
— Que le señor me suive.
Le domestique le mène à un vaste salon obscur où trône un gros holoviseur spécialisé, dont les plateaux massifs sont déguisés comme la scène et la frise d'un vieux théâtre. L'image, dans sa précision, sa fidélité et sa stabilité, est la plus parfaite qu'il lui ait été donné de voir. Le son est exquis. On y projette une œuvre du répertoire classique, du Verdi peut-être, et les sièges de la salle en velours grenat imitent les fauteuils d'un opéra.
Une fois passée la fascination pour le gadget — l'ensemble a dû coûter trente mille dollars — Blackburn se dirige vers l'homme qui lui a été désigné discrètement. C'est l'entracte, justement, et les gens se lèvent. Blackburn l'accoste:
— Chronoreg. Il en reste quelque part, vous croyez?
— Chronoreg! Le peu qui restait doit être devenu l'objet d'une spéculation démente.
— Qui en voudrait, de toute façon? intervient une jeune femme qui semble accompagner le personnage. Revenir quelques heures dans le passé, ça rime à quoi? À moins d'avoir vécu une nuit d'amour particulièrement réussie.
— Chacun sait que le retour n'est qu'un effet secondaire, ma chère, rétorque le *pusher*. On utilise le chronoreg en conjonction avec le haschich pour obtenir une sensation d'éternité, précise-t-il en dévisageant Blackburn comme pour tester ses connaissances.
Blackburn le savait aussi, bien qu'il n'ait jamais eu l'occasion d'essayer la combinaison. On dit que des gens se sont suicidés de-

vant cette perspective d'éternité — qui est subjectivement réelle pour l'usager. Mais ce que Blackburn voudrait, ce n'est pas l'éternité, c'est un petit moment du passé, un tout petit moment bien placé, juste avant le virage fatal de Comitan.

— Nous pourrions parler un moment? Une conversation d'affaires, si vous voulez.

Un peu vexée, la jeune femme s'éloigne, tandis que Blackburn ouvre la porte la plus proche: la bibliothèque du señor Cayre.

— Ah, du moderne à l'ancien, commente le *pusher*. Le señor Cayre a des goûts raffinés.

Et une exquise maîtresse, si tel est le statut de Lavilia; mais le militaire n'est pas là pour bavarder:

— Mon nom est Blackburn, se présente-t-il.

— Moi, je suis Jara. Mais Pablo a dû vous le dire.

Peu de choses lui échappent, apparemment. Il faudra jouer serré.

— J'ai entendu les nouvelles, hier. Est-ce que la filière de Miami était la seule source de chronoreg?

— Non, il y a aussi la filière de Rio, mais son territoire s'arrête à Acapulco.

— Vous avez des contacts?

Jara ne répond pas. Il va à un bout de la pièce, choisit un fauteuil et s'y assoit confortablement avant de reprendre la conversation:

— Le Rio est bien meilleur que le Miami. Synthétisé par des chimistes plus compétents, deux types d'Afrique du Sud, je crois. Plus efficace, moins dur pour le système: trois capsules font l'effet de cinq capsules Miami, et il en faut le double pour atteindre la même gravité d'effets secondaires.

— On peut en prendre combien sans risquer de dommages au cerveau?

Jara fronce les sourcils, intrigué. Il porte des lunettes qui lui donnent un air rassis de quinquagénaire avec sa calvitie précoce.

— C'est une question que les usagers ne posent jamais: ils prennent le chronoreg avec du hasch, et une seule capsule à la fois suffit. Vous, vous voulez l'effet froid?

— L'effet «froid», comme vous dites. Chronorégression. Est-ce que le saut vers le passé est toujours arithmétiquement proportionnel à la dose?

— Je ne suis pas biochimiste, vous savez, mais c'est probable. Cependant je ne connais personne qui ait essayé d'établir un record.

— Eh bien, vous pourrez parler de moi à vos prochains clients, si nous parvenons à nous entendre.

— Encore faut-il que j'en trouve, mon ami. Vous semblez en vouloir beaucoup.

— Si c'est du Rio, j'en veux vingt-cinq. Cela, si je peux les avoir demain. Après-demain il m'en faudra plus.

— Payables d'avance, kamikaze. Le crâne va vous éclater comme une grenade mûre.

— Ça, c'est mon problème.

L'homme fait mine de réfléchir un moment.

— Nous parlons probablement de huit ou neuf cents dollars la capsule, vous savez ça?

Blackburn ne répond que par un vague hochement de tête. Il avait calculé plus serré, mais il comptait en capsules Miami, moins efficaces.

— De combien disposez-vous?

Blackburn met ses cartes sur la table — presque toutes:

— Vingt mille. J'ai tapé tous mes amis, ici et chez moi; je ne sais pas encore comment je vais les rembourser. J'ai emprunté sur ma carte Amex. J'ai fait un autre... emprunt, pas très régulier, et j'ai été chanceux de m'en tirer à si bon compte. Je n'aurai pas le temps d'imaginer d'autres coups pareils. Vingt mille. Si je n'ai pas la quantité qu'il me faut à ce prix-là, aussi bien rembourser tout le monde et faire une croix sur...

Il s'interrompt. Il ne savait pas ses nerfs si près de craquer, il ne s'était même pas aperçu de la tension de cette discussion. Il fait quelques pas vers un aquarium encastré dans une étagère. Derrière lui, à l'autre bout de la pièce, il entend après un moment la voix de Jara, qui ne s'adresse pas à lui. Il parle à mi-voix dans un radiophone de poche: Blackburn le devine dans une surface chromée qui fait miroir. Quelque argot latino-américain dont il ne risque pas de saisir un mot.

Il s'impose de grandes respirations pour reprendre le dessus. Il concentre son attention sur l'aquarium, sur le fond discrètement illuminé où des ombres mouvantes évoquent algues et coraux, avec une impression de courant. Il met un moment à réaliser que certains des poissons, trop exotiques, sont faux, animés par quelque réseau de fils invisibles. Et ils brillent, qui des yeux, qui d'un pointillé luminescent sur les côtés, qui d'une phosphorescence de tout le corps ou d'une résille cristalline.

— Blackburn.

Il se retourne.

— Cela va prendre du temps, vous en êtes conscient?

— Du temps, c'est ce qui me manque le plus.

— Je viens de vérifier: on ne trouvera rien ici, à Vera Cruz, ni à Merida.

— Deux mille dollars pour vous si vous trouvez en douze heures.

— En plus des vingt mille?

— Je peux encore voler. Au point où j'en suis.

— C'est votre affaire. Je demande quatre mille, et vingt-quatre heures.

— Vingt heures.

Jara se lève:

— Ce n'est pas trouvé, je vous préviens.

Qu'y a-t-il de plus à faire? Blackburn ne trouvera personne d'aussi bien disposé. Il ne connaît pas la ville, il ne connaît pas le milieu, il mettrait peut-être des heures à trouver un *pusher* de quelque envergure, avec en plus toutes les chances de se faire attirer dans un traquenard.

— Vous passerez me prendre? Demain matin. **Ce** matin.

— Je n'aurai pas fini mes démarches.

— Nous les ferons ensemble. Je vous attendrai à dix heures, au Hyatt.

Jara le dévisage de nouveau, intrigué:

— Vous êtes un drôle de numéro, señor...

— Vous allez me demander une avance? l'interrompt Blackburn.

— C'est une offre ferme, je le sais; vous êtes sérieux. Je vais me contenter de mille maintenant, mille si je mets au point une transaction, et deux mille après.

Blackburn sort son portefeuille, compte dix billets, que le fournisseur empoche élégamment. Jara gagne la porte de la bibliothèque, l'entrebâille, puis se retourne à demi:

— Jamais personne n'a réussi à changer le passé, vous savez.

— Peut-être parce que personne n'a encore essayé.

• • •

Blackburn est tiré de son sommeil par la télé, qu'il avait réglée comme réveil. Heureux signe de rétablissement, il a immédiatement l'esprit alerte, comme cela lui est coutumier.

Huit heures, ce semble être l'heure des nouvelles matinales. La présentatrice annonce avec excitation qu'un étrange événement est survenu cette nuit dans les jungles du Yucatán, dans l'État de Campeche. Un véhicule aérien (et peut-être orbital, avance-t-on) s'est posé en catastrophe au cœur de la forêt tropicale, dans une clairière marécageuse comme il en existe en cette région. Une équipe de reportage héliportée qui revenait de Quintana Roo en a été témoin et a transmis un bout de vidéo. Grâce à la clarté lunaire, on y distingue un appareil dont la forme évoque à la fois un avion spatial Hermès et un autobus sans fenêtres, avec de vives lueurs roses au bas de sa coque, peut-être des jets de flammes. Mais le contraste est mauvais et on ne distingue rien de l'appareil hormis sa forme générale.

De haut, l'image est nettement moins bonne et on ne distingue de l'atterrissage oblique qu'un éclaboussement de vapeur et d'eau brièvement illuminé, puis la forme grossièrement rectangulaire de l'appareil au sol, avec de courtes ailes en delta, parmi le bouillonnement enfumé du marécage.

Blackburn règle la température de la douche mais, intrigué, attend un moment avant d'entrer dessous.

Après avoir transmis ces images, l'un des hélicoptères est descendu tandis que l'autre survolait la clairière. Aussitôt les communications ont été rompues. Déjà les hélijets lourds de l'armée étaient dépêchés vers le site; cependant ils ont eu toutes les difficultés imaginables pour le trouver. On parle de faux échos radars dans toute la région, d'appels à peine audibles qui donnaient des directions erronées, et d'une grande confusion dans le trafic aérien au-dessus du Campeche, toute la nuit durant.

À l'aube on a fini par repérer la clairière marécageuse. L'un des hélicos de reportage y était enlisé dans la vase et les hautes herbes. L'autre gisait de guingois dans la jungle proche, parmi les arbres écimés et les branches fauchées. Aucun blessé grave parmi l'équipe de reportage, mais tous avaient dû perdre conscience au moment du contact au sol car il y avait un vide de quatre ou cinq heures dans leur compte rendu de la nuit. Auquel il manquait l'essentiel: le mystérieux engin n'y était plus et on ne l'avait pas vu décoller. Des sondages ont vite montré qu'il ne se trouvait pas au fond du marécage.

Préparant des vêtements propres pour la journée, Blackburn prête une oreille moins attentive aux spéculations d'un commentateur qui y voit la chute d'un prototype étatsunien ultra-secret, parvenu à repartir par ses propres moyens au nez et à la barbe des pilotes mexicains. Il y a clairement eu violation de l'espace aérien et du territoire national.

Blackburn décroche, son intérêt tombé, et passe enfin sous la douche. C'est alors seulement qu'il se rend compte d'un fait troublant: toutes les marques sur son corps ont disparu durant la nuit, du moins toutes celles qui, indéterminées, avaient tant intrigué les médecins. Seules celles qui ponctuaient son torse sont encore discernables, vagues rougeurs de la superficie d'un ongle de pouce. Les autres blessures, lacérations mineures aux mains, aux bras et au front semblent connaître une guérison normale. Blackburn leur refait rapidement des bandages.

Il quitte silencieusement sa chambre, traverse la villa endormie sans rencontrer quiconque hormis une domestique effacée. Lavilia est-elle revenue, dans son discret hélicoptère gris sombre? Si oui, elle doit encore dormir car Blackburn atteint les grilles de la propriété sans avoir été interpellé. Il attend sur le trottoir le vélix qu'il a commandé par vidéophone, et s'y trouve assis à l'heure où l'élégant hélicoptère descend effectivement vers la villa.

Il prendra son petit déjeuner au Hyatt, attendant Jara avec un espoir modéré — le sentiment le plus optimiste qui l'ait habité depuis trois jours.

4

Ce soir, Quetzalcóatl en furie sème la terreur dans les rues d'Acapulco festive.

Dans le vélix dernier modèle du *pusher*, Jara et Blackburn sont arrivés en après-midi sur la côte du Pacifique. Blackburn s'est laissé convaincre d'attendre sagement au bar d'un hôtel, dans la fraîcheur de la salle climatisée, tandis que Jara se mettait en quête d'informateurs que la présence d'un étranger aurait rendus muets. Il avait prévenu son client: c'est le carnaval, à Acapulco. Les contacts seront plus faciles, mais les prix plus élevés.

Avec autant d'argent sur soi, pas question de se promener à pied sur le pavé envahi par la foule. Aussi Jara et Blackburn empruntent-ils, en vélix, des rues parallèles aux artères où passe le grand défilé. Même ici la progression est ralentie par les piétons qui, de façon imprévisible, traversent la rue entre les voitures. Jara a abaissé pour de bon les roues de son véhicule, trouvant inutile de rester en mode survol.

À chaque rue transversale, lorsqu'ils regardent vers le boulevard où se rassemblent les fêtards, Blackburn et Jara ont une vue renouvelée du carnaval: *cachuchas* et *sambas*, costumes chamarrés de plumes et de paillettes, feux de Bengale et comètes. Et la foule, en constant mouvement comme les globules multicolores d'un flux agité.

Le délai de vingt heures que Blackburn avait accordé à Jara est écoulé, et il n'a pas encore le chronoreg entre les mains. Cependant il sait que l'homme n'a pas flâné, lui qui achève de manger un *taco* en conduisant le vélix.

Au-dessus d'une rue transversale, un dirigeable de police passe en frôlant les corniches des toits. Le sourd vrombissement de ses hélices, le gris de son blindage léger, le gras *ORDEN PUBLICA* inscrit sur ses flancs, la nacelle aux vitres épaisses, rien de cela ne paraît rassurant à Blackburn. Les citadins, eux, semblent être habitués et ne considèrent même plus comme une provocation l'omniprésence de ces miradors volants, avec leurs projecteurs dont les faisceaux cisaillent la nuit.

Le boulevard emprunté par le défilé oblique vers l'artère où circule le vélix de Jara. C'est quelques rues avant le lieu de leur rendez-vous que Blackburn et Jara ont leur première vision de Quetzalcóatl, immense, flamboyant, venant au centre de la procession de chars. Son ventre est d'écailles aux teintes métalliques, ses côtés et son dos sont couverts de plumes aux couleurs du spectre, et deux paires d'ailes nervurées battent à ses flancs. Sa tête, plus fidèle à la tradition, est inspirée directement des sculptures aztèques. Pour faire bonne mesure — après tout, l'Orient n'est éloigné que d'un océan — son mufle crache des flammes avec la régularité d'une cheminée de raffinerie. Son corps ondulé serpente d'un côté à l'autre de la rue, variant la cambrure de son dos, oscillant de la queue.

Une véritable cohue l'entoure, une multitude en délire. Sa tête porte au deuxième étage des immeubles — heureusement, sans quoi les fêtards flamberaient comme des torches à chaque expiration ardente.

— Regarde-moi ça, commente Jara, admiratif.

C'est à ce moment que Quetzalcóatl prend la mouche — mais on ne le remarque pas immédiatement. Son haleine embrase un poteau de fils électriques; des guirlandes d'ampoules brûlantes tombent dans la foule. On croit d'abord à une maladresse des opérateurs.

Puis Quetzalcóatl fracasse à coups de queue les vitrines d'un magasin, décroche avec son mufle une grande enseigne verticale au néon. Sur le pavé, les hurlements succèdent aux rires. Le dieu-serpent accélère sa reptation fictive, ses roues à peine visibles happent au passage des bambocheurs aux réactions trop lentes. Son poitrail devenu boutoir saccage les devantures, renverse des cabines téléphoniques.

— Décolle! enjoint Blackburn. La circulation va se bloquer en un instant!

Jara passe en mode survol, remonte les roues et donne pleine puissance aux turbines. Les voitures traditionnelles deviennent son pavé et Jara joue du volant pour éviter les quelques autres vélix qui, plus lentement, prennent eux aussi de l'altitude.

— On avait bien besoin de ça! s'irrite Blackburn. Dans deux minutes, le secteur grouillera de policiers.

— Le problème est qu'ils n'auront pas le temps de s'occuper de nous.

Blackburn n'est pas sûr d'avoir compris sa réplique, mais une nouvelle vision de Quetzalcóatl capte son attention, à la rencontre du boulevard qu'emprunte le défilé et de la rue où eux-même filent.

— Mais ils sont fous! Qui contrôle cet engin?

Fuyant devant le serpent à plumes, en effet, les fêtards fument et flambent, attisés par les ailes-éventails de Quetzalcóatl. Les costumes, les attirails les plus inflammables, changent instantanément leurs porteurs en torches vivantes, brûlant leurs voisins dans une bousculade frénétique.

Jara doit appliquer brusquement les rétros: l'air devant lui est traversé de barreaux lumineux, les faisceaux d'un dirigeable, et la nacelle blindée passe à trois mètres seulement au-dessus du vélix, mégaphones hurlant dans la cohue. Le dirigeable de la police descend à très basse altitude, profitant de ce que les maisons dans ce secteur n'ont que deux étages. Il s'arrête lentement: sur le boulevard, Quetzalcóatl est à sa portée. Les guichets s'ouvrent et des mitrailleuses se braquent.

— Tirez, bon sang, tirez! s'impatiente Jara.

— Ils ne peuvent pas: la foule!

Un instant retardée, la rafale éclate. Mais Quetzalcóatl bifurque pour faire front. De son mufle dressé, la flamme jaillit en ronflant, plus ample que jamais, comme s'il avait jusque-là dissimulé la pleine puissance de son souffle.

Le dirigeable remonte, avec une rapidité étonnante pour un géant de sa taille. L'engin prend de l'altitude, avec des escarbilles logées entre les plaques de son blindage.

Jara repart, et son vélix vire dans une rue transversale sous le mufle furieux du dieu-serpent, dont Blackburn a le temps de voir la flamme pilote.

— Dis donc! C'était juste, hein! crie-t-il en pâlissant.

Mais Jara n'a guère le loisir de répondre. Droit devant, la rue s'emplit de doublicoptères convergeant à basse altitude vers le grand serpent à plumes. Tous des véhicules de police, noirs ou marine, leurs gyrophares emplissant l'espace de lueurs frénétiques.

— Que fais-tu? demande Blackburn après un nouveau virage.

— Nous sommes déjà rendus.

— Le rendez-vous? Ici? Ils ne viendront jamais!

Les roues se déploient, le vélix se pose dans une étroite allée. À droite, un édifice en construction, ses étages de béton encore ouverts à tout vent. Blackburn se retourne et repêche derrière le siège une cognée électrique. Ce soir, juste avant la fermeture des magasins, il l'a achetée avec quelques autres bricoles lorsqu'il a su que le rendez-vous se ferait dans un chantier. Il sort aussi son pistolet, qu'il avait fait entrer au pays grâce à la valise diplomatique.

Jara déverrouille les portes, qui s'ouvrent vers le haut tels les élytres de quelque insecte métallique. Étouffés jusque-là, les bruits de la ville en fête assaillent les deux hommes, de même que les bruits d'un quartier en état de siège: sirènes de pompiers et d'ambulances, le vrombissement des dirigeables et celui aigu des doublicoptères de police. Tout cela à quelques pâtés de maisons, et pourtant ici c'est le calme relatif, l'allée est déserte.

À ce moment, des faisceaux illuminent la ruelle, se fixent sur le vélix et ses passagers tandis qu'un doublicoptère contourne avec un vrombissement menaçant le coin de la bâtisse voisine. Un véhicule de police: les gyrophares bleus ne laissent aucun doute. Mais nul porte-voix ne les interpelle, et le véhicule de la police disparaît au-delà des toits.

— Nous ne sommes pas d'assez gros serpents, suppose Blackburn en n'osant croire à sa chance.

La pluie s'est remise à tomber, clairsemée. Blackburn s'approche de la palissade qui entoure le chantier. Un cadenas massif ferme une porte aux pentures robustes; Jara braque sa torche électrique dessus. Blackburn fait jouer l'interrupteur de sa cognée et frappe de toutes ses forces l'anneau du cadenas. Un éclair bleuté, un bourdonnement intense et bref, ponctuent le choc. Le cadenas tombe au sol, brûlant, et Blackburn tire la porte.

Ils aperçoivent, près d'un générateur, le corps ligoté et encagoulé d'un homme qui est probablement le gardien de nuit. Vivant, sans doute, sinon on n'aurait pas pris la peine de le ficeler; mais il a choisi de faire le mort. Tant mieux.

Un appel grince et chuinte: le radiophone du vélix, qu'ils entendent par les portières encore ouvertes.

— Montezuma attend Cortès. Montezuma attend Cortès. Vous montez? Nous n'avons pas toute la nuit!

Ils repèrent le monte-charge, dont l'échafaudage s'appuie à la structure de béton. Pendant que Jara verrouille le vélix puis le rejoint, Blackburn met en route le générateur qui fournit l'énergie au treuil.

Il préfère arrêter le monte-charge à l'avant-dernier niveau terminé, le troisième. Ouvert à tout vent, l'étage n'est pas totalement obscur, grâce à la lueur des incendies proches. Blackburn et son compagnon gagnent les escaliers métalliques qui se dressent à l'intérieur de la bâtisse.

— Tu montes le premier, Jara.

— Tu ne vas pas essayer de les filouter?

— Essayer d'égaliser les chances, c'est tout: ils ont déjà investi le terrain, c'est peut-être un guet-apens.

Jara obtempère. Montant lentement derrière le *pusher*, Blackburn fait un réglage à la cognée électrique et la pose sur les marches. Il émerge aux côtés du *pusher* au moment où s'impatiente une voix:

— Vous venez, oui?

La vaste esplanade du plancher de béton est dominée par une grue géante.

— Ils ont un hélicoptère, murmure Jara. Là-bas, derrière le mât de la grue.

Beaucoup plus près, une lampe de poche clignote impérieusement, sous l'auvent qui doit abriter la table de l'architecte et des ingénieurs. Blackburn s'approche prudemment. Précaution inutile: à sa droite, tout près, une voix demande:

— Qu'est-ce que vous craignez? Vous êtes bien les clients de Vera Cruz?

Cet homme était jusque-là dissimulé par les bonbonnes d'un appareil de soudage.

— Votre arme.

Après une hésitation feinte, Blackburn jette un revolver jouet, espérant qu'on ne le fouillera pas.

— Et vous?

— Je n'ai que cette lampe, répond Jara. Et un chromatographe.

— Gardez les mains en l'air. Allez par là, fait le trafiquant en désignant l'auvent de polyéthylène bleu.

Ils s'y rendent, les trois s'épiant mutuellement, observés par l'autre homme. Derrière l'oreille de Blackburn, un bip à peine audible.

Contrastant avec la tension de la scène, la musique du carnaval continue de se faire entendre au loin. Du côté des incendies, détonations et rafales se sont tues: Quetzalcóatl est peut-être enfin vaincu.

Blackburn aperçoit la flamme d'un briquet, qui souligne un instant le cockpit transparent de l'hélicoptère des trafiquants, entre les piliers de béton. Le pilote est donc resté à bord, et l'étincelle rouge de sa cigarette continuera de trahir se position: il doit avoir ordre de rester là.

Sur la table un peu inclinée des architectes, le trafiquant jette deux sachets transparents. Évitant tout geste précipité, Blackburn compte les capsules à travers le plastique. Deux douzaines.

— Ce sera vingt-quatre mille dollars.

Blackburn sourcille, mais ne répond pas tout de suite.

— Jara, dit-il plutôt, vérifie les capsules.

Le *pusher* s'approche de la table, ouvre un sachet. Les capsules sont différentes de celles du chronoreg Miami: aussi petites mais opaques, une moitié azur, une moitié indigo. Jara décroche de sa ceinture un chromatographe compact et se met à la tâche, choisissant au hasard une capsule, déposant une fraction de son contenu dans une minuscule alvéole de l'appareil.

— Moi, je vais examiner votre argent, pendant ce temps.

— Nous avions convenu de vingt-deux mille dollars, rappelle Blackburn.

— Ça, c'était avant que le temps se gâte, réplique l'homme avec un geste impatient.

Lentement, avec deux doigts pour ne pas donner l'impression qu'il tire une arme, Blackburn sort une enveloppe de la poche intérieure de son veston. Le trafiquant ouvre l'enveloppe et compte les billets de cinq cents.

— Il n'y a pas vingt-quatre mille, constate-t-il.

— Il y a la somme dont nous avions convenu.

— J'ai pris des risques supplémentaires, avec toute cette circulation dans le secteur.

— Nous aussi.

— La différence, c'est que moi j'ai le gros bout du bâton.

Derrière son oreille, Blackburn perçoit deux double-bips.

— Bon. Je sors mon portefeuille: ne tirez pas.

Le revers du veston bien en vue, il puise dans sa poche intérieure.

— Je peux vous en offrir mille de plus, dit-il en comptant les billets sans les montrer.

Jara lève un instant les yeux de son chromatographe, pour adresser à Blackburn un regard furieux: n'est-ce pas sa commission, qu'il va céder là?

— Donnez-moi donc le portefeuille, réclame le trafiquant, je compterai moi-même.

À cet instant, un éclair et un bruit de décharge électrique attirent tous les regards sauf celui de Blackburn: un coup de feu éclate, très assourdi, et le trafiquant armé tressaille, avec un cri de douleur. Avant qu'il puisse reprendre son arme de sa main valide, il reçoit une deuxième balle, au bras gauche cette fois. Il chancelle, recule pour s'adosser à un montant de la tente, qui oscille sous son poids. Là-bas, dans l'escalier métallique, la cognée achève de rebondir de marche en marche; on voit les éclairs bleutés de chaque décharge électrique. Le blessé n'échappe son arme qu'après quelques douloureuses secondes.

— Vingt-deux mille, prononce Blackburn en sortant son pistolet d'un étui horizontal sous son veston. Je pourrais vous descendre et reprendre l'argent, mais je vous le laisse.

— Vous ne partirez pas d'ici vivants, réplique le trafiquant en jetant un regard impatient vers l'hélicoptère.

— Votre pilote ne peut voir ma main. Ne bougez pas, faisons comme si la discussion continuait.

— Terminé, annonce Jara. J'ai analysé deux capsules de chaque sachet. C'est du Rio d'excellente qualité. Avec ça tu pourras aller aux Olympiques de Mexico et revenir intact.

Il éteint l'affichage numérique et le mini-clavier, referme l'étui de l'appareil.

— Vous allez partir tranquillement avec votre argent, ordonne Blackburn, et avec votre ami avant qu'il perde tout son sang.

On entend approcher des vrombissements. Le trafiquant dévisage Blackburn de ses yeux sombres.

Jara scelle les deux sachets, prêt à partir lui aussi. Des gyrophares encore éloignés commencent à illuminer par saccades le visage du trafiquant.

— Vous êtes fort. Faire faire la négociation par ce trafiquant pour aristocrates, puis prendre en mains l'échange...

Il s'éloigne à reculons.

— Le chronoreg, vous allez le gober à froid? Vous êtes fou.

Et, se retournant, il se hâte entre les piliers vers l'autre bout de l'esplanade, avec son comparse. Blackburn et Jara s'élancent vers l'escalier par où ils sont montés. Deux engins de la police passent au-dessus de la rue.

En descendant les marches noircies, Blackburn jette un regard dans la direction où le narcotrafiquant et son complice ont disparu. Des gyrophares bleus s'allument, et un doublicoptère s'élève prestement dans un tourbillon de pluie. Un véhicule de la police.

Il rejoint Jara à l'étage inférieur, enjambant la cognée électrique qui bourdonne toujours.

— Qu'est-ce qui l'a fait s'allumer toute seule? s'enquiert Jara.

— Une minuterie que j'avais branchée dessus. J'ai eu le temps de bricoler un peu pendant que tu mangeais tes *tacos*.

Il décroche de derrière son oreille le minuscule écouteur qui signalait les minutes du décompte, et le glisse dans sa poche.

— Dis donc, demande-t-il à son tour, tu aurais pu me prévenir que c'étaient des flics!

— À l'heure actuelle, ce sont eux qui ont les meilleurs stocks.

Blackburn renonce à reprendre le monte-charge, où ils seront trop vulnérables, et choisit les escaliers. Jara le prend à la manche:

— Mon solde. Deux mille dollars. Si le compte n'y est pas, adieu chronoreg!

— Bougeons quand même, réplique Blackburn en sortant de sa poche intérieure une enveloppe plus mince que celle des vingt-deux mille.

Le *pusher*, rendu méfiant, compte les billets à la lueur de sa lampe de poche, et ensuite seulement il remet à son client les précieux sachets.

Des vrombissements se rapprochent. Blackburn et son compagnon se hâtent dans l'escalier. Un cri d'épouvante échappe à Jara: une tête de cauchemar vient de s'illuminer dans la ruelle, à quelques mètres d'eux: Quetzalcóatl, frémissant, pris dans les faisceaux d'un dirigeable, ses yeux brillants fixés sur lui.

Blackburn, qui a sorti son pistolet après avoir empoché la drogue, tire deux coups de feu par réflexe. Puis il voit dans quel état est le monstre: son feu éteint, son crâne informe haché de balles, son cou tordu, ses ailes arrachées, son poitrail béant, son plumage en lambeaux.

Parvenus à l'étage inférieur, ils constatent que Quetzalcóatl n'est plus qu'une moitié de serpent, avançant à la vitesse d'une chenille, par à-coups. Une rafale, puis deux, puis trois, perforent le dieu déchu déjà criblé, pendant que Blackburn et Jara dévalent la dernière volée. Puis l'explosion d'une roquette renverse une partie de la palissade. Affolé, Jara manque la dernière marche, trébuche et s'étale avec un cri de douleur.

Dans la ruelle, Quetzalcóatl enfin terrassé cesse tout mouvement. Les ruines de sa tête fantastique sont à quelques mètres devant Blackburn tandis qu'il relève Jara. Le *pusher* gémit qu'il s'est foulé une cheville.

Blackburn soutenant Jara, ils se hâtent vers la porte ouverte du chantier. L'allée est pleine d'éclats bleus et jaunes se répondant à une cadence frénétique. Les faisceaux, jusque-là braqués sur le serpent à plumes, commencent à fouiller le chantier.

Blackburn laisse Jara du côté passager, puis contourne le vélix en courant, dans les tourbillons de pluie et de débris soulevés par les rotors jumeaux des doublicoptères. Il s'engouffre à la place du chauffeur.

Les faisceaux attrapent le vélix déjà en mouvement, ses portières se rabattant et ses roues se rétractant. Il décolle vers le haut mais, au lieu de se propulser vers l'avant, dans l'allée, il tourne et se glisse entre deux planchers de béton de la bâtisse. Blackburn réduit juste à temps le régime des turbines, ne peut empêcher la dorsale de racler le plafond.

La manœuvre a pris de court les policiers. Maintenant on suppose qu'il traversera l'édifice pour sortir de l'autre côté à toute allure. Le mouvement de quelques faisceaux, là-bas, le lui confirme pendant qu'il fait doucement pivoter le véhicule sur place.

Blackburn accélère à fond, surgit par où il est entré, fonce vers la ruelle et l'enfile en un virage incliné. Là-haut, il croit entendre le vrombissement des hélices d'un dirigeable. Il file, tous phares éteints. Droit devant, la ruelle est remplie d'une fumée illuminée de l'intérieur par l'incendie.

Sur le rétrovidéo, Blackburn repère les trois doublicoptères qui se lancent à sa poursuite.

Déjà le vélix est dans la fumée, plongeant vers les flammes. Blackburn allume les rétros à fond et, dans le tourbillon créé devant lui, il distingue une échelle, qu'il aurait emboutie s'il avait continué tout droit. Il sent passer au-dessus de lui les trois doublicoptères, à l'altitude la plus basse que leur permettent les toits. Il tourne à droite, cherchant au radar l'ouverture d'une allée qui doit exister derrière l'édifice incendié. La voilà. Il accélère, sentant l'ardeur du brasier à travers la vitre de la portière. Le métal craque, la vitre se fend. Puis la fumée s'éclaircit et le vélix débouche dans la rue, sous le jet des boyaux, juste assez haut pour éviter les camions d'incendie. Devant une foule ébahie, il traverse le boulevard en diagonale — c'est celui du défilé — et gagne une petite rue transversale.

Il fonce, allumant ses feux de position, ne ralentissant que pour exécuter des virages serrés, et progresser en traçant un escalier aux segments d'inégales longueurs. Lorsque enfin il débouche sur une artère majeure, il allume ses phares, ralentit et descend pour s'intégrer au trafic qui survole le pavé à un mètre.

— Ce dragon devait être téléguidé, dit-il à voix haute pour chasser sa nervosité. Blindé pour fonctionner le plus longtemps possible sans que rien l'arrête. Dans la foule, on ne pouvait pas lui lancer des roquettes.

Il jette un regard de côté à Jara, grimaçant, qui souffre autant à cause de son vélix abîmé que de sa cheville.

— Les flics cherchaient l'origine du signal de télécommande, poursuit Blackburn. Ils ont dû croire que c'était nous.

Le *pusher* grogne:

— Mon vélix est repéré, maintenant. Il va falloir que je le rapporte volé.

— Nous allons l'abandonner près du terminus des autocars. Désolé pour ta cheville.

La circulation devient graduellement plus fluide. C'est vers sa gauche, maintenant, que Blackburn aperçoit encore les scènes du carnaval. La pluie a cessé et, comme si on n'attendait que cela, un feu d'artifice commence dans un parc proche. Si loin du désastre, on n'a peut-être pas encore entendu parler du massacre de Quetzalcóatl.

Traversant une intersection, Blackburn reconnaît sur sa droite le terminus des autocars, non loin duquel il a passé une partie de l'après-midi. Il décide de poser le vélix.

— Eh bien, je suppose que nos chemins se séparent ici, dit Blackburn.

— Ouais, fait Jara. Je prends vers la droite.

Blackburn force pour soulever sa portière, qui s'est ouverte incomplètement. Jara, qui a moins de peine malgré sa cheville, est déjà sur le trottoir. Il prend la main de son client:

— Bonne chance pour ce voyage.

Blackburn ne répond à Jara que par une pression des doigts, puis il file. Dans le ciel, les éclairs colorés du feu d'artifice. Il cesse de courir, se contentant de marcher à grandes enjambées. N'importe quelle petite rue à droite le ramènera vers l'avenue où se trouve le terminus des autocars. De là il pourra gagner l'aéroport, où un pilote à gages l'attend avec son avion. À San Cristobal, un vélix loué par téléphone l'attendra toute la nuit.

Voici une ruelle. Cela conviendra. Mais, dans les ténèbres,

Blackburn ralentit le pas et saisit son pistolet. C'est l'endroit idéal pour une agression. Les intervalles sont longs entre les éclairs pyrotechniques.

Au bout de la ruelle brillent et clignotent les lumières du terminus d'autocars. Blackburn allume sa lampe de poche, guère plus grosse qu'un briquet, et promène son faisceau éblouissant devant lui. Il veille à ce qu'on voie bien son arme — si guetteur il y a.

Un dégagement, sur la gauche. Un terrain de stationnement presque déserté. Blackburn passe devant l'une des voitures. Un éclair doré dans le ciel trahit la silhouette d'un chauffeur. Les phares s'allument, aveuglant Blackburn. Déjà il tire, deux fois, le pare-brise s'émiette, une femme hurle.

Un froissement derrière lui au moment où il songe à faire volte-face. La matraque lui brise le poignet. Le pistolet lui échappe tandis que la douleur enflamme son bras d'un feu glacé. Une bourrade dans le dos le fait trébucher, il se retrouve à genoux.

Un éblouissement. Sans douleur, cette fois: la lumière vient d'en haut, du ciel, avec un souffle tiède et un chuintement rythmé. Une immense floraison de lumière verte révèle la silhouette d'un hélicoptère. La matraque frappe à nouveau Blackburn, à la tête, et il perd conscience sous une pluie d'étincelles argentées.

• • •

Blanche sous le soleil, ou parfois d'un beige clair, la cité est d'une propreté immaculée comme si, à ces hauteurs où l'air est limpide, fange et poussière ne pouvaient prendre forme. La seule boue est l'argile, une argile très claire, séchée et moulée depuis des siècles en des frises et des bas-reliefs qui, sous certains éclairages, donnent une riche texture aux murailles.

Une procession y défile, parures d'or et mantes de plumes aux couleurs éclatantes, jaunes et noires, bleu cobalt et rouge sang, les habits cérémoniels de quelque clergé cruel qui a obtenu des dieux la protection de la cité de siècle en siècle, de royaume en empire, d'un monde à l'autre...

Pour des millénaires encore, les corniches et les embrasures de la cité brilleront au soleil, caciques et prêtres vêtus d'or referont leurs processions immémoriales. Eldorado, la cité de l'homme doré.

Un ciel d'un bleu profond, un paysage verdoyant en contrebas, le balcon blanc d'un palais qui doit être tout blanc: Blackburn s'éveille dans la cité d'Eldorado. Parmi les arbres d'essences tropicales et les buissons chargés de fleurs, un sentier serpente, entrecoupé de quelques marches. Si c'est la jungle sur un versant de montagne, Blackburn n'en voit qu'une portion. Peut-être n'est-ce qu'un parc?

Il y a dans la chambre un téléviseur, à peine audible, où l'on parle d'un vol de banque qui émeut l'opinion à Acapulco, le vol du siècle. Il vient d'être établi que le sabotage de Quetzalcóatl a été le fait des voleurs, qui ont ainsi créé une gigantesque diversion pour protéger leur opération dans le quartier de la *Banco Regal*.

Blackburn commence à reconnaître cette vue qu'il a de sa porte-fenêtre, et la chambre ne lui est pas étrangère. Il n'est plus à Acapulco, il est dans la villa du señor Cayre — peut-être est-ce le plus près qu'il approchera jamais de l'Eldorado.

Et, bien sûr, Lavilia est présente — représentante de l'insaisissable Cayre, porteuse des images d'Eldorado — Lavilia Carlis qui sans doute vient d'ouvrir les rideaux et qui arrose les plantes en pots sur la terrasse en attendant l'éveil complet de Blackburn.

Est-ce la lumière du jour qui l'a tiré du sommeil, ou l'inconfort? Il se sent courbatu, comme lorsqu'on a dormi sur un mauvais matelas. En tentant de se retourner, il en découvre immédiatement la cause: son bras entravé restreint le nombre de positions qu'il peut prendre. Il reconnaît la gangue en résine moulé d'un ostérégéneur, dont le champ électrique stimule la soudure des os fracturés.

— On vous l'enlève aujourd'hui, annonce Lavilia d'une voix qui est le chant même de la bonne humeur. Le médecin vient ce matin vous poser une gangue plus légère, que vous pourrez brancher la nuit.

La nuit. La fracture du poignet. Acapulco, la ruelle, le feu d'artifice. Quetzalcóatl, les doublicoptères, vingt-quatre capsules de chronoreg.

Sébastien.

Blackburn n'est pas retourné à Comitan. Un avion privé et un vélix loué l'ont attendu en vain, cette nuit de carnaval, et personne n'a défié le temps pour retourner vers le chaos de la bataille. L'homme porte la main à sa tête. Sa tempe est encore sensible, sous un pansement léger. Il se rappelle l'agression; lui a-t-on pris les sachets de chronoreg, si chèrement acquis?

Il débranche l'ostérégéneur, d'un geste sec, et se lève. Un vertige le saisit, qu'il combat en marchant vers la penderie. Il reconnaît le complet qu'il portait — mais nettoyé et pressé, sous cellophane.

— Mes affaires! demande-t-il en se retournant.

Près de la porte-fenêtre, Lavilia l'observe, arrosoir à la main.

— Bonjour, lui dit-elle avec un sourire moins radieux que tout à l'heure.

Il se radoucit au souvenir de la piscine, de cette femme de jade qui l'a baigné et aimé un soir où il sombrait.

— Lavilia, prononce-t-il à mi-voix, c'est fini, n'est-ce pas? Ils m'ont pris le chronoreg.

— Vos affaires sont dans le premier tiroir de cette commode.

Il se précipite. Tout y est, la lampe de poche, sa montre, son portefeuille plutôt à plat et surtout les deux sachets, les capsules azur et indigo qui devaient le renvoyer dans le temps.

— Qui m'a secouru? La police... la police aurait découvert les sachets.

— Ils ont dû vous fouiller très sommairement en vous emmenant à l'hôpital. Les sachets étaient dans une poche intérieure de votre veston.

— Croyez-vous, demande Blackburn en se dirigeant vers la salle de bain, croyez-vous que je pourrais à nouveau emprunter l'avion du señor Cayre?

Lavilia dépose l'arrosoir. Prononçant son nom, elle l'arrête sur le seuil de la petite pièce:

— Denis.

Il la regarde.

— Ils vous ont assommé, Denis.

Il porte la main à sa tempe.

— Oui, je sais. Maintenant ça va bien.

— Vous avez subi une commotion cérébrale.

Il la dévisage.

— C'était il y a six jours, Denis. Nous sommes le 19.

Le 19. Sa conscience a refusé d'enregistrer cette information lorsque la télé a fait allusion au massacre de Quetzalcóatl, vieux de presque une semaine. De la même façon qu'elle a écarté les souvenirs fragmentaires des derniers jours: longues visions du parc de la villa, sous tous les éclairages de la journée, et Lavilia diversement habillée.

Ce matin n'était pas son premier matin, ni son premier réveil. Le premier lucide, peut-être, le premier pleinement conscient après ce terrible coup à la tête. Mais ce n'est pas le lendemain d'Acapulco.

Lavilia s'approche de Blackburn, prend sa main entre les siennes:

— C'était de la folie, Denis.

Il se défait d'elle, marche sans but dans la chambre, s'assoit sur le lit.

— Vous auriez subi des lésions irréversibles au cerveau. Des lésions majeures.

— Peut-être.

— Devenir un légume: c'était un risque à prendre?

— Un risque seulement. C'était du Rio.

— Même le Rio n'est pas pur. Le chronoreg pur ne peut être synthétisé qu'en apesanteur. Vous croyez que la filière de Rio dispose d'un laboratoire orbital?

— Je pouvais être à Comitan à l'aube: tout était au point. Je n'aurais pas eu besoin des vingt-quatre capsules pour reculer avant l'heure de la bataille.

— Comment pouvez-vous en être sûr? L'effet n'est pas arithmétique. Vous n'auriez pas pris le risque de manquer le début des combats par quelques heures: je commence à vous connaître, Denis, vous auriez gobé les deux douzaines. Et tous les capillaires de votre cerveau se seraient rompus dans le quart d'heure.

Il ne répond pas, se contentant de regarder la moquette. Six jours de convalescence. Pourquoi est-ce que ça n'a pas été cinq jours? Il irait à Acapulco, avalerait tout le chronoreg et retournerait au soir du carnaval à temps pour se prévenir lui-même d'éviter l'obscure ruelle et les malandrins. Et il resterait toujours deux douzaines de capsules à ce Blackburn-là, prêt à partir pour Comitan.

Il secoue la tête lentement.

— Oh, quittez cet air de chien battu, Blackburn!

Surpris par cet éclat, il lève les yeux.

— Faites face à la réalité une fois pour toutes: Sébastien est mort!

Il se lève, une sourde et douloureuse tension raidissant tous ses muscles. Lavilia tient tête à la rage qui crispe son visage:

— Il a reçu sept balles dans le corps et il est MORT!

Blackburn saisit la première chose qui lui tombe sous la main, une pendulette, et la lui lance à la tête.

— TAIS-TOI! TAIS-TOI! hurle-t-il pendant que ses larmes jaillissent comme d'une source.

• • •

Le soleil oblique teint d'or et de cuivre la villa Cayre, enflamme les généreuses floraisons du parc, éveille l'entière richesse du vert dans les feuillages. Toutes les fenêtres de l'ouest scintillent de fragments de soleil.

La grille se referme derrière Blackburn qui, après quelques pas, s'arrête au pied des escaliers.

Lavilia apparaît, derrière une haie basse en arc-de-cercle.

Blackburn enlève ses verres fumés.

— Que tu es élégant, Denis. Je n'avais pas vu ce complet dans tes bagages.

— Je l'ai acheté cet après-midi.

Un complet de pongé beige clair: l'argent de Lavilia (ou de la señora Gallieri?) n'aura pas été tout gaspillé.

— C'est le vélix du consulat? Danielle Perrier ne se refuse rien.

Bleu nuit, le véhicule qui a amené Blackburn bourdonne discrètement devant la grille; son chauffeur, une silhouette derrière le plexi teinté.

— Courrier diplomatique. Mon attaché-case est là.

— Mais détaché.

— Que veux-tu, réplique Blackburn avec un demi-sourire en montrant son bras droit où la gangue moulée de l'ostéo gonfle un peu sa manche.

Lavilia fait mine de rectifier le revers du veston beige.

— Tu n'auras jamais vu Luis, en somme.

Luis Cayre. Son voyage d'affaires a duré plus que prévu. C'est aussi bien: une conversation avec sa sœur hospitalisée aurait suscité des questions embarrassantes.

— Peut-être irai-je un jour dans ton pays, si cette guerre finit par...

Il lui pose un doigt sur les lèvres:

— Laisse-moi parler, Lavilia. Je sais que tu veux m'en dispenser, mais je dois le dire.

Elle se tait, prend sa main et son regard. Le sien est de ce vert pâle, grisé, qu'ont les petits cactus du désert, nombreux dans la rocaille de la villa. Celui de Blackburn est encore ourlé de rose. Il a beaucoup porté ses verres fumés, aujourd'hui.

— Je suis venu m'excuser.

Il tait d'un mouvement des sourcils la réplique qu'elle allait faire.

— Tu avais raison, bien sûr. Depuis une semaine je refusais les faits. Sébastien est...

— Denis, tu n'es pas obligé...

— Tss. Il... Sébastien est mort, tu avais raison. Et c'est peut-être aussi bien: le monde ne lui réservait que des déceptions, de l'amertume.

— Ne dis pas ça.

— De l'amertume. Je n'ai jamais vraiment compris cette faculté qu'il avait de s'illusionner. C'était...

— De la naïveté. Les enfants ont cela, tu te rappelles? Les adolescents ont le cynisme. Après, ça dépend, il y en a qui ne vont jamais au-delà.

— La naïveté. C'est pour ça que je l'aimais, je suppose. Un genre de... de foi, peut-être, une ferveur.

— Et tu peux toujours te dire que la mort l'a pris alors qu'il avait encore cette...

Blackburn secoue la tête, l'interrompt:

— Non. Plus de mensonges. Le Chiapas, la guérilla, Comitan: c'était la voie du désespoir, de la révolte. Il est mort désillusionné. Si... — il prend une profonde respiration — si j'ai rapporté une chose de cette nuit-là, à Comitan, c'est de l'avoir vu, d'avoir vu ses yeux et senti sa révolte, sa haine. Le mur était devant lui, l'impasse, et il cognait le mur à coups de poings en gueulant.

À nouveau ses yeux coulent, mais il ne s'en fait plus, il sait que ce n'est pas la dernière fois.

— Il n'avait rien fait pour mériter de venir au monde... en ce monde. Il ne méritait pas ça et pourtant il en prenait son parti, de faire pour le mieux, de se tenir debout devant la coulée de lave. Il était brave.

Ce sont ses yeux à elle, maintenant, qui se mouillent. Elle se sent obligée de répéter:

— Il n'y avait rien à faire, tu sais, avec le chronoreg. Les gens ne retournent pas vraiment dans le passé, pas physiquement. Leur esprit, oui, mais ton esprit n'aurait pu le retenir, pas plus qu'il n'a pu arrêter les balles.

— Je lui aurais parlé. En esprit j'aurais crié, dans son esprit, jusqu'à ce qu'il m'entende. J'aurais trouvé un moyen.

Il hoche la tête:

— Me voilà reparti.

Il essuie ses propres joues avec un mouchoir, puis le coin des yeux de Lavilia.

— Pour l'emprunt, je te rembourserai le plus vite possible.

— Laisse tomber.

— Non non, j'y tiens.

— Nous en reparlerons.

Elle prend son bras valide et, ensemble, lentement, ils marchent vers la grille.

— Tu retournes vers la guerre?

— Je ne sais pas. Pas tant que je porterai ceci, en tout cas, répond-il, désignant son poignet immobilisé. Mais ils ne tarderont pas à me trouver une mission.

Lavilia commande l'ouverture de la grille.

— Nous nous reverrons, lui dit-elle, et il s'étonne du sérieux de son ton.

Levant les yeux, elle remarque son étonnement, et force un sourire:

— J'ai mes prémonitions, moi aussi.

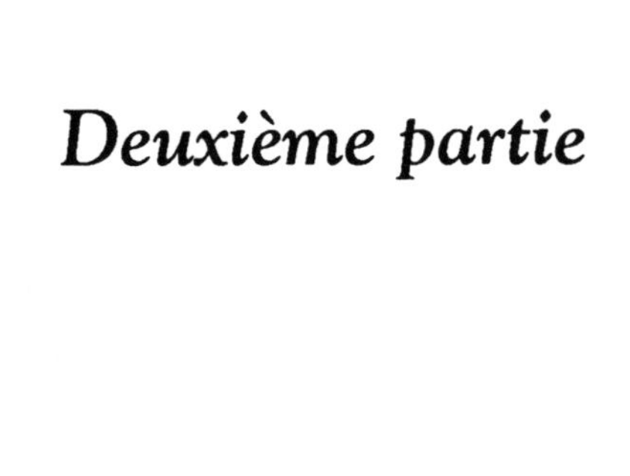

Deuxième partie

5

La pluie et le tonnerre d'une escadrille de chasseurs passant à basse altitude entrent avec Blackburn dans le petit hall de l'hôtel LaSarre.

— La porte! enjoint Laura qui passait à cet instant, traversant du bar au salon.

Blackburn s'ébroue tandis que la porte se ferme d'elle-même. Il enlève son paletot noir, le suspend dans le vestiaire avec sa casquette, s'essuie le visage avec une manche.

— Comment était-ce? demande gravement Laura, qui le précède dans le grand salon.

Pitoyable, songe Blackburn, qui ne répond que par une grimace. Il revoit Nicole, dans la quarantaine avancée, s'efforçant de garder une figure et une voix sereines tandis que ses yeux coulaient. Des tics montraient à quel point son contrôle était précaire, et elle s'obstinait à parler bien que sa voix se brisât presque à chaque fin de phrase.

Nicole, la mère de Sébastien.

Elle et Blackburn avaient été proches durant des années — il était un «ami de la famille», selon l'expression consacrée, et c'est ainsi qu'il avait vu grandir l'aîné, le voyageur. Antoine, le mari de Nicole, croyait aux vertus du dialogue, il trouvait intéressantes les opinions de Blackburn même s'il ne les partageait pas. Par exemple, sur la pertinence de mettre au monde des enfants en ce dernier quart de siècle où chômage, violence urbaine, dégradation des services publics et pollution ne faisaient que s'aggraver sans signe de rémission.

Maintenant Antoine est mort depuis longtemps, pris en otage dans une prison où il enquêtait à titre de sociologue, et Nicole a toujours vécu dans la gêne depuis, obligée d'élever trois mômes avec des revenus de secrétaire de direction.

Même s'ils n'ont jamais reparlé de ses opinions vertueusement catégoriques, Blackburn a bien senti, cet après-midi, que Nicole y repensait tandis que son regard accablé se posait sur les deux survivants, la sœur et le jeune frère de Sébastien.

— Tu as l'air, dit Laura, de quelqu'un qui a besoin d'un remontant.

Elle lui tend du cognac dans un ballon. Au salon, lampes et draperies chamarrées de couleurs vives chassent toute grisaille. C'est là que les filles passent les heures creuses de la soirée ou de la nuit, lorsque le bar de l'autre côté du hall est sans clients. Laura est leur patronne, veillant à prévenir querelles et jalousies, pourvoyant (parfois elle-même) aux demandes spéciales de ses clients.

La clientèle est surtout militaire: Chicoutimi est à l'arrière du front, ville de permissions, encore assez loin des grands centres pour qu'officiers et soldats ne soient pas pris d'une envie de désertion.

Écartant les rideaux, Blackburn s'adosse à l'embrasure d'une fenêtre, un verre dans sa main valide. Il prête une oreille distraite au bavardage des filles, partageant son attention entre la rue et la télévision qui soliloque à voix basse dans un coin.

Au-dessus de l'asphalte luisant, les vélix passent en chuintant, soulevant des brouillards d'eau pulvérisée. Des petits groupes de soldats en permission se hâtent sous la pluie, entre les néons aux teintes vives et leurs reflets abstraits dans la rue.

— Écoutez donc, les filles! lance une jeune Amérasienne qui suivait les informations à la télé.

On y montre les ruines fumantes d'un bâtiment montréalais où des brancardiers sortent des cadavres ensachés de polyéthylène noir. Un autre plan montre le va-et-vient de vélix-ambulances comme lors d'un désastre ferroviaire.

«Le centre de transition, raconte l'annonceur, hébergeait quelques centaines de jeunes itinérants, décrocheurs du système scolaire. On imagine l'ampleur du désastre si l'incendie était survenu en hiver, alors que des milliers de sans-abri passent les nuits les plus froides dans les salles du refuge. Un des directeurs du centre, congédié aujourd'hui, a déclaré que le gouvernement et l'entreprise privée accordaient de moins en moins de ressources à des institutions comme la sienne, et que ces dizaines de morts en étaient la conséquence directe.»

Blackburn songe à Nicole. À Montréal, elle avait une jeune nièce dans un hôpital «adapté» qui a été le théâtre, voilà deux ans, d'une série de meurtres euthanasiques. Elle n'a jamais précisé l'infirmité de sa nièce, mais c'est après sa naissance que Nicole avait, pour sa part, opté pour la ligature des trompes, disant non à un quatrième marmot que son mari tenait à lui faire.

L'annonceur de la télé est déjà passé à autre chose:

«À onze mois de la date prévue pour son lancement, la deuxième expédition martienne habitée, *Endeavour II*, connaît des difficultés de financement. On se rappellera que le consortium international Endeavour avait financé la première expédition par la vente d'actions, en échange desquelles les investisseurs recevaient des fragments de minéraux martiens, soit comme objets de collection, soit comme objets de recherche donnés à des universités.»

Le reportage montre une navette extrayant de sa soute le module de service du vaisseau martien, destiné à être couplé en orbite aux autres modules.

«Le consortium avait confiance de vendre des actions au même prix qu'il y a deux ans, mais il semble que l'enthousiasme des investisseurs ne soit plus le même. La valeur du caillou martien serait-elle en baisse?»

À l'écran, des extraits de vidéos rapportés par l'équipage d'*Endeavour I*, les jonchées de roches ocre et rousses de la première planète atteinte par les Terriens.

«La mise sur orbite des différents modules du vaisseau est déjà commencée mais la NASA refuse de faire crédit au consortium pour la suite des opérations: module de propulsion, module-réservoir, module d'habitation et module d'atterrissage resteront au sol tant que leur mise en orbite ne pourra être payée. Un porte-parole du consortium a avoué craindre que de tels retards fassent manquer le créneau de départ, d'une importance critique pour la faisabilité du voyage. On annoncerait bientôt un doublement du tarif des expériences embarquées et des passagers payants.»

«Le gouvernement étatsunien, conclut le reporter, refuse toujours d'investir une somme de quelque importance dans l'entreprise pourtant née en Amérique du Nord.»

Ils savent quelque chose que le commun des mortels ignore, songe Blackburn en laissant une minuscule gorgée de cognac réchauffer son palais. *L'espace ne semble plus intéresser la NASA ni son gouver-*

nement, ou alors ils préparent quelque chose de tellement confidentiel que la bombe A en comparaison était le secret de Polichinelle.

Sans hâte, Blackburn se rend au bureau de Laura, dont la porte est ouverte sur le salon. Elle est à son pupitre — à sa console, pourrait-on dire — comptabilisant l'occupation des chambres. Des lampes témoins indiquent que neuf clients, dans autant de chambrettes, sont branchés sur le sensircuit, tirant leur plaisir des ébats d'un jeune couple sur le lit-maître. Il y a trois lits-maîtres en tout; les bons soirs, ils sont en circuit de façon permanente, avec un roulement de maîtres-baiseurs, pour les clients qui trouvent plus gratifiantes les performances de jeunes professionnels grisés à l'accusense.

Le peu de mini-écrans témoins allumés montre que la soirée est morne sur le plan des activités plus traditionnelles.

Laura s'est servie lorsqu'elle a offert de l'alcool à Blackburn; sa liqueur préférée, mauve dans un verre mince et délicat, est le Parfait Amour, et Blackburn la taquine souvent au sujet de ce goût très «bourgeoise proustienne», même s'il n'a jamais eu l'occasion de lire Proust et de vérifier ce qu'y buvaient les dames.

Laura, jadis nommée Lola, comme s'en souviennent ceux qui ont connu sa gloire au cabaret. Gloire toute locale, certes, provinciale au mieux, mais le hall de l'hôtel montre encore, laminées, les affiches de ses tournées, avec son nom de scène. Elle écrivait ses propres chansons. Elle était plus mince à l'époque, avec un teint plus hâlé, mais elle avait déjà un visage plutôt rond. Elle plaisait et avait assez de tête pour savoir à qui plaire. Elle avait épargné suffisamment pour, à l'âge où ses charmes commençaient à faner, se lancer en affaires avec un colonel et racheter cet hôtel vétuste afin de le rénover et le rebaptiser LaSarre. Aujourd'hui, l'emprunt se rembourse rondement, la guerre rend les affaires prospères, et Lola redevenue Laura n'a d'autre inquiétude que le retour de la paix — mais Blackburn lui assure que ce sera une paix armée, autour d'une frontière insatisfaisante et lourdement gardée.

— Ça passera, tu sais.

Il tourna les yeux vers Laura.

— Ce soir tu parais déjà mieux, poursuit-elle. Tes patrons auront vite fait de te trouver une autre mission et tu n'auras plus le temps de te morfondre.

Entre les pattes d'oie d'une vie passée en rires faux ou vrais, ses yeux sont toujours du même bleu intense. Elle est jolie, Laura, même si sa beauté a maintenant la rondeur et la blancheur d'une lune. Certains soirs, défaisant son turban, elle laisse la cascade sombre de ses cheveux déferler jusqu'au bas de son dos, et ils ont toujours le lustre de sa jeunesse.

Elle aussi a perdu un garçon. Un fils, celui-là, et plus jeune que ne l'était Sébastien. Un terrible accident de moto, mi-défi mi-suicide, tout en cuir noir, métal noir, asphalte noir sous la pluie et nuit noire.

Hier soir, lorsque Blackburn est arrivé de Montréal, Laura et lui ont pleuré ensemble, et c'était comme s'ils pleuraient le même être, écrasé une première fois sur le béton d'un pilier d'autoroute, puis haché par les balles d'une mitrailleuse.

— Tu n'as pas vu, en entrant? J'ai une surprise pour toi.

Elle se lève et ramène Blackburn à la porte du salon, qu'il avait fermée derrière lui. Une porte vitrée en pied, ornée de motifs givrés, avec un rideau de dentelle écrue. Laura n'a pas à pointer du doigt. Celui que Blackburn n'a pas vu en entrant, à cause de l'angle du sofa ou d'une fille qui faisait écran, celui qu'il n'a pas remarqué ensuite parce que seule sa tête dépassait du dossier, il le voit maintenant de profil. Un gamin de quinze ou seize ans, jambes croisées devant la télévision.

— Tu ne l'as peut-être jamais vu: il est occasionnel. Je l'ai gardé pour toi ce soir, même si Colonelle le voulait.

Blackburn la regarde, incertain de sa propre réaction:

— J'ai trente-cinq mille dollars à rembourser. Pour les trois prochaines années, ce sera pension et repas, pas beaucoup d'autres dépenses...

— Mais non, c'est la maison qui paie.

— Il s'agit bien de ça! éclate-t-il, et il laisse retomber le rideau car le gamin a tourné la tête. Ce n'est pas lui qui remplacera Sébastien!

— Bien sûr que non, idiot! se fâche Laura. Il ne s'agit pas de le remplacer: Sébastien n'a jamais été à toi de cette façon, de toute manière. Et ce n'est pas pour te le faire oublier non plus.

Elle s'éloigne, éteint le plafonnier, ne laissant pour toute lumière que les écrans témoins.

— C'est pour te rappeler qu'il y a encore la vie, Burnie. Il y a encore la tendresse, la douceur. Tu reviens d'une guerre, demain peut-être tu repars vers une autre. Des morts, des éclopés, des soldats pas rasés et des baraques qui sentent. Ce n'est pas ça qui va te redonner goût à la vie!

Elle revient, déjà radoucie, les yeux humides:

— Une joue douce, des cheveux qui sentent bon, une peau claire de gamin... La vie, Burnie, et un instant de tendresse: tu y as encore droit. Si tu n'en veux plus, tu ferais aussi bien de te tirer une balle tout de suite.

Il ne répond pas.

— Est-ce que tu t'es vu? Une âme en peine, un fantôme pâle et triste. Tu ne vas pas passer le reste de tes jours à ennuyer les gens avec cette tête-là?

Il ne peut retenir un sourire, qui s'élargit devant celui de Laura. Bref et triste, mais un sourire quand même. Puis il hoche la tête, avec un soupir:

— Si tôt, Laura? Si tôt...

— Tout de suite. Ce soir. Avant que tout ça pourrisse dans ta tête et fasse du vilain.

Il se rappelle Lavilia, la nuit de la piscine, l'eau verte et limpide...

— Lucienne appelait cet hôtel l'Hôpital des Cœurs, tu t'en souviens?

«L'Hôpital des Cœurs»! Ce doit être plutôt du Lola, ceci, tiré peut-être d'une chanson qu'elle chantait. Blackburn se surprend à regarder de nouveau le gamin, qui est brun et bouclé, sans ressemblance avec Sébastien.

— Il va me trouver mortellement triste. Je suis sûr que je ne jouirai pas.

— Ne parle pas pour ton corps: il n'a rien à faire de tes états d'âme.

Devant la télévision, le garçon se sent observé, cela se voit.

— Il s'appelle comment?

— Jodi. Il en a vu d'autres, va.

• • •

— Tu veux baisser le son, mon chou?

Une fille, une des aînées, lui a demandé cela et Jodi obtempère.

— Mais oui, j'ai déjà pris des leçons, assure-t-elle à une camarade. J'accompagnais même Lola quand son nègre avait pris une cuite.

Elle s'assoit au piano droit qui occupe un coin du salon. Blackburn met un moment à reconnaître l'adagietto de Mahler, celui de la cinquième symphonie; il ignorait qu'on l'eût adapté pour piano seul.

Jodi, lorsqu'il s'est assis près de lui, lui a fait un sourire pour lequel bien des hommes auraient payé à Laura le plein tarif. «Il va me trouver mortellement triste», a prétendu Blackburn, et pourtant des années de contre-espionnage lui ont appris à afficher sur commande, en n'importe quelle circonstance, l'attitude requise. Il est donc capable de ne pas infliger à ce garçon, à portée de sa main, la pesanteur de sa mélancolie.

— Qu'est-ce qu'ils montrent? demande-t-il en parlant de la télé. Les actualités ne sont pas finies?

— C'est un reportage spécial.

Sur *Endeavour*, dont on semble avoir rassemblé les images les plus spectaculaires de la première expédition. Va-t-on lancer une campagne de souscription auprès du grand public, en l'amadouant par quelques séquences visuelles?

— Ce doit être quelque chose, en holo!

Ses yeux aussi doivent être quelque chose, mais pour le moment il parle au téléviseur, sans regarder Blackburn.

Au piano, la mélomane démontre un talent insoupçonné. Blackburn passe le revers de ses doigts sur la joue du gamin. Quinze ans, sans l'ombre d'une moustache. Il regarde Blackburn, maintenant, ses cils sont longs et noirs; ses yeux, des trésors.

— Il y a des holoviseurs en haut. On ira, tout à l'heure.

Pour l'instant, le piano, reposant à entendre après les basses trop sourdes de l'orchestre du bar. Les mèches de Jodi sont soyeuses entre les doigts de Blackburn; comme si elle lui avait elle-même lavé la tête, Laura avait raison, elles sentent bon les herbes fraîches. Retrouve-t-elle en lui un peu de son Martin, qui n'était pas tellement plus vieux lorsqu'il s'est tué? La tendresse et la mort résonnent parfois ensemble, dans le temps long d'une soirée de pluie.

Il lui baise la main puis, se penchant, le cou, à l'ombre de ses cheveux mi-longs. Cette oreille, sous ses lèvres, il voudrait y murmurer des mots qui ne lui viennent pas encore.

Mais qui lui viendront trop vite, s'il s'y laisse prendre. Ne pas s'attacher. Éviter une nouvelle blessure. *Celui-là aussi se fera tuer. Un jour je reviendrai et il sera mort, et ce sera encore*... L'abîme, noir et fluide, le puits aux parois glacées. *Ou, plus simplement, il aura vieilli*. Cet âge, si cruel pour ceux qui aiment, ceux qui contemplent. Une saison, la beauté aiguë de la jeune adolescence; la saison d'après, ou l'année suivante, le visage déjà transformé, durci d'angles nouveaux, gâté d'ombres floues ou de rougeurs, l'image vivante du temps qui passe, l'impitoyable rappel de l'éphémère, de l'insaisissable.

Insaisissable? Sébastien était insaisissable, et l'aimer était d'autant plus cruel. Mais celui-ci, ce Jodi, il peut le cueillir, il lui est offert, un peu de sa beauté est pour Blackburn. Elle avait raison, Laura. Il y a encore la vie, la tendresse, la douceur.

— Viens, dit-il à mi-voix en se levant, et derrière la porte vitrée Laura échange avec la pianiste un regard d'affectueuse connivence.

• • •

Que ce soit déjà par expérience, ou sur les conseils de Laura, ou encore spontanément, ce Jodi-là a comblé Blackburn. Il est rarement comblé. Il ne leur demande pas d'être particulièrement actifs ou entreprenants, pourtant, il leur demande seulement d'être réactifs. Ou plutôt il ne leur demande pas, il espère, souvent déçu.

Et Jodi réagissait. En souffles retenus, en contorsions réprimées et en frissons, en une ou deux exclamations brèves, étouffées. En baisers rendus, en bras serrés. Tant, que Blackburn a pris peur et a failli rompre l'étreinte, pour fuir un nouvel attachement trop vite déclaré, comme un feu de brousse intérieur et silencieux. Une protestation, le refus de nouvelles blessures déjà prévisibles. Par égard seulement pour le gamin, pour sa sensibilité qui peut-être n'était pas feinte (qu'en savait-il, de ce qui l'avait amené ici et des déceptions qu'il avait pu subir aux mains des autres?), pour cela il n'a pas brisé le cercle de ses bras, pas écarté la tête qui cherchait son épaule.

Il l'a endormi en jouant dans ses cheveux, en lui caressant l'oreille, jusqu'à ce que le garçon dans son sommeil s'écarte de lui-même, se pelotonnant sur l'autre côté avec un oreiller entre les bras. Dans la chambre chaude, où Blackburn se sent moite, le gamin n'a pas besoin de couvertures. Il le contemple un moment à la lueur de la lampe, les longues lignes douces de ses cuisses, les courbes de ses épaules, le buisson noir de la tête dans la pâleur du lit, puis il éteint sans bruit, guère plus serein ni apaisé qu'il était au début de la soirée.

• • •

À l'heure incertaine où la nuit achève, l'hôtel est plus calme qu'en fin de soirée. Derrière le comptoir de la réception, le videur semble somnoler sur sa chaise; le passage de Blackburn lui fait entrouvrir un œil en apparence indifférent. C'est un homme de la Sûreté militaire: la clientèle du LaSarre est trop importante pour qu'on laisse sans surveillance le sanctuaire de ses ébats. Personne n'y entre qui ne soit identifié sur les écrans du «réceptionniste».

Dans le salon dorment une ou deux filles qui n'ont pas de logis. Un grondement à peine audible, comme celui du tonnerre au loin mais en plus continu, fait vibrer quelques vitres de la façade: une escadrille de bombardiers supersoniques s'apprêtant à atterrir à Bagotville. Personne ne se réveille.

Rarement se sent-on aussi seul, a déjà observé Blackburn, que lorsqu'on est seul debout dans une maison endormie, à l'approche de l'aube. Les autres ont l'oubli miséricordieux du sommeil; quiconque veille porte seul le poids de la nuit qui achève.

Sa double porte ouverte, le bureau de Laura est un prolongement du salon: mêmes étoffes, même papier peint. La patronne est endormie, assise à un bout du canapé, bouteille et verre vides sur une petite table proche, telles des bouées de détresse sur une grève auprès d'une noyée.

Blackburn enlève chemise, souliers et bas; ce canapé est habituellement son lit lors de ses séjours ici. La cuisse de Laura lui servira d'oreiller. Il éteint la seule lumière qui restait et finit par s'endormir avant que l'aurore ne glisse sa lueur derrière les rideaux.

• • •

Dans la nuit de Comitan, la bataille fait rage. Éblouissants dans la fumée qui dérive, les rayons laser embrasent en une éruption de flammèches tout ce qu'ils rencontrent. Un camion antique, abandonné, est bousculé par l'explosion de sa carrosserie au métal brusquement vaporisé.

Regardant partout autour de lui comme un égaré, Blackburn hurle le nom de Sébastien tandis que les obus labourent le secteur. C'est au moment où il le repère enfin qu'il est lui-même jeté parmi les broussailles par une déflagration. La secousse l'éveille, et il se rend compte que c'est Laura qui lui secoue l'épaule.

— Tu faisais un cauchemar, lui dit-elle à voix basse. Tu appelais Sébastien.

Blackburn ouvre grand les yeux. La lumière du matin, malgré les draperies, répand à l'intérieur une clarté diffuse, incolore.

— Qu'est-ce que tu as au dos?
— Quoi, qu'est-ce que j'ai?
— C'est apparu pendant que tu dormais. Je me suis réveillée quand tu as commencé à t'agiter, et j'ai vu ces marques apparaître.

Il se lève, incapable bien sûr de voir ce dont elle lui parle. Elle l'emmène dans la pièce suivante, sa chambre, déjà investie par le soleil. Elle lui tend un miroir à main, lui fait signe de tourner le dos à la glace d'une commode. Alors il voit les rougeurs, une ou deux lignes irrégulières, quelques taches, les marques d'une grêle de débris projetés avec violence par une explosion: fragments de planches, de roches, éclats d'obus.

Les stigmates de son voyage au chronoreg.

6

En s'épongeant au sortir de la douche et en s'examinant dans la glace de la pharmacie, Blackburn constate que les stigmates ont déjà disparu. Mais il n'a guère l'occasion de pousser plus loin les questions qu'il s'est posées pendant ses ablutions: Laura frappe à la porte de la salle de bain et entrebâille le battant:

— Il y a un officier qui veut te parler d'urgence.

Il enfile son slip et passe dans la chambre de Laura, à la porte de laquelle se tient un jeune sergent, rasé de près, l'air passablement excité.

— Mes excuses, mon commandant, commence-t-il en saluant.

Puis, baissant la voix autant qu'il le peut:

— Je suis chargé de vous transmettre: «Il y a un virus».

Le visage de Blackburn devient plus fermé. Il passe dans le bureau de Laura, prenant la mini-disquette que lui tend le sergent. De son sac de voyage ouvert sur le canapé, il tire au passage une chemise propre. Il y a un soldat armé à l'entrée du bureau, mais la patronne se garde bien d'en faire un plat.

— Prenez plutôt celui-ci, intervient le sergent au moment où Blackburn va insérer la mini-disquette dans le micrord du pupitre de Laura.

Il lui tend une tablette à clavier, libre de tout relais-espion éventuel. Commandant Denis Blackburn, CaMQ91067021. Pour vos yeux seulement, annonce le minuscule écran. Code d'identité?

Blackburn fait un numéro de cinq chiffres sur le clavier, puis enfile sa chemise en commençant par son avant-bras alourdi par la gangue ostéo. Vous rapporter à la base BGV immédiatement pour recevoir communication urgente du haut-commandement. Situation: Virus, Feu de brousse. Accuser réception et effacer. Blackburn enfonce les touches appropriées, puis montre l'écran au sergent pour qu'il voie: Lu. Effacé. Il finit de s'habiller en hâte, enfourne dans son sac le peu qui traînait dans l'appartement. Il embrasse Laura:

— Merci pour tout, lui murmure-t-il en constatant combien elle paraît son âge, le matin, au lever.

Précédé par le sergent, suivi par son escorte, il traverse le salon et le hall, prend casquette et paletot au passage. Et Jodi, le reverra-t-il jamais? Il vaudrait peut-être mieux que non. Pouvoir partir ainsi, au pied levé, à chaque nouvelle urgence, sans laisser une partie de soi derrière.

À la porte de l'hôtel un vélix l'attend, qui le mène dans l'instant à l'héliport de la garnison. Là, un hélijet achève de se réchauffer; il décolle dès que ses passagers sont à bord. Blackburn a à peine le temps de se raser sommairement; déjà, l'appareil se pose à l'aéroport militaire.

En bout de piste est stationné un avion dont les ailes sont à angle variable, ce qui le destine aux atterrissages courts; ses turbines tournent à bas régime. Blackburn se doute que c'est pour lui et qu'on va l'envoyer au front.

Au Q.G., on le mène à un vidéophone protégé, on le laisse seul dans la cabine isolée qui renferme le terminal. La communication est déjà établie. Il s'identifie, donnant son code et même, puisqu'on le lui demande, son ultracode. En principe, la communication ne sera intelligible que pour les deux correspondants.

Celui du haut-commandement s'avère être Morel.

— **Colonel** Morel, rectifie l'homme lorsque Blackburn se trompe de grade.

— Colonel? C'est récent, alors.

— Trois ans, Blackburn. Mais voici quelque chose de récent, et de secret: le Bureau des recherches spéciales a été réactivé.

— Vous y êtes pour beaucoup, je parie, commente Blackburn qui n'y voit pas matière à réjouissance.

— J'ai réuni quelques-uns des anciens: Laffont, Farel, Barrière, Lancer... Ça s'appelle Aprex.

— Aprex.

— Agence des procédés expérimentaux: ça veut dire n'importe quoi et rien. Mais nous n'existons pour personne, compris?

— Même pas pour moi? Je veux bien.

— Toujours le même esprit, Blackburn.

Le visage de Morel arbore les séquelles d'un cancer de la peau, qui se déclarait à l'époque où Blackburn l'a connu. C'est courant, désormais on n'en parle pas davantage qu'on ne parle de la crème solaire qu'on s'applique au visage et aux mains chaque matin avant de sortir. En Australie et en Nouvelle-Zélande, les cancers de la peau et les lésions rétiniennes ont dépassé les maladies cardio-vasculaires comme problème de santé numéro un.

Sans transition, Morel annonce:

— Il y a des ampoules de céréphédrine-psi en route vers vous.

— Je croyais qu'il n'en existait plus, fait Blackburn après un bref silence, persuadé que son aversion pour cette drogue transparaît sur son visage.

— Les stocks n'avaient pas été détruits, vous pensez bien.

Bien sûr Morel ne lui demande pas s'il est prêt à en reprendre: Blackburn n'est plus un volontaire dans un institut paramilitaire. Il est un officier du contre-espionnage, apparemment prêté depuis le matin à cette Aprex nouveau-née.

— Vous irez à Havre-au-Lac.

— Sur Baffin-sud?!

— Nos positions là-bas sont encore précaires; elles dépendent exclusivement des postes de brouillage anti-satellite installés dans les monts Everett. Or il y a un espion à la base de Havre-au-Lac: un avion-cargo a été descendu hier au-dessus du détroit. Son plan de vol était ultra-secret mais des chasseurs canadiens l'ont cueilli juste au-dessus d'Akpatok. Ils l'ont trouvé à la minute près, au kilomètre près.

— La fuite pouvait venir de la base d'envol.

— J'ai mis un agent là-dessus, mais nous avons des raisons de croire que la fuite venait de l'autre bout. Vous verrez ça dans le dossier.

— Et l'urgence?

— Une question d'heures: ils peuvent détruire nos installations de brouillage en un blitz, s'ils en obtiennent les positions exactes.

— Ordonnez le silence radio à Havre-au-Lac.

— Ça a été fait: il y avait un black-out en vigueur le jour du vol, qui était crucial. La fuite s'est produite quand même.

— Une enquête interne?

— Elle est commencée. Mais l'interrogatoire de tout le personnel et la fouille de tout le périmètre prendraient des jours, pour être absolument fiables. D'autres questions?

— Havre-au-Lac attend quelque chose de spécial les jours prochains?

Le colonel paraît hésiter, puis lâche une information sans précision chronologique:

— Un arrivage de Vikings; je ne peux vous en dire plus. Autre chose? conclut-il sur un ton signifiant que, pour lui, la communication a trop duré.

Blackburn ne cache pas sa réticence:

— Céréphédrine-psi... Ce n'est pas pour rien que le gouvernement avait cessé de financer le B.R.S.: ils n'aimaient pas les... bavures qui entachaient nos recherches.

— Je sais tout ça aussi bien que vous, Blackburn. Pourquoi prenez-vous la peine de me le rappeler? Je savais aussi quelle serait votre réaction ce matin. Mais le haut commandement m'a assuré qu'il vous a fait bien des faveurs récemment, et que vous êtes obligé — envers le ministre, même.

— Oui, je sens que je n'ai pas fini de m'en acquitter.

• • •

Revêtu d'une combinaison de vol, Blackburn est reconduit en jeep jusqu'à l'avion dont les turbines tournent à bas régime. Il monte l'échelle, se fait donner son sac, la mallette tout juste arrivée de Québec, et les range derrière le siège arrière. Puis il prend place, sans hâte. Il n'aime pas cette mission — il ne se souvient pas d'avoir jamais aimé une mission, du reste. En plus, il n'aime guère le froid; mais au moins, à cette saison, la température diurne à Baffin-sud sera largement au-dessus de zéro. Blackburn a un début de mal de tête juste à penser à la céréphédrine-psi, un produit qui aurait été frappé d'interdit dès les premiers essais si la science médicale officielle en avait eu vent.

Lorsqu'il commande la fermeture étanche de son cockpit, le régime des moteurs enfle déjà en un mugissement anxiogène.

• • •

Havre-au-Lac: un poste mineur rebaptisé lors de l'occupation de Baffin-sud, ce tiers de l'immense île qui ne lui est rattaché que par un isthme de vingt kilomètres entre la baie de Cumberland et le lac Nettiling. L'accès de la base militaire est souterrain; elle-même est posée sur le fond de la crique, ou du «havre». L'aménagement s'est fait par temps couvert, avec la précaution d'immenses leurres à infrarouge disséminés sur un périmètre de quatre cents kilomètres carrés. La piste d'atterrissage est camouflée par un revêtement peint, à pigmentation polarisée, imitant les ombres portées d'un relief accidenté, dessin qui varie selon l'angle de l'ensoleillement et qui s'atténue par temps gris.

C'est une époque où les satellites-espions, dans quelque gamme de radiation qu'ils opèrent, sont devenus pratiquement inutilisables. La guerre de l'espace évoquée dans les années quatre-vingts ne se fait pas, ou du moins pas telle qu'imaginée: il n'y a pas lieu de détruire les satellites rivaux en orbite, il suffit de les aveugler (ou de les assourdir) par des faisceaux d'ondes qui brouillent leurs organes d'observation.

Pour le haut commandement qui y envoie Blackburn, le secret et la sécurité des opérations dans l'Ungava, le détroit d'Hudson et Baffin-sud, dépendent des installations secrètes des monts Everett, dont Havre-au-Lac est le centre nerveux. De là part le brouillage, la couverture qu'on étend jalousement sur les mouvements terrestres, navals et aériens de cette région.

Blackburn n'a guère eu le temps de savourer la fermeté d'un sol de béton ou de ciment, qu'on le mène déjà en ascenseur puis en wagonnet électrique vers la base sous-marine. Il parcourt un long couloir de section hémisphérique, qui n'est qu'un tube semi-rigide arrimé sur un fond sous-marin sommairement déblayé. Ce n'est pas à la pression de l'eau qu'il pense, tandis que défile le pointillé des lampes au sodium, c'est au froid glacial de la mer de l'autre côté de la triple paroi. En cas de rupture, c'est d'hypothermie que mourraient les survivants, alors même que la plupart auraient assez de souffle pour gagner la surface.

Ni le conduit-tunnel, ni les larges demi-cylindres de la base même n'ont de hublots ou de baies transparentes. Que verrait-on, du reste, sous cette crique libre de glaces un seul mois par année? L'eau de refroidissement du mini-réacteur ne peut servir d'oasis chaude car elle est soigneusement remise à la température ambiante par des échangeurs.

Des sas isolent tous les modules, et c'est au sortir de l'un d'eux que le commandant de la base attend Blackburn — un colonel Vidal court et blond, énergique malgré quelque rondeurs aux angles.

— Comment comptez-vous procéder? demande-t-il dans la cabine où Blackburn peut enfin quitter sa combinaison de vol pour un uniforme isotherme plus confortable.

— Il n'y a qu'une alternative: examiner les équipements ou examiner les hommes. La première option prendrait trop de temps: un émetteur parasite pourrait être minuscule et se trouver n'importe où entre ici et les monts Everett; et il ne nous mènerait pas forcément au coupable.

— Donc, examiner le personnel. Nous avons commencé les interrogatoires sous polygraphe, mais nous n'aurons fini qu'après-demain et ce sera trop tard.

— Le polygraphe n'a pas tellement évolué depuis soixante ans. Un sujet très bien entraîné peut encore le mettre en échec.

— Vous proposez donc...?

— Il me faut un plan détaillé de la base. Parlez-moi des quarts de travail.

— Il y en a un qui finit dans quatre heures.

— Et les centres de contrôle?

— Il n'y en a qu'un. Il centralise les fonctions internes de la base et la défense, les communications, le réseau de brouillage.

— Je vais commencer par là.

— En faisant quoi? Un interrogatoire public?

Blackburn le regarde et, avec tout le contraire d'une expression de tranquille assurance:

— Il semble que le haut commandement me fasse confiance pour un temps. Je ne vous en demande pas plus.

Il ouvre la petite trousse contenant seringue et ampoules, préparant mentalement une brève explication sur la céréphédrine-psi et le défunt B.R.S.

— Vous n'y croirez pas, dit-il en guise de préambule, mais je vous enjoins de ne rien révéler de ceci, sauf à votre médecin-chef si nécessaire.

• • •

L'intérieur de la base donne immanquablement l'impression d'un sous-marin — ou plutôt d'une flottille de sous-marins côte à côte, reliés entre eux, un nouveau module s'ajoutant à chaque mois. Les plafonds deviennent murs en un mouvement courbe qui rejoint le plancher. L'éclairage est réduit dans le poste central, longue salle au plafond bas. En y entrant, Blackburn a le réflexe de chercher un périscope. Il y en a, lui explique Vidal, mais ils portent des caméras et n'ont rien à montrer que les sonars ne détecteraient bien avant.

Il n'y a guère d'espace de perdu, dans cette salle des commandes, et l'ambiance n'a rien de détendu: efficacité et discipline doivent être les mots d'ordre des officiers qui passent, mains derrière le dos, derrière les rangées de sièges pivotants. Pour égayer un peu, ou du moins pour donner de la couleur, quelques fantaisies semblent être autorisées: prénoms ou surnoms peints sur certains dossiers de chaises, mascottes suspendues à même les tableaux inclinés au plafond, housses à motifs sur les sièges.

La visite guidée, c'est la mise en scène que Vidal et Blackburn ont imaginée pour qu'il puisse déambuler lentement, s'arrêter derrière chaque préposé aux consoles. Cela a toutes les allures d'une inspection et, avec les interrogatoires qui ont cours depuis vingt heures, la tension est grande chez le personnel, surtout les officiers et sous-officiers.

Et quel prétexte sera valide tout à l'heure, lorsque Blackburn refera la tournée du poste central pour sonder le personnel du quart suivant? Car il faudra sans doute une nouvelle ronde: celle-ci achève, sans avoir donné de résultat. L'un après l'autre, Blackburn a sondé les esprits de toutes ces personnes qui occupent des postes névralgiques. Pénible intrusion, jamais facile, le heurt de la méfiance, de l'animosité, parfois de l'hostilité, autant de bourrasques mentales qui le secouent sans relâche. Et puis, fouiller, sonder, pour voir les motifs de cette méfiance, voir si la peur d'être démasqué y est pour quelque chose.

Elle y est, parfois, mais pour des vétilles, ou pour des manquements plus graves qui ne semblent pas apparentés à la trahison. Ensuite, derrière, il y a tous ces sentiments que Blackburn lui-même éprouve déjà assez sans avoir besoin de les entendre encore et encore: la peur, la privation, l'éloignement des êtres aimés, la blessure profonde des pertes: un ami, un frère, une sœur tués au front, autant de Sébastien personnels qui réveillent le souvenir encore récent de Comitan.

De sorte que ce n'est pas seulement l'épuisement et la migraine qui terrassent Blackburn au terme de sa ronde, mais aussi une grande lassitude morale.

Une longue douche glacée, un puissant analgésique, deux heures de repos avec des compresses froides sur le front, soulagent un peu sa souffrance physique. Mais contre la dépression il n'y a pas de remède instantané. Hormis les euphorisants. Toutefois Blackburn est trop sensé pour confronter deux drogues sur le champ d'essai déjà malmené de son cerveau.

La déprime... La guerre. C'est Comitan à nouveau, mais un Comitan psychologique où obus, grenades et rayons sont remplacés par le doute, l'angoisse, le désespoir, la morosité, explosant silencieusement en Blackburn avec chaque nouvel argument du soliloque des pensées. Et ce lugubre bercement finit par l'endormir en dépit du mal de tête, car lorsqu'on sonne à la porte en nylon de sa cabine, il a l'impression d'émerger d'un brouillard épais.

Blackburn se lève et prend son pistolet, mais le visiteur s'avère être Vidal.

— J'avais placé deux gardes dans le couloir, le rassure-t-il lorsque Blackburn lui ouvre, en plus de la vidéo-surveillance. Personne n'est autorisé à vous approcher, à part le docteur et moi.

— Parfait, répond Blackburn sans conviction en constatant que le colonel est accompagné.

— Docteur Jaffré, présente-t-il. Je lui ai touché un mot de votre céphérédrine, alors...

— *Céré* phédrine, corrige le médecin, un sexagénaire encore alerte malgré sa nonchalance affectée. Vous savez qu'ils jouent avec votre vie en vous faisant prendre ça.

— Vous ne m'apprenez rien, réplique Blackburn, sans ajouter qu'«ils» ont malheureusement des titres de propriété sur son corps et sa personne.

Il laisse le médecin examiner longuement ses yeux, mesurer sa tension et son pouls, faire un É.E.G. sommaire avec un appareil portatif. Blackburn n'est pas fâché qu'une personne compétente soit dans les parages en cas d'accident avec la cé-psi. Entre-temps, le colonel lui fait part de ses soucis:

— Le temps presse. Les Vikings doivent bientôt nous parachuter un contingent. Il leur faut décoller sans délai pour devancer une dépression qui sera au-dessus de nous dans les prochaines heures.

Les contingents internationaux. Plus prosaïquement, des mercenaires financés par une puissance intéressée, entraînés au Groenland ou en Islande pour s'accoutumer aux conditions de l'Ungava et de Baffin. En échange de ce support logistique clandestin, les «Vikings» — Danois et Islandais — comptent obtenir respectivement une part du plateau sous le détroit de Davis et des privilèges de pêche dans la mer du Labrador, si l'issue de la guerre est favorable à leur allié; le poisson est devenu denrée rare dans l'Atlantique Nord.

— Qu'ils attendent le passage de la dépression.

— Trop long: les météorologues n'entrevoient pas d'amélioration avant cinq ou six jours, et Iqaluit a besoin du contingent tout de suite.

— Pourquoi ne pas le parachuter plus près du front, dans la plaine de la Koudjouak?

— Les Vikings ne veulent pas risquer que leurs pilotes soient descendus et capturés: c'en serait fait de leur neutralité officielle.

Blackburn hausse les épaules: cette neutralité a été mise en doute à l'Assemblée générale même des Nations Unies.

— Les parachuter à Iqaluit, alors.

— Ce sera la version officielle. En espérant que notre espion la gobera et la transmettra, s'il n'est pas neutralisé d'ici là. Mais en fait, Iqaluit enverra des hélijets chercher le contingent ici, en rase-mottes et par les cols des Everett. Ce n'est qu'une heure, aller-retour. Ensuite ils pourront les déployer vers le front comme bon leur semblera.

Blackburn ne discute point: il ne fait pas partie du haut commandement et il n'y tient guère.

— Je vais prendre... commence-t-il, mais un timbre électronique l'interrompt.

Vidal porte son bracelet à son oreille, écoute l'appel avec une expression vite alarmée.

— Nous y allons tout de suite, répond-il finalement dans son commini.

— Du nouveau? s'enquiert Blackburn en prenant sa trousse.

— Plutôt, oui. Notre homme est aux abois.

Ils sortent, Blackburn accrochant son étui à sa ceinture. Le médecin prend congé d'eux. À grandes enjambées pressées, ils font route vers le petit gymnase de la base, conçu davantage pour défouler les tensions du confinement que pour la musculation. Une équipe de la sécurité est déjà sur place, avec Gaudet et Plante, deux techniciens du Contresp arrivés peu après Blackburn pour chercher l'équipement coupable à défaut du coupable lui-même. Gaudet leur montre un objet qui a été découvert dans la rembourrure d'un banc d'exercice, une plaquette du format d'une carte à jouer et à peine plus épaisse: le clavier d'un micro-ordinateur sophistiqué, mais sans le volume qu'un tel appareil devrait quand même occuper, celui d'un demi-paquet de cartes, par exemple. Se servant de pincettes pour laisser intactes d'éventuelles empreintes, Gaudet retourne le clavier ultra-mince.

— Ce n'est qu'une interface, explique-t-il, avec un micro-processeur et une mémoire limitée.

— Interface avec quoi? demande Blackburn, dont ce technicien est un vague et lointain collègue de service.

— Vous voyez cette dépression au verso? Un demi-millimètre de profond, et des microcontacts au fond, visibles à la loupe seulement (il en offre une, mais on le croit sur parole). Je dirais: interface avec un micro-ordinateur dont la forme et la dimension ne laissent pas de place à un clavier.

— Assez compact pour que notre homme le dissimule sur lui en permanence? demande Vidal.

— Très possible.

— Il faudra fouiller tous les culs et tous les vagins.

— Ça a déjà été fait, rappelle le major responsable de la sécurité, Émard. Ça prend moins de temps que les tests au polygraphe.

Blackburn, lui, regarde pensivement le clavier ultra-plat, qui doit nécessiter un stylet pour actionner chaque touche séparément.

— Vous aviez commencé à fouiller les cabines et les dortoirs? s'enquiert-il.

— Oui, mais imaginez tout le temps, pour chercher quelque chose d'aussi petit.

— Il a eu peur que vous le trouviez chez lui, en tout cas. Il l'a planqué en vitesse dans un local public, le premier qu'il a trouvé inoccupé. Ça tend à prouver autre chose: s'il s'agissait d'un simple soldat, il aurait pu planquer son mini-clavier sous n'importe quelle couchette et disséminer les soupçons sur une chambrée entière.

— Donc c'est un officier ou un sous-off, comprend Vidal.

— Voilà. Le clavier trouvé dans une cabine ou une chambre aurait resserré les soupçons sur le coupable ou, au plus, sur ses... deux ou trois... camarades et lui.

Depuis un instant une nouvelle sensation s'ajoute au mal de tête de Blackburn, une sensation guère plus agréable, lancinante et gagnant rapidement en intensité. Il la reconnaît, c'est celle qui précède ses rares et indésirables prémonitions. La dernière fois qu'il l'a ressentie, c'était à Vera Cruz, lors de cette réception au consulat japonais, lorsqu'il a eu une brève vision de la bataille où Sébastien est mort. Maintenant, c'est le sentiment d'un danger imminent. Immédiat. Blackburn se retourne au moment où la double-porte du gymnase s'ouvre en coulissant, comme celle d'un ascenseur. Il reçoit, dans ses deux mains instinctivement portées devant son ventre, un objet métallique de la taille d'un œuf. À cause de sa dextre presque inutilisable, il manque l'échapper.

— ATTENTION VOS OREILLES! crie-t-il en rejetant la grenade dans le couloir.

Il se rue vers le chambranle, enfonce une touche et se bouche les oreilles tandis que se referme la porte.

Une vrille de métal glacé lui perce les tympans, en silence, et il hurle en grimaçant, secouant la tête. Une vrille intangible à l'intérieur du crâne, le nerf auditif lui-même devenu mèche d'acier et forant la moelle du cerveau.

Puis cela cesse, et Blackburn rouvre les yeux. Il peut voir, dans le gymnase, qui a eu le temps de réagir comme lui et qui n'a pas compris à temps: les gardes gisent au sol, inconscients, sourds à jamais, le cerveau peut-être endommagé. Par contre, Vidal, les deux techniciens du Contresp, le major Émard, savaient sans doute ce qu'est une grenade sonique, arme tout récemment mise au point et d'usage encore restreint.

Blackburn ouvre la porte, pistolet au poing mais sachant la précaution inutile. Le lanceur de grenade, de l'autre côté, a dû être la première victime.

Mais non. Il y a des cadavres là-bas dans le couloir; le plus proche saigne par tous les orifices de sa tête, et ses yeux crevés se vident de leur humeur. Toutefois le coupable, lui, est resté debout face à la porte: un de ces automates à la gamme de mouvements limitée, programmable et contrôlable à distance, dont on se sert comme cible pour entraîner au combat rapproché. Une fumée ténue s'échappe de sa tête aux traits vagues: le flux d'ultrasons a dû griller quelques circuits.

— Et vos hommes au contrôle-sécurité, crie Vidal au major, comment est-ce qu'ils ont pu ne rien voir sur leurs moniteurs?

Blackburn l'apaise, posant une main sur son avant-bras:

— Ou bien les caméras sont neutralisées — mais il n'en aura pas eu le temps, je crois — ou bien vous allez retrouver les préposés aux écrans morts de la même façon que ce pauvre gars.

Et il s'astreint à ne pas regarder à nouveau le corps prostré dans le couloir car dans sa mémoire a hurlé, un bref instant, l'image d'un guérillero tué devant lui à Comitan, le crâne traversé comme du flan par des éclats d'obus qui étaient ressortis côté visage en emportant ses yeux.

• • •

Le gymnase et le couloir sont en tumulte. Des brancardiers se hâtent, poussant devant eux des civières où les blessés s'agitent.

— Leur cerveau est frit, commente un médic.

Blackburn intercepte un des techniciens du Contre-espionnage qui veut s'éloigner des lieux du carnage, et lui parle à l'oreille, presque obligé de crier.

— Gaudet, ce micro-ordinateur, cet ordinateur caché que notre homme doit avoir, il s'en servirait pour quoi?

— Supposons, crie Gaudet pour être entendu malgré la sirène intermittente de l'alerte, supposons qu'il se sert des installations de la base pour transmettre des messages vers ses patrons: il lui faut utiliser les systèmes, les consoles.

— Ou des relais, dans les conduits de service.

— Ça, c'est une autre hypothèse. Suivez plutôt la mienne: il doit accéder au système, mais durant de très brèves périodes pour ne pas être remarqué. Alors, il code ses messages sur son micro-ordinateur, les condense en une seconde ou moins, puis il guette l'occasion de se brancher à un système de la base.

— Il lui suffirait d'un instant d'inattention de ses supérieurs, ou des préposés.

— Tout juste.

Dans le couloir traversé d'ordres et d'appels, Émard, le chef de la sécurité, revient en courant, ébranlé. Il met la main sur le colonel Vidal:

— Il avait raison: ils sont morts, là-dedans, tous les deux.

— Et les enregistrements vidéos?

— Ont été arrêtés.

— Son entrée dans la salle des écrans?

— Effacée.

— Le diable! Et maintenant qu'il se sent acculé, il peut vouloir saboter la base. Émard, lancez toutes vos équipes: il faut fouiller la base en entier, chercher s'il n'a pas caché une bombe.

— Je vais immédiatement à la salle des commandes, annonce Blackburn. Dans ces conditions d'excitation, je vais le repérer immédiatement, s'il y est. Donnez-moi des gardes.

— J'irai avec vous.

Blackburn s'isole un moment en rentrant dans le gymnase maintenant désert et s'adosse au mur. Dénudant son avant-bras, il se fait une nouvelle injection, la même dose que tout à l'heure, alors même que ses tempes bourdonnent encore d'un mal de tête.

Après un instant d'attente, il ressort dans le couloir où Vidal et

Émard l'attendent avec deux gardes. Il se met en route, sentant déjà la rumeur des émotions étrangères monter vers sa conscience telle une marée.

• • •

«Le diable», a dit Vidal. Et pourtant, fût-il très prévoyant et terriblement efficace, ce diable a un désavantage: il ignore la ressource dont dispose Blackburn, même s'il l'a identifié comme enquêteur. Ce dernier croit déjà le sentir, sentir sa présence malveillante dès qu'il entre dans la longue salle ombreuse. Mais un officier arrête Vidal:

— Il manque Gélinas: elle ne s'est pas présentée à son quart.

— Ce serait elle? s'exclame le colonel, estomaqué.

— Alors, s'alarme Émard, elle doit tenter de s'enfuir, ou de préparer un sabotage!

Par son commini il donne de nouveaux ordres à l'ensemble de ses hommes. Mais Vidal s'est ressaisi:

— Je commande une évacuation partielle. Vous avez raison, la probabilité est forte qu'elle soit en train de saboter.

Et les cibles sont si nombreuses: le réacteur nucléaire compact, les sas de plongée, la totalité des parois, en fait, qui peuvent toutes êtres rompues avec une quantité suffisante d'explosifs.

Blackburn, lui, s'avance, dans l'agitation du poste central. Il entend l'ordre d'évacuation diffusé par les haut-parleurs, il tente de faire abstraction du murmure de toutes les pensées qui frôlent son esprit, pour repérer la voix la plus forte, la plus excitée.

Car l'homme est ici, il en est persuadé. L'absence de Gélinas n'est qu'une autre de ses ruses, il savait que les soupçons se porteraient immédiatement sur toute personne absente de son quart. On la retrouvera morte, sans doute, tuée peut-être parce qu'elle a aperçu le suspect avec la télécommande d'un automate et l'a questionné à ce propos.

— Et le vol Viking? demande Vidal à mi-voix.

— Il vient de décoller, l'informe un major. Le commandement d'Iqaluit a donné le feu vert.

— Mais il fallait les prévenir que...

— Le silence radio, mon colonel. Les ordres sont stricts: aucune transmission jusqu'à nouvel ordre.

— Et le plan de vol?

— Ne nous est pas encore parvenu: ils prennent la précaution de nous le communiquer à la dernière minute seulement.

Cela a été dit à mi-voix, et pourtant l'espion l'a compris, à travers le brouhaha de l'état d'urgence. Blackburn perçoit une bouffée de frustration — même de rage, mais contenue, étouffée. Comment l'homme a-t-il entendu?

Tous les préposés ont leur combiné léger, micro-écouteur, qu'ils branchent aux diverses consoles selon leur poste de travail. C'est un instrument personnel, ajusté sur mesure, que chacun emporte avec soi à la fin du quart. Dans ces conditions, l'espion peut avoir intégré à son écouteur un micro directionnel ultra-sensible, très miniaturisé, qui lui permet d'intercepter des informations prononcées loin de son propre poste. Des plans de vol, par exemple, même si c'est étranger à ses attributions.

Justement, là... Une minuscule mascotte, quelque bestiole turquoise accrochée à un écouteur par un de ces cure-pipes pelucheux roulé en ressort; elle se dandine absurdement à chaque mouvement de tête, mais passe inaperçue parmi d'autres fantaisies. Blackburn prend le colonel au poignet et, sans un mot, lui désigne du menton cette console et son préposé, avec dans les sourcils une interrogation.

— La régie des faisceaux de brouillage, lui explique Vidal à mi-voix. Contrôler l'intensité et la constance des faisceaux d'ondes, leur pointage sur les satellites ennemis.

Blackburn prend une profonde inspiration. C'est lui.

Lui, l'espion, le traître. Le tueur.

Ses sens intérieurs aiguisés par la céréphédrine-psi, d'une poussée délibérée Blackburn pénètre un filet solide et ferme: contrôle mental. Si cet homme a déjà subi le test au polygraphe, il a pu s'en sortir sans éveiller les soupçons des examinateurs.

Doucement, maintenant. Écouter sans frôler, sans même effleurer. Toutes ses facultés sont en éveil: d'un instant à l'autre il prendra conscience de l'intrusion de Blackburn, si ce n'est déjà fait. Non, pourtant: il ne s'aperçoit de rien, ou du moins il ne comprend pas cette sensation de menace inédite, il la met sur le compte de la situation qui devient rapidement critique pour lui. Gélinas vient d'être retrouvée morte, la télécommande de l'automate sous elle. Vidal et Émard sont brusquement silencieux, mais il n'ose tourner la tête pour les regarder.

Ses émotions: très peu de peur même s'il sait que le cercle se referme, mais un sentiment d'urgence et l'exaspération de ne pouvoir agir. Que parvienne le plan de vol des Vikings, et il saura bien le livrer à ses employeurs. Dans l'agitation qui perdure, il tentera un coup d'audace: agir au vu de tous en espérant que personne ne remarque ce qu'il fait, ou ne soit intrigué.

Rage et meurtre!

Blackburn recule et vacille, comme cinglé au visage par un jet d'eau bouillante. Le temps qu'il se reprenne, l'espion démasqué a déjà appliqué le majeur de sa main gauche sur une prise de son tableau et va commander la destruction de la base. Trois coups de feu éclatent et le bras de l'espion se déchire en traînées sanglantes, la main presque arrachée, retenue seulement par un lambeau de muscle. Des giclées rouges arrosent le tableau de commande labouré par les balles.

Pas vivant!

Blackburn se reprend, se rue pour saisir l'espion à bras-le-corps. Mais l'homme se frappe la poitrine violemment avec la jointure de son pouce droit, et une explosion étouffée l'agite d'un soubresaut. Il tombe à la renverse avec sa chaise sur roulettes, la main gauche restée prise par un doigt au pupitre de commande. La chemise de l'espion s'imbibe d'une large tache pourpre, grandissant à vue d'œil, tandis qu'un filet mousseux s'échappe de sa bouche.

Vidal s'agenouille, ouvre la chemise en une rafale de boutons arrachés, remonte son chandail d'un geste brusque. La poitrine est béante, hideuse blessure large comme une soucoupe, évoquant de la viande hachée hérissée d'os rompus: l'œuvre de quelque minuscule charge explosive greffée derrière une côte, tout contre le cœur, et mise à feu par un coup sec sur le microdétonateur.

Mais Blackburn est déjà sur lui, penché sur sa tête, essayant en un furieux effort mental de saisir des vestiges de pensée dans le cerveau éteint: des lambeaux de brume dispersés par la brise, insaisissables... Mais l'ultime idée, peut-être, encore perceptible comme une rémanence. Il prononce à mesure qu'il saisit, poings fermés appuyés sur ses propres tempes:

— Bombe... thermite... pour une diversion...

Il s'étire mentalement, se déchire lui-même pour atteindre l'inaccessible.

— Module seize... côté est... VIIIITE!

Et il s'écarte, grimaçant, la tête comme fendue à coups de hache, il se couche sur le côté avec des plaintes de blessé.

• • •

Il n'a pas perdu conscience. Au contraire, il était paralysé par une conscience aiguë de sa tête, masse de souffrance à l'état pur, un soleil en fusion à la place de son cerveau. C'est seulement quand on lui fait des injections à même les carotides que la pression de lave dans son crâne se résorbe graduellement, permettant à la pensée de s'exprimer à nouveau.

La salle n'est plus en chaos, Blackburn entend des ordres et des réponses prononcées fermement, sinon calmement:

— Réseau de brouillage ramené à la normale. Commandes reprises au poste auxiliaire. Rapport bientôt sur l'interruption qu'a pu subir le système.

— Évacuation du module seize en cours. Sas 16-17 déjà fermé. Caméra-robot en place pour la fouille du secteur.

Le plus proche de Blackburn est Jaffré, le médecin:

— On a failli vous perdre, vous savez. Dès que ceci sera fini, je veux vous faire un É.E.G. complet.

— Le pire est passé, répond Blackburn en serrant sa main qui l'aide à se redresser.

On lui approche une chaise. Il a l'impression que tout le monde le regarde: des préposés, Vidal, Émard dont l'étui à pistolet est encore ouvert.

— Nous avons fini par comprendre que vous l'aviez repéré, explique le major. Quand il a bougé les mains brusquement, je n'ai pas pris de risque.

— Vous avez bien fait.

— Jauvin, qu'il s'appelait. Un vétéran, comme vous pouvez le voir. Les systèmes de la base n'avaient sûrement aucun secret pour lui. Il contrôlait les seuls émetteurs de la base actifs même en temps de black-out: les faisceaux de brouillage dirigés vers les satellites ennemis. Il devait y glisser des messages condensés en une fraction de seconde. Savez-vous s'il a pu transmettre des renseignements sur le vol des Vikings?

— Ce n'était pas dans ses pensées pendant que j'étais en contact avec lui.

Mais Plante, un des techniciens du contre-espionnage, apporte un élément de réponse:

— L'accès au central de routage a été forcé, dans le module des services stratégiques. Il se peut que Jauvin se soit branché au réseau, de là, juste avant de venir prendre son quart.

— Il est arrivé en retard, confirme le chef de quart. Mais l'absence de Gélinas m'a fait oublier de mentionner ce retard.

— Calvaire! jure le commandant de la base. Les systèmes de sécurité ne fonctionnaient nulle part? Les alarmes, les caméras, les senseurs?

— Il a dû faire un sabotage sélectif pendant son passage dans la salle des écrans, répond Émard. Il semble avoir songé à tout, même bousculé par les événements. Il devait avoir un sang-froid terrible.

— Terrible, confirme Blackburn. Une machine. Efficace, jamais au repos.

Le technicien Gaudet vient d'arriver.

— Examine sa main, lui enjoint Blackburn. Son médius doit être une prothèse.

Avec une grimace, l'homme se penche sur la main arrachée, restée épinglée à la console ensanglantée, et parvient à la déprendre.

— Flexibilité partielle, commente-il presque sans desserrer les dents. Le doigt du milieu ne se plie qu'à moitié des possibilités normales.

— Il racontait, dit un officier, que son doigt avait été broyé dans un engrenage de bicyclette quand il était gamin.

Gaudet poursuit son examen:

— L'ongle est un genre de déclic. Regardez.

Il le tire comme pour l'arracher, puis retourne la main afin de montrer la face palmaire de la dernière phalange, là où on prend l'empreinte: écartant les lèvres d'une petite coupure, un cercle beige émerge, pas plus large que la tranche d'un petit crayon.

— Une interface, commente Gaudet en sortant une loupe. Des microcontacts... correspondant à la prise du clavier ultra-plat de tout à l'heure.

Il continue à manipuler le doigt, écœuré par le sang qui sourd toujours du poignet sectionné. Jaffré le regarde avec sympathie, seul apparemment à l'aise devant cette scène où on tourne et retourne une main humaine comme une pièce de mécanique.

— Essayez comme ça, suggère Émard en mettant son propre majeur dans la position qu'il a vu Jauvin prendre, plié entre la phalange et la phalangine, cambré entre la phalangine et la phalangette. Gaudet obéit et la tige qui s'était rétractée lorsqu'il a désengagé la main, jaillit d'une coupure minuscule au bout du doigt. Étrange griffe de métal, droite et cylindrique, très exactement une fiche à brancher dans une petite prise.

— Pour brancher son micro-ordinateur sur son pupitre de commande.

— Et ce fameux micro-ordinateur?

— Le doigt lui-même, répond Blackburn à la place du technicien. Comment est la peau, Gaudet, tu peux la fendre?

D'une sacoche qu'il porte toujours, l'homme extrait un canif aussi tranchant qu'un scalpel et incise la face dorsale du doigt, sur toute la longueur.

— Le revêtement est semi-rigide, commente-t-il entre ses dents. À la première jointure, deux autres déclics... des boutons.

— Un, sûrement, pour la destruction de la base. C'est ça qu'il s'apprêtait à faire lorsqu'il s'est vu démasqué. Le programme devait être déjà tout prêt.

— Regardez-moi ça! fait Émard qui se penche par-dessus l'épaule du technicien.

— Le mécanisme de la prothèse, fils de nylon, ressorts-lames... Et des microprocesseurs, des mémoires UHSI, une micropile... Toute la partie informatique dans le volume de deux dés à coudre! Technologie de pointe.

— Étatsunienne?

— Aucun doute.

— C'est à peu près tout ce que nous saurons pour le moment, avoue Blackburn. Je n'ai été en contact avec son esprit que quelques secondes et je n'ai rien vu de sa commission.

— Qu'est-ce que vous avez vu?

Blackburn frémit malgré lui, les yeux fixés sur le doigt bionique de Jauvin, sur cette main arrachée qui a perdu tout statut de chose vivante, évoquant maintenant un débris de robot.

— Savez-vous ce qui m'a frappé? Maintenant que j'y repense... il ne songeait pas du tout aux gens qu'il a tués. Gélinas, les préposés aux écrans de surveillance, les victimes de la grenade... combien de morts, docteur?

— Trois.

— Et une dizaine de blessés. La plupart handicapés à vie?

Jaffré hoche la tête.

— Eh bien, il n'a pas pensé à eux une seconde pendant que j'étais en contact avec lui. Il pensait au vol en provenance du Groenland, aux possibilités qu'il soit intercepté même sans indications de plan de vol.

Un bref silence se fait, pendant lequel on place le cadavre de Jauvin sur une civière, qu'on pousse vers la sortie.

— Coupez-le en petits morceaux s'il le faut, ordonne le colonel, je veux savoir s'il avait d'autres parties artificielles. Et soyez prudent, docteur: son corps est peut-être piégé, qui sait?

Jaffré emboîte le pas aux infirmiers, après un dernier regard soucieux à Blackburn.

— Vous deux, dit Vidal aux techniciens du contre-espionnage, extrayez-moi tout ce que ce doigt avait en mémoire. Vous me ferez rapport.

Ils sortent à leur tour.

— Émard, vous avez le plus gros travail, adjoignez-vous autant d'hommes qu'il le faut. Découvrir l'étendue des sabotages que Jauvin a eu le temps de faire, dans le réseau de sécurité en particulier. Et surtout, les bombes: il en avait sûrement caché plus d'une, s'il avait un programme de destruction de la base.

Enfin il n'y a bientôt plus dans le poste central que le personnel régulier, plus le colonel et Blackburn.

— Faites-moi nettoyer tout ce dégât. Et réparer cette console; Émard tire juste, mais ses balles ne sont pas en gélatine. Quant à vous, Blackburn, vous devriez...

Mais un avertissement l'interrompt:

— On reçoit un message ultracodé. C'est... c'est le plan de vol des avions Vikings.

Peu après, les radars longue portée repèrent l'escadrille qui parachutera les renforts destinés à Iqaluit; pas d'intercepteurs ennemis en vue. Quelques hourras éclatent dans la pièce. Seul Blackburn n'a pas le cœur à se réjouir. Une sensation qui ne lui est hélas pas étrangère lui annonce qu'il va s'évanouir.

• • •

— Bon, vous revoilà parmi nous. Vous ne pouvez pas vous imbiber de drogues expérimentales et espérer vous en tirer frais comme une rose. Votre cerveau n'est pas une éponge.

Jaffré. Le docteur Jaffré. Comme à une bouée frôlée dans une mer obscure, Blackburn s'accroche à ce visage, à cette voix, et remonte à la surface de sa conscience. Avec consternation, il se rend compte qu'il avait les yeux ouverts et qu'il entendait depuis un quart d'heure peut-être, mais qu'il restait paralysé, terrorisé de ne pouvoir reconnaître l'endroit ni le moment. S'il continue sur cette pente, un jour il restera ainsi, réveillé mais à jamais désorienté, sans prise sur le réel, et on devra le mettre à l'asile, un égaré perpétuel. Il frissonne, pris d'une brusque suée qui trempe instantanément ses vêtements.

— Ça ne va pas mieux, dites-moi?

— Non... Non, ça va.

Avec une moue sceptique, le médecin hoche la tête:

— Vous resterez sous observation jusqu'à nouvel ordre. Et j'envoie un rapport complet à vos patrons — même s'ils n'existent pas, même si la céréphédrine-psi ne doit pas être nommée.

— Je ne vous le conseille pas, marmonne Blackburn en refermant les yeux avec lassitude.

7

Avant de se décider à se lever, Blackburn passe de longues minutes au lit à jouer avec une pensée, comme on triture machinalement, sans y porter attention, un fragment de peau soulevé près d'un ongle. Ce n'est même pas une pensée. Une image, tout au plus, une vieille image qui lui revient souvent et avec laquelle aujourd'hui il s'est réveillé. Il se voit plaqué au mur par une rafale de mitrailleuse ou par le souffle et les fragments d'une explosion. Une image violente, mais vidée de toute charge par l'usure même de la répétition. Il ne se reconnaît pas avec précision, visuellement, mais il sait que c'est lui, le torse haché par la mitraille, et ce sang coulant sur la muraille est le sien.

Prophétie, ou fantasme récurrent? Dans le métier qu'il exerce, en ce temps de guerre, c'est une fin tout à fait vraisemblable. Pour sa part, il est convaincu qu'il mourra ainsi, mais c'est en quelque sorte une certitude superficielle, ne parvenant pas à l'angoisser.

Le timbre de l'inter suspend sa rumination.

Il se sent amorti, sans tonus, comme au lendemain d'une cuite. Les maux de tête ont disparu pour laisser place à un vague malaise de tête, une brume mentale tiède et désagréable. Le timbre sonne à nouveau, impérieux.

— Oui.

— Une communication du haut commandement, monsieur. À recevoir en code dans le bureau du colonel Vidal.

— Urgent?

— Ce n'est pas précisé.

Il prendra son temps, alors.

Un vague étourdissement accompagne son lever. La glace lui renvoie une figure hâve, pas rasée depuis deux jours. Il devrait avoir faim, n'ayant rien mangé la veille à cause d'une nausée persistante; il est sans appétit, et la seule idée du bacon l'écœure.

— Faites-moi un test de grossesse, marmonne-t-il au docteur Jaffré qu'il croise dans le secteur de l'infirmerie. J'ai des nausées matinales.

— Je vous attends à quatorze heures. Mais j'examinerai plutôt votre poignet. Peut-être qu'on pourra remplacer la gangue par un bandage élastique.

Au vidéophone, Morel s'impatiente. Blackburn n'est qu'à demi surpris de le reconnaître, avec ses plaques rouge foncé au visage.

— Vous relevez d'une cuite, Blackburn? Vous êtes effrayant à voir.

Et toi, alors?

— J'étais à l'infirmerie, ment-il. Je récupérais de vous-savez-quoi.

Morel laisse passer un silence par lequel il admet connaître les effets néfastes de la céréphédrine mais, en même temps, prévient qu'il ne se laissera pas attendrir.

— Vous n'en avez parlé à personne?

— Le médecin local n'est pas fou, Morel. Il n'a pas été exilé ici pour incompétence.

— S'il y a fuite de votre côté, Blackburn, je ne donne pas cher de vos galons.

Blackburn durcit la mâchoire, maîtrisant sa révolte, renonçant à espérer quelque geste d'humanité de la part de son supérieur.

— La base de Havre-au-Lac va recevoir la visite du sous-marin d'une puissance intéressée, annonce Morel de sa voix la plus impersonnelle. À bord, une femme qui est notre contact avec cette puissance: elle viendra livrer l'horaire des transmissions pour le mois qui vient. Le général Valois est déjà en route vers vous pour la rencontrer ainsi qu'un haut gradé qui sera avec elle. Vidal aura l'ordre de les garder à souper; vous serez au mess vous aussi.

— Les émissaires de la puissance intéressée se prêtent à des mondanités, maintenant? La situation a bien évolué pendant ma courte absence.

— Sur le front arctique, Blackburn, les choses se font plus ouvertement.

— Je vois ça.

Pourquoi, alors, continue-t-on à nommer «puissance intéressée» cet allié dont chacun connaît l'identité?

— Je veux que vous sondiez cet agent, cette Michalski.

— Des soupçons précis?

— Je ne veux pas vous donner de préjugé.

— J'ai besoin d'une base, colonel.

— Très bien, consent Morel après une hésitation. Nous la soupçonnons de jouer double jeu, de servir aussi de contact entre la puissance intéressée et les Irréguliers.

— Les Irréguliers seraient en rapport avec...

— C'est une hypothèse, commandant. Et vous ne m'avez même pas entendu l'énoncer.

Blackburn se le tient pour dit. Il s'est en effet passé bien des choses pendant son séjour au Mexique. Mais alors, ce serait la puissance intéressée elle-même qui jouerait double jeu. Trouvant son allié trop modéré, elle appuierait aussi les forces irrégulières, les Irrédentistes, plus radicaux, plus imprévisibles aussi. Et Blackburn extrapole davantage, comme l'ont sûrement fait ses supérieurs: la motivation de la puissance intéressée, c'est donc l'instabilité de la région plus que la victoire de son propre allié. Les Étatsuniens seraient ravis de pouvoir prouver pareille chose.

— Vous me ferez rapport dès qu'elle sera repartie. Aucune action immédiate, quelles que soient vos conclusions. C'est une affaire délicate, nous devrons aviser.

Blackburn met fin à la conversation par un hochement de tête qui ne l'engage à rien. Connaissant la désinvolture qu'il affecte, ses supérieurs attendent rarement de lui un docile «à vos ordres»; ils connaissent son efficacité.

Sauf que, cette fois, Blackburn n'entend pas suivre les ordres. Oh, il soupera avec cette Michalski et essaiera de se faire une idée de son honnêteté. Mais il ne s'injectera plus cette saleté de céréphédrine-psi, même si on lui disait que le sort de la patrie en dépend. En tout cas, pas quarante heures après avoir failli perdre la boussole définitivement. Personne ne le surveille; pour une fois, il compte bien en tirer parti.

• • •

Ses turbines orientées vers le ciel, l'avion a déjà au survol de la piste une vitesse si faible qu'on le croirait condamné à s'écraser. Et pourtant il se pose avec légèreté, tel un grand insecte.

Ayant appris qu'ils se connaissaient, Vidal a invité Blackburn à aller avec lui accueillir le général Valois. Blackburn ne s'en réjouit qu'à moitié. Certes, tous les prétextes sont bons pour sortir de la base sous-marine, ne fût-ce que pour un quart d'heure. Mais il aurait préféré éviter Valois autant que possible; il ne l'aimait guère à l'époque où, simple lieutenant, il servait à Bagotville sous ses ordres. Valois, alors colonel, était ivre et despotique dix heures sur vingt-quatre.

Un instant chassée par les turbines, la neige qui tombe lourdement se porte déjà à l'assaut de l'avion, tandis qu'il est tracté vers un hangar. C'est seulement une fois à l'abri que le général entreprend de s'extraire du cockpit. Masque et casque enlevés, il s'avère moins abîmé que Blackburn ne s'y attendait: il a dû prendre des habitudes de modération dans l'espoir d'atteindre au moins la soixantaine. Il n'en accepte pas moins l'offre d'un cognac au mess des officiers, «pour se remettre d'aplomb».

— Blackburn! Je suis tombé sur le cul en apprenant que vous seriez ici. Si je m'attendais à vous rencontrer dans un trou pareil!

Et moi donc! songe Blackburn. Il faut accorder cela au vieux: il sait rester discret, derrière une façade «grande gueule». Il connaît sûrement le rôle qu'on lui a dévolu pour la visite de Michalski. Peut-être même lui a-t-on demandé de vérifier le travail de Blackburn?

Au mess, il bavarde à bâtons rompus, mais Blackburn laisse Vidal faire les frais de la conversation. Jusqu'à ce que Valois lui adresse directement la parole, profitant de ce que la salle est maintenant vide.

— Dites-moi, Blackburn, est-ce que vous avez revu Marin, depuis Bagotville?

La question n'est pas innocente, Blackburn en est immédiatement convaincu. Quelque chose d'indéfinissable, plus subtil encore qu'une inflexion de voix ou qu'un regard devenu attentif, fait la différence entre une question pour faire la conversation et une autre liée à un motif précis.

— Je l'ai revu à Sept-Îles, tout à fait par hasard.

— Ça fait longtemps?

— Deux ans.

Dans une arcade de jeux électroniques, comme la toute première fois. Un été chaud, une semaine de canicule ressentie même dans l'estuaire. Bien sûr, les canicules de Sept-Îles n'étaient pas suffocantes comme celles de la métropole, mais elles donnaient raison aux climatologues qui, vingt ans plus tôt, avaient prédit un réchauffement graduel de la planète. Ce n'étaient encore que des présages de confirmation, des singularité météorologiques dont personne ne se plaignait dans les régions nordiques. Aux fortes marées de la nouvelle lune, des terres se voyaient inondées, qui étaient restées au sec depuis des millénaires. Mètre par mètre les calottes fondaient, celle de l'Arctique surtout, l'hiver ne parvenant plus à reprendre ce que l'été lui enlevait de banquises et d'icebergs. Le Bangladesh n'était plus qu'un archipel de camps de réfugiés, les Étatsuniens abandonnaient chaque mois des centaines de villas côtières et les déserts progressaient au cœur des continents.

Le Commandement régional pour la Côte-Nord était à Sept-Îles; c'est là qu'était basé Blackburn depuis quelques années. La soirée était chaude et le lendemain était jour férié: il n'en fallait pas plus pour que les rues prennent une ambiance de foire, bandes bruyantes et bouteilles entrechoquées. Les dames de la nuit avaient investi les trottoirs, cariatides fardées aux façades des bars et des clubs.

Blackburn rôdait dans une arcade de jeux électroniques, dépensant peu, regardant moins les appareils que les joueurs. Il savait qu'il y avait une arrière-salle, mais n'aurait pas tenté d'y entrer si ce n'avait été pour retrouver un jeune *rocker* qu'il avait repéré et qui avait paru s'éloigner dans cette direction.

Un videur l'arrêta à l'entrée du passage enfumé. On se méfiait de la police, de la police militaire encore plus. À la moindre enquête fructueuse, l'établissement risquait d'être fermé et ses propriétaires, mis à l'amende. L'armée était prête à perdre des hommes au jeu, mais à son jeu à elle, contre un ennemi véritable. Les soldats disparus en permission étaient pour elle des pertes sèches.

Blackburn allait se résigner à s'éloigner, lorsqu'un congénère du videur lui transmit à voix basse la consigne de laisser passer: quelqu'un, peut-être, avait reconnu Blackburn et se portait garant de sa discrétion. Intrigué, Blackburn descendit sans un mot quelques marches menant à l'arrière-salle, où l'éclairage était plus discret. Le long des murs, quelques machines seulement. Au centre, un appareil plus gros, pour deux concurrents. Un cercle de spectateurs, disciplinés sans doute par la poigne rude des videurs: ils encourageaient avec ardeur, mais à voix basse, leurs exclamations chuchotées plutôt que criées, leurs clameurs remplacées par des grognements aigus.

Le jeu était un quelconque duel au pistolaser, deux ennemis

s'affrontant sur un terrain accidenté constamment renouvelé et propice aux embuscades. Toutefois, c'est aux joueurs que Blackburn s'intéressa. L'un lui tournait le dos mais l'autre était Jac Marin. Il ne l'avait pas vu depuis des années — en fait, depuis Bagotville, où Marin était capitaine — cependant Marin n'avait pas changé: le même visage anguleux, le même réseau de fines rides au coin des yeux pâles, les cheveux en brosse où sûrement le blond avait reculé devant le gris, mais dans cette pénombre c'était impossible à déterminer.

Il ne pouvait quitter du regard l'écran holographique où combattait son duelliste, mais il avait dû apercevoir Blackburn du coin de l'œil, dans l'escalier, car il eut un petit sourire — ce sourire narquois qu'on lui voyait souvent, et les spectateurs durent croire que c'était celui d'un vainqueur voyant venir la défaite de son adversaire. Mais Blackburn savait que ce sourire lui était destiné, que probablement c'était Marin qui, d'un mot, avait cautionné son admission dans l'arrière-salle.

Si sûr de lui. Une autorité tranquille et tacite, dans tous les milieux où il s'introduisait. Et ce détachement affecté, cet air de n'être jamais troublé par rien. Même pas par l'arrivée de Blackburn, le rappel général des souvenirs et des sentiments du passé? Si, car il se laissa surprendre par son adversaire: un coup direct au contrôle de son bouclier, et la décharge le secoua violemment, un bourdonnement sec et intense, tandis que sur l'aire de jeu la figurine achevait de se consumer.

Une partie de la salle éclata en acclamations, qu'un videur fit taire aussitôt en serrant deux nuques entre ses doigts puissants. Peu de gens avaient parié pour l'adversaire de Marin, aussi la surprise était-elle grande. Personne, bien sûr, ne soupçonnait pourquoi la vigilance de Marin avait failli un instant, à cause d'un facteur extérieur à la partie. Personne, sauf peut-être Blackburn.

Étourdi, massant ses avant-bras engourdis, Marin rencontra le regard de Blackburn et tout se dit sans un mot: le reproche d'avoir été ainsi distrait, battu, le plaisir d'une rencontre inattendue, le réveil de sentiments anciens et la volonté de ne pas s'y complaire, le constat simultané d'un éloignement irrémédiable et d'une complicité impossible à nier.

Et, pour Blackburn, la contrariété de se voir encore si sensible au passé, les désirs concurrents de renouer et de renier.

— Une autre partie? proposa Marin à son adversaire tandis que Blackburn descendait les deux ou trois dernières marches.

— Pleine puissance, cette fois.

Une explosion de murmures accueillit le défi. Blackburn regarda le joueur avec inquiétude: un homme dans la vingtaine, avec quelque chose de juvénile dans la hardiesse. Ses yeux, que Blackburn en se rapprochant pouvait maintenant voir, brillaient d'un éclat qui devait autant à la coqueplus qu'à la témérité. Tout autre aurait décliné son défi, sachant que son jugement était faussé par la drogue. Marin, lui, l'accepta. Plus encore: Blackburn, en cet instant, devina qu'il l'avait provoqué, ce défi, en se laissant battre à la joute précédente.

De part et d'autre, ils réglèrent le rhéostat à la puissance maximale; des indicateurs se mirent à clignoter, rouges, frénétiques. Blackburn voulut partir, mais trop tard: la partie était commencée, les petits duellistes holographiques se tiraient déjà dessus et Marin risquait d'être tué s'il était distrait — par exemple par le départ ostensible de Blackburn. Il était piégé, contraint d'assister aux jeux malsains de Jac Marin. Captif, une fois de plus.

Le silence était absolu, maintenant, hormis le sifflement plaintif des pistolasers fictifs, et la rumeur de la salle de jeu proche. Le visage des adversaires s'illuminait du bleu et du vert des rayons, trahissant les gouttelettes de transpiration sur leur front. Une grimace les crispait parfois, lorsqu'un désagréable fourmillement les traversait des mains aux pieds à chaque atteinte du bouclier par le tireur adverse. Alors le son changeait, le grésillement du champ de force remplaçant l'embrasement d'un arbre ou l'éclatement d'une roche.

L'autre son, le son final, Blackburn ne comprit pas tout de suite sa nature: une sorte de crépitement électronique, aigu et clair, couvrant à demi le hoquet étouffé du jeune joueur. Blackburn regardait Marin à cet instant et, lorsqu'il tourna les yeux, ce fut pour voir la fin du sursaut, l'affaissement par en arrière, le visage convulsé et les mains noircies, fumantes.

C'était donc vrai, des gens se tuaient à ce jeu, délibérément. C'était la première fois que Blackburn le voyait de ses yeux.

Marin n'avait pas bougé de son tabouret, mains encore serrées sur les commandes meurtrières. Qu'il regardât droit devant lui sans rien voir, Blackburn l'aurait compris. Qu'il le regardât, lui, avec une quelconque expression, fût-ce d'ironique triomphe, il l'aurait compris et même souhaité, trouvant là matière à le haïr enfin. Mais qu'il le fixât avec ces yeux aveugles, ce regard entièrement intérieur, barrière opaque masquant toute réaction, pour confiner dans son esprit malade le sentiment intense qui le tétanisait...

Blackburn tourna les talons et sortit, taisant le cri de son refus sous le regard méfiant d'un videur.

Ce décès, un de plus, passa inaperçu, le corps prestement escamoté, sans doute. Blackburn ne revit plus Jac Marin. Depuis, avait-il enfin rencontré plus téméraire que lui, ou était-il passé, blasé, à des émotions plus fortes, à des jeux encore plus mortels?

— Deux ans que vous ne l'avez vu? Alors c'est moi qui vais vous donner des nouvelles de lui.

Sur un signe de Valois, le colonel Vidal prend congé et les laisse seuls.

— Marin a été promu lieutenant-colonel. Cette année-là, justement. Et il a accepté une mission secrète — une couverture avec mise en scène et tout: il a feint de déserter et s'est infiltré parmi les troupes irrégulières de l'enclave Churchill.

Les Irréguliers! Une troupe de miliciens patriotes au départ, des volontaires, des fanatiques. Leurs chefs avaient ensuite accepté une intégration à l'armée régulière, mais cela ne s'était jamais concrétisé. Ils étaient jaloux de leur liberté d'action, insatisfaits des hésitations du gouvernement et de l'incapacité de l'armée. Irrédentistes, ils n'ont jamais avalé la ligne établie par le cessez-le-feu du 24 juin et ont saboté l'accord si difficilement négocié. Depuis, ils mènent leur propre guerre, insaisissables, mobiles, imprévisibles, redoutés autant par le haut commandement régulier que par l'ennemi. Ils jouissent d'appuis dans certaines tranches de la population et peut-être, comme Blackburn l'a appris ce midi, chez la puissance intéressée.

Jac Marin aurait-il accepté la mission de les noyauter pour causer leur perte? Lui qui, au début de la guerre, a envisagé de quitter carrière et grade pour se joindre à eux? Lui qui a fait le coup de feu à leurs côtés, au temps des maquis et de la guérilla?

— Vous ne dites rien, Blackburn. Est-ce que la suite vous intéresse?

— Allez-y, général.

— Nous avons perdu sa trace. C'était plus ou moins prévu, mais nous avions convenu de procédures de communication. Aucune nouvelle depuis plus d'un an. Il a rompu le contact.

— Il a peut-être été découvert, suggère Blackburn sur le ton le plus neutre possible.

— Non. Un de leurs officiers, capturé, a confirmé qu'il est bien vivant. Il est leur chef, maintenant.

Blackburn laisse passer un moment sans rien montrer de sa confusion. Il ne devrait pas être surpris: la logique est rétablie, le curriculum de Jac Marin a retrouvé son cours naturel. L'armée régulière n'aura été en somme qu'un intermède — un long intermède où Marin graduellement semblait être devenu un autre homme, acceptant l'autorité et la discipline malgré ses convictions, jouant le jeu du pouvoir et de la hiérarchie, si brillamment qu'il en avait gravi les échelons en un temps record.

Dans ce but précis? Non, il ne pouvait prévoir, seules les circonstances lui en ont offert l'occasion. Et il l'a saisie, avidement, faisant un immense bras d'honneur à ceux qui avaient cru l'avoir domestiqué. Pour peu, Blackburn en rirait, si ce bras d'honneur ne le visait lui aussi, doublé d'un reproche pour s'être intégré, lui, pour avoir accepté d'être encore longtemps un sous-ordre.

— Pourquoi me racontez-vous tout ça, général?

Valois se recule, vide le fond de son verre et le repose sans douceur.

— Pour aucune raison, Blackburn, pour aucune raison. Disons simplement que c'est un irritant. Il nous nargue, voyez-vous, et ça nous impatiente. Moi particulièrement, ça me fend: j'avais signé une recommandation pour sa promotion. Depuis, j'ai ça sur le cœur.

Il reprend son verre, l'examine comme dans l'espoir qu'un peu de cognac y apparaisse.

— Et des fois je me vide le cœur, comme ça.

Bien entendu, Blackburn n'en croit rien.

• • •

Tel un tentacule, le corridor descend sur le fond en pente jusqu'à la structure du sas, au bord d'une dénivellation de quelques dizaines de mètres. Les parois sont opaques, l'eau à l'extérieur doit être noire et glacée: elles sont loin les galeries de verre de l'Atlantide, les eaux turquoises et les floraisons de corail.

Métal nu et tubulures, le grand tambour est aussi anxiogène que l'intérieur d'un submersible. La pénombre, qui améliore la visibilité vers l'extérieur, ajoute à l'ambiance lugubre. Seule concession, de vastes baies de verre blindé, ni plus ni moins vulnérables que les autres parois. Les projecteurs extérieurs sont allumés, leur éclat blanc bleuté dirigé vers le fond pour ne pas être visible en surface.

Blackburn reste saisi, en voyant l'immense forme allongée qui progresse à quelques dizaines de mètres seulement. Puis il s'avance jusqu'à la baie. «Immense» est une impression fausse: c'est là un sous-marin de dimensions très moyennes. Ses aînés de la classe Typhon le réduiraient au rang de poisson-pilote. Sur le kiosque bientôt caché à sa vue, Blackburn aperçoit brièvement l'étoile rouge à cinq branches.

Une vibration parcourt la structure de l'appontement lorsque le submersible heurte les grands boutoirs courbés. Avec quelque nervosité, un officier coordonne l'amarrage, et on lit la tension sur le visage des hommes aux yeux rivés sur les écrans vidéos, guettant l'alignement de repères sur la coque du sous-marin. Une succession de claquements métalliques, assourdis mais puissants, annoncent que les amarres mécaniques sont bien accouplées. À son tour, le sas mobile est actionné, déplacé hydrauliquement, et va se plaquer à une surface verticale de la coque. Des verrous s'enclenchent, scellant d'une pression formidable les joints de néoprène.

— Tous les témoins sont verts.

— Ouvrez l'écoutille extérieure.

Les hygromètres ultra-sensibles et les jauges signalent quelques centilitres d'eau, quantité résiduelle inévitablement emprisonnée entre les deux écoutilles lors du scellement.

— Donnez le vert au sous-marin. Ouvrez l'écoutille intérieure.

Basse et massive, la porte donne sur le couloir semi-flexible qui sert de sas entre le sous-marin et le tambour. Première surprise, pour Blackburn: Hélène Michalski est d'un âge certain, la cinquantaine assurément, sinon plus. Mais c'est le visage qui trahit son âge; le corps, menu et souple, est celui d'une athlète ou d'une gymnaste qui n'a jamais cessé de s'exercer depuis sa jeunesse.

Deuxième surprise, elle parle français sans plus d'accent étranger que Vidal ou Blackburn.

— Mais je suis née à Montréal, réplique-t-elle lorsqu'on s'en étonne. Consultez l'annuaire téléphonique: il y a une cinquantaine de Michalski. Nous sommes au pays depuis un siècle.

La troisième surprise, Blackburn est le seul à l'éprouver, et c'est un choc. Leurs regards se rencontrent et l'esprit de Blackburn se retrouve suspendu dans le vide, nu, ouvert à tous les vents de l'espace et du temps. N'étant plus contenu par la gangue du cerveau, il s'étire dans toutes les directions, Comitan, Vera Cruz, le passé mais aussi le futur, la taïga du Nouveau-Québec et les installations délabrées du front Churchill. Étiré telle une substance molle et friable, son esprit se fragmente en parcelles qui sont autant d'images papillotant dans le vide où elles se dispersent: des hélijets hachant la nuit, des jonchées de cadavres, une piscine aux eaux de jade, un convoi militaire, le visage de Lavilia, la réception du consulat japonais, une empoignade dans un vaste hangar, Quetzalcóatl le dieu-serpent, la cité d'Eldorado, la figure de Michalski et le sourire narquois de Jac Marin.

Avec quelque retard, Blackburn réagit. En un effort il rassemble et referme son esprit, claquant au nez de cette femme la porte d'un cabinet qui serait sa vie et qu'elle aurait commencé à piller. Tout cela en un instant, un bref instant. Puis le regard d'Hélène Michalski se détourne et elle présente le haut gradé qui l'accompagne, rien de moins qu'un amiral, comme pour montrer à quel point la puissance est intéressée.

Valois les invite à le suivre.

— Vous venez aussi, commandant?

Blackburn se secoue, emboîte le pas au petit groupe tandis que, dans le tambour, on referme l'écoutille par prudence. Les projecteurs extérieurs s'éteignent; la mer, par-delà les grands hublots, redevient un insondable néant glacé.

• • •

Hélène Michalski ne s'est pas attardée à la base sous-marine de Havre-au-Lac. Son amiral serait bien resté après souper comme le leur offraient leurs hôtes, mais elle semble avoir fait triompher des arguments contraires — à voix basse, de sorte que même ceux qui comprenaient le russe n'ont pu deviner la nature de ses inquiétudes.

Dans la salle d'état-major où l'on a examiné, avant le repas, le programme des transmissions et les nouveaux codes pour les semaines à venir, Michalski évitait délibérément de croiser le regard de Blackburn. Au souper, peu à peu, elle a cessé d'ignorer sa présence, mais elle a bien pris garde de ne pas lui accorder plus d'attention qu'à un sous-ordre — du reste, ce n'était guère sa place, à la même table qu'un général et un amiral discutant stratégie et logistique. Un autre que Blackburn aurait fini par croire qu'il s'était illusionné sur l'étrangeté de leur premier contact, que rien ne s'était passé. Blackburn connaît assez bien les procédés de la feinte et de la dissimulation pour les reconnaître. Il regrette même de n'avoir pas pris avec lui une seringue et une ampoule de cé-psi: au vu des circonstances, il aurait consenti un nouveau sacrifice pour sonder les pensées secrètes d'Hélène Michalski.

Peut-être n'est-il pas trop tard? Si, la voici qui sort déjà des toilettes, où elle a demandé de faire une brève pause avant de regagner la chambre des sas. Aux carrefours le long de leur trajet, des hommes et des femmes de la police militaire interdisent la circulation du personnel de la base: le moins de gens auront vu les agents de liaison de la puissance intéressée, le mieux ce sera. La plupart des gardes, du reste, sont tournés vers les couloirs transversaux. Parmi ces gardes, une femme cependant, à l'amorce du passage qui descend vers le sas, fixe Michalski sans discrétion, comme l'on regarde avec insistance une célébrité dans l'espoir qu'elle vous salue. Mais la visiteuse passe son chemin sans qu'un mot ait été échangé, et l'autre paraît s'en désintéresser aussitôt. Elle semble même avoir hâte que sa tâche achève car, dès que son officier relève la garde, elle se presse vers les cabinets.

Dans le tambour, Blackburn reste planté devant l'une des baies tandis que tarde le largage des amarres mécaniques. À quelques mètres de la vitre, le sous-marin est une haute muraille convexe, bloquant tout le champ de vision hormis une zone obscure vers le haut et une autre vers le bas, les ténèbres des profondeurs.

— Qu'est-ce qu'ils attendent? s'impatiente un officier.

— Ils ont un témoin rouge à leur sas, ils contrevérifient.

Quelques minutes s'écoulent avant que le préposé aux communications n'annonce:

— C'était un faux contact dans leur tableau de contrôle. Ils ne voulaient pas prendre de risque.

Les verrous du sas sont déclenchés, puis ceux des amarres, et le sous-marin chasse aux ballasts, brouillant le champ éclairé par les projecteurs.

• • •

En route vers le bureau du colonel Vidal, Blackburn met au point le mensonge qu'il devra raconter à son supérieur pour expliquer comment il vient au rapport les mains vides. En traversant la salle des commandes, il remarque la conversation agitée qu'ont un technicien et son officier:

— Vous avez déjà vu un effet pareil, lieutenant?

— Un orage donnerait ce signal-là, mais en plus défini, plus prononcé.

— Et bien plus étendu.

C'est le poste radar. Blackburn au passage regarde l'écran qui intrigue tant. Il ne remarque rien d'inusité. Si, peut-être, au balayage suivant: une phosphorescence diffuse, sans contour précis.

— Un banc de brouillard? hasarde-t-il en s'arrêtant.

— À cette altitude, commandant? C'est le radar de longue portée que nous regardons là. L'écho est largement au-dessus de la couche nuageuse.

Dans l'ionosphère, donc, comprend Blackburn en pesant la sottise qu'il vient de dire.

— Ça se déplace?

— Ça s'approche rapidement. L'ordinateur aurait dû préciser sa trajectoire depuis un moment, mais l'écho est tellement fugace... On ne reçoit quelque chose qu'à tous les trois ou quatre balayages.

— Voici autre chose, prévient le préposé au sonar.

— Je ne vois rien, réplique le lieutenant en se déplaçant.

— Oui oui, le long du fond marin: cet écho, là...

— Ça bouge, ça?

— Très lentement: voyez, il s'est déplacé. Mais ce n'est pas métallique, j'en suis sûr.

— Il s'éloigne. Mais c'est tout près! Quelques dizaines de mètres de l'appontement sous-marin.

— C'est très petit. Un écho très léger. Pas plus gros qu'un sous-marin de poche. Si je pouvais centrer le... Merde, il a disparu, on dirait qu'il n'y a plus que le fond.

Prévenu, le colonel Vidal arrive:

— Au vidéo, vous obtenez quelque chose sur l'écho aérien?

— Le plafond nuageux est trop bas.

— Il faudrait sortir avec des binoculaires, au cas où ça crèverait le plafond nuageux. Les vidéocaméras ne seront peut-être pas assez sensibles: elles ne prennent que les étoiles les plus brillantes, par temps clair.

— Je vais y aller, offre Blackburn, trop heureux de reporter à plus tard sa communication avec Morel.

— Je ne sais pas. Ça m'inquiète. Vous avez une trajectoire, Dionne?

— Approximative, seulement. Ça ne vient pas vers nous. Plutôt vers le détroit, au large du Havre.

— Vers le sous-marin soviétique? demande Blackburn sur une brusque intuition.

— Vers le...!

Le lieutenant refait deux pas vers la console des sonars, tape quelques chiffres sur un clavier.

— Si l'un et l'autre continuent sur la même trajectoire... Ça se pourrait, oui.

— Contactez-les, ordonne Vidal. Prévenez-les que...

— Je leur dis quoi, mon colonel? Ce n'est même pas un nuage, c'est encore plus diffus.

— Un champ anti-radar! s'exclame le commandant de la base. Sonnez l'alerte jaune!

Médusé, le technicien radar ne cesse de murmurer:

— C'est gros... C'est gros... C'est plus gros qu'un porte-avions mais c'est à soixante kilomètres d'altitude!

• • •

Prenant binoculaires, combiné micro-écouteurs et parka, Blackburn galope dans les coursives, prend un wagonnet électrique à contresens des hommes qui se hâtent vers la base sous-marine. Si l'on passait en alerte orange, il devrait rentrer, et vite. Pour l'instant, l'ascenseur le mène au niveau du sol et il sort à l'air libre, assailli par le froid de la nuit. Il court quelques foulées en direction de la mer, pour avoir dans le dos les rares lueurs des bâtiments. La neige a cessé depuis longtemps et, selon l'observation météo qu'il a entendu énoncer dans son écouteur, le plafond nuageux est moins bas que durant la journée.

Dans la cabine de l'ascenseur, il a eu le temps de programmer le repéreur de ses binoculaires en fonction du cap fourni par le radar. L'affichage numérique des degrés passe au bleu lorsque les binoculaires de Blackburn sont en position voulue. À l'infrarouge, les nuages offrent une surface onctueuse, presque lisse, une mousse à la limette. Qui s'agite brusquement, éclate en volutes confuses, comme si une bourrasque les avait crevés de haut en bas. Rien de tangible: le vent, pourrait-on croire. Mais un vent animé de vagues nitescences. Blackburn baisse l'instrument, regarde à l'œil nu. À l'échelle du ciel et des nuages, le phénomène est très restreint; si son instrument n'en indiquait la direction et l'élévation, il passerait inaperçu. À la salle des commandes, l'écran vidéo ne montre peut-être rien. C'est un fantôme, le fantôme d'un petit nuage, parcouru de lueurs spectrales. Une aurore boréale, mais concentrée, descendant vers la mer. Et bien moins lumineuse, bien moins claire. Le regard y cherche en vain quelque repère; tout au plus distingue-t-on qu'il y a deux pôles, ou deux noyaux, à cette zone de phosphorescence.

Dans son oreille, l'écouteur retransmet les échanges du poste central:

— À nouveau ce petit contact tout près du fond marin. Il est réapparu et il s'éloigne, lentement...

— Direction?

— Il suit un autre cap que tout à l'heure. Sud-est, en gros.

— Aucune réponse du *Krilenko*, annonce une autre voix.

— Vous émettez en code?

— Oui, ils devraient savoir que c'est nous. Je me demande s'ils reçoivent.

— Le *Krilenko* semble être en panne: il ralentit.

Un grondement parvient maintenant à Blackburn, lointain mais puissant. Adolescent, il a visité le Cap Kennedy et assisté au dernier décollage d'une fusée *Saturne V*: c'est le même grondement, aujourd'hui, mais peut-être dix fois plus fort.

Il rajuste ses binoculaires, règle leur portée au maximum. Le phénomène emplit tout leur champ, une brume de lueurs ténues et fugitives, en constant mouvement comme si elles tentaient de s'échapper. Seules les moins pâles parviennent à éveiller un reflet à la surface de l'eau, dont le phénomène se rapproche graduellement. En contrebas, la mer commence à réagir, se brouillant de vagues qui ne doivent rien au vent. Puis cela devient moutonnement, la blancheur de l'écume parfaitement visible sous le phénomène.

— Radar, l'écho aérien se précise?

— Non, au contraire, je commence à avoir du brouillage. Attendez...

Au-dessus de la mer agitée fusent des pans de vapeur, couchés par le souffle de quelque ouragan invisible.

— Regardez-moi ÇA!

Dans l'instrument de Blackburn aussi, cela s'est produit, l'éblouissante apparition: une double éruption de vapeur autour de piliers de flammes rosées puis, au cœur de cette nuée, une forme allongée, anguleuse, aussi massive qu'un porte-avions qui se poserait sur la mer.

— Il y a un brouillage terrible au sonar: je ne vois plus le *Krilenko* au milieu de ça.

— Vous l'avez vu disparaître?

— Il commençait à remonter. Voyez, on l'aperçoit encore, par bouts. Il s'apprête à faire surface.

C'est comme si deux soleils se posaient sur la mer, qui riposte en terribles geysers. Entre ces deux tourmentes, Blackburn croit voir s'ouvrir le ventre du vaisseau, si vaisseau il y a. Et il devine, plus qu'il ne voit, la suite du formidable enlèvement. Car la vision s'est estompée aussi rapidement qu'elle est apparue: flammes aveuglantes et geysers de vapeur instantanément résorbés en un brouillard ténu, sans substance, transparent à la noirceur de la nuit.

— Radar?

— Plus d'écho. Juste ce fantôme qui reprend de l'altitude.

Le temps que sa vue se rajuste à l'obscurité, Blackburn ne retrouve plus les lueurs: elles sont si pâles, il faudrait savoir exactement où les chercher, et elles ont dû prendre une nouvelle direction. Mais lorsqu'il ramène vers la surface de la mer ses binoculaires à l'infrarouge, il retrouve sans peine la zone encore fumante, le vert foncé du courant glacé dispersant lentement le jade de l'eau réchauffée. Dans l'oreille de Blackburn, les voix du poste central continuent leurs échanges, un ton moins haut:

— Sonar, ce brouillage?

— Terminé. Le secteur est limpide.

Un instant, le silence est total, sous les nuages comme sous la mer. Blackburn scrute en vain le ciel couvert.

— Et le sous-marin?

— Disparu.

8

— Dites-moi, Blackburn, qu'est-ce qui s'est passé là-haut, la nuit dernière?

Jaffré n'est pas le premier à l'interpeller ainsi, et sans doute pas le dernier, du moins tant que les consignes n'auront pas été renforcées de sanctions.

— Désolé, docteur. Tout le personnel présent à la salle des commandes a reçu la consigne du secret, sous peine de dégradation et de cour martiale.

— Mais vous, vous n'y étiez pas. On vous a vu revenir de la surface.

— La même consigne vaut pour moi.

Blackburn espère que l'autre n'insistera pas. Il sait combien ce secret doit être frustrant, surtout pour des officiers. Mais laisser courir des témoignages, incomplets comme ils le seraient forcément, risquerait de miner le moral: si l'on exclut un phénomène météorologique rare, auquel personne ne croit vraiment, l'hypothèse la plus vraisemblable est celle d'une arme inconnue dont l'ennemi ou son puissant allié viendraient de faire la première démonstration. Si le bruit d'une telle supériorité courait, on pourrait aussi bien entamer le repli sur tous les fronts.

C'est Blackburn qui en a eu la meilleure vision: les caméras extérieures de la base n'offrent pas une aussi bonne résolution que les binoculaires, et personne dans le poste central n'a dit avoir entrevu une forme matérielle au cœur du phénomène. C'est à tout cela que Blackburn pense en rentrant vers sa cabine, après une nuit blanche et un petit déjeuner frugal, tandis que le docteur

Jaffré s'éloigne avec un silence amer et que l'état-major de la base, de concert avec un général Valois catastrophé, complète un rapport à l'intention du haut commandement.

Blackburn se retourne: dans son dos, une femme l'a interpellé à voix basse.

— Je dois vous parler, commandant, murmure-t-elle. Seule à seul.

— Me parler de quoi? demande-t-il, circonspect.

— C'est au sujet du lieutenant Jauvin. J'ai des raisons de croire qu'il n'agissait pas seul.

Il la reconnaît: une femme de la Sécurité, aperçue deux ou trois fois depuis son arrivée. Bien placée, donc, pour avoir noté de petits faits suspects.

— Je dois vous montrer quelque chose dans l'arsenal, dit-elle en désignant la porte la plus proche.

— C'est au major Émard qu'il aurait fallu parler.

Mais elle l'interrompt, nerveuse:

— Je prends un risque énorme. Vous croyez que Jauvin a pu agir seul, sans complicité à un niveau supérieur?

Tout en parlant, elle a déverrouillé la porte de l'arsenal en utilisant sa carte de sécurité et en composant un code numérique.

— Il ne faut pas allumer, dit-elle en lui faisant signe de la suivre dans la salle. Je vais aller couper la vidéocaméra.

À la clarté qui entre du couloir, Blackburn vérifie que personne ne l'attend le long de la cloison pour l'assommer. Cette situation n'est pas limpide, loin de là. Pour lui, l'affaire Jauvin était close. Il y a déjà assez de la «disparition» du *Krilenko* dont la scène finale le hante constamment.

— Refermez la porte, lui souffle-t-elle en s'éloignant. J'ai caché une lampe de poche par ici.

Mais il n'obéit point et fait deux ou trois pas dans la salle. En quelques secondes il inspecte l'obscurité du magasin. Les allées entre les étagères et les râteliers paraissent désertes. La femme semble savoir ce qu'elle cherche, elle est déjà dans l'avant-dernière allée vers le fond. Comment espère-t-elle que cette rencontre reste clandestine? Des senseurs à infrarouge et des caméras jumelés à des flashes à intervalles variables sont censés surveiller l'arsenal, avec écrans au poste de sécurité. À moins qu'elle n'ait déjà court-circuité ces dispositifs. Elle se méfie d'un officier supérieur de la Sécurité.

Blackburn s'engage prudemment dans l'avant-dernière allée,

où ne parvient aucune lueur du couloir. Un mouvement brusque, au bout; en réaction, il bondit vers l'arrière et de côté. Un intense bourdonnement électrifie l'air; crachotements sonores à l'autre bout de la salle. On a tiré du fusilaser. Blackburn roule au sol dans la suite de son mouvement, hélas pas dans la direction de la sortie. Pistolet au poing, il s'adosse à l'épi d'une étagère. Comment a-t-il pu tomber dans un piège aussi grossier? En évoquant des complicités haut gradées, elle a visé juste en faisant appel à sa paranoïa acquise, celle de tout agent du Contresp. Peut-être, inconsciemment, entretenait-il de tels soupçons.

Blackburn cherche le meilleur moyen de regagner la sortie, tandis que la paroi atteinte par le rayon, au fond de l'arsenal, rougeoie et fume. Contourner ces casiers, cet établi... il y va. Mais aussitôt il se jette de côté et roule sur lui-même à l'instant où un deuxième rayon, visible celui-là dans la fumée qui se répand, fait fondre et carbonise le plancher dix mètres plus loin.

Sur le dos, la tête renversée, avant même que se termine son roulé-boulé, il tire trois coups vers l'endroit où a fulguré le fusilaser. Il ne sait s'il a atteint la tireuse. L'avertisseur d'incendie vient de se déclencher. «VOUS AVEZ DIX SECONDES POUR QUITTER CETTE SALLE», prévient la voix impérieuse d'un enregistrement. Blackburn se relève, risque un regard dans l'allée où a fulguré la deuxième décharge. Il ne voit personne, dans la lueur sanglante des lampes d'urgence. Ou bien il a manqué son coup, ou bien la femme, touchée, est encore mobile. C'est à qui sortira le premier. Pour être aussi libre de ses mouvements, la tireuse n'est probablement munie que d'un fusilaser individuel, dont elle porte les piles à sa ceinture.

Maudit timbre d'alarme, qui l'empêche de repérer son adversaire au son. Mais Blackburn est certain que lui et l'autre convergent vers la porte ouverte. Dans le couloir, il devine des gens qui approchent.

«VOUS AVEZ CINQ SECONDES POUR ÉVACUER»

Il ruse en avançant une jambe dans l'allée suivante et en la retirant aussi vite. Un nouveau rayon trace sa ligne vibrante à hauteur de taille.

Fusilaser individuel: deux secondes de recharge. Il se rue vers la porte en exécutant une volte, juste dans la ligne de tir, et décharge son pistolet sur la silhouette qui fonce elle aussi. Un dernier rayon déchire l'air, enflammant un pli de sa chemise, mais Blackburn est déjà dans la coursive, heurtant un soldat à reculons et titubant sous le choc.

Il voit son agresseur, la femme de la sécurité, rampant sur le plancher qui s'inonde de son sang. Il fait un mouvement vers elle, mais la porte de l'arsenal se ferme en coulissant, heurtant violemment le coude de la femme et l'épaule de Blackburn, les séparant l'un de l'autre. La porte s'arrête en bout de course avec un claquement assourdi. Au même instant, dans le magasin enfumé, le halon doit jaillir des extincteurs automatiques, inondant la pièce, étouffant les flammes et quiconque n'a pu sortir à temps. Il n'y aura pas de conflagration dans l'arsenal, la base est sauve.

• • •

Ecchymoses aux genoux et aux coudes, brûlure du premier degré au ventre, Blackburn s'en tire à bon compte.

Dans l'armoire de la sergente Louise Paré, on n'a trouvé rien de suspect, hormis un petit lecteur ultraviolet composé d'une pièce optique et d'un mini-projecteur. Plus un recueil de poèmes assez abscons publié chez un éditeur marginal, qui pouvait servir de table de décodage. Si elle disposait d'un émetteur personnel, Paré a dû s'en débarrasser durant l'enquête sur Jauvin.

— Le prétexte qu'elle a donné pour cet entretien, vous y croyez? demande Vidal.

— Plus maintenant. Il lui fallait imaginer un appât efficace: elle a mentionné l'affaire Jauvin.

— Vous croyez que c'était improvisé?

— Sûr, affirme Blackburn. Le tripotage de la télésurveillance, le vol d'une carte de sécurité. C'était grossier, c'était en voie d'être découvert pendant même qu'elle préparait ce fusilaser.

— L'ordinateur de la télésurveillance rapportait des anomalies, confirme le major Émard. Quant à Paré, son test au polygraphe avait été non concluant.

— Un acte désespéré? avance Vidal.

— Ou un ordre à exécuter sans délai, suggère Blackburn.

— Au prix de sa propre «couverture». Vous croyez qu'elle se serait suicidée?

— Elle espérait peut-être avoir le temps de quitter la base. Ou encore, suppose Blackburn, elle aurait été supprimée avant d'être prise.

Dans leur coin de la coursive, les trois officiers et le général Valois sont soucieux. Que Louise Paré ait été disposée à se suicider en cas de capture, ou qu'elle ait été destinée à être supprimée par un tiers, l'alternative suggère une infiltration de la base beaucoup plus sérieuse qu'on aurait pu l'imaginer.

Et par qui? Blackburn devrait-il parler de ce regard prolongé qu'ont paru s'échanger Louise Paré et l'agent Michalski au moment où cette dernière retournait au sous-marin? Ce serait de l'extrapolation. Même le fait d'appeler cela un «regard prolongé» est de l'interprétation. Énoncer pareil soupçon, dans le contexte délicat des relations avec la puissance intéressée, c'est déjà prendre une lourde responsabilité.

À ce moment, des hommes munis de masques à gaz commandent l'ouverture de la porte de l'arsenal. Le masque est une simple précaution: l'atmosphère de la salle a été renouvelée après le délai requis et les indicateurs ne montrent que des résidus inoffensifs de fumée et de halon.

Le visage mauve, les yeux révulsés, la bouche ouverte obstruée par sa langue, Louise Paré gît dans une pose tourmentée, la veste imbibée de son sang où elle s'est roulée en agonisant. Le docteur Jaffré examine ses blessures par balles.

Profitant de l'inattention d'Émard, de Vidal et de Valois, Blackburn s'approche de la lieutenante qui a fouillé la cabine de Paré et lui réclame pour un moment le lecteur ultraviolet qu'elle y a trouvé. Il le glisse dans la poche de sa cuisse et revient au colonel:

— Désolé pour la casse, dit-il à mi-voix. Si vous permettez, je vais aller me reposer un peu.

Et il s'éloigne, tandis que les tués de Comitan continuent de culbuter et de s'écrouler pour lui seul dans les coursives de la base.

• • •

Adossé à la tourelle d'un canon anti-aérien, au bout de la jetée, Blackburn offre son visage au vent du large. C'est une des rares batteries laser laissées à découvert dans le périmètre de Havre-au-Lac.

Deux jours d'interrogatoires sans relâche, dans les chambres confinées de la Sécurité, lui ont donné une furieuse envie de respirer à l'air libre, et il a saisi la première occasion de monter à la surface: l'arrivée du navire de ravitaillement hebdomadaire. À la base, il y a toujours plus de volontaires que nécessaire pour la corvée du déchargement.

Blackburn ramène les binoculaires devant ses yeux. Le point

qu'il apercevait à l'œil nu prend la forme et les dimensions d'un grand hydroptère dressé sur ses ailes portantes, à la pointe desquelles éclatent à répétition des gerbes d'écume, minuscules clignotements blancs à cette distance.

Deux jours d'interrogatoires au polygraphe, et il en reste encore pour plusieurs heures. Heureusement que le processus avait commencé avant l'arrivée de Blackburn: les personnes déjà questionnées n'ont pas à être reconvoquées. Si elles avaient eu quelque chose à se reprocher, cela aurait été détecté, que ce fût en rapport avec la trahison de Jauvin ou avec les loyautés occultes de Louise Paré. On n'a pas encore trouvé de complice à la sergente Paré, et Blackburn croit bien qu'on n'en trouvera pas. Une infiltration plus avancée est peu probable, de la part des Irréguliers encore moins que de celle de la puissance intéressée. À moins que ce ne soit tout autre chose.

Ce casse-tête n'a pas de sens, songe Blackburn. *Cette Michalski... impossible de lui attribuer une place dans le pattern tel que nous le voyons. Ou alors il y a un pattern encore plus complexe, et c'est nous qui ne le voyons pas.*

Sous un ciel lourd, d'où la neige tombe encore en flocons épars, la mer est anthracite, agitée de la dentelle constamment mouvante de l'écume. L'hydroptère maintenant proche ralentit, sa coque reprenant contact avec les vagues. Instinctivement, Blackburn porte son regard plus à l'est. C'est là-bas qu'un orage intangible descendu de l'ionosphère a escamoté un sous-marin entier avec ses soixante hommes d'équipage. Est-ce qu'Hélène Michalski était du nombre? Qu'est-ce qui a retardé le départ du submersible, et quel était ce mystérieux écho qui s'est éloigné du périmètre de la base peu après? Un sous-marin patrouilleur a été envoyé pour enquêter, mais avec quelque retard parce que la mystérieuse disparition du *Krilenko* monopolisait toutes les préoccupations. C'était trop tard, le discret et fugace écho sonar avait disparu derrière un îlot du détroit; on a perdu sa trace. Selon les spécialistes, il n'était pas typique d'un écho métallique et son volume était de quelques mètres cubes. La durée aléatoire de ses mouvements et sa trajectoire capricieuse faisaient songer à un comportement animal — mais quel cétacé nagerait ainsi en rasant le fond, sans jamais faire surface? Pour Blackburn, la méthode prise par cet «écho» pour s'éloigner relevait au contraire d'une intelligence capable de ruser. Pour lui, il s'agissait d'un mini-submersible qui s'était détaché du *Krilenko* et s'était posé au fond pendant le «retard» du désamarrage. Qui s'éclipsait ainsi? Pourquoi pas Hélène Michalski, agent double potentiel selon le haut commandement? En voyant Blackburn, pendant le bref contact de leurs esprits, elle aura eu l'intuition d'une menace pour sa propre sécurité. Elle a écourté sa visite, non sans avoir donné à Louise Paré l'ordre de supprimer Blackburn: dans la toilette où elle avait fait une brève station, il a vu avant-hier les restes d'un message à l'encre invisible sur la cloison d'une stalle. Seuls restaient discernables, au lecteur ultraviolet, les points où un doigt avait laissé un surplus d'encre, mais c'était assez pour y reconnaître un alphabet étranger: pas nécessairement cyrillique, mais sûrement pas latin. Ordre assez impérieux pour que Louise Paré agisse presque sans ruser, au mépris de sa propre sécurité. Qui donc commandait une loyauté si entière?

À la demande de Blackburn, des hélijets de la base ont survolé avant-hier l'îlot rocheux le plus proche du Havre, et l'île voisine, près desquels l'hypothétique sous-marin de poche a disparu. Michalski pouvait avoir attendu là un message de Paré confirmant l'exécution de Blackburn. Chou blanc.

Avec un soupir, Blackburn éteint le circuit de ses binoculaires et les range dans leur étui. Il fait quelques pas sur la jetée, tandis que l'hydroptère en approche finale s'apprête à accoster. Il lève les yeux vers la silhouette trapue de la tourelle laser, se demandant quelle pourrait être son utilité contre un «nuage» lumineux qui viendrait se poser sur la baie du Havre.

• • •

Blackburn serre la main sur la rambarde tandis que l'hydroptère prend de la vitesse et sort graduellement de l'eau, ses ailes portantes lacérant la mer agitée. De fort tonnage, l'hydroptère assure en deux heures la liaison entre Havre-au-Lac et Maricourt, sur le continent. Sa présence devenue inutile au Havre, Blackburn a été rappelé au sud, comme le général Valois deux jours plus tôt. Il prendra un avion vers sa base de Sept-Îles ou bien, si on lui accorde deux ou trois jours de permission, il retournera à Chicoutimi. Le docteur Jaffré est sur le même hydroptère: il rentre en permission, lui aussi, mais pour une semaine. Chez lui, c'est Schefferville; ils feront ensemble la moitié du trajet d'avion.

Le ciel, ce matin, est d'un bleu limpide, avec de gros nuages blancs dont l'ombre court sur la mer telle la silhouette de raies géantes filant sous la surface. Au fond de sa baie, Havre-au-Lac disparaît graduellement, masqué par une avancée rocheuse. Blackburn y aura passé cinq jours, et ne regrette aucunement de laisser la base sous-marine. L'anxiété de deviner ces tonnes d'eau glacée au-dessus de sa tête ne l'avait jamais vraiment quitté.

Pas plus que ne l'ont quitté ces rêves angoissants où il se retrouvait à Comitan, courant impuissant parmi les explosions et les rafales de mitrailleuse. Deux fois depuis la mort atroce de Louise Paré sous ses balles, il s'est réveillé en sueur, au milieu de la nuit, pour découvrir sur son torse et ses cuisses les stigmates de son retour vers Comitan. Pointillés d'impacts de balles, lacérations d'éclats d'obus, les mystérieuses rougeurs disparaissaient avant l'aube, presque à vue d'œil. Est-ce qu'un peu du chronoreg serait resté imprégné dans ses tissus, dans les fibres mêmes de son cerveau, le ramenant en arrière pour de brèves incursions vers un passé hypothétique? Est-ce qu'un observateur extérieur, le surveillant pendant son sommeil, verrait son corps s'estomper légèrement, aussi légèrement et passagèrement que les stigmates marquent sa peau?

• • •

À Schefferville, où l'avion fait escale, le vol est interrompu et l'aéroport fermé pour une quinzaine d'heures: un cargo en provenance de Sept-Îles a été abattu et s'est écrasé près de la piste, il allait atterrir tout juste cinq minutes avant l'avion de Blackburn. L'ennemi a fait une offensive surprise au nord du lac Michikamau, il a enfoncé le front et installé une rampe mobile de missiles sol-air à moins de deux cents kilomètres de Schefferville. L'armée est sûre de reprendre le terrain en quelques jours et elle aura détruit la rampe mobile de lancement bien avant, mais l'aéroport de Schefferville ne peut rouvrir d'ici là. Entre-temps, Blackburn est naufragé à mi-chemin entre nulle part et sa destination. Bon Samaritain, le docteur Jaffré l'invite à dîner chez lui, à faire la connaissance de son épouse. Il n'habite pas loin de l'aéroport, Blackburn pourra y retourner en cinq minutes. En cours de soirée, madame Jaffré les quitte: elle travaille de nuit à l'hôpital civil et n'a pu obtenir un congé. Blackburn et le docteur restent seuls autour d'une bouteille de vieil armagnac, conversant plus librement qu'ils n'ont pu le faire à la base du Havre, dans le bruit de l'hydroptère ou de l'avion.

Blackburn le fait parler du chronoreg, curieux de connaître l'opinion d'un prétendu spécialiste. Pharmacologue en plus d'être médecin, Jaffré travaillait avant la guerre à l'Institut médico-légal et conseillait la brigade des stupéfiants de la Sûreté du Québec. Lorsqu'il était civil, il se tenait au courant des recherches en biochimie. À cette époque, le chronoreg était inconnu de la science officielle, même si sa diffusion clandestine avait déjà commencé.

— Et depuis?

— Je ne crois pas que les autorités aient mis la main sur des quantités suffisantes pour réaliser une expérimentation sérieuse.

— Les narcotrafiquants n'ont pas eu ces scrupules.

— Le témoignage de leurs clients ne peut servir à une étude scientifique. Il faut des essais cliniques à variables contrôlées.

— On a synthétisé du chronoreg pour ces études?

— C'est absolument interdit. Illégal. Un laboratoire qui s'y risquerait, même pour des motifs scientifiques, serait vite fermé par les autorités. Et les trafiquants mettraient la main sur sa production encore plus vite.

Blackburn hausse les épaules:

— Donc la science officielle, comme vous dites, ne sait pas grand-chose des effets du chronoreg.

— Assez pour nier les légendes qui ont cours.

— Lesquelles? demande le militaire avec plus d'agressivité qu'il n'aurait voulu.

— Comme quoi le chronoreg ramène le sujet dans le passé, physiquement.

— Comment expliquez-vous mes stigmates, alors? rétorque Blackburn (qui ne lui en aurait jamais fait la confidence s'il n'avait été ivre).

— Psychosomatique. Le cerveau a sur notre corps un contrôle total, insoupçonné. Il peut provoquer des réactions, des effets locaux ou généralisés que jamais vous ne pourriez reproduire consciemment.

— Mon esprit est retourné dans le passé, en tout cas; mon être conscient, quel que soit le nom que vous vouliez lui donner. J'ai vu des lieux, des événements, dont je n'aurais pu avoir connaissance autrement.

— Mais vous m'avez dit aussi que vous aviez vu un reportage télévisé sur l'insurrection. Cette séquence a nourri votre hallucination — une hallucination extraordinairement complexe et détaillée, je vous l'accorde. Votre expérience de la guerre l'a aussi nourrie, votre enquête sur l'insurrection mexicaine, votre visite du village et de ses environs durant la journée.

— Le réseau souterrain, alors? Des tunnels reliaient les maisons dans un quartier de Comitan acquis aux insurgés. Ça, je ne l'ai vu ni dans des reportages antérieurs ni lors de ma visite le lendemain des combats. D'ailleurs, au Mexique, les maisons n'ont pas de cave, et je le savais.

— Ce n'est pas encore une preuve, Denis. Si vous aviez rapporté des photos de ces tunnels, ou mieux, si on vous avait filmé dans les tunnels cette nuit-là, tandis que vous étiez en même temps... Où m'avez-vous dit, au consulat coréen?

— Japonais.

— Ça, ce serait une preuve. Ou encore si votre retour dans le passé **changeait** le cours des événements. Mais justement, il serait changé, et nous ne le saurions point, n'est-ce pas? Retournez en 2001, dissuadez le gouvernement d'occuper l'enclave Churchill, et nous ne serions pas en guerre, nous ne saurions pas qu'il y a une guerre du Labrador dans un autre espace-temps potentiel. Retournez en 1998, faites pression secrètement sur un des juges de La Haye, et le résultat de l'arbitrage sur notre litige avec Terre-Neuve et le Canada serait différent: pas de guerre, peut-être.

Moi, je le saurais, si le passé était changé. Sébastien n'aurait pas été tué, cette nuit-là, et je le saurais.

Une hallucination? Si intense et si convaincante que Blackburn en garde des souvenirs fictifs et que sa peau imite les impacts de balles? Il n'en restera pas là. Un jour, il saura.

Troisième partie

9

Les jeux vidéo sont un soleil noir autour duquel Blackburn et Jac Marin ont toujours évolué, revenant s'y frôler périodiquement, le plus jeune attiré vers l'aîné et tous deux attirés par l'écran. C'est dans une arcade de jeux vidéo que Blackburn avait revu son ex-amant, après l'époque des émeutes, avant celle du maquis et des attentats contre les lignes à haute tension. Il avait d'abord cru l'apercevoir sur la place du complexe Guy-Favreau, un sac en bandoulière, en compagnie d'un couple qui portait, elle une boîte de pâtisseries, lui un de ces cartons allongés que donnent les fleuristes. Mais ils étaient loin et Blackburn les avait perdus de vue avant de pouvoir se rapprocher. Les jeux de l'arcade avaient fini par lui faire oublier cette non-rencontre.

— Tu es encore là, toi?

Reconnaissant la voix, Blackburn se retourna vivement, le bolide qu'il pilotait frôla les balises et échappa à son contrôle. L'explosion teinta d'orangé le visage si familier, pas revu depuis un an et pourtant si familier.

À cet âge, Blackburn ne prétendait pas encore maîtriser ses émotions — l'idée que ce pût lui être utile ou nécessaire lui était encore étrangère. Il prit Marin aux bras, le secoua en riant, se retenant de l'étreindre, prenant plaisir à reconnaître les yeux vifs, les pattes d'oie naissantes, le pli ironique au coin des lèvres.

— Je suis passé il y a une heure, tu étais déjà sur cette machine-là.

— Je vais en venir à bout, je vais la battre! Mais pourquoi tu n'es pas arrêté, si tu m'as vu?

— J'avais à faire.

— Des affaires, un samedi soir à dix heures?

— Viens.

Et Marin de l'entraîner vers la sortie proche. Puis de s'arrêter et de se retourner vivement, en apercevant deux policiers sur la place. Changement de plan: Marin menait maintenant son ami vers le fond de la salle de jeux, leur mouvement passant inaperçu dans la foule du samedi soir.

— Tu es recherché? s'inquiéta Blackburn.

— Bien sûr.

Ils ne s'étaient pas revus depuis l'émeute de Québec, l'année précédente, et Blackburn se doutait bien que son ex-amant trempait dans toute cette agitation qui régnait depuis. Les yeux de Marin brillaient, sa fébrilité se sentait, comme une vibration de tout son être. Blackburn se demandait ce qu'il avait consommé, il doutait que son ex-amant vibrât ainsi à la seule joie de le revoir. L'explosion lui apporta une réponse immédiate.

Tel le tonnerre, mais qui aurait éclaté à l'intérieur même du complexe Guy-Favreau. Le souffle, la bousculade de l'air brusquement déplacé, la douloureuse pression sur les tympans. Et le tintamarre aigu du verre tombant en cascade interminable. Puis les cris, les horribles cris.

— Viens.

Panique, bousculade. Mais le bras de Marin était fermement dans son dos, sa poigne rassurante. Il savait qu'on pouvait sortir sans crainte par l'entrée principale: il n'y aurait pas d'incendie majeur.

Des corps, même dans l'arcade. Des blessés, dont certains au sol, renversés par le souffle ou touchés par des éclats. Et sur la place même, où les débris des verrières achevaient de grêler, d'autres victimes, plus gravement atteintes, peut-être des morts. Là-haut, un des étages ouvrant sur le mail était éventré, faux plafond et stores pendant au milieu de la fumée, feuillets retombant en neige sur la place.

Blackburn était sans voix, submergé par les cris et les hurlements, par le rouge omniprésent du sang et l'odeur âcre de l'explosif. Au milieu du mail, des pupitres lancés entiers avaient écrasé des kiosques, des tables; dactylos et terminaux avaient fracassé des vitrines, défoncé des étalages, culbuté des mannequins.

Et Marin qui prenait la mesure de tout cela, avec l'œil d'un ingénieur en quelque sorte, sans paraître voir les victimes.

— Partons, recommanda Marin. Pas par le métro. Prenons la rue.

Calme, déjà, comme s'il ne s'était passé rien de plus grave que la chute d'un pot de fleurs. Sur le trottoir, dans le remous des gens qui fuyaient et des badauds s'avançant, Marin le quitta, simplement, lui serrant l'épaule et lui lançant un clin d'œil complice, le laissant abasourdi.

Dans les heures suivantes, et le lendemain, Blackburn comprit. Que Marin lui avait sauvé la peau. Qu'il était passé à l'arcade de jeux au lieu de prendre le large, de façon à le mettre à l'abri. Qu'il avait couru le risque d'être aperçu, reconnu, interpellé, tandis que ses complices étaient déjà en sécurité. Que peut-être aussi Marin était resté pour voir les dégâts.

Des millions de dollars en pertes. Un mort. Quelques dizaines de blessés dont plusieurs gravement. C'eût été cent fois pire, un après-midi de semaine. La cible: les bureaux de la *Newfoundland & Labrador Power Authority*, qui avait rompu les négociations au sujet des chutes Churchill et s'apprêtait, grâce aux expropriations de portions du territoire québécois par le gouvernement fédéral, à acheminer son électricité jusqu'aux États-Unis à travers l'Estuaire et la Gaspésie.

Les yeux fixés sur l'écran d'un jeu sans joueur, Blackburn met un moment à comprendre où il est. Il tourne brusquement la tête vers l'entrée de l'arcade, s'attendant à voir la vitrine défoncée par une explosion. Mais il n'est pas à Montréal et les machines ne sont plus les mêmes, elles offrent maintenant des hologrammes mobiles. Il est à Sept-Îles, vingt-deux ans plus tard, et la salle voisine de l'arcade est un club mixte, avec danseurs nus et holofilms érotiques.

Rumeur assourdissante et fumée dense n'ont jamais ennuyé Blackburn; il est ici dans son élément, bien plus que sous les eaux glacées du détroit d'Hudson. La foule est serrée; difficile d'entrer dans la salle du bar. Appuyé au chambranle, Blackburn regarde le danseur en mouvement sur la petite scène. Comme captif d'un réseau de rayons obliques, écarlates et minces telles des cordes, il ondoie et se déhanche, le corps souple, presque glabre sous l'éclairage rouge. C'est un nouveau; du moins il ne dansait pas ici le mois dernier.

Lorsqu'il quitte la scène, Blackburn regagne l'arcade de jeux. La cacophonie est totale, irréelle dans son volume. Les visages, les corps, paraissent tous les mêmes, jeunes, masculins, et pourtant tous subtilement différents malgré les coiffures identiques, les boucles d'oreilles semblables. Les militaires ont un uniforme, les civils ont le leur: simili-cuir marine ou vert foncé, plus rarement pourpre. L'heure passe, et Blackburn ne trouve pas ce qu'il souhaite: celui-ci est commercial, celui-là a l'air d'un tueur, cet autre encore est avec une fille et la tient par la hanche, la couleur de leurs cheveux offrant un spectre continu lorsqu'ils rapprochent la tête.

Plus tard, son regard croise celui du jeune danseur, vif et narquois. L'éclairage rouge était trompeur, il est un peu moins jeune qu'il paraissait, il a une petite moustache. Mais autrement c'est lui, agile et mince, qui se déhanchait tout à l'heure sur scène. Blackburn lui sourit, lui offre une bière au comptoir le plus proche.

Dans ce vacarme, converser est presque impossible, c'est plus un prétexte pour approcher ses lèvres de l'oreille d'un interlocuteur. De sa joue. De son cou. Blackburn ne s'en prive pas, et il a un début d'érection lorsqu'il sent la langue du garçon le caresser sous le lobe.

Autant le quitter tout de suite, partir tant que c'est encore possible. Mais une fois dehors, sur le trottoir, Blackburn entend les pas du jeune homme qui s'attachent aux siens. Il se retourne pour l'attendre:

— Je n'ai pas vraiment les moyens, lui dit-il à voix basse. Je dois déjà toute ma solde.

— C'est pas grave.

Le garçon lui explique, chemin faisant, qu'il a deux emplois, cuisinier à la base, danseur le soir, et qu'il ne se fait pas toujours payer pour coucher.

— Pour les bonnes femmes, j'ai mon tarif. Pour les gars, je choisis.

— Et tu aimes mon genre? demande cyniquement Blackburn.

Le garçon ne lui répond que par un sourire, et Blackburn lutte contre la sympathie qu'il sent déjà naître.

— Comment tu t'appelles?

— Mario.

Mario, joues douces comme celles d'un adolescent, moustache soyeuse, cheveux d'arantèle noire, peau de velours, la souple vigueur de vingt ans. Dans la fumée bleue du haschisch, Blackburn cherche son portefeuille, en extrait un sachet transparent. Sur la table de chevet, un verre d'eau glacée; au creux de sa paume, maintenant, une capsule bleue. *Je ne devrais pas.* Mais le désir a macéré longtemps, des jours durant, le désir intense de reprendre du chronoreg. Ce soir, sans l'avoir prémédité, il cède, comme si un degré-seuil avait été atteint.

— Tu connais? demande-t-il au garçon. Chronoreg. L'heure va durer toute la nuit.

Dehors, on entend un petit groupe d'hommes discuter avec humeur, un blasphème tous les deux mots; puis leurs éclats de voix s'éloignent. Graduellement le temps s'étire, jusqu'à prendre les dimensions de l'univers.

• • •

Lorsque Blackburn s'éveille, au timbre du vidéophone, il ne comprend pas qu'il fasse nuit. A-t-il dormi vingt heures d'affilée? Les flammes d'un chasseur déplacent sur le mur des lignes d'ombre vibrantes. La sonnerie s'interrompt: il a trop tardé à répondre.

À nouveau le timbre du vidéophone. Quelle heure peut-il être? Les flammes d'un chasseur atterrissant déplacent sur le mur des verticales d'ombre vibrante. Blackburn enfonce la touche réponse.

— Blackburn, tu as entendu atterrir ce F-18? Il doit te ramener à Chicoutimi, il part dans un quart d'heure.

C'est Séguin, bien sûr, son officier supérieur. Il s'encombre rarement de prologues.

— Mes ordres? demande Blackburn.

— Feu de brousse. J'envoie une jeep te chercher.

Ce doit être elle dont les phares déploient maintenant un éventail d'ombres et de lumières dans la chambre.

— Mes ordres? demande Blackburn en notant quelque chose d'inusité... mais quoi exactement?

— Le colonel Morel t'a télécopié des ordres, ils sont dans cette jeep.

Ce doit être elle dont les phares déploient un éventail d'ombres et de lumières dans la chambre.

— Bonne route, conclut Séguin.

L'écran s'éteint, hormis l'affichage permanent de la date et de l'heure. Quatre heures de la nuit. Cette même nuit où il a amené Mario chez lui. Le timbre de la porte, beaucoup plus brusque, éveille le jeune homme tandis que Blackburn cherche son slip et l'enfile. Il allume la lampe du porche, ouvre la porte. Un sergent, salut à ressort, visage impeccable.

— Je dois vous remettre cette enveloppe, mon commandant.

— Repos, soupire Blackburn en pensant à la nuit de repos dont on le prive.

Les ordres viennent de Morel, qu'il doit retrouver ce matin à Chicoutimi. Il apportera des ampoules de céréphédrine-psi. D'anticipation, un mal de tête s'éveille en Blackburn.

— Donne-moi dix minutes, fait-il en refermant la porte.

Mario est éveillé, maintenant. Il allume une lampe de chevet qui ambre son torse.

— Je ne me rappelle pas comment je t'ai fait entrer à la base, lui avoue Blackburn.

— J'ai mon laissez-passer, je suis du personnel civil.

— Mais ton quart?

— Mon quart commence à onze heures, c'est vrai. Il a fallu que tu montres tes galons.

Blackburn a un pâle sourire, et va répondre à la porte. Un sergent, salut à ressort, rasage impeccable. Oui, décidément, quelque chose cloche. Est-ce que le temps s'est mis à bredouiller?

— Le colonel Séguin vous dépêche cette enveloppe, mon commandant.

— Repos.

Les ordres viennent de Morel, qui honore Chicoutimi d'une rare visite et apporte des ampoules de cé-psi, à défaut de myrrhe et d'encens. Blackburn doit le rejoindre à la base de Bagotville; Morel lui donnera des explications durant le trajet vers la ville. Déprimé, Blackburn ferme la porte et se retourne. La vue de Mario dans le lit allège un peu son humeur.

— Tu dois partir?

— Oui, mais tu peux rester couché.

— Je n'ai pas le droit de circuler dans le quartier des officiers.

— J'en connais un ou deux, des officiers, qui t'offriraient un laissez-passer permanent.

Vessie et entrailles soulagées, rafraîchi par une douche, Blackburn s'habille prestement, s'enduit le visage et les mains de crème solaire. Sa barbe non rasée sera une protestation adressée à Morel. Avant de prendre son sac de voyage, toujours prêt, il rédige et signe pour Mario un sauf-conduit de douze heures. Lorsqu'il sort, surprenant un geste d'impatience du sergent, le ciel se grisaille vers l'est et les réacteurs de l'avion tournent en régime d'attente.

• • •

Station La Cité, sur la nouvelle ligne de métro. C'est là que Blackburn avait donné rendez-vous à Sébastien, avec qui il devait dîner au restaurant. L'officier était en permission, de passage à Montréal, et Sébastien revenait de Paris où il avait remporté le premier prix d'un concours de jeunes reporters. Blackburn se faisait une joie de le revoir; leur dernière conversation remontait à près d'un an.

L'homme était arrivé le premier, s'était posté sur la passerelle d'où l'on dominait le quai. Sébastien revenait! Sébastien, naguère adolescent un peu réservé, les yeux doux, tel un gamin grandi trop vite. Sébastien qui, en huit mois, avait fait le tour du monde, parcouru des pays parmi les moins sûrs de la planète, se montrant plus débrouillard que bien des voyageurs aguerris. Il serait sûrement bronzé. Blackburn l'imaginait embelli, plus délié, plus alerte.

Une nouvelle rame du métro entra en gare et ses portes s'ouvrirent. Sébastien était bronzé, oui, plus beau, plus délié, plus alerte. Et accompagné d'une fille.

Qu'il tenait par la taille. Qu'il embrassait en riant. Qui avait un sourire du même éclat que le sien. Blackburn recula, comme tiré par un filin dont le crochet aurait été enfoncé dans son cœur. Un crochet acéré, glacé, fouillant sa poitrine.

Sébastien. Sébastien chéri depuis qu'il était bambin, Sébastien courtisé quand l'adolescence avait ombré sa lèvre, Sébastien aimé toujours autant après avoir décliné les avances de son aîné. Sébastien que personne assurément n'aimait davantage que Blackburn. Sébastien inaccessible et réservé, voilà qu'il donnait sa tendresse à une inconnue. En quelques mois, en quelques semaines peut-être, elle avait gagné cet amour si rare et si précieux alors que Blackburn, lui...

À travers la vitre teintée de la passerelle, il les regarda à nouveau, cette intruse et Sébastien, se brûla de leur image ardente, puis il s'en fut. Dévoré, amer, détestant cette fille, détestant le monde et se haïssant par-dessus tout, haïssant cette jalousie qui le brûlait tel un acide et l'aurait fait crier s'il ne s'était maîtrisé.

Lorsqu'il revint deux heures plus tard, à moitié ivre, Sébastien n'était évidemment plus là. Blackburn passa la nuit à dériver, s'apitoyant sur son sort, s'apitoyant sur cet être déchiré de sentiments si mesquins, si pathétiques, un être qui maintenant demandait pardon, souhaitait ravoir ne fût-ce qu'une vision de ces yeux clairs, un sourire d'amitié. Mais il n'avait plus droit à cela, il s'était jeté lui-même dans une géhenne d'aigreur et de braises glacées, le dépit, la jalousie, l'amertume. Et s'ils ne devaient plus se revoir, si la mort les séparait demain, le mois prochain? Ils se seraient quittés sur cette note mesquine, un rendez-vous trahi, une flambée de jalousie, un acte de petitesse.

Sébastien était heureux, il était amoureux. Blackburn aurait dû se réjouir de sa joie, se réjouir qu'il soit accessible à la tendresse, à la passion peut-être. Il se disait cela, prêt à se laisser persuader; le temps, sûrement, le convaincrait. Mais pas ce soir. Cette nuit, la vie, grimaçante, faisait un bras d'honneur à Denis Blackburn, et désormais il la détestait un peu plus.

Sébastien? C'est Denis. Je suis désolé pour l'autre soir. Au dernier moment, ma permission a été révoquée, j'ai reçu un ordre de mission. Tu sais, la situation s'est compliquée au pays durant ton absence.

— Pardon?

Oui. Écoute, j'espère que nous pourrons nous revoir bientôt. Une amie? Ça m'aurait fait plaisir. Elle repart dans une semaine? C'est dommage, je n'aurai pas de permission avant le mois prochain.

— Commandant, je vous entends mal.

Aujourd'hui? Je voudrais tant. Mais j'ai encore une mission, je dois retrouver mon supérieur à Chicoutimi.

— Commandant Blackburn, c'est à moi que vous parlez?

Pas de métro, pas de gare souterraine. Mais le rugissement étouffé des réacteurs, l'espace confiné du cockpit, l'horizon qui monte et la piste qui se dessine. Le soleil encore bas, un soleil matinal d'été qui fait larmoyer les yeux de Blackburn malgré la visière teintée.

— Commandant Blackburn?

— J'ai... j'ai dû m'endormir. J'ai à peine fermé l'œil de la nuit. J'ai dit quelque chose dans mon sommeil?

— Quelque chose au sujet d'une permission annulée et de votre mission. Nous sommes en approche sur Bagotville.

— Oui oui, je vois.

— C'est rare que quelqu'un parvient à s'endormir dans un F-18 en vol!

Il n'a pas fermé l'œil, il en est sûr. Il était **ailleurs**. Un café très fort lui fera le plus grand bien. Et d'abord, pouvoir retirer ce masque et cette visière, pouvoir s'essuyer les yeux.

• • •

— Blackburn, vous avez l'air terrible. Et puis, vous auriez pu vous raser.

— Pas eu le temps: l'avion klaxonnait à la porte.

— Allez vous rafraîchir. Et profitez-en pour vous injecter ceci. Je vous attends dans l'hélijet.

Aux toilettes de l'aérodrome, Blackburn s'asperge le visage et la nuque d'eau froide. Que lui arrive-t-il, ce matin? C'est comme si le chronoreg refusait de quitter son système, faisant bégayer le temps, télescopant souvenirs et réalité. Et cette saleté qu'on lui a dit de s'injecter, la céréphédrine-psi, ce n'est pas cela qui va arranger les choses.

À bord de l'hélijet, Morel branche directement son combiné micro-écouteur au sien.

— Confidentiel, lui annonce-t-il: la réunion du haut commandement qui devait avoir lieu à la base de Bagotville se tiendra à Chicoutimi, à l'Hôtel des Gouverneurs. Nous réquisitionnons deux étages, à la dernière minute.

Blackburn ne dit rien, attendant la suite, ou plutôt le prologue:

— Hier, le Contresp nous a recommandé d'annuler la réunion: ils s'attendent à un attentat, ils ont une «convergence d'indices», comme ils disent. La base est en état d'alerte, nous avons triplé la surveillance. Mais nous ne prendrons pas de risque: le ministre et les généraux arriveront en ville par hélijet, tandis que les avions qui devaient les amener atterriront effectivement à la base. Nous avons même prévu des figurants.

— Vous avez songé que ça pouvait être un piège? Une ruse pour que le haut commandement se réunisse hors de la base, en un endroit moins protégé?

— Nous y avons pensé. Nous faisons le pari.

— Le ministre est au courant que vous jouez au poker avec sa vie?

— Nous prenons toutes les précautions, vous pensez bien. Vous êtes une de ces précautions, Blackburn. Sous couvert d'inspecter les dispositifs de sécurité, vous allez sonder tout le personnel, civil et militaire. S'il y a un conspirateur qui attend son heure, vous allez le repérer. Comme à Havre-au-Lac.

Ben voyons, songe Blackburn. *De toute façon, j'ai un cerveau à jeter après usage.*

L'hélijet se pose sur le toit de l'hôtel, en périphérie de la ville. Morel et Blackburn en descendent, cheminent vers la tête d'ascenseur parmi l'agitation des soldats qui installent un poste de contrôle du trafic aérien et des canons laser pour la défense du bunker provisoire. Un bunker tout entier garni de vitres panoramiques.

— Justement, réplique Morel, ils n'imagineront jamais que nous réunissions des hommes si précieux dans un endroit aussi vulnérable.

— Dites-moi à quelle heure ils se réunissent, j'irai dîner à ce moment-là, disons, à Québec.

— La réunion débute à onze heures, et vous êtes de garde jusqu'à ce que le dernier hélijet soit reparti.

• • •

L'hôtel est endormi; il n'est pas encore sept heures. Blackburn erre sur les étages, se familiarisant avec les lieux, ouvrant son esprit à ceux qui sont éveillés, à ceux qui veillent encore. Rares. Et innocents de toute conspiration. Devant les ascenseurs, Blackburn fait quelques pas en attendant la cabine. Le long du mur, deux fauteuils, une console avec une glace, dans laquelle le militaire voit le corridor qui s'allonge derrière les ascenseurs. Une femme vient par là, et c'est Lavilia Carlis.

Lavilia. Vera Cruz, San Cristobal, Comitan.

Coiffée autrement, habillée plus strictement, portant valise légère: Lavilia. «Nous nous reverrons», avait-elle dit. Mais lorsqu'elle arrive à l'angle du couloir central, elle n'est plus là, et la rumeur de voix que Blackburn percevait disparaît aussi. Il s'avance, la glace est vide, l'étage désert. La touche d'appel de l'ascenseur est éteinte, comme s'il ne l'avait pas enfoncée un instant plus tôt. Le temps aurait-il encore des ratés?

Ou serait-ce plutôt son cerveau?

• • •

Dans le hall de l'hôtel, l'écran d'affichage annonce un congrès mondial de psychopharmacologie parrainé par l'Université du Québec. Dans trois jours, calcule Blackburn en consultant sa montre. Il se promet de venir examiner le programme des conférences, s'il est à Chicoutimi à ce moment. À son corps défendant, il est lui-même une psychopharmacie ambulante depuis quelques semaines. Le mal de tête est là, lancinant, sans un moment de répit. Les sentiments et les pensées des gens parviennent à Blackburn déformés, grinçants, tel le son distordu par un mauvais amplificateur. Là-haut, la réunion dure depuis des heures et Blackburn se promène sur le terrain de l'hôtel, sur les étages, le toit, dans les escaliers et les ascenseurs. Silencieux, mains derrière le dos, s'arrêtant près des gens sans les regarder, comme s'il essayait d'entendre leurs battements cardiaques à distance. Le laissez-passer plastifié, à sa poitrine, porte une bande verte, que seuls arborent aujourd'hui les généraux et le ministre.

Rien, toujours rien. Peut-être tout ceci n'aura-t-il été qu'une fausse alerte? Il est temps de remonter à l'étage où a lieu la réunion, pour y faire une ronde. Cette fois, Blackburn prend l'ascenseur qui a été laissé au public et au personnel civil. Le soldat qui fait office de liftier ne laisse aucun client monter aux deux étages du haut. La porte se referme, Blackburn se trouve isolé avec l'esprit de ce garçon qui n'a pas vingt ans, bâti comme une armoire à glace et tendu d'une agressivité constante.

Il le reconnaît, il a été troublé ce matin par son esprit révolté. Haine, révolte... Haine de tous les adultes, ceux des générations aînées. En particulier les quarante ans et plus, ses parents et leurs semblables. Haine de leur irresponsabilité, de leur inconséquence, de leur égoïsme. Ils n'ont pas réfléchi, ils n'ont pas prévu, ils ont seulement voulu se faire plaisir, ils ont lancé des enfants en ce monde comme on jette des dés, escomptant qu'après quelques culbutes ils tomberaient sur un chiffre chanceux. Mais il n'y a plus de chiffres chanceux en ce nouveau siècle, et ce devait être évident vingt ans plus tôt. Il y a la guerre et la menace constante des missiles, il y a la misère, le chômage dont il faut un taux de trente pour cent pour qu'on parle de récession. Il y a la violence qui court, hurle et flambe dans les rues, les écoles qui sont des jungles, les hôpitaux, des enfers. Il y a les lacs morts, les forêts jaunies, la pluie qui ronge et l'air urbain qui étouffe. Il y a les tensions raciales et le tiers monde qui se soulève, prêt à déferler sur le Nord comme les nouvelles marées des océans, gonflé par la surpopulation comme les mers sont gonflées par la fonte des banquises.

C'est tout cela qui bouillonne dans l'esprit du jeune homme, qui mijotait là depuis l'âge de raison et qui maintenant bouillonne depuis que toutes les impasses de l'emploi l'ont contraint à s'engager: l'armée, la guerre, rien ne lui faisait aussi peur et c'est le choix qu'il a été obligé de faire.

Un soupir de soulagement échappe à Blackburn lorsqu'il sort de l'ascenseur. Le pauvre garçon. Sa vie doit être un long tourment, ces idées-là ne le quittent jamais, amères, sombres, sans espoir d'embellie. Un jour prochain il va y mettre fin, le couvercle va sauter, mais il va emmener du monde avec lui. Sa protestation, le pays entier va l'entendre, le continent entier en aura des échos. Blackburn choisit de ne pas trop s'éloigner. Il a senti quelque chose de plus — il a vu, plutôt. Le visage d'un homme, un quadragénaire, les cheveux blanchis trop tôt, à la fois le père du jeune soldat et le général Léger, rapprochés dans son esprit par une ressemblance frappante.

«Il doit avoir des enfants, lui aussi, il doit s'être dit *ils s'arrangeront, le monde ira bien, ce sera à eux de se débrouiller*. En plus il leur a préparé une guerre!»

— Soldat, vous n'êtes pas censé quitter votre ascenseur.

C'est un officier qui a interpellé le conscrit. Blackburn, à quelques pas d'écart, regarde de leur côté.

— C'est l'heure de la relève. Mon caporal m'a...

— Si c'est le cas, vous serez relevé au rez-de-chaussée, pas ici.

— J'ai ordre de remplacer une des sentinelles. Dubois, tu es convoqué en bas.

— Qu'est-ce que c'est que cette histoire? Il faut des ordres écrits ou formulés en personne. Retournez en bas et envoyez-moi votre supérieur, s'il y a de nouvelles consignes.

C'est l'esprit du jeune soldat que Blackburn entend par-dessus tous les autres, bien que maintenant il ne soit pas le plus proche. «Donner le grand coup. Le faire payer pour tout le reste. Et les autres avec lui.» Il a déjà fait quelques pas dans le couloir, compté les gardes, repéré la porte de la salle de conférence, calculé la distance. Le cran d'arrêt sur sa mitraillette n'est pas mis. Brusquement il pivote en la braquant, la rafale commence.

Mais s'interrompt aussitôt, le tireur comme heurté par trois coups de poing successifs qui le font reculer en échappant son arme. Le dernier frappe son front d'une tache rouge et l'abat, raide comme un arbre.

Un instant de stupeur. Personne ne regardait Blackburn, personne n'a entendu son pistolet dans le bref tacatac. Il baisse son arme.

Deux soldats crient, touchés aux cuisses et aux hanches.

— Ne donnez pas l'alarme, lance Blackburn. Il agissait seul. Il en voulait au général Léger.

Tout simplifier ainsi, en une phrase. L'enquête et les interrogatoires couvriront des disquettes entières de témoignages sur les états d'âme et les comportements du pauvre garçon. Mais quelle façon compliquée de se suicider...

Un peu à l'écart, hypnotisé par l'immense flaque de sang qui tache la moquette, Blackburn attend en silence que la confusion s'apaise, sa tête résonnant comme une petite salle de squash. Bientôt Morel est à ses côtés, avec quelques généraux qui se sont aventurés dans le couloir, main sur l'étui de leur arme.

— Bagotville vient d'appeler: il y a eu un attentat. Lance-roquettes et tout. Des agents infiltrés depuis des années, probablement; ils étaient près d'une dizaine. Le bâtiment abritant la salle de conférence est en flammes; il y a eu des morts.

Dans le concert d'exclamations indignées des généraux, Morel adresse un regard appuyé à Blackburn: il y a des galons qui vont changer de manches demain, et devinez qui va y gagner.

• • •

La jungle à nouveau. Blackburn avait bien fait le vœu de ne plus revoir la jungle, mais la voici à nouveau, entre les versants abrupts d'une vallée ou d'un cirque. Le ciel a quelque chose de bizarre lorsque Blackburn l'aperçoit entre les arbres: strié, peut-être par des nuages ténus qui convergeraient vers le zénith. Mais il ne peut lever les yeux ni la tête, il n'est pas maître de ses mouvements.

Le paysage, soudain, s'ouvre devant lui à la faveur d'une dénivellation. Et voici Eldorado, si souvent aperçue en songe. Eldorado, dressée sur sa butte rocheuse, dominant la forêt tropicale. Eldorado, éblouissante de clarté, des reflets d'or sur ses toits.

Le chemin qui y mène est long, il est de côtes et d'escaliers et d'étroites rues qui tournent. Ici et là, des gardes immobiles, leurs tuniques aux couleurs éclatantes des royaumes précolombiens. Mais autrement la cité est presque déserte.

Vers le sommet, un palais, son portique massif, ses vastes cours et ses bassins de turquoise sous le soleil. Puis l'ombre des galeries, l'écho des antichambres, enfin une salle clair-obscur où l'œil tarde à repérer l'unique occupante, parmi des coussins, sur les gradins d'une fosse au fond de laquelle chante une fontaine. La femme contemple un jeu d'échecs, vaste, ses pièces massives. Mais quel curieux jeu: il doit y avoir une centaine de cases, ocre et bleues, des dizaines de pions, et quatre camps à en juger par les couleurs des figurines: jaspe noir, cornaline, quartz rose et malachite.

Un moment s'écoule avant que la joueuse daigne regarder ses visiteurs. Elle est neutre, sans âge: elle pourrait avoir la vingtaine avancée ou la cinquantaine bien conservée.

— Drax, qui sont vos adversaires? lui demande-t-on.

— Je suis ma propre adversaire, ou plutôt ma partenaire.

— Vous êtes sûre de gagner, réplique une voix féminine.

— Gagner est secondaire. C'est jouer qui me passionne, vous devez le savoir. Réfléchir, élaborer des stratégies, manipuler des forces...

— Le monde comme un échiquier.

La joueuse ne répond pas, hochant vaguement la tête. Pourquoi s'intéresse-t-elle à Blackburn plutôt que de regarder la personne à qui elle répond — l'inquisitrice, qui se tient aux côtés de Blackburn ou un peu en retrait, accompagnée d'une escorte dont les chaussures résonnaient sur les dalles du palais?

— Et quel est l'enjeu de cette partie? demande l'inquisitrice. De quelle puissance, ce roi, ces tours?

— Que vous importe? L'essentiel est de jouer. Oh, je sais, vous et les vôtres estimez que les pièces doivent jouer d'elles-mêmes, que nous devons nous contenter d'observer, en arbitres.

— Ç'a toujours été notre rôle.

— Assigné par qui? rétorque la joueuse, qui se lève avec humeur. Vos maîtres se montrent de moins en moins souvent, ils ont renoncé à vous donner des consignes.

Pourquoi regarde-t-elle Blackburn comme si c'était lui qui questionnait, qui interpellait? Et pourquoi a-t-il l'impression que **c'est** lui effectivement?

La joueuse s'approche d'une vaste fenêtre. À travers le rideau se devine le moutonnement de la forêt, le versant de la vallée, le bleu insolite du ciel. La lumière du jour éclaire son visage, et maintenant Blackburn sait qu'il la connaît: la dernière fois qu'il l'a vue, c'est sous les eaux arctiques, alors qu'elle regagnait un sous-marin qui a par la suite disparu. Elle était à l'aise parmi les généraux et les amiraux, elle avait lu dans l'esprit de Blackburn aussi aisément qu'on déploie une carte.

— Vos maîtres ont construit des musées et vous en êtes les gardiens, accuse-t-elle. Mais la vie, la vraie vie, c'est là qu'elle a cours, sur l'échiquier du monde.

— Ça, nous le savons, réplique l'inquisitrice. Vous avez soutenu que nous avions le droit d'intervenir, même le devoir. Le Conseil ne vous a pas donné raison.

— Il m'a déchue et m'a exilée ici, dans cette...

— Il ne vous a assignée à résidence, coupe l'inquisitrice, que quand vous lui avez désobéi, quand vous avez prétendu prendre parti dans les affrontements.

— Nous en avons le pouvoir, il est normal de l'exercer.

— Cette discussion est vaine: vous ne convaincrez personne.

L'inquisitrice, l'inquisiteur, c'est Blackburn, il doit se rendre à l'évidence. Mais ce n'est pas sa voix, ce n'est pas sa langue, ce n'est pas lui qui mène l'interrogatoire, il n'en est que le témoin, au mieux le greffier.

— Alors, que voulez-vous? demande la joueuse en retournant vers son échiquier.

Elle n'obtient pas de réponse, et bientôt une lueur ironique brille dans son regard.

— Je suis venue vous voir.

— Eh bien vous me voyez, se moque la joueuse. Je suis ici et je n'en bouge jamais, vos gardes en sont témoins. Ce palais, ses cours et ses jardins, sont ma prison dorée.

Blackburn hoche la tête, silencieux, confus. Confus, mais comprenant enfin la situation, intuitivement: comment cette femme pouvait-elle être, à la même heure, captive entre les murs éblouissants d'Eldorado et espionne sous les eaux glacées du détroit d'Hudson?

• • •

Lorsqu'il ouvre les yeux, dans la pénombre des rideaux tirés, aucun indice ne vient renseigner Blackburn sur l'heure et le lieu. Est-ce l'Eldorado, est-ce la villa Cayre? Est-ce une des chambres du LaSarre ou d'un hôtel de Sept-Îles où il aurait dormi avec un garçon ramassé la veille? C'est trop vaste pour être une cabine de la base sous-marine de Havre-au-Lac; c'est trop luxueux pour être sa garçonnière dans le quartier des officiers.

Il veut se lever, mais un vertige le contraint à s'adosser sur ses oreillers, à attendre que sa tension artérielle se rajuste. Une vague nausée qui se prolonge en mal de tête diffus: c'est la marque de la céréphédrine-psi.

Il n'est pas au LaSarre, et pas non plus dans une résidence opulente sous les tropiques. Il se rend à la fenêtre, ouvre les rideaux. Chicoutimi, un matin ensoleillé; il va encore faire très chaud. Quelle heure, quelle date? L'écran du vidéophone le renseigne, sans lui dire ce qui s'est passé hier. Il y avait une femme, une joueuse d'échecs, et une cohue de militaires, des généraux, un corps emporté par des brancardiers. Réunion du haut commandement. Tentative d'assassinat: un jeune soldat révolté, voulant faire un carnage à la mitraillette. Cela lui revient, maintenant, par touches qui se complètent. Il doit se rendre, en matinée, à la base de Bagotville: rapport, début de l'enquête, témoignage. On ne le fatiguera pas trop, on lui doit une fière chandelle.

Il fait couler la douche, règle un jet assez froid.

Où la joueuse d'échecs d'Eldorado s'inscrit-elle dans la journée d'hier?

• • •

Les interrogatoires durent toute la journée, une partie de la soirée, et ils reprendront demain. Lui attribuant quelque clairvoyance qu'il n'a pas, on a demandé à Blackburn d'y assister; après tout, n'est-il pas le meilleur agent du Contresp? Mais il n'imagine aucune question capable de soutirer des révélations stupéfiantes aux accusés: ils sont à la solde des États-Unis, comme des centaines d'autres citoyens depuis que l'agitation nationaliste est devenue alarmante pour les intérêts du géant voisin.

Lorsqu'il quitte la base en soirée, Blackburn hésite. Puisqu'il est à Chicoutimi, pourquoi ne pas aller coucher au LaSarre, voir Laura et Jodi? Mais quelque chose l'intrigue, et c'est cette curiosité qui est la plus forte: pourquoi a-t-il eu une vision de Lavilia Carlis à l'Hôtel des Gouverneurs? Et cette étrange expérience dans la cité d'Eldorado?

Le voici au bar de l'hôtel, songeant à ces visions de la cité mythique qu'il a depuis le Mexique, depuis qu'il a rencontré Lavilia. Une conversation à la table la plus proche le distrait constamment, une discussion politique.

— Regarde où ça nous a menés: le gouvernement a voulu couper l'herbe sous le pied des radicaux, ne pas leur laisser le monopole du nationalisme. Résultat: il a mis le doigt dans un engrenage qui lui a pris tout le bras, puis le corps au complet.

L'interlocuteur fait un geste d'apaisement, désigne du regard l'officier qui est au bar: Blackburn vient de pivoter brusquement, comme si les récriminations du client avaient fini par l'exaspérer. Toutefois ce n'est pas cela, le militaire n'a jamais suivi leur conversation. Dans la glace derrière l'étagère, il a aperçu une silhouette connue, un visage familier. Lavilia, à l'entrée du bar, son regard un instant posé sur le dos de Blackburn. Mais, le temps de se retourner, le temps que se séparent deux couples un instant arrêtés dans l'entrée, Lavilia a disparu.

Blackburn se lève, gagne le hall de l'hôtel. Mais il joue de malchance: il y a presque foule, les gens commencent à quitter une réception qui avait lieu dans la salle de bal. De quelle couleur était la robe de Lavilia? Verte? Turquoise? Bleue? A-t-elle pris un ascenseur pour monter aux étages, ou est-elle sortie? Par en avant, pour prendre un taxi, ou vers le côté, par où on a accès au stationnement? Il choisit d'observer les deux ascenseurs qui montent, de noter à quels étages ils s'arrêtent (trois étages différents!), de questionner le réceptionniste en montrant sa carte du Contresp. Pas de Lavilia Carlis sur le registre. Pas de dame seule et plutôt belle, selon l'assistant-gérant, mais un certain nombre de couples dont la femme répondrait au signalement. Blackburn ne va quand même pas frapper à toutes ces portes pour retrouver une Lavilia qui n'est peut-être qu'un mirage, comme hier?

Coucher à l'hôtel, alors: peut-être la verra-t-il demain au petit déjeuner, si elle n'est pas un mirage et si elle séjourne ici? Il n'a aucune peine à obtenir la même chambre que la veille: depuis la guerre, il n'y a que des saisons creuses. Mais le sommeil ne lui vient pas aisément, il lui semble passer des heures à se retourner dans son lit, agacé par sa récente brûlure au ventre.

• • •

En la cité d'Eldorado, il laisse la joueuse d'échecs à ses vastes chambres clair-obscur, à ses joutes interminables, et redescend dans la jungle de la vallée. Jamais déserte, cette jungle: on songe parfois à un parc, des gens s'y promènent, ni explorateurs, ni conquistadors, ni précolombiens. Leur costume n'a pas d'époque, et la vision de Blackburn est plus ténue qu'hier, comme projetée sur un pan de fumée légère, transparente.

Une rivière, une clairière; sur un talus, un pavillon lui aussi orné d'or, murs massifs et escalier monumental qui jamais ne deviendront ruines. Les serveurs, eux, sont bruns de peau et portent des tuniques orangées. Ils posent des jus de fruits devant Blackburn et ses compagnons qui ont rendu visite à Drax avec lui.

— Votre sentiment, Iago?

— Clonage.

— Vous en êtes sûr?

— La personne avec qui nous venons de converser...

— Drax. Il n'y a pas eu de substitution, c'était bien Drax.

— Eh bien, cette Drax avec qui nous venons de converser **n'est pas** une femme de soixante ans. C'est bien votre avis, Johanès?

— C'est certain. Elle fait tout pour le paraître, elle emploie sûrement des substances texturantes, mais elle n'a pas soixante ans.

— Quel âge, alors?

— Près de la trentaine.

— Et on clonait les humains il y a trente ans?

— C'était possible.

— Mais alors, ça signifie que Drax prévoyait avoir un jour besoin d'une doublure, d'une imposteure, voilà trente ans!

— Une doublure, en tout cas. Avec quelle intention, elle-même ne le savait peut-être pas. Elle craignait peut-être d'être tuée durant une opération, une opération tout à fait légitime.

— La paranoïa devait avoir déjà commencé.

Blackburn ne dit plus rien durant un moment. Il ne faisait qu'assister à la conversation, du reste, la voix qu'il émettait n'était pas la sienne, c'était celle de «l'inquisitrice», comme il la nomme. Et cette femme, ne serait-ce pas Lavilia?

L'inquisitrice contemple Eldorado, la petite cité sur son éminence, le palais au sommet, le ciel étrangement nervuré tel un parachute bleu, et le soleil irréel, plus large mais moins aveuglant que normalement.

— Donc la vraie Drax serait là-bas, au moment même où nous parlons. Là-bas, sous les glaces de l'Arctique, à Baffin ou en Nouvelle-Zemble.

— Depuis des années, sans que nous le sachions.

— Jouant sur l'échiquier du monde, déplaçant les armées, contrôlant les pions, pendant que son autre elle-même fait des parties d'échecs dans sa prison dorée.

Le long de la rivière, des aventuriers espagnols avancent avec leurs ânes, barbus et cuirassés, culottes bouffantes et arquebuses, les yeux brillants de l'or qui les appelle. «El Dorado», la cité de l'Homme doré.

10

Les notes tour à tour cuivrées et feutrées d'un jazz intemporel arrivent à Blackburn depuis la scène de la Caserne. Enfin la tranquillité, après cette deuxième journée passée à interroger les survivants de la conjuration, dans des bureaux insuffisamment protégés de la canicule. La sereine stupeur du klair fige ses lèvres en un vague sourire. Les filles sont presque toutes au bar ou aux chambres, maintenant, il en reste une ou deux dans le salon où la télé joue en sourdine et où Jodi tourmente le piano d'arpèges discontinus.

Avec l'impression d'être un coussin parmi les coussins de l'immense canapé, Blackburn, mi-assis, mi-allongé, tète le long tube souple de la buvière. Il l'offre régulièrement à Laura, mais le plus souvent elle laisse passer son tour, gardant un œil sur la console de son bureau.

Le klair procure à la fois une sereine indifférence, la certitude profonde de tout comprendre et appréhender — tout devient limpide, au point que parole et commentaire sont superflus. Chez Blackburn, peut-être le klair éveille-t-il en plus une empathie latente, fondant tous les sentiments en un état d'âme cosmique: les soucis de l'agent Lamielle qui joue le rôle de videur à l'entrée de l'hôtel, la tendresse d'Éva pour sa patronne dont elle brosse les longs cheveux, les inquiétudes de Fabi pour Noisette montée à l'étage avec un client bizarre, le reportage télévisé sur l'extermination des affamés soudanais.

— Il n'y en a plus, innocent.

La buvière est vide, en effet, et les fluides effluves du klair ne montent plus malgré les suçotements de Blackburn, mais sa fraîcheur mentholée demeurera longtemps encore dans sa bouche. Il renverse la tête. Éva a terminé la toilette de sa patronne et rassemble ses cheveux d'ébène derrière son cou avec une broche d'ivoire. Laura porte ce soir un peignoir de soie orné d'hirondelles.

— Léger veut te recommander pour une promotion, lui annonce Laura sur le ton de la conversation. Le savais-tu?

Précieuse Laura! Confidentes ou indiscrètes, toutes les oreilles ici lui sont affidées, et Blackburn en a bénéficié plus d'une fois.

— Qu'est-ce qu'il y a au-dessus de «commandant»?

— Lieutenant-colonel, répond lentement Blackburn.

S'il ne s'agissait que de l'affaire d'hier, le meurtre empêché du général Léger, sa promotion serait assurée. Mais certains généraux sont moins contents de ce qui s'est produit à Havre-au-Lac. Toujours pas de trace du sous-marin. Les relations avec la puissance intéressée se compliquent sérieusement, lui a confié un collègue des Opérations consulaires.

Mais ces préoccupations sont lointaines, aujourd'hui. Un peu de tout le plaisir qui vibre dans les chambres, aux étages, lui parvient grâce au klair; ce n'est pas pour rien la drogue la plus populaire chez les usagers du sensircuit. Une fausse note au premier plan de cette harmonie: tension, anxiété, et des pulsions erratiques... impossible de savoir d'où elles viennent. Soudain, à cet instant, avec la brièveté et l'intensité d'un orgasme, l'esprit de Blackburn s'embrase d'images intruses, images de sang et de convulsions, de peaux roses et glaireuses, déchirées de clameurs hystériques.

Figé, Blackburn prête l'oreille. Il n'a rien entendu, ni cri ni pleurs, rien de cela. À la faveur d'un creux dans le bruit ambiant, peut-être l'exclamation d'un homme éjaculant, là-haut, dans la chambre immédiatement au-dessus du salon — mais ce serait surprenant, murs et plafonds étant à peu près insonorisés. Puis l'impression se dissipe, et Blackburn laisse errer son regard sur la bibliothèque qui occupe un mur du salon, legs d'un client cultivé qui, les derniers mois, incapable d'honorer ces dames à l'étage, aimait passer ses soirées ici, au salon.

Un furet sort la tête de derrière un coussin. Il se laisse attraper par Blackburn, qui le caresse machinalement. C'est un furet putoisé, fauve avec une large tache blanche sur le flanc. Fabi en caresse un autre qui a la même marque, et Jodi en porte un enroulé autour du cou telle une étole, exactement pareil. Il y en a deux autres pelotonnés dans un fauteuil.

Cinq clones identiques d'un furet, donnés à Jodi par Colonelle

— il le gâte sans mesure, espérant en vain se gagner l'attachement du gamin. C'est la fureur, actuellement, cette mode des clones: plus les copies sont nombreuses et indifférenciables, plus le cadeau est opulent. Davantage encore si l'espèce est rare ou inusitée.

Jodi... Si différent de Sébastien. Son antithèse, presque: câlin autant que l'autre était indépendant, volage autant que l'autre était constant dans ses idées, fragile et émotif autant que l'autre se voulait stoïque. Si différents. Et pourtant... Non. Ne pas s'attacher. Ne plus s'attacher à quelqu'un ainsi. Sans quoi, à nouveau Blackburn sera semblable à ces pitoyables monstres nés vingt ans plus tôt en Ukraine, le cœur à l'extérieur du thorax, vulnérables au moindre choc.

Jodi n'est plus au piano, il est en face de Blackburn, maintenant, un peu déhanché et les bras derrière le dos, son tee-shirt insolemment court et son jean serré, le bouton de la ceinture défait. Son nombril capte le regard de Blackburn et un élan de désir le traverse, intense comme une détresse, douloureux telle une sensation physique.

— Tu as eu ta paye aujourd'hui? demande le garçon.

— Je l'ai eue hier. Comment sais-tu ça?

— Je t'ai vu donner de l'argent à Laura.

— Petite fouine.

— Tu en as un peu pour moi?

— Je la dois au complet, ma paye. Demain matin, je dois en apporter le quart à une amie.

Blackburn devient graduellement conscient de sa propre respiration, hypnotisé par le ventre plat du garçon, par son corps mince et souple de furet — c'est cela, bien sûr, qui a motivé le cadeau de Colonelle. Les pantalons à taille très basse sont revenus à la mode, et le jean de Jodi laisse voir le début de l'aine. Dans son regard, une candeur un peu espiègle qui, si elle est calculée, tient du génie. Difficile de penser qu'elle soit sincère, pourtant: au LaSarre, l'innocence ne peut survivre.

Blackburn laisse le furet, tend la main, et Jodi lui donne la sienne. Blackburn colle ses lèvres dessus, la serre dans la chaleur de ses mains. Comment a-t-il cru qu'il pourrait rester à distance, prétendre contrôler ses sentiments et ne pas les laisser s'enflammer?

Le furet mis de côté remonte se percher sur l'épaule de Blackburn. L'homme se lève et, avec Jodi, quitte le salon. Dans le hall, c'est le va-et-vient habituel des heures d'affluence. Derrière sa console, l'agent de la Sûreté militaire qui sert de videur les regarde passer sans interrompre la conversation, apparemment pressante, qu'il a à mi-voix dans le micro de son combiné. Blackburn s'engage dans l'escalier avec Jodi. Puis les événements se précipitent en une ronde effrénée, que seule la tranquille lucidité du klair lui permet de démêler.

Du vestibule est apparu un officier éméché qui, d'une voix de fausset, s'exclame à l'intention du furet venu le renifler:

— Salut, furet, tu vas me conduire à mon minet?

Jodi tressaille et se retourne:

— Merde, je l'avais oublié, lui.

Il espère être dissimulé par Blackburn, mais Colonelle l'a déjà aperçu:

— Jodi, où vas-tu avec ce type? Et avec **mon** furet, en plus!

Sidéré par cet éclat — l'homme a presque crié, passant instantanément de la minauderie à la colère — Blackburn le voit d'un œil incrédule gagner l'escalier au pas de charge. Il a aussi conscience d'une porte de chambre qui s'ouvre et d'un homme qui sort dans le couloir de l'étage. Blackburn s'interpose à temps pour saisir l'épaule de Colonelle, qui a attrapé le poignet de Jodi:

— Holà, il est assez vieux pour mener ses propres affaires.

Le furet encore perché dégringole de l'épaule de Blackburn. Du vestibule, deux hommes font leur entrée, des agents de la Sûreté militaire. Avec le videur, ils convergent vers l'escalier. Ils voient l'homme sur le palier de l'étage, et lui aussi les voit; exclamations, changement de rythme.

— Jodi, petite pute, tu m'avais promis une nuit! Je t'en ferai encore, des cadeaux! Vous êtes tous pareils, petits profiteurs!

Blackburn n'aime pas la façon dont il houspille le garçon, et lui fait lâcher prise d'un coup de jointures sur le bras. Les agents les bousculent au passage, heurtent et renversent un robot de service qui roulait trop lentement. Exclamations féminines à l'étage; une porte claque.

Dégingandé tel un pantin, Colonelle n'en est pas moins vigoureux: il dépasse Blackburn d'une tête. Il le plaque au mur; empoignade, grognement hargneux.

— Toi, Blackburn... profère l'officier jaloux. Tu seras planton à Saglouc dès demain!

Laura et Fabi grimpent à l'étage avec précipitation; sur le palier, appels, ordres, interpellations. Tout à sa propre affaire, sans élever la voix, Blackburn prend un ton glacial:

— Je ne voulais pas manquer de respect envers votre grade, colonel Maillard, excusez ma brusquerie. Je pense que nous allons oublier cet incident.

— Oh non, je ne l'oublierai pas, l'interrompt Colonelle.

— Oui, nous allons l'oublier, réplique Blackburn sur le ton de la confidence. Sinon il y a une affaire de péculat qui fera surface chez l'inspecteur général.

— De quoi...

— Sept-Îles, l'an dernier. Des noms? Dionne, Hubert, Lepage. Des chiffres? Treize mille cinq...

— Ça va, tais-toi.

Galopades à l'étage; les agents redescendent en trombe. Laura, Fabi, d'autres filles, retrouvent leur calme.

— C'était un de ces types bizarres, leur raconte Noisette: il n'était pas capable de me mettre, il s'est crossé au-dessus de moi.

Blackburn et l'oncle-gâteau de Jodi restent un moment encore empoignés, se tenant par les manches, Colonelle regardant tout autour pour deviner si on a entendu les accusations. Il relâche sa prise le premier.

— Tu es rancunier, colonel. Mais la vengeance, oublie ça. Si le gamin reçoit ne serait-ce qu'une insulte — même pas une gifle: une insulte — la merde va faire surface chez l'inspecteur général et il y aura ton nom dessus.

À l'étage, des portes se referment une à une. Noisette s'habille, derrière Fabi et Laura qui redescendent.

— Allons allons, messieurs, un peu de tenue, intime la patronne en passant.

Blackburn fait mine de défroisser la vareuse de son rival, et sourit à l'intention des rares témoins de la scène.

— Rentrez chez vous, colonel, fait-il entre ses dents. Plus possible de s'amuser ici ce soir, n'est-ce pas?

C'est téméraire: Colonelle ne pardonnera jamais cet affront. Son allure de marionnette osseuse est mensongère, ses manières affectées ne sont que pour le bordel; dans le service, il affiche tout le contraire de la suavité.

Dans le vestibule, Laura confère avec son videur, tandis que les filles regagnent le salon ou le bar. Blackburn retient Colonelle par une manche.

— Je suis sûr que vous apportiez un petit quelque chose pour Jodi. Donnez, je vais le lui remettre.

L'officier devient pâle de fureur mais, sans un mot, il porte la main à une poche de son pantalon.

— Discrètement, recommande Blackburn: je ne voudrais pas qu'on pense à du chantage. On se serre la main, voulez-vous?

Puis il regarde le colonel partir, avec la rigidité d'un automate.

Un coup d'œil aux billets pliés dans sa paume: c'est deux fois plus qu'il n'aurait pu offrir à Jodi ce soir. Il lève les yeux vers l'adolescent, réfugié au sommet de l'escalier depuis le début de l'altercation:

— Tu es libre cette nuit, mon grand?

Mais à nouveau les circonstances font obstacle. Moreau, du Contrext, entre au LaSarre et aperçoit Blackburn au sommet de l'escalier. C'est un collègue, bien qu'ils appartiennent à des services différents: Blackburn ne peut ignorer le regard d'invite, il rejoint Moreau et son acolyte Fafard dans le hall pour discuter de l'incident. Il apprend en même temps que Moreau le peu d'information encore disponible. Le client suspect est venu pour la première fois hier, au bar; reconnaître les lieux, peut-être. Ce soir, il entre à l'hôtel: pas d'arme, pas de métal autre que l'habituel assortiment de clés, briquets et stylos, pas de plastimétal. Comme c'est un nouveau client, un inconnu, vérification de routine auprès du fichier central, discrètement. Doutes, à cause d'une ressemblance possible avec un Irrégulier recherché. Deux agents du Contrext sont dépêchés au LaSarre, chargés de l'observer à sa sortie, lorsqu'il descendra de l'étage. Le type les aperçoit, corrida.

— Il paraît qu'il y avait une rixe de bordel en même temps? demande Moreau.

Blackburn ne relève pas la question, et Lamielle lui envoie un regard entendu.

— Je ne pense pas qu'il venait pour une fille, avance le videur. Je crois qu'il a joué au client quand il a vu qu'il ne pouvait rien tenter: les caméras dans les chambres, dans les couloirs, moi à ma console tout près...

— Mais ses intentions?

— Peut-être cherchait-il quelqu'un en particulier: un compte à régler, un contrat à exécuter.

— Ou un attentat, propose Moreau, qui n'est pas pour rien au Service du Contre-extrémisme.

Un Irrégulier descendu en ville, si loin au sud: il doit y avoir une raison sérieuse. Préparent-ils un coup d'éclat? Les zones urbaines n'ont jamais été leur champ d'opération; c'est la frontière, le Labrador, qui les obsède. Quoi qu'il en soit, l'homme s'est échappé par la fenêtre, il court, et nul doute que les Irrédentistes, nombreux dans la ville et la région, mettent à sa disposition un efficace réseau clandestin: on ne le retrouvera pas, sauf s'il sort à nouveau de son propre chef.

Moreau et Fafard demandent à parler à Noisette, avec qui l'homme était monté. Blackburn saisit l'occasion pour filer. Cette affaire n'est vraiment pas de son ressort, et il a mieux à faire que de conjecturer en comité dans le hall de l'hôtel.

Il gagne la chambre où il est attendu; elle est presque obscure. Dans un coin, une vieille télécouleur soliloque en sourdine. Devant la fenêtre aux draperies ouvertes, une silhouette mince, profilée sur les lueurs de la rue. La pluie sur la vitre fragmente néons et lampadaires en perles de couleurs frissonnantes.

— C'est moi, dit-il en notant la nervosité avec laquelle Jodi s'est retourné.

Il gagne la fenêtre sans bruit, s'arrête derrière le garçon, qui a reporté son regard sur la rue.

— J'ai cru que c'était pour nous, les agents, la police...

— Ce n'était pas la gendarmerie.

— La police militaire?

— Non plus. Tout ça est un peu compliqué.

— Des agents comme toi, alors.

— C'est ça.

— Colonelle, il serait capable de...?

— Colonelle ne dépend pas de la Sûreté militaire, il est dans l'administration de l'armée. Et il ne peut rien contre toi, je le tiens par les couilles. De toute façon, le LaSarre appartient à un général, alors personne n'y sera jamais dérangé à moins d'une affaire très sérieuse.

Jodi est ébranlé. D'une main sur son épaule, Blackburn tente de le réconforter.

— Désolé de t'avoir fait perdre un si gros client. Peut-être qu'il reviendra. S'il tient vraiment à toi, il marchera sur sa fierté.

— Ce n'est pas ça...

Il n'en croit rien, probablement, et Blackburn non plus, du reste. Toujours derrière lui, il l'entoure de ses bras, pose son menton sur son épaule. *Je sais bien, mon grand, je sais bien. Mais moi, ce n'est pas pareil...* Vraiment? Colonelle aussi l'aime, sûrement. Blackburn peut-il se donner bonne conscience parce qu'une jalousie aussi agressive ne fait pas partie de son caractère? Il a d'autres défauts, peut-être ressortiront-ils un jour à la faveur d'une crise, et il ne fera pas meilleure figure que son rival aux yeux de Jodi: ils sont sur le même pied, l'un plus haut gradé et beaucoup plus riche, d'une jalousie plus prompte, l'autre moins galonné et criblé de dettes, possessif à sa manière. Et ce désir d'être aimé de Jodi, lui entre tous, comme si quelque qualité le distinguait des autres clients...

— Viens, on va se changer les idées, souffle-t-il à son oreille puis, un sourire dans sa voix: tu sens le furet!

— J'en ai eu sur moi toute la journée. Je vais prendre une douche.

— Moi aussi, j'imagine que... tiens, sens mes mains. Tout le bordel doit sentir le furet!

Ils rient, évoquant les clients qui, de chambre en chambre, doivent avoir fait la même remarque à toutes les filles qui se sont laissé attendrir par les cinq mustélidés. Ils se rendent à la salle de bain, Blackburn insistant pour déshabiller lui-même le garçon, promenant son visage sur son torse et son ventre, impatient de lui faire une fellation, là, sur-le-champ, et Jodi doit se réfugier sous le jet tiède de la douche pour lui échapper. L'homme l'y rejoint, perdant son souffle sous l'eau brusquement devenue chaude, et dans ce déluge torride il assouvit son désir rendu impérieux, dévorant la jeunesse de Jodi, buvant ses giclées de vie, mordant son cou et son épaule pour étouffer ses propres râles lorsque s'affairent les mains adroites du gamin.

• • •

À demi séché, Blackburn s'est affalé sur le lit, terrassé par les effets combinés du klair, de l'étuve et de l'orgasme. Dans la salle de bain lumineuse, il distingue la silhouette de Jodi se repeignant devant la glace embuée, et la vue de son corps longiligne entretient la braise encore chaude de son désir. Il a les paupières lourdes; un papillotement de la vieille télécouleur capte son regard et il tourne les yeux vers elle.

Les astéroïdes varicolores se fragmentaient un à un devant le tir du petit vaisseau triangulaire, en une succession d'explosions à sonorité mécanique. Le score était astronomique. Denis, qui avait jeté un coup d'œil par-dessus l'épaule du joueur, s'arrêta, croyant avoir mal lu.

— Neuf cent soixante mille?

— **Un million** neuf cent soixante mille, rétorqua le joueur.

Encore plus incroyable: le compteur avait déjà fait un tour complet! Négligemment, comme si ses mains contrôlaient la partie à elles seules, sans l'aide de ses yeux, le joueur tourna la tête vers Denis.

C'était un homme, constata Denis avec quelque surprise: mince et de taille médiocre, de dos il passait pour un adolescent. À quelque distance, le tenancier indochinois observait le joueur en tripotant la monnaie dans les poches de son tablier, ne laissant pas deviner si c'était sa performance qui l'intéressait ou s'il avait hâte qu'on laisse la place à d'autres clients.

— Tiens, offrit le joueur à Denis, finis la partie. Tu pourras inscrire ton nom en première place des records.

Le garçon ne se fit pas prier. Mais la partie était réglée au plus haut niveau de difficulté et il ne tint pas longtemps, perdant un à un tous les vaisseaux supplémentaires que l'homme avait accumulés. Tout ce temps, il sentait le regard du type, allant de l'écran à lui.

Denis dépassa quand même le deuxième million avant que son dernier vaisseau soit pulvérisé par un fragment d'astéroïde. Après, Denis essaya le baseball, puis Packman. C'était au début de l'ère des arcades électroniques, le choix était encore restreint à dix ou douze jeux.

Cet après-midi-là, l'adolescent se trouva vite à cours de monnaie. L'homme des astéroïdes réapparut à ses côtés juste à cet instant et lui donna quelques pièces. Il était blond, pas rasé de ce jour; un de ces blonds dont la barbe tire sur le roux. Il lui mentionna un autre établissement de jeux, à quelques coins de rue, où on venait d'installer une machine Donkey Kong. Denis l'y suivit, par désœuvrement; Queen et Kiss y faisaient un contrepoint assourdissant aux gloussements et aux détonations des machines.

Plus tard, alors que le soir tombait sur les rues pleines de «sloche», Denis le suivit chez lui, ce Jac qui avait un jeu Atari branché à son téléviseur, quelques bières dans son frigo et un peu de hasch au fond de sa poche. C'était un petit logis mal tenu où un fleurdelisé tendu devant la fenêtre servait de rideau, où la télévision était allumée en permanence, même après la fin des programmes, et où les reliefs de la pizza qu'ils se firent livrer étaient destinés à traîner dans la cuisinette jusqu'au surlendemain. Le vieux canapé n'avait plus de pattes, l'étagère était faite de planches et de briques empilées, le lit était un grand matelas posé à même le sol.

Dehors, à gros flocons mouillés, la neige tombait maintenant trop dru pour fondre au contact du sol. Le métro ne roulait plus quand Denis quitta le logis de l'homme et son lit aux draps fripés.

À cette époque, Blackburn avait l'âge de Jodi, de Jodi qui achève maintenant de se sécher l'entrejambe, consciencieusement, avec une grande serviette blanche. Sans la lâcher, il s'avance dans la chambre, s'immobilise nonchalamment devant la télé, profilant ses cuisses et ses hanches étroites sur l'écran lumineux. Au canal des informations, on revient sur la crise des hôpitaux — une crise qui dure depuis un tiers de siècle, à la connaissance de Blackburn. Sauf que le nombre annuel de patients morts sur les listes d'attente est maintenant dans les quatre chiffres.

— Éteins la télé, mon grand.

Jodi obéit, puis vient s'asseoir au bord du lit. Dans l'ombre, son corps lisse luit doucement de la lumière de la rue, devenant plus clair au passage d'un doublicoptère tous projecteurs allumés.

Blackburn étire le bras, saisit la télécommande de la chambre. Il repère la touche d'appel du service aux clients. *Je ne devrais pas.* Il s'est bien juré, hier, lorsqu'il a senti déraper sa perception du temps, il s'est bien juré qu'il n'en reprendrait plus. Mais ce soir, d'un souffle, Jodi a fait vaciller sa volonté.

La porte s'ouvre et le robot de service roule tranquillement jusqu'au lit, sa forme de baril immortalisée par le cinéma trente ans plus tôt. Prenant son porte-cartes sur la table de chevet, Blackburn en tire une et l'insère dans le robot, compose son code sur le clavier et passe sa commande. La rotation d'une coupole découvre une niche latérale, et Blackburn y cueille le petit sachet avec le timbre fiscal du gouvernement.

— Allume-le, veux-tu? demande-t-il à Jodi en lui tendant le hasch, tandis que le robot s'éloigne.

Dans chaque chambre il y a un nécessaire à fumer, à siroter, à renifler ou à se faire une injection. Bientôt, une minuscule braise grésille devant le visage de Jodi, et l'odeur prenante du hasch se répand. Jodi lui présente la petite pipe d'onyx; Blackburn prend une première bouffée, les yeux fermés. Puis les rouvre, pour voir la lueur orange de la braise sur la peau du garçon, sur son visage, sa poitrine.

Blackburn s'est versé un verre d'eau. Au creux de sa paume, une capsule dont on ne voit pas la couleur bleue. Chronoreg. Conjugué au hasch, la clé de l'éternité. Il avale. Puis il achève de consumer le haschisch avec Jodi, lui adossé aux oreillers, le garçon assis en tailleur, savourant la langueur, la sourde et lente montée du désir.

Étendus, maintenant, enlacés, leurs lèvres en douce fusion. L'instant se prolonge, le moment s'étire sans fin, tout ce qu'il contient de plaisir et de bonheur s'éternise. Une seconde en avant, une minute en arrière, c'est la perpétuité du présent, revenant constamment sur lui-même et sans cesse renouvelé.

Chronoreg: le paradis ou l'enfer. Il suffit de choisir l'heure de son éternité.

11

D'un geste vif, Blackburn interrompt le timbre électronique du réveil. Sans transition, il est lucide et réveillé, presque frais et dispos. Comme le ciel azur où traînent encore quelques lambeaux de nuages, son esprit se dégage des dernières brumes de la nuit. Klair, haschisch et chronoreg composeraient-ils un cocktail heureux en l'absence de céréphédrine?

D'un geste vif, Blackburn fait taire le réveille-matin.

Il se lève doucement et gagne la salle de bain. Dans le lit en désordre, Jodi dort sans oreiller, la bouche entrouverte, le matelas lui déformant la joue et les lèvres. Une éternité à faire l'amour, et pourtant Blackburn ne se sent pas différent. Même l'éternité est éphémère.

Blackburn se lève doucement et rassemble ses vêtements en marchant vers la salle de bain. Ce matin encore, le temps bégaie.

• • •

Un vélix l'emmène à la périphérie à travers les rues déjà animées; c'est un jour de semaine, bien que cela ne veuille plus dire grand-chose. «Viens prendre le petit déjeuner», avait dit Florence, dont la profession l'occupe surtout l'après-midi et le soir. Florence se lève rarement avec une gueule de bois, et il ne lui est pas inimaginable de faire une invitation pour le matin.

Lorsque Blackburn descend devant chez elle, il est en forme, avec juste les vestiges d'une sensation agaçante, comme si le sommeil de cette nuit n'avait pas parfaitement lavé son cerveau et que des molécules de chronoreg étaient restées prises entre ses neurones, gênant un peu sa pensée, le renvoyant parfois une ou deux secondes en arrière.

Un robot domestique est en train de tondre la pelouse, heurtant les buissons de la haie au terme de chaque allée et venue. Blackburn sonne et, au bout d'un moment, se voit ouvrir la porte par une fillette aux yeux rouges.

— Bonjour, Ariane. Qu'est-ce qui t'est arrivé, tu as un chagrin d'amour?

Sa mère survient à cet instant:

— Ariane, va te recoucher, tu dois rester étendue une demi-heure après que je t'ai mis tes gouttes.

Tout en refermant la porte, Blackburn embrasse Florence sur les deux joues, tandis que la fillette s'en va déjà, débordante d'énergie.

— Elle a passé la fin de semaine chez sa cousine, à La Tuque. Elles jouaient dehors, dans un parc, il faisait beau. Puis le temps s'est couvert rapidement, et il y a eu une grosse averse. Elles ont été imprudentes, elles ne se sont pas mises à l'abri assez vite.

Yeux et muqueuses ont écopé. Le pH de la pluie devait être très bas.

— Mais ce n'est pas brûlé, poursuit Florence. Sa cousine a eu moins de chance; on a craint un moment pour ses yeux, mais tout ira bien.

Tout ira bien... Il observe Florence, ses mains serrées l'une dans l'autre, le ton de sa voix soigneusement contrôlé. Une révolte rentrée, maîtrisée, et beaucoup de frustration: elle rédigera un éditorial, des lettres à d'autres médias, aux gouvernements, mais elle sait bien que cela ne fera bouger personne.

Et sa colère, elle la passera en partie sur Blackburn, subtilement. Elle annonce la couleur:

— Je croyais que tu portais l'uniforme seulement lorsque tu jouais au petit soldat.

— Je l'ai mis exprès pour toi, réplique-t-il pour l'agacer.

Généralement, il ne porte l'uniforme que quand il y est obligé. En fait, il ne lui restait plus de vêtements civils propres, le gros de sa modeste garde-robe étant à sa base de Sept-Îles.

— Allons sur le patio. C'est servi, je t'attendais.

— Tiens, fait-il en lui remettant un chèque tandis qu'ils sont encore dans la maison. Je t'en rendrai autant à la prochaine paye.

En parler le moins possible. Parce que, chaque fois, il repense à

Vera Cruz, à Acapulco, la poursuite démente à travers le carnaval en folie, et la défaite finale dans la saleté d'une ruelle obscure. Florence elle-même a le tact de ne rien dire, de ne pas évoquer le garçon revenu de ses aventures dans un cercueil d'aluminium.

Le patio ensoleillé, chaises et tables blanches, le petit déjeuner... L'illusion de tranquillité serait complète si, à l'occasion, le rugissement lointain d'un réacté n'évoquait la base aérienne toujours active. Très vite, la conversation de Florence en vient à la guerre — elle est pacifiste, et Blackburn s'est même déjà vu reprocher de la fréquenter. Aujourd'hui, Florence est en verve:

— Regarde-toi avec tes épaulettes et tes chevrons: s'il y en avait moins comme toi qui aiment ce jeu, la guerre ne durerait pas.

— Ce n'est plus un jeu, Florence.

— Pour toi, ça a commencé comme un jeu.

Le niera-t-il? Le maquis, les opérations de commando contre le corridor énergétique... N'était-ce pas le grand jeu, avec les copains de la bande, avec Jac Marin?

Nuit. Plus rien n'était facile comme dans les premiers mois. Même en éliminant l'hélicoptère resté au sol à cause d'une «panne», le ciel était régulièrement traversé par le battement rapide des rotors, et l'on pouvait imaginer la forêt balayée par le regard d'un capteur infrarouge. Sous le couvert des arbres, c'était moins grave; par contre, dans l'immense zone défrichée autour du chantier, chaque mouvement était décelable.

Mais tout avait été calculé par le chef, et le programme était au point.

— Convergez, ordonna une voix dans les walkies-talkies, alors que le bruit de l'hélicoptère déclinait.

Avec ses compagnons, qui étaient autant de bruissements dans les broussailles proches, Blackburn se mit à courir, instinctivement courbé comme si cela pouvait faire une différence en cette nuit sans lune. Plus loin, dans la zone éclairée par les projecteurs, il allait falloir compter sur autre chose que la ruse.

Les plastiqueurs reçurent l'ordre de localiser leurs objectifs.

Le chantier était droit devant, entouré d'une clôture grillagée; mais une partie de la machinerie était à l'extérieur, stationnée près des grandes portes. Blackburn et d'autres s'étaient vus confier le poste-relais lui-même, au cœur du chantier. Les travaux presque achevés, tout l'équipement était en place et il restait aux ingénieurs électriciens à terminer les branchements.

— Tireurs, vous êtes en place?

On était loin, déjà, des coups de main avec une poignée de

maquisards. Cette opération-là était une offensive, rien de moins. Devant le regard de Blackburn, toutes ces formes anguleuses dans une lueur crue avaient l'aspect irréel et figé d'un décor. Parce que les projecteurs étaient au sommet des mêmes poteaux, on distinguait mal les guetteurs, perchés dans leurs esquisses de miradors, de simples nacelles d'électriciens.

L'ordre d'attaque tardait à venir.

Se retournant vers l'orée de la forêt, Blackburn devinait droit derrière lui, perché dans un arbre, la présence attentive de Jac Marin. On lui avait confié un des fusils à visée infrarouge et Blackburn pouvait imaginer sa tension, son expectative presque joyeuse, la prise ferme et confiante de ses mains sur le métal tiédi par ses propres paumes.

— L'attaque se passera comme prévu, annonça enfin la voix un peu altérée du chef. Mais, après le regroupement, il va falloir se disperser. Notre camp vient d'être pris d'assaut par la G.R.C. et par l'armée.

Parmi les camarades invisibles dans les hautes herbes, Blackburn sentit passer un vent de consternation. Mais de panique, point.

Vint le signal pour la première salve. Salve presque silencieuse, une gerbe de **pofs** étouffés. Du périmètre du chantier, un ou deux cris déchirants; les sentinelles étaient hors de combat.

La deuxième salve déclencha un concert d'éclats de verre, tandis que les ténèbres tombaient comme une chape sur tout le périmètre. Seules restèrent quelques ampoules nues, aux portes des cabanes et des roulottes.

L'ordre vint aux plastiqueurs de passer à l'offensive et aux tireurs de gagner leurs positions secondes. Ce qui frappa Blackburn, ce fut la discipline, inattendue de la part de cette troupe disparate. Peut-être tous étaient-ils aussi motivés que lui, dissimulant le sérieux de leur engagement sous une désinvolture affectée, comme lui. Sans un mot, il regarda deux camarades plus musclés découper le grillage avec de grosses tenailles aussi aisément qu'un filet de tennis, se faufila dans le chantier avec les autres. Il courut d'un engin à l'autre, collant ses charges au métal froid des machines. Comme prévu, les portes du poste lui-même étaient verrouillées, mais il y avait les puits de ventilation du toit, bien assez larges pour recevoir les pelotes d'explosifs. Les minutes passèrent, comprimées, invisibles — un quart d'heure à amorcer et à disposer les charges. De la corniche, juste avant de sauter au sol — quatre mètres, cela ne l'effrayait guère à cet âge — Blackburn aperçut Marin et un camarade courant sans précipitation, déposant juste à l'extérieur de la clôture un mortier lance-fusées.

À ce moment on tirait déjà des coups de feu, les hommes de la garnison ayant inévitablement été réveillés par le bris des projecteurs. Marin avait glissé le canon de son fusil dans une maille de la clôture et, comme à la foire, s'était mis à tirer méthodiquement, presque aussi dévastateur par son adresse que ne l'aurait été une mitrailleuse par sa vitesse. Blackburn ne distinguait rien de son visage, assombri à la suie. Mais il l'imaginait, calme, presque serein — pas souriant, non, mais à l'aise. Comme si cela, l'odeur de la poudre, l'excitation de la bataille, le bruit de l'affrontement, c'était son élément.

Dans son écouteur il entendit un avertissement puis, peu après, de son oreille libre, la rumeur déjà proche des rotors.

— Attention, repli! Repli immédiat! Des hélicos lourds, probablement étatsuniens!

Sa course vers la clôture le mena — était-ce un hasard? — à la brèche la plus proche de la position de Jac Marin. Il y avait déjà de la terreur dans cette retraite précipitée, avec le battement haché des rotors qui enflait de seconde en seconde. Peut-être risquaient-ils de ne plus se revoir?

Le compagnon de Marin, le servant du lance-fusées, se vidait de son sang sur la terre caillouteuse, fauché par un tir de mitraillette. Marin lui-même (mais Blackburn n'allait l'apprendre que des années plus tard) avait été touché à la hanche et saignait abondamment.

— Ça va jouer plus dur que prévu, fit-il entre ses dents en reconnaissant Blackburn.

À cet instant, une fusée éclairante éclaboussa tout le périmètre d'une lumière vibrante, comme un feu malsain. Un hélicoptère léger survolait déjà le chantier.

— C'est l'hélico de patrouille!

Une rafale de mitrailleuse venue des airs hacha les maquisards embouteillés à la brèche de la clôture, traversant les corps comme du beurre, faisant gicler terre et pierraille. En jurant, Marin se jeta vers le lance-fusées déjà armé et le mit à feu, presque sans viser: il tirait de petits missiles à tête chercheuse, et la propre chaleur de la cible attirait la fusée. Trombe de métal et de feu, l'hélicoptère chut en tournoyant, aspergeant le périmètre d'étincelles tel un soleil-tournant à la Fête nationale. Il s'écrasa en flammes derrière les baraques des travailleurs — qui, réveillés depuis longtemps, demeuraient prudemment terrés sous leurs couchettes, à l'intérieur.

— Reste pas ici, Denis. Sauve-toi.

Blackburn l'aidait à remettre une fusée dans le tube du mortier. Dans la lueur de l'incendie, le visage barbouillé de Marin était tendu, presque crispé. S'en voulant immédiatement, Denis s'entendit demander:

— Comment est-ce qu'on se reverra?

— Fie-toi au hasard. On se retrouve toujours, non?

Pourquoi Blackburn tenait-il à le revoir, cet être qui descendait des hommes comme les cibles d'un stand de tir? Et pourquoi, l'attirant brusquement à lui, l'étreignait-il une dernière fois comme un amant, alors qu'ils ne l'étaient plus depuis des années? Marin lui rendit son étreinte — c'était toujours la même poigne ferme et presque dure, et c'était la dernière. Juste après il proféra, entre ses dents, «Les rats!». Blackburn, se retournant, aperçut les travailleurs du chantier quittant leur baraque que menaçait l'incendie, filant penchés en direction du bois.

— Allez, barre-toi!

Et, l'oubliant, Marin reprit son fusil, l'arma d'un nouveau chargeur.

— Ce ne sont pas des soldats!

— Ce seront des exemples.

Les travailleurs locaux, par conviction ou en réponse à l'intimidation, n'œuvraient plus depuis longtemps sur les chantiers du corridor énergétique. Mais ceux des provinces voisines, et même du Maine, les remplaçaient sous protection policière.

— Allez, file! cria Marin en débutant la fusillade.

Et Blackburn, honteusement, fila derrière ses camarades en fuite. Se détestant pour sa mollesse. Haïssant Marin pour avoir résolu ces meurtres pendant même qu'il l'étreignait — les yeux ouverts, sans doute, ne manquant rien de ce qui se passait là-bas.

La fusée éclairante s'était éteinte. D'autres la remplacèrent, tandis que les hélicoptères lourds venus de la frontière étatsunienne surgissaient au-dessus de la zone défrichée, l'aspergeant de plomb brûlant. Seuls les pylônes et les fils électriques les empêchaient d'effectuer un rase-mottes encore plus meurtrier. L'un dut heurter une tour car il y eut une brève rafale métallique, rotors hachant l'aluminium et se détruisant eux-mêmes, puis un écrasement sinistre et grinçant.

Blackburn courait, regardant droit devant lui, les explosions aériennes et les brusques illuminations de la forêt lui indiquant l'efficacité dévastatrice des lance-fusées des maquisards. Il n'avait plus son écouteur et n'entendait donc plus les consignes du chef

— il s'en rendit compte lorsque, sans avertissement, les charges que lui-même et ses collègues avaient posées explosèrent toutes ensemble. Déchirant la nuit d'un éclair éblouissant. Bousculant tout d'une onde de choc assourdissante. Embrasant l'air d'un souffle ardent. Lacérant Blackburn d'un débris métallique.

Un avant-goût brûlant de la nuit de Comitan.

Ariane est sortie dans le jardin et joue avec un modèle réduit de vélix, qu'elle promène au-dessus de l'herbe avec un ronron monotone.

— N'oublie pas qu'il y avait vingt pour cent de chômage quand je me suis engagé, rappelle Blackburn à Florence.

Après le maquis. Dans l'armée régulière de l'État québécois naissant. Avant qu'on commence à évoquer une occupation du Labrador. Pour Blackburn et certains de ses camarades, la suite logique de leur combat était de ce côté: le gouvernement défait, un autre nouvellement élu faisait de leur cause sa politique — en plus modéré, certes. La construction de la ligne si controversée fut interrompue, aux clameurs du voisin étatsunien et du rival terre-neuvien. Les négociations furent réouvertes, s'élargissant bientôt à la question des réclamations territoriales. L'éventualité d'un conflit armé ne paraissait plus si farfelue.

— Le chômage... réplique Florence. D'accord, le prétexte était bon. Mais après quatre ans, tu avais un diplôme, un métier, tu aurais pu te trouver un emploi dans le civil.

Électronicien. Mais tellement spécialisé: forcer des serrures magnétiques, neutraliser des réseaux de sécurité, désamorcer des bombes, identifier le point faible d'un système à saboter... Il était devenu un brillant expert en quelques années — jusqu'à l'accident qui avait failli lui coûter un œil et l'avait privé de souplesse dans la main droite. Et puis il y avait l'affaire Desroches. Blackburn en savait trop long sur les actes d'un certain général, collègue de Morel et de Valois, et on lui avait donné à entendre qu'on ne laisserait pas vivre un civil détenant des renseignements capables de faire s'écrouler tout le ministère de la Défense. Tant que Blackburn était militaire, lié par ses serments d'office, il avait la paix. S'il retournait au civil, sa tête et la mémoire qu'elle abritait devenaient une cible de choix.

De l'autre côté de la maison, la tondeuse à gazon s'est tue, le robot domestique ayant accompli le nombre requis d'allers-retours et probablement abîmé un peu plus la haie. Blackburn se penche, verse du café dans sa tasse et celle de Florence.

— Tu sais ce que tu redoutais, dans le civil? La responsabilité, voilà. Dans l'armée, tu n'avais pas de responsabilités: logé, nourri, pas de décisions à prendre, et des armes pour faire joujou.

— Tu as peut-être raison, admet Blackburn. Pour cette époque-là.

Ne pas avoir à chercher un emploi, détenir un prétexte pour éviter le piège d'une relation stable... Il avait failli y avoir quelque chose entre Florence et lui. Il y avait eu quelque chose entre eux. C'était durant sa convalescence. Elle l'avait beaucoup aidé — il ne connaissait pas Laura à cette époque, du moins pas personnellement. Florence avait voulu prendre en main la vie de Blackburn, au sortir d'un divorce qui l'avait laissée amère, avec sur les bras une enfant encore aux langes. Tout se réglait admirablement, pour Florence: elle avait son poste et pouvait les faire vivre tous trois, tant que durerait la réadaptation de Denis, babillant avec le bébé et lui changeant ses couches, jusqu'à ce qu'il se trouve un emploi qui leur convienne. Il n'aurait plus été lui, il aurait été le tiers d'eux.

À côté de cela, les travaux du Bureau des Recherches spéciales exerçaient un attrait autrement supérieur. On avait évalué son potentiel parapsychique, il était intéressant; Blackburn était intéressé. Surtout à quitter le chemin de plus en plus balisé que traçait Florence. Peut-être préférait-il des balises moins personnalisées.

— Et ça a changé? Parce que tu es un officier, tu as plus de responsabilités?

Il songe à l'affaire Desroches, il songe surtout à Havre-au-Lac, la destruction de la base prévenue de justesse, le sous-marin disparu avec un amiral à bord, le vertigineux mystère du nuage phosphorescent.

— Plus de préoccupations, en tout cas.

Il pense à Michalski, au double jeu qu'elle joue peut-être, double jeu qui n'a guère de sens — à moins de s'inscrire dans un triple jeu? Et lui, Blackburn, œuvre dans le champ le moins limpide de cette guerre: Contresp, Contrext, et maintenant Aprex, depuis que Morel a refait surface avec son vieux stock de céréphédrine-psi.

— Et qu'est-ce que tu deviendras quand la guerre sera finie?

— Ce n'est pas en vue, pour le moment.

Pour les patrons immédiats de Blackburn, la guerre ne finit jamais, elle refroidit. On se trouve toujours des ennemis quand on cherche un peu.

— Tu resterais pour préparer la guerre suivante.

Blackburn revoit son fantasme familier: lui-même épinglé à un mur par une rafale ou une salve, ou encore le souffle d'une explosion, criblé, sanglant, s'effondrant... Il ne s'imagine pas mourant septuagénaire dans un lit d'hôpital — une image qui le terrorise lorsqu'il l'envisage sérieusement.

Un nuage passe devant le soleil, jetant son ombre sur la banlieue et ses rangées de maisons quelconques et de vies rangées, ses antennes paraboliques toutes sagement alignées dans la même direction. Ariane s'est tue, observant du coin de l'œil l'affrontement, tranquille et intense en même temps, qui rapproche sa mère et Blackburn chaque fois.

Le robot domestique, pour lequel les seuils de portes et les petits escaliers ont été abolis, débouche de la vaste cuisine. Sa forme est une vague imitation de la silhouette d'un nain.

L'une des niches aménagées à même son corps pour loger des accessoires n'est qu'à demi fermée, quelque chose obstruant son guichet.

— Qui l'a appelé, celui-là? s'étonne Florence. Ariane, est-ce encore toi qui...

— Non, l'interrompt Blackburn, la télécommande est ici, derrière le sucrier.

Le robot heurte une chaise, la déplace en continuant sa route vers la table, Blackburn se lève vivement, et l'explosion le cueille dans son mouvement vertical, le projetant au loin et vers le haut, le ventre criblé de fragments métalliques. Au terme de sa parabole, il tombe de dos sur une clôture basse, dont chaque planche se termine en triangle. Sa colonne vertébrale se rompt avec un crac étouffé sur une pointe, une

Surpris comme s'il venait d'avoir une idée inattendue, insolite, Blackburn tourne les yeux vers la vaste cuisine, où il aperçoit le robot domestique roulant doucement, en provenance du vestibule.

En une fraction de seconde tout lui vient, la déflagration les mutilations, la noirceur. Promptement, il sort son pistolet et s'accroupit, un genou par terre, la chaise libre comme appui. Il tire rapidement, méthodiquement, visant le bas d'une «jambe», là où la coque de plastique dissimule le moteur des roulettes. Le plastique vole en éclats, les balles perforent et fracassent le métal, arrachent finalement le «pied» et ses roulettes, faisant chanceler le robot. La «jambe» de gauche continue de rouler, imprimant au robot un virage serré de char d'assaut. Une cellule photo-électrique lui interdit normalement l'escalier qui descend au sous-sol; mais aujourd'hui, rien ne va plus pour le robot. Il bascule dans l'escalier.

— Eh! Qu'est-ce que tu...?

autre lui perfore un rein.

Plus de soleil, plus de ciel: mains et visages sont brûlés, ses yeux instantanément séchés et fissurés. Sa bouche et son nez sont de braise, il sent sa langue et sa gorge enfler, l'air devenu abrasif cherche vainement le chemin de ses poumons. Quelque part, Florence hurle hystériquement «MES BRAS! MES BRAS!», puis ses cris s'étranglent pour laisser place aux plaintes d'Ariane.

Étouffant, Blackburn sent ses vêtements s'imbiber et s'alourdir de son propre sang et, par-dessous la douleur, c'est la même sensation gênante que lorsque, gamin, il avait mouillé son pantalon en pleine classe. Sa dernière pensée, alors que ses mains cherchent d'elles-mêmes un appui comme s'il pouvait se relever, sa dernière pensée va au chronoreg qu'il a absorbé hier soir. *Si j'en avais pris une capsule ce matin avec mon jus d'orange je pourrais...*

Revenir.

Se prévenir lui-même.

Dans un fracas de vaisselle brisée, Blackburn renverse la table de patio, la plaçant comme un bouclier devant Florence et lui.

— COUCHE-TOI! crie-t-il à Ariane pétrifiée. À PLAT VENTRE!

La déflagration couvre sa voix, suivie d'un tintamarre de bris et de dégringolades. Des fragments de verre et de métal sont soufflés des soupiraux du sous-sol, giflant pelouse et façades voisines d'une violente grêle.

Blackburn s'élance déjà à travers la maison. La porte principale est ouverte, la pelouse déserte. Au-dessus de la rue, un vélix s'éloigne en accélérant. Une camionnette de service, la compagnie de vidéophone. Trop loin, trop tard.

Trop tard? Il se met à rire, un rire nerveux en réaction au choc, incrédule et comprenant ce qu'il vient d'accomplir, et son rire devient brièvement hystérique, un défi au temps tout-puissant qu'il vient de souffleter.

• • •

Florence est une femme prévoyante, il y a un réseau d'extincteurs chimiques dans la maison, qui empêche l'incendie de prendre de l'ampleur en attendant l'arrivée des pompiers.

Dans le jardin, quelques voisines affolées entourent déjà Ariane, qui pleure et crie mais n'a qu'une égratignure. Florence, agenouillée, a un mouvement de recul lorsque Blackburn s'approche, larmoyant de la fumée que dégorge la maison.

— Pourquoi as-tu tiré comme ça sur mon robot?! lui crie-t-elle.

— Mais parce qu'il allait nous exploser dans la face!

Elle le regarde sans comprendre, et Blackburn saisit soudain qu'elle le croit responsable de la déflagration. Une sirène approche, dominant le brouhaha des voisines rassemblées.

— Il portait une bombe, voyons! Un robot domestique n'a rien en lui qui puisse exploser comme ça.

— Une bombe?! Mais comment serait-elle venue là?

— Quelqu'un l'y a mise. Le robot était sur le parterre, en avant. Pendant que nous étions dans le jardin.

Un policier écarte les badauds, prêt à prendre la situation en main.

— Qu'est-ce qui s'est passé?

Florence ne sait plus, ne répond pas. Blackburn sort un étui et présente discrètement sa carte officielle. Les rôles changent, Blackburn lui demande son nom.

— L'ambulance est en route? Les pompiers? Appelez la Sûreté militaire, demandez le commandant Fournier. Citez mon nom, demandez qu'on envoie le fourgon de l'escouade technique, il faudra chercher les fragments d'un engin explosif. Et retracez un véhicule de Vidéocom, immatriculé SJY 687.

Il se tourne vers Florence:

— Raconte ce qui s'est passé. Comment ça s'est passé, pour toi.

— Tu le sais mieux que moi, voyons!

— Raconte quand même.

À son intention, bien plus qu'à celle des policiers.

— Tout à coup tu ne m'écoutais plus. Tu t'es mis à genoux et tu as commencé à tirer dans la maison, à tirer sur le robot. Et là tu as renversé la table, tu savais qu'il allait exploser, tu as crié à Ariane...

Ariane dont elle tient la main, dont les pleurs stridents les contraignent à crier pour s'entendre.

— Et c'est tout?

— CE N'EST PAS ASSEZ?

Des ambulanciers se présentent avec une civière, un médic écarte les voisins, les pompiers arrivent masqués et armés de lance-mousse.

C'est tout. Pour Florence, le robot piégé n'a jamais explosé sur le patio, il a explosé dans la maison, au sous-sol, après avoir déboulé l'escalier. Blackburn marche lentement parmi les pompiers, contournant la maison, vers le parterre et la rue. Il est le seul à avoir vécu deux fois l'explosion. Il s'est dédoublé et a suivi deux lignes temporelles alternatives, divergentes. N'y a-t-il pas une théorie à cet effet en physique des particules? À chaque «décision» quantique, ce n'est pas l'une ou l'autre de deux possibilités qui se réalisent, ce sont les deux, l'univers se dédoublant pour accommoder chacune, et ainsi de suite à l'infini depuis le début des temps. Sauf que, normalement, chaque sujet n'est conscient que d'une branche de l'alternative.

Parvenu à l'un des vélix de police, Blackburn s'appuie à la carrosserie; sur l'écran d'un petit terminal du tableau de bord, la réponse à sa requête vient d'apparaître.

— La Sûreté militaire est en route, lui confirme le sergent de police. Le véhicule que vous avez aperçu a été volé tôt ce matin, dans le stationnement de la compagnie. Est-ce que vous avez des raisons de soupçonner...

— Il s'est éloigné à toute vitesse dans cette direction, tout de suite après l'explosion.

Blackburn ne cesse pour autant de réfléchir. Il pense à ce Blackburn brisé, défiguré, aveugle: ce n'est pas lui qui a fait un bond en arrière dans le temps. C'est son **esprit** qui a voyagé, qui s'est étiré de quelques dizaines de secondes vers le passé, vers le point où naissaient deux lignes temporelles divergentes.

Non, il en a **créé** une. À l'origine, il ne devait y en avoir qu'une: l'explosion sur le patio, la mort de Blackburn et de Florence. Dans son sursaut vers le passé, en se prévenant lui-même, il a créé une nouvelle ligne temporelle, une ramification. A-t-il en même temps anéanti celle où il mourait? Blackburn est-il encore un cadavre dans cette autre trame où l'attentat a réussi? Concrètement, pour lui qui est vivant, c'est sans grande importance. Dans cet univers-ci, l'agresseur a raté son coup.

Trois vélix de la Sûreté militaire arrivent en trombe. Une douzaine de soldats investissent la rue et la propriété de Florence. Blackburn fait signe à l'officier qui les commande:

— Il y a déjà un reporter sur place, lui signale-t-il en désignant l'homme. Prenez-lui sa disquette et détruisez-la: il a pris des clichés de moi. Que vos hommes tiennent les journalistes à distance; pas de photos ni de vidéos tant que je serai sur place.

Puis, songeant que l'agresseur ignore peut-être l'échec de son attentat, il interpelle le sergent de police:

— Pas de déclaration aux médias jusqu'à nouvel ordre. Il sera peut-être utile d'annoncer plus tard que j'ai été tué. Nous verrons.

Chronoreg.

Mais comment la drogue a-t-elle pu agir, huit heures après que Blackburn en eut pris une unique capsule? Il est vrai qu'il en ressentait encore la présence résiduelle dans son système, ce matin. Est-ce que le haschisch, ou peut-être le klair, auraient la propriété d'en prolonger les effets?

Mais une seule capsule!

Se pourrait-il qu'elle ait agi comme rappel, à la manière d'une vaccination de rappel, réveillant un potentiel que la dose massive de Comitan aurait conféré à son système?

Le fourgon de la brigade technique arrive, suivi d'un autre vélix, et se pose sur la pelouse faute de place. Fournier lui-même en sort, et Blackburn s'approche:

— Il ne fallait pas te déranger. Tu vois, ce n'est pas moi qui suis en pièces, c'est un robot.

— Ce sera pour une autre fois. Tu as recommencé à jouer avec des explosifs?

Blackburn lui résume la situation.

— Probablement une petite bombe VIHD à fragmentation latérale, conclut-il. Il faudra chercher des débris du détonateur. Télécommande, ou plus probablement une minuterie élémentaire.

Le sergent de police observe. S'il est agacé de voir l'affaire passer aux mains de la Sûreté militaire, il n'en laisse rien voir. Mais il ne compte pas non plus s'effacer:

— L'inspecteur Collin, dit-il en désignant un vélix de police qui franchit la ligne des badauds en échaudant leur tête au passage, va vouloir vous interroger.

— Je serai dans notre fourgon.

Chronoreg. Un simple effort mental serait-il suffisant pour faire ce bond en arrière dans le temps? Ce bond, ou cette extension. Mais Blackburn a beau se concentrer, il n'arrive à rien, il ne sait comment s'y prendre. Il doit falloir l'ultime énergie, entière et désespérée, d'un mourant conscient de sa fin. Ce n'était même pas quelque chose de délibéré: un instinct, purement, avec ce que cela comporte de brut et de spontané.

La certitude est complète, maintenant. Ce que provoque le chronoreg, ce ne sont pas des hallucinations comme le soutenait le docteur Jaffré. Blackburn a vraiment été présent auprès de Sébastien, cette nuit tragique à Comitan. Mais, cette fois-là, il n'a pas déjoué la mort: elle avait à sa disposition une armée entière et elle a dévasté un village complet, pas seulement une résidence de banlieue.

Un policier en civil, probablement l'inspecteur Collin, monte dans le fourgon en compagnie du sergent:

— Vous menez vos affaires d'une drôle de façon, capitaine...

— Blackburn. Commandant Blackburn, corrige-t-il sans conviction; les capitaines, c'est dans la marine.

— J'ai déjà plusieurs plaintes de gens des médias. Un qui s'est fait confisquer son appareil-photo.

— Sa disquette seulement. Je préfère être photographié le moins possible — il lui montre sa carte du Contresp. Dans mon métier, c'est préférable.

Il ne participe que distraitement à la discussion; il y a tellement plus ici qu'un simple fait divers.

— Nous, de la police, essayons de garder un bon rapport avec les médias.

— Cette affaire est privée: un particulier a essayé de me changer en viande hachée. Si ça a d'autres implications, elles ressortissent à la Défense.

— C'est vous qu'on visait? s'étonne le sergent. Madame Bisson pense que c'est elle.

— Ah bon?

— Elle est dans le journalisme d'enquête, à ce que j'ai compris?

— Elle anime un magazine holovisé, oui; elle fait parfois des reportages.

— Elle serait sur le point de diffuser un dossier sur la violence dans les salles de vidéojeux.

— Un «dossier brûlant», je suppose qu'elle vous a dit?

— Ses propres mots.

Blackburn hoche la tête; il sourirait, comme le fait Collin, s'il avait le cœur à cela. Les révélations de Florence n'en seront ni pour la police, ni pour les gouvernements municipaux, ni pour le ministère de l'Intérieur, ni surtout pour les habitués des arcades de jeux. Une entente tacite fait que les taxes d'amusement continuent d'être perçues et que les joueurs aimant le risque continuent de se griller la cervelle aux léthojeux — la Cour suprême n'a-t-elle pas finalement reconnu à l'individu le droit de choisir sa mort?

Blackburn n'avait pas songé à cela: que l'attentat ait visé Florence et que lui ne se soit trouvé là que par malchance. Pour sa part, il pense à Colonelle: l'homme a une formation en électronique et travaillait dans ce domaine avant de devenir responsable des approvisionnements en équipement de précision pour la base de Bagotville. Et, présentement, il gère les approvisionnements en munitions et explosifs — peut-on demander meilleur candidat aux soupçons? Plus que l'affront de la veille, l'algarade au sujet de Jodi, c'est la menace de voir son passé révélé qui peut l'avoir motivé. Un passé récent et trop compromettant pour ses visées carriéristes. Blackburn a peut-être eu tort de montrer la carte qu'il avait dans sa manche — une carte qu'il gardait pour des nécessités plus impérieuses qu'une rivalité sentimentale.

Fournier revient au fourgon avec quelques petits sacs de polythène.

— Bombe VIHD à fragmentation, tu avais raison, confirme-t-il. Sais-tu dans quelle position était le robot quand elle a sauté?

— Impossible. Il a culbuté dans l'escalier.

— Le sous-sol est un fouillis. Il va falloir des heures pour récupérer tous les fragments. Je ne pourrai pas te faire rapport avant ce soir.

Blackburn regarde pensivement les débris métalliques, un par sachet, que Fournier analysera sur place avec son équipement. Dans un hypothétique univers parallèle, qui continue de diverger du sien, on s'apprête à retirer des fragments semblables de son cadavre. Et d'être mort ainsi, fût-ce dans un univers théorique, cela le trouble comme la perte d'un être proche.

12

Le vélix de la Sûreté militaire se pose devant le LaSarre, avec son soupir caractéristique. Blackburn en descend, accompagné d'un soldat. La main sur l'étui de son pistolet automatique, l'homme gravit à ses côtés les marches du perron.

— Merci, caporal, ça ne sera pas nécessaire.

— J'ai ordre de ne pas vous quitter, mon commandant.

Blackburn soupire et entre dans le hall de l'hôtel. Au comptoir de la réception — celui de la sécurité, en fait — un groupe de personnes discutent. L'une se détache, reconnaissant l'arrivant.

— Lieutenant-colonel Mercier, dit Blackburn. Il semble que je sois devenu un personnage important, dans la dernière heure.

— Vous pouvez vous dispenser du salut réglementaire lorsque nous sommes en privé, réplique l'officier pour lui souligner qu'il a oublié de le faire.

Blackburn répond par un vague sourire à celui de Mercier, le chef local de la Sûreté militaire. Moreau et Fafard, du Contrext, sont là aussi, de même que le videur du LaSarre et, inévitable, Laura:

— Claude a trouvé un des furets de Jodi dans l'escalier, ce matin. Tout raide et froid, il devait être mort depuis hier soir; il était sous la jardinière.

— C'est pour ça que la Sûreté est ici?

— J'étais là quand on l'a découvert, intervient Moreau. L'animal avait une blessure au flanc, et on a trouvé un petit dard en plastique dans son corps. Curare. Le furet est mort paralysé.

Blackburn fronce les sourcils, regarde instinctivement vers le haut de l'escalier. Jodi est là, assis dans les plus hautes marches avec un furet dans les bras, observant le groupe qui entoure son amant. Soucieux, lui aussi, mais il lui adresse un sourire grave. Un élan de tendresse traverse Blackburn, lui arrache un sourire avant qu'il ne le maîtrise. Il revoit les décombres de chez Florence et ceux de Comitan, les corps mutilés, celui de Sébastien. *Ne pas m'attacher. Si la bombe avait explosé ici?* Jodi peut lui être enlevé, le mois prochain, demain, qui sait? Ne pas s'attacher.

— J'étais ici, reprend Moreau, pour revoir avec Lamielle les mémoires vidéo de la veille. En extraire une image claire de notre suspect d'hier.

Lamielle, le videur, enfonce quelques touches à sa console.

— Regardez ceci, fait-il en désignant un de ses écrans.

On voit en plongée l'escalier qui monte du hall à l'étage, interrompu par un palier où il tourne à angle droit; la jardinière débordante de longues fougères est dans le coin de ce palier. À l'avant-plan, vus de dessus, Jodi, Colonelle, Blackburn, leur embarrassante altercation. Un furet lové sur l'épaule, Blackburn empoigne Colonelle au bras. Tout cela est brusque, plus violent qu'il ne s'en souvenait. Le furet tombe de son épaule, comme si la secousse l'avait déséquilibré, et dégringole l'escalier jusqu'au palier, où des sursauts spasmodiques le portent sous les fougères. En même temps, les agents de la Sûreté s'élancent dans l'escalier.

— On ne peut pas voir, mais c'est à ce moment que l'animal a reçu le dard. À l'instant où il était sur vous: l'angle de pénétration correspond.

Un malaise traverse Blackburn. Peut-être pâlit-il un peu.

Lamielle fait passer une deuxième bande vidéo, sur un autre écran. La caméra devait être au bout du couloir, à l'étage. Un robot de service roule tranquillement le long du corridor. Une porte de chambre s'ouvre, un homme en sort apparemment avec précaution, suivi de Noisette un instant plus tard. On distingue le visage du client, qui a une réaction de surprise et d'alerte. Il porte la main à une poche intérieure et en ressort une baguette de la longueur de deux stylos bout à bout. Sans allonger le bras, il la braque devant lui vers sa droite, vers le bas. Un petit nuage, dilaté et dissipé si rapidement qu'on n'est pas sûr de le voir, surgit au bout de la baguette du suspect.

Puis il recule, bousculant Noisette au passage, se retourne et repère une porte qui vient de s'ouvrir, bondit vers elle et l'enfonce. Les agents de la Sûreté militaire surgissent de l'escalier, heurtent et renversent le robot de service qui est dans leur chemin, se ruent vers la porte qui claque.

Lamielle interrompt la bande vidéo.

— Nous avons reconstitué la scène, expose Moreau. De cette position, c'est vous que le suspect visait, Blackburn.

— Gaz comprimé? Comment a-t-il introduit une arme ici?

— En trois ou quatre pièces, probablement: des réservoirs et le tube. Avec un minimum d'éléments métalliques, ils ont dû apparaître comme des stylos, sur l'écran du détecteur à l'entrée.

— S'il avait eu la chance de mieux viser, commente Mercier, vous seriez mort en quinze ou vingt secondes.

À nouveau Blackburn regarde Jodi, là-haut. Son visage est grave, sûrement il a été témoin de l'enquête et a entendu ses conclusions. Est-il alarmé parce qu'un assassin était à cinq mètres de lui la veille, ou parce que son amant a frôlé la mort?

— En apprenant que vous aviez échappé à un nouvel attentat ce matin, poursuit Mercier, je vous ai assigné un vélix de la Sûreté et une escorte de deux hommes.

— C'est trop d'attention.

— Vos supérieurs vous estiment précieux, Blackburn.

Il dévisage Mercier, ne parvient pas à juger s'il est sérieux ou ironique.

— Et le suspect? demande-t-il à Moreau. Hier, vous aviez des soupçons sur son identité.

— Confirmés, répond-il en tendant à Blackburn un hologramme probablement reconstitué par ordinateur à partir de la bande vidéo. Jean-Nuage Tournier, nom de guerre «Dragon», identifié comme un officier des Irréguliers qui opèrent dans l'enclave Churchill.

— «Jean-Nuage»! rit Blackburn malgré la gravité de l'heure. Au secondaire, à Montréal, il y a eu à mon école un gars qui s'appelait Jean-Nuage; en fait, c'était une école d'Outremont. Le pauvre, a-t-il été assez asticoté!

— Quel âge avez-vous, quarante-cinq?

— Quarante-trois.

— Lui en aurait trente-huit, et il est de Montréal. Ce pourrait très bien être le même.

Blackburn examine l'hologramme, l'oriente pour mieux voir les profils. Pourrait-il reconnaître, presque trente ans plus tard, un gamin qui a fréquenté la même école que lui durant une année? Le suspect, lui, a une calvitie déjà avancée, à demi masquée par la coiffure des cheveux, très blonds. Son visage est mince, anguleux, ses traits affirmés.

— Mmm... oui, peut-être. Mais ça changerait quoi? Il ne se

souvient sûrement pas de moi, nous n'étions pas au même niveau et je n'avais aucune visibilité dans le groupe.

— Je crois que ça n'a rien à voir, opine Moreau. Si vous êtes devenu sa cible, c'est dans le cadre de votre activité comme agent.

— Mais je n'ai jamais accompli de mission pour le Contrext, rappelle Blackburn. Je suis au Contresp et... — *ne pas mentionner l'Aprex*, se souvient-il — et j'ai fait récemment un voyage pour les opérations consulaires, mais je n'ai jamais mis les pieds dans l'enclave Churchill.

Haussements d'épaules: personne n'en sait davantage, on en est encore aux conjectures. Les vidéos de la veille, en tout cas, changent la perspective de l'attentat à la bombe. Il est tentant de rapprocher les deux tentatives et de les imputer à ce Jean-Nuage Tournier, Dragon, comme il se fait appeler selon l'usage de la guérilla...

— Et son dossier? Est-ce qu'on sait s'il est expert en sabotage, en explosifs?

— Électronique, explosifs, armements, combat rapproché, énumère Moreau. Une machine à tuer. Il a déjà été capturé et détenu brièvement, mais il a pu s'échapper. Venez à nos bureaux, vous pourrez étudier son dossier.

Oui, c'est la meilleure chose à faire. Si Dragon lui a déclaré la guerre, Blackburn doit faire la connaissance de son ennemi sans tarder, le plus complètement possible. Il n'a rien de précis à faire cet après-midi; Florence et Ariane, bourrées de sédatifs, se reposent à l'hôtel et Blackburn pourra toujours passer les voir en fin d'après-midi.

Il adresse un regard à Jodi qui, au sommet de l'escalier, caresse toujours un de ses furets. Il lui fait un clin d'œil en guise d'au revoir, puis se dirige vers la sortie avec son garde du corps, avec Moreau, Fafard et le lieutenant-colonel. Bientôt, trois vélix militaires décollent devant la façade du LaSarre avec des vrombissements feutrés. Le congé, songe Blackburn, aura été bien court.

• • •

On a introduit Blackburn dans une salle à accès restreint et on lui a ouvert, sur un écran cathodique, un dossier confidentiel. Maintenant il comprend que Moreau et ses supérieurs aient été si dépités de voir leur suspect s'enfuir: il est coté «extrêmement dangereux» et est considéré comme une des têtes dirigeantes des troupes irrégulières concentrées dans l'enclave Churchill.

Il a été capturé voici quelques années à Québec, lors d'une

manifestation contre la guerre — qui à cette époque ne faisait que commencer. Les marcheurs avaient été attaqués par une brigade irrédentiste. Il y avait eu bagarre, des blessures graves et même quelques morts, avant que la police ait pu séparer les adversaires: les Irrédentistes avaient quelques armes de poing et n'avaient pas hésité à tirer.

Il y avait eu des arrestations. Du nombre: Jean-Nuage Tournier, qui avait tiré plusieurs coups de feu. Il avait subi un premier interrogatoire à la Centrale de Police, puis on avait jugé bon de le faire voir par le psychiatre légiste. À cette époque, la fantascopie était à l'essai sur une large échelle, et Tournier avait été soumis à un examen. L'appareil n'était pas encore au point, et tout ce qui figure au dossier de Dragon est une longue séquence de qualité inégale, aux couleurs vives, aux formes agitées, aux contours souvent flous. À l'évidence, Dragon était un homme perturbé. Blackburn, un peu formé à l'analyse des fantascopies, reconnaît tout de suite les structures caractéristiques d'une violence mal maîtrisée, profondément enracinée (*origine enfantine ou pré-pubère*, est-il tenté d'extrapoler). Violence aux connotations très corporelles: fixation sur les fluides physiologiques, en particulier le sang menstruel, sur l'abdomen et les viscères, sur le sexe féminin. Fixation hypermasculinisée sur les armes métalliques, armes à feu et lames, sur les explosifs (*connotation orgasmique, ici*). La bande sonore fait alterner détonations, rafales d'armes automatiques, cris féminins qui peuvent être autant de douleur que de jouissance, et des bruits flasques, humides, évoquant autant un éventrement avec lame que les sons de deux corps en sueur luttant ou copulant. Une des rares images discernables représente, brièvement mais clairement, l'introduction d'une antique cartouche de dynamite, allumée, dans un vagin; l'explosion met un terme à la séquence et fait la transition avec un segment plus confus où dominent le rouge, le rose et un blanc rosé, malsain.

Pareils examens ont toujours mis Blackburn mal à l'aise. Mais cette fantascopie-là, toute imparfaite soit-elle à cause des ressources de l'époque, est parmi les plus rebutantes qu'il ait vues. Il est tenté de l'interrompre avant la fin, mais il fait l'effort de terminer. Effort récompensé, car le passage suivant capte immédiatement son attention. C'est bref, et il le repasse pour être sûr. Aucun doute. Cette vision hyper-violente d'un accouchement, c'est celle qu'il a perçue hier soir lorsque le klair l'a rendu particulièrement réceptif aux émotions ambiantes. Il a eu une brève vision empathique, coïncidant selon lui avec l'orgasme d'un client dans une chambre à l'étage juste au-dessus. Une petite confrontation mentale avec les vidéos qu'on lui a montrés tout à l'heure confirme l'hypothèse: ce devait être la chambre où Noisette était avec Dragon, ce devait être l'orgasme du Dragon. Il se rappelle une remarque de Noisette, que sa mémoire bien entraînée a enregistrée pendant qu'il faisait chanter Colonelle, comme quoi le singulier client n'avait pu la pénétrer et s'était masturbé au-dessus d'elle.

Pas étonnant, si Tournier associe obsessivement le sexe féminin avec le fantasme sanglant que Blackburn repasse une troisième fois sur l'écran. Une parturiente, couchée mais se redressant sur ses coudes, regardant son ventre agité de soubresauts invraisemblables. Son visage est distordu, grimaçant, ses hurlements sont à la fois (ou dans une succession rapide) hystériques, rageurs et extatiques — en tout cas assourdissants. Les figurants sont flous, ne servant qu'à donner à la scène une impression de confusion et de bousculade, d'autant plus que la vision n'est pas en plongée. Gros plan sur l'accouchement, sans pour autant que la parturiente soit reléguée au second plan — la fantascopie transpose tant bien que mal les distorsions et les impossibilités optiques du rêve. Le sexe de la femme, centre obsessionnel du fantasme (ou du souvenir), est cramoisi, pileux, luisant de glaire et de sang, grotesquement dilaté et agité de déformations spasmodiques qui lui confèrent une apparence de vie autonome. Il en jaillit un véritable torrent de sang et de liquide amniotique et, dans ce flot, le nouveau-né s'extrait péniblement, sa tête représentée d'abord comme un œuf rose et marbré, qui se plisse sur le côté pour former une figure hideuse, dont les replis évoquent davantage un viscère qu'un visage. Cette image particulière est émaillée de flashs visuels, peut-être ultérieurs à l'expérience elle-même, images de films parus à la fin des années soixante-dix, ALIEN et THE THING, visions d'expulsions, d'extrusions, de déboîtements.

La séquence se termine en paroxysme, les hurlements du nouveau-né se conjuguant à ceux de la parturiente, pour s'achever avec l'explosion du crâne du bébé telle une hernie, ou un ballon rouge trop gonflé.

La fantascopie s'achève ainsi, une note indiquant que le patient a perdu conscience. Aujourd'hui on utilise, pour donner plus d'acuité visuelle et sonore aux fantascopies, des dérivés assez bénins d'hallucinogènes; à l'époque, la drogue inductrice employée avait des effets sévères sur la tension artérielle — son usage a été abandonné après qu'elle eut causé des embolies cérébrales chez quelques sujets.

Blackburn recule sa chaise et, le bras accoudé, passe la main sur ses paupières et son front; il rouvre les yeux et fixe pensivement l'écran. Il prend quelques bonnes respirations, pour dissiper sa nausée et son angoisse — son angoisse, oui: cette fantascopie est vraiment anxiogène. *Qu'est-ce qui peut l'avoir traumatisé comme ça?* Ces images, cette épouvantable parodie: on dirait un accouchement vu à travers une loupe déformante, grossissant les aspects les plus éprouvants. Le regard subjectif d'un enfant? Ainsi s'expliquerait que la scène ne soit pas «vue» de haut mais presque au niveau de la table. Est-ce cela? Jean-Nuage aurait-il été contraint, encore enfant, d'assister à la naissance d'un petit frère ou d'une petite sœur — laquelle, à n'en pas douter, aurait été nommée Marie-Lune ou Jeanne-Fée? À l'époque, il y avait une mode à cet effet dans certains milieux. Cette épreuve a marqué Tournier au plus profond de lui-même.

Et ce type est en liberté!

Il aurait dû être soigné, et le psychiatre légiste en est sûrement arrivé à cette conclusion sur-le-champ. Mais le transfert des prisonniers a été ordonné vers un poste de détention de la Sûreté du Québec où le Contrext, service récemment constitué à l'époque pour lutter contre les extrémistes irrédentistes, souhaitait les interroger. Le convoi qui les transportait — un fourgon et deux voitures de police — a été pris d'assaut en pleine rue, plusieurs policiers ont été blessés et quelques-uns tués, la moitié des détenus libérés. C'est à la suite de cette spectaculaire attaque que l'armée et le gouvernement ont renoncé à toute entente avec les groupes armés radicaux qui, dès cette époque, devenaient pour de bon des «Irréguliers».

En leur sein, Dragon semble avoir vite gravi les échelons du pouvoir, car les plus récentes données obtenues d'informateurs ne placent au-dessus de lui que le chef même des Irréguliers — nul autre que Jac Marin.

• • •

Blackburn regarde l'holovision sans la voir; la journée a été éprouvante, il n'a quitté les locaux du Contrext qu'en fin d'après-midi puis il a rejoint Florence ici, à l'hôtel. L'air conditionné en fait une oasis; une vague de chaleur déferle depuis hier sur tout l'est du continent. Dans le salon de la suite, il attend patiemment le retour de son amie, qui borde Ariane et guette l'effet d'une nouvelle dose de calmant.

Il a trouvé un poste où l'on montre un reportage sur les mystères contemporains de l'astronomie. Par exemple cet astéroïde, 13545 Enigma, dont l'observatoire orbital a récemment établi les paramètres. D'abord, sa proximité: il orbite à 2 unités astronomiques du Soleil. Certes, plus d'une centaine d'astéroïdes ont des trajectoires qui les rapprochent bien davantage du Soleil et de la Terre, toutefois ce sont des orbites très excentriques qui les renvoient ensuite au-delà de Jupiter. Mais 13545 Enigma suit un trajet presque circulaire. Ensuite, sa couleur: c'est l'astéroïde le plus sombre qu'on connaisse, ce qui explique qu'on ait tant tardé à le découvrir malgré sa proximité et sa masse. Son albédo le classerait parmi les astéroïdes C, riches en silicates hydratés et en carbone. Or généralement, les astéroïdes C, les plus sombres, appartiennent à la région externe de la ceinture principale.

Finalement, principal motif de son appellation: 13545 Enigma, qui devrait mettre environ sept cents jours à compléter une orbite autour du Soleil, le fait en 365 jours et un quart. Et il reste toujours à hauteur de la Terre, à la distance minimale. 13545 est donc animé d'une vitesse beaucoup plus grande que celle de tous les autres astéroïdes. Les astrophysiciens estiment que cela ne devrait pas être possible. Les médias, qui le surnomment déjà «la petite ombre de la Terre», s'indignent qu'une telle découverte ait tant tardé: après tout, les astéroïdes sont connus depuis deux siècles. Ils s'indignent surtout qu'on ne puisse jeter en pâture au public autre chose qu'une terne photo où Enigma apparaît comme une minuscule tache grise, trop petite pour avoir une forme.

Modérément intrigué, Blackburn songe à s'allumer un joint, puis décide d'attendre Florence: elle a besoin de détente encore plus que lui.

Un autre mystère émeut les scientifiques: une rumeur continue de courir dans les milieux journalistiques et, depuis des mois, le gouvernement étatsunien est incapable d'y apporter un démenti convaincant. L'expédition martienne *Endeavour I*, dont on a appris qu'elle aurait été impossible sans une subvention du département de la Défense, aurait après son départ pris des photographies à très haute résolution de la face cachée de la Lune. Des flèches de Parthes, en quelque sorte, puisque ces observations auraient été faites à très grande distance grâce à un puissant télescope qu'on destinait à l'observation des lunes joviennes. Une fuite a eu lieu il y a quelques mois, selon laquelle certaines de ces photos montraient des structures indéniablement artificielles sur les terrasses occidentales du grand cratère Tsiolkovski. Tant à la NASA qu'aux niveaux supérieurs, on refuse de donner des détails, on nie même que ces bruits aient quelque fondement de vérité.

Autour de ces mystères, et de divers faits encore moins concrets, règne un malaise dont Blackburn est conscient, peut-être davantage que le journaliste commentant ce reportage. Le chef de cabinet du Premier ministre est un ami de jeunesse et, par lui, Blackburn a vent des sentiments qui ont cours, des tensions, des ambiances, des tendances. Le P.M. n'est au courant de rien de précis, bien sûr, son gouvernement n'est pas dans la sphère des grandes puissances; mais il sent que les grands de ce monde **savent** quelque chose. Quelque chose d'envergure, qu'ils ne révèlent pas, ne serait-ce que dans les cercles internationaux. Quelque chose qui modifie leurs attitudes devant la conquête de l'espace, la guerre et la paix, la course aux armements.

Et Blackburn ne peut s'empêcher de songer à ce dont il a été témoin, sur le rivage du détroit d'Hudson, ce qu'on lui a fait jurer de ne jamais ébruiter, ce phénomène qui a escamoté un sous-marin nucléaire et son équipage entier.

— Voilà. Elle va dormir jusqu'au matin.

Blackburn se secoue, tourne la tête vers Florence.

— Elle s'en remettra bien, tu verras, dit-il arbitrairement.

Florence ne prend pas la peine de répondre, cueille le joint sur l'appui du sofa et l'allume comme si elle était en manque.

— L'inspecteur Collin, dit-elle sans préambule, semble croire que l'attentat te visait. Il dit que tu en es sûr.

— Dans notre métier... commence Blackburn à mi-voix en écartant les mains.

— Eh bien, je ne suis pas dans ce métier, Dieu merci. D'ici à ce que la guerre soit terminée, ne t'approche pas à moins d'un kilomètre d'Ariane et moi, c'est entendu?

Blackburn se fige, saisi par cette voix contenue, ce ton cassant.

— Ce serait mieux de ne pas me vidéophoner non plus, ajoute-t-elle, je ne veux pas que tes ennemis nous croient liés de quelque façon.

— Et après la guerre? demande l'homme avec un sourire incertain, ne sachant s'il doit plaisanter ou être tragique.

— Après la guerre non plus, tant qu'à y être.

Se levant, elle prend une deuxième bouffée du joint, puis le jette allumé dans un cendrier. Elle gagne la salle de bain et s'y enferme; clairement elle escompte que Blackburn sera parti lorsqu'elle en sortira.

• • •

Blackburn se redresse comme mû par un ressort, les yeux grands ouverts, le corps en sueur. Un long moment il reste hébété, incapable de reconnaître où il est. Où il était à l'instant, il s'en souvient clairement: la moiteur de la nuit tropicale, le souffle ardent de l'explosion, l'intense chaleur des flammes puis la brûlure des balles de mitrailleuse — la tiédeur du corps de Sébastien dans ses bras, son sang sur ses lèvres...

Puis, lentement, le présent se reconstitue, la nuit mais une autre nuit, moins suffocante, un sofa à la place de la terre labourée par les éclats d'obus, du papier peint au lieu des fumées de la guerre. Il est au LaSarre, et Comitan retourne graduellement vers le passé.

Sans bruit, il gagne la salle de bain. Laura dort; il n'a pas dû crier dans son cauchemar. Mais, sous la douche, il distingue les stigmates. Ils s'estompent avant que Blackburn ait fini de se rincer de la sueur qui le poissait: deux lignes de taches rosâtres, deux diagonales de la hanche droite au pectoral gauche, croisant le rose tout neuf de sa brûlure au ventre. Les stigmates n'avaient pas reparu depuis plusieurs jours. C'était aussi, aujourd'hui, le premier jour qu'il ne sentait plus aucune douleur au poignet, son poignet qu'un malandrin a fracturé dans une ruelle d'Acapulco une nuit de carnaval.

Pourra-t-il quitter le Mexique un jour?

Dans le bureau obscur, il repêche de son sac un pantalon de survêtement, qu'il enfile. Persuadé qu'il ne pourra dormir avant une heure ou deux, il gagne le grand salon dont les fenêtres s'ouvrent dans la façade. Il sent sur son torse l'air tiède de la nuit. Même aux petites heures, la ville n'est jamais tout à fait silencieuse; mais pour le moment elle est tranquille. Comme l'est le bordel, où la soirée a été creuse et où de rares ébats se sont essoufflés à une heure presque sage.

Quelqu'un a laissé allumée la télé, qui emplit le salon de clignotements falots. Désœuvré, Blackburn trouve la télécommande, sélectionne le canal du téléjournal continu, et monte un peu le son. Il était trop vanné, lorsqu'il est rentré en début de soirée, pour absorber catastrophes et attentats.

La tension monte dans l'Atlantique Nord où, depuis des mois, des navires britanniques croisent avec la flotte canadienne dans le détroit de Davis, le bassin du Labrador et à l'entrée du golfe du Saint-Laurent. Le Danemark vient à nouveau de protester contre l'intimidation exercée envers ses navires au large du Groenland.

Les «Vikings», Blackburn le sait, font plus que fournir transport et entraînement aux troupes de mercenaires engagées par le Québec; ils fournissent le matériel médical et pharmaceutique aux bases boréales, de même que des renseignements précis sur la position et les mouvements des bâtiments canadiens ou britanniques. Probablement en représailles, les Britanniques ont aujourd'hui tiré des coups de semonce, à ce que raconte le lecteur du téléjournal. Le gouvernement, songe Blackburn, a raison de vouloir une armistice: si le conflit gagnait l'OTAN, il deviendrait inextricable.

Au sud, entre-temps, la guerre des Caraïbes n'est pas encore déclarée mais la situation s'envenime de jour en jour. Le Honduras a canonné les vedettes de la nouvelle République de Mayal, pour garder ouvert l'accès du golfe de Fonseca qui pourtant ne faisait l'objet d'aucun blocus. Le gouvernement hondurien craint surtout de tomber à son tour, victime du vent de rébellion qui a renversé l'an dernier la dictature de Guatemala City et effacé les frontières entre ses voisins nicaraguayen, salvadorien et guatémaltèque. Déjà les rebelles mexicains du Chiapas se réclament eux aussi d'un *Gran Mayal* qui déborderait les frontières de l'ancien empire. Ils ont eu des victoires inattendues, après la défaite écrasante de Comitan.

Le Honduras et ses alliés étatsunien et britannique, prétendent aussi interdire le golfe du Honduras aux corvettes cubaines et ont en pratique établi le blocus de Puerto Barrios, qui asphyxie rapidement le nord du nouvel État Mayal.

Dans les îles elles-mêmes, la situation est un casse-tête: par quel canal ou détroit tentera de passer la flotte soviétique qui croise dans la mer des Sargasses? Les Antilles sont un sac de billes, des alliances que se sont disputées le Mayal, le Mexique, le Honduras, Cuba, les États-Unis et le Venezuela.

Est-ce que la guerre va embraser tout le Yucatán? se demande Blackburn avec inquiétude. Il songe à Tulum, où Blackburn et Sébastien ont passé leur dernière journée ensemble.

La lune n'était qu'un croissant, le site de Tulum était désert, les derniers touristes en allés. Blackburn et Sébastien étaient restés, assis à l'écart sur la plage, entre un éperon et la falaise. Blackburn profitait d'une longue permission — c'était après le cessez-le-feu du 24 juin, lorsqu'on avait cru la guerre terminée. Sébastien n'avait pas encore rejoint les guérilleros, à cette époque, il n'était au Mexique que depuis un an. Ils avaient pu se donner rendez-vous à Cancun et avaient passé ensemble quelques jours heureux malgré les constantes critiques de Sébastien au sujet du luxe qui s'étalait autour d'eux.

À Tulum, la mer s'étendait maintenant devant eux, baignant leurs pieds nus. Derrière eux se dressaient la falaise et, anguleuse, la silhouette du *castillo*.

Balançant leurs espadrilles, Blackburn et Sébastien bavardaient avec nonchalance, la mari les ayant mis sur la même longueur d'ondes. Denis devait toujours se rappeler cette soirée comme celle où l'amitié de Sébastien avait été la plus totale: ils étaient complices, sans réserve, cette complicité de l'ellipse et de l'humour.

Blackburn aurait voulu monter au *castillo*, escalader la pyramide et se percher sur sa plus haute plate-forme, pour contempler la mer et le ciel. Cependant Sébastien avait le goût de nager et il se dévêtit, sautillant sur une jambe puis sur l'autre en riant, pour se défaire de son jean. Et Blackburn incrédule le vit se mettre nu, courir vers les vagues en grandes gerbes d'écume, ses fesses blanches comme sable entre l'ocre des cuisses et du dos.

L'eau était chaude, une caresse de liberté sur tout le corps. Sébastien consentit à se laisser rattraper. Ils se chamaillèrent dans l'eau, Blackburn et lui, et c'est le plus près qu'ils vinrent jamais de partager une étreinte amoureuse. Puis le garçon se dégagea en riant, s'élançant sur le dos et faisant la planche en battant paresseusement des jambes. Ce n'était pas seulement sa pudeur qui partait en fumée, ce soir, c'était sa retenue habituelle. Aujourd'hui il osait défier Blackburn, son désir. Il se donnait: à sa vue, à ses mains un peu. C'était son cadeau de ce soir: il n'en donnerait pas davantage. Il n'en avait jamais autant donné.

Et Blackburn était content, presque contenté: une part de lui-même, plus forte qu'il ne l'aurait cru, lui disait que le bonheur était là, dans cette heure où Sébastien offrait à la lune son ventre et ses cuisses, et que l'instant se briserait si Blackburn prenait ce corps qu'il avait si longtemps désiré.

La mer à son plus haut les porta jusqu'au milieu de l'anse avant qu'ils ne sentent sous leurs omoplates le premier contact du sable. Ils se laissèrent échouer, couchés sur le dos jusqu'à ce que la mer soit étale et que le désir de Blackburn soit totalement apaisé, serein dans la tiédeur de l'eau. Sébastien ne parlait plus, et son compagnon se demandait s'il ne s'était pas endormi, bercé par la caresse des vagues. À un moment il crut l'entendre dire merci, tout bas, et c'est seulement après un instant qu'il comprit ce qu'avait voulu dire le garçon. Que ce moment avait été précieux pour Sébastien aussi.

Lorsque Blackburn s'éveilla, laissé au sec par le jusant, le croissant de lune était posé sur un angle du sanctuaire, et Sébastien se rhabillant en silence était nimbé de sa lueur d'argent.

Blackburn s'essuie les yeux et l'image embrouillée du téléviseur redevient claire. Il l'éteint avec la télécommande et reste assis dans le noir, les yeux clos, espérant vaguement être ramené en rêve vers ces trop brèves journées trois ans plus tôt.

13

L'attentat d'hier et ses suites ont empêché Blackburn d'aller fureter au symposium mondial de psychopharmacologie dont il avait vu l'annonce à l'Hôtel des Gouverneurs. L'hôtel reçoit les congressistes, mais la plupart des conférences se donnent à l'Université du Québec. C'est là que Blackburn se rend, en matinée, pour demander une copie du programme. Il est peu surpris de n'y trouver aucune communication sur le chronoreg. Mais une autre découverte le réjouit: le professeur Malineau figure au nombre des participants. Au Bureau des recherches spéciales, avant sa dissolution, Malineau était le chercheur avec qui Blackburn entretenait les relations les plus cordiales. Il a appuyé Blackburn lorsque celui-ci a émis des réserves sur l'usage de la céréphédrine-psi.

Montrant sa carte du Contresp aux organisateurs du congrès, Blackburn n'a aucune peine à obtenir un laissez-passer: dans tout symposium où circule de l'information scientifique de pointe, des informateurs de puissances étrangères peuvent être à l'affût. On souhaite en débusquer un, de temps à autre.

Blackburn erre dans les couloirs et les carrefours de l'université, et finit par repérer Malineau à la sortie d'une conférence.

— Denis Blackburn! s'exclame le professeur en le reconnaissant lorsqu'il lui touche l'épaule.

— Vous n'avez pas trop vieilli, Charles.

— Je ne peux en dire autant de toi, réplique Malineau sur un ton qui trahit le souci. Tu es toujours dans le service?

Blackburn hoche la tête:

— Difficile d'en sortir. J'ai acquis quelques galons depuis.

— Et les cheveux gris qui vont avec.

Malineau accepte de déjeuner avec le militaire et prend congé de quelques collègues. Puis ils se rendent à l'Hôtel des Gouverneurs, résumant l'un pour l'autre les sept dernières années de leur vie — le résumé de Blackburn reste laconique, par habitude. Mais Malineau est heureusement très bavard.

Lorsque la conversation s'essouffle un peu, à table, autour de l'apéritif, Malineau sonde l'officier:

— Ça fait plaisir de te revoir, Denis, mais je ne crois pas que tu sois venu au symposium par désœuvrement, ni que tu m'aies croisé par hasard. Je me trompe?

— Non, vous ne vous trompez pas, avoue Blackburn en souriant, incapable de tutoyer ce vieil ami qui est son aîné de presque trente ans.

Il l'observe un moment avec affection: cheveux blancs mais pas encore clairsemés, l'œil clair et vif, le teint rose mais sain.

— Pouvez-vous me parler du chronoreg, Charles?

— Oooh! s'exclame l'aîné à voix basse. Est-ce que l'armée s'intéresserait au chronoreg?

— Non, elle ignore même que j'en possède. Et elle ne le saura jamais, s'il n'en tient qu'à moi.

Alors il lui raconte tout, depuis la transaction avec un douanier à l'aéroport Benito Juarez, jusqu'à la chronorégression spontanée qui lui a sauvé la vie hier.

— Sur certains plans, tu en sais plus long que moi sur le chronoreg, dit Malineau après un long silence. Jusqu'à récemment, même les essais en laboratoire étaient interdits, tant cette drogue effraie. Il se fait présentement des expériences aux États-Unis, dans le plus grand secret.

— Et vous en avez connaissance? demande Blackburn qui n'est qu'à moitié étonné.

— Bien sûr, réplique Malineau avec un sourire entendu. Certaines amitiés sont plus fortes que la plupart des consignes.

— Sur quoi portent les expériences courantes?

— Sur la portée de la chronorégression. Il est établi qu'elle est de quelques heures, un jour au maximum lorsque le sujet absorbe la dose limite que peut tolérer l'organisme humain, une vingtaine de capsules de la substance presque pure.

— Quel est son degré de pureté par rapport à ce qui se vend sur le marché noir?

— Le chronoreg pour ces expériences **vient** du marché noir! Une saisie faite sur la côte californienne: c'était du «Rio».

Blackburn fait la moue, sceptique.

— Moi j'ai fait un saut de vingt heures en arrière, avec six capsules de qualité inférieure. Comment expliquez-vous ça, Charles?

— Les chercheurs qui s'y intéressent n'ont rien observé de tel. Mais celui qui m'en a parlé — c'est du bouche à oreille, comprends-tu: il passait ses vacances à Strasbourg, où je viens de séjourner — eh bien lui aussi a reçu un témoignage de chronorégression à moyenne portée.

— Vous avez des détails?

— Non, hélas. Mais l'hypothèse de mon confrère californien est que l'effet du chronoreg peut être multiplié par un désir intense. Un désir provoqué par une émotion profonde, ou par une peur totale.

Blackburn hoche la tête, silencieux.

— Au Mexique, lorsque tu as accompli une chronorégression cinq fois supérieure aux possibilités théoriques, c'est ton émotion qui menait tout.

— Ça n'avait rien de délibéré.

— Tout juste. Et hier, il restait peut-être une trace chimique de la substance dans ton flux sanguin.

— C'est ce qui faisait «bégayer» le temps, ce matin-là.

— Mais multiplié par cinq, son effet valait quelques minutes de régression.

— Juste assez.

— Et c'est l'horreur de la mort qui a servi de multiplicateur.

— Un simple effort de volonté serait incapable d'obtenir cet effet multiplicateur?

— C'est ce que suppose mon confrère. Mais vois-tu, Denis, tu es aussi avancé que lui, sinon plus, dans l'observation des effets du chronoreg.

L'officier fait signe que non. Il est le cobaye: le cobaye n'observe pas, il subit.

— Et mon hypothèse des mondes parallèles, chacun avec sa chronologie différente? Un monde où je suis mort hier matin, un autre ou je vous parle à midi...?

— La théorie existe, même si mon collègue californien n'aime pas en parler.

— Ça lui donne le vertige?

— Il préfère laisser ça aux physiciens. Mais c'est vrai qu'on peut imaginer une série de mondes parallèles où les choses se passeraient différemment. Un monde où le parti souverainiste aurait gagné les élections de 1981 malgré sa défaite référendaire, par exemple, mais aurait perdu celles de 1986.

— Pas de souveraineté, alors?

— Pas en 1988, en tout cas. Peut-être cinq ans plus tard que dans notre monde, ou dix ans plus tard. Le Québec pourrait s'être séparé à la demande du Canada anglais plutôt que sur l'initiative des Québécois. On peut même imaginer un monde où Jean Chrétien aurait été Premier ministre du Canada!

Blackburn rit de bon cœur, ses préoccupations un moment suspendues.

— Et l'Union soviétique? demande-t-il. L'Europe de l'Est?

— C'est un jeu qui peut mener loin, hein? On peut imaginer le démantèlement du Pacte de Varsovie, une Europe de l'Est avec des élections à l'occidentale et des gouvernements chrétiens-démocrates.

— Moscou aurait toléré ça?

— Imagine que l'Union Soviétique elle-même ait libéralisé son économie, se soit décentralisée, et que le Parti communiste ait perdu son rôle dirigeant.

— Allons donc.

— Il suffit parfois qu'un mouvement de fond s'incarne en un personnage exceptionnel. Tiens, je pense à un de ceux qui ont précédé Tchebrikov et qui n'ont fait qu'un an ou deux chacun... voyons, comment s'appelait-il?

— Andropov? Tchernienko?

— Le suivant, celui qui est resté au pouvoir encore moins longtemps que Tchernienko.

— Celui qui a reçu des balles dans la tête, vers 1985?

— Dans la tête et dans le cou, oui, il est resté paralysé. Gorbatsine?

— Gorbatchev. Il a été remplacé au début de 1986, il me semble.

— Bon, imagine que son agresseur ait été arrêté à temps, tu sais, le fanatique musulman. Gorbatchev aurait peut-être eu assez d'adresse pour faire aboutir les réformes qu'il avait proposées.

Blackburn hoche la tête, songeur. Il essaie d'imaginer l'absence de tension entre superpuissances; oui, c'est envisageable, si on pouvait soustraire le vieux Tchebrikov qui s'incruste au Kremlin depuis bientôt vingt ans et qui, paraît-il, est maintenu artificiellement en vie dans un bureau à atmosphère contrôlée.

Malineau a raison: il n'y a guère de limite à ce qu'on peut imaginer dans un monde parallèle où l'histoire aurait divergé.

• • •

Visite rare au LaSarre: l'Artilleur est dans le salon-bureau de Laura, supervisant l'activité du bordel. Le général Mayence, de son vrai nom, n'a pas souvent l'occasion de mettre les pieds à l'hôtel. La mise de fonds initiale est venue en majeure partie de lui et il laisse à Laura la gestion quotidienne de leur établissement. Le reste du temps, il voit à acheminer vers les zones de combat les obusiers, les lance-missiles et les chars dont les troupes ont besoin — d'où son surnom. Physiquement, une armoire à glace; mais en même temps un homme discret, taciturne — timide, pourrait-on croire, tant il sait se faire oublier.

Blackburn reprend le livre qu'il avait posé, ouvert, sur le canapé: une réédition de luxe de l'œuvre et de la correspondance de Rainer Maria Rilke. C'est avec surprise que Blackburn l'a trouvé, ce soir, en onze volumes dans la bibliothèque dont Laura a hérité. Il a trouvé dans l'un des tomes le *Livre de la pauvreté et de la mort*, et une phrase frappe son imagination. «Car les grandes villes sont maudites et se désagrègent, la plus grande n'est que fuite devant les flammes.» Mais le Paris de 1902 est loin, un océan et plus d'un siècle, et c'est d'une ville littéralement en flammes que Blackburn a la vision, brièvement.

— Tu crois qu'on en a fini avec la Sûreté? demande Laura en prenant sa place coutumière sur le canapé, près de Blackburn, un petit verre de Parfait Amour à la main.

— Contrext. Mercier c'est la Sûreté, Moreau c'est le Contrext. Moreau a emporté hier les vidéocassettes dont il avait besoin, je ne crois pas qu'il ait à revenir.

— J'espère. Ce n'est pas très bon pour les affaires: ça rend les clients nerveux, de voir des agents galoper sur les étages du bordel.

Après un silence, Blackburn renverse un peu la tête et pose son livre.

— C'est toi qui sens bon comme ça?

— Oui, je me suis fait belle. Un client ce soir.

— C'est rare. Il doit y mettre le prix.

— Il recherche sa mère: je suis la seule assez vieille pour faire l'affaire. Il ne vient pas souvent, le reste du mois il épargne sur sa paye.

Blackburn se déplace pour mieux la considérer. Elle a quatre ans de plus que lui, peut-être six. S'il faut se fier aux apparences, lui-même paraît être de cet âge. Difficile donc pour lui de voir en elle une figure maternelle. Ce sourire un peu las, ces pattes d'oie au coin des yeux que le fard ne masque plus, ce regard auquel le rimmel ajoute de la profondeur — c'est Laura, la dame aimable et enjouée du bordel.

— Tu as l'air soucieuse.

Elle hausse les épaules, puis le regarde:

— C'est toi qui m'inquiètes. Pourquoi tu ne changes pas de métier?

— C'est le seul métier que je connaisse.

— On pourrait t'employer ici. L'Artilleur parle d'augmenter la sécurité, il ne faudrait pas qu'un général ou qu'un colonel se fasse descendre ici. Hein, l'Artilleur, qu'il faudrait quelqu'un pour la sécurité?

— C'est sûr, ma Luzerne. Lamielle est compétent, mais il ne peut voir à tout. Il faudrait un responsable de la sécurité, qui revoie tout notre système et l'améliore.

«Luzerne», c'est ainsi que Mayence surnomme sa vieille amie. Jadis c'était «Fleur de Luzerne», à cause du mauve et du violet qu'elle affectionnait pour ses dessous, mais c'est peu à peu devenu Luzerne tout court.

C'est très gentil mais, gardien de l'ordre dans un bordel, ça ne correspond guère aux ambitions pourtant modestes de Blackburn.

— Non, Laura, je ne suis pas encore mûr pour m'installer dans mes meubles.

Son pied-à-terre ici, sa malle au logis des officiers à Sept-Îles, voilà l'idéal.

— Mais le risque? Hier, deux fois en douze heures, quelqu'un a voulu te faire la peau.

— Ça arrive tous les mois, réplique-t-il en exagérant un peu.

— Avant, je ne me rendais pas compte, avoue-t-elle pensivement.

Il l'observe: elle est sincère. Des yeux humides, le sourire de quelqu'un qui veut désamorcer la gravité de ses propos... Elle trempe ses lèvres dans la liqueur mauve.

— C'est la guerre, tout le monde est en danger dans une certaine mesure, remarque-t-il. S'il y avait un bombardement et que tu recevais l'hôtel sur le crâne?

Elle se raidit, alarmée:

— Ils ne feraient pas ça?

— Mais non, mais non, je ne sais pas pourquoi je dis ça. Ils n'auraient aucune raison de bombarder un objectif civil.

Il essaie de la rassurer, se rendant compte qu'elle lui prête des connaissances secrètes à cause de son métier. Dans le bureau, l'Artilleur tente lui aussi de détourner la conversation:

— Le sensircuit est bon, ce soir. Tout le monde est branché sur le lit-maître 2. Qui c'est, ce petit jeune?

— Jodi, il s'appelle. Un dépucelage, c'est toujours très couru.

Blackburn se redresse:

— Jodi? C'était ce soir?

— On ne te l'a pas dit? Toi, quand tu prends du klair, tu n'y es plus pour personne.

— Qui est avec lui?

— Fabi. Elle peut être très douce, tu sais.

Blackburn paraît contrarié.

— Tu aurais voulu en être? se reprend Laura. Je n'aurais pas pensé. Il reste peut-être une cabine libre?

— Pas de chance, intervient Mayence, tout est pris.

Blackburn s'est approché de la console. Les moniteurs des sensircuits montrent Jodi et Fabi sous divers angles. Cambrée, se massant les seins, elle est accroupie sur le visage du garçon; la langue de Jodi ne doit pas être inactive car les sensiomètres indiquent des niveaux élevés — l'accusense peut aiguiser les sensations de la professionnelle la plus blasée.

— C'est très bon, commente Mayence, mais un de ces jours il faudra mettre en circuit des jeunes qui ne sont pas dans la profession: je suis sûr que l'excitation de la «première fois» passerait telle quelle. Imagine ce que les clients paieraient pour revivre cette impression.

Un malaise, une vague contrariété, agace Blackburn. Est-ce le fait de ne pas être dans le circuit, de ne pas communier comme les autres aux sensations de son Jodi? Ou est-ce que la scène qu'il a sous les yeux n'a pas la nuance de tendresse qu'il lui aurait souhaitée? Il est vrai que la séance est avancée.

N'est-ce pas plutôt parce qu'il a toujours fantasmé d'être, sinon le seul, du moins le premier à poser ses lèvres sur celles d'un garçon, la première main étrangère à éveiller le plaisir de son sexe, la première bouche à recueillir son sperme? Ce dépucelage-ci, en sensircuit, fût-il hétéro et peut-être fictif, en est un lointain rappel. Un début de jalousie, voilà ce que c'est, et Blackburn s'en veut d'autant plus. Il est partagé entre le désir de voir la scène et la volonté de l'ignorer.

Dans l'arche du salon qui donne sur le hall, un jeune sergent est apparu.

— Voilà mon client, annonce Laura en se levant. Hein mon grand soldat?

Elle le rejoint avec un clin d'œil pour Blackburn et l'artilleur.

— C'est un trésor, commente Mayence une fois qu'elle est sortie.

— Un trésor, convient Blackburn en faisant quelques pas désœuvrés.

Pourquoi Blackburn a-t-il évoqué cette idée de bombardement? C'est absurde: aux yeux de l'opinion internationale, l'ennemi perdrait toute la faveur dont il jouit présentement en tant que victime de la première agression. Pourtant, des visions de ruines fumantes hantent son imagination. Il se décide à traverser le hall et à entrer dans la Caserne, le bar de l'hôtel. Le bruit et l'agitation chasseront peut-être ses idées sombres.

• • •

Combien d'heures qu'il est là? Ce clair-obscur enfumé, où musique, voix et rires se mêlent à la longue en une rumeur forte et confuse, est comme un univers distinct où le temps change de valeur. C'est ce que Blackburn déteste des permissions: tôt ou tard il se retrouve au bar, immanquablement, conscient de sa dérive mais s'y complaisant en même temps, par pure veulerie.

D'où il est, Blackburn peut voir le portrait de femme peint sur un panneau de verre devant l'entrée. Cheveux blonds et fume-cigarette, elle porte une robe-fourreau et s'adosse à une façade, dans l'aura d'une lampe sous laquelle on lit *die Kaserne* — il connaît la peinture par cœur et n'a pas à lire les caractères inversés sur le panneau de verre.

À travers les parties transparentes, il voit l'entrée du bar. Dehors il a dû recommencer à pleuvoir, car les vestes noires de deux sous-officiers luisent et leurs cheveux sont plaqués.

Un toucher sur son bras. Blackburn se retourne: sur le tabouret voisin, Jodi est perché, un grand verre de boisson rose devant lui. Il a cet air à la fois rafraîchi et las qui suit les bonnes baises. Son sourire, enjoué, presque espiègle... Le premier réflexe de Blackburn est de remettre le nez dans son verre mais il se retient, s'astreint à la contemplation à la fois heureuse et amère du visage juvénile.

Jodi lui dit quelque chose mais Blackburn n'entend pas; il répond d'un haussement d'épaules, d'un geste vague désignant à la fois son oreille et le brouhaha.

Jodi boit une gorgée.

Blackburn sent son regard sur lui, essaie d'imaginer ce que pense le garçon, les sentiments qu'il lui prête. Il a l'impression que son état d'âme est visible au plein jour. Et il n'y a pas de quoi être fier.

Une autre gorgée. Qu'est-ce là, un *pink lady*? Une boisson de semi-mondaine, comme Blackburn nomme tous ces cocktails d'une autre époque. Une autre époque, celle peut-être de cette Marlène dont le portrait accueille les clients du bar.

La main de Jodi sur son avant-bras, insistante.

— Qu'est-ce que tu dis?

— Viens, on sort, répète le garçon. Ici, on ne s'entend pas.

Blackburn le suit avec réticence. Le hall n'est pas exactement tranquille, avec ses poursuites bruyantes et son incessant va-et-vient, mais on peut s'y entendre.

— Tu montes avec moi?

— Je n'ai plus d'argent, répond Blackburn en évitant son regard.

— C'est pas grave! réplique Jodi avec impatience. Paie-moi la semaine prochaine, ou jamais, si tu veux.

— Tu n'as pas le sens des affaires, p'tit gars.

Il a voulu le blesser, il s'en rend compte, mais c'est trop tard. Avec colère, Jodi rejette son avant-bras qu'il tenait toujours.

— Tu comprends rien! éclate-t-il, et il monte se réfugier à l'étage, le visage rose de frustration.

Blackburn se sent stupide. Lili Marlène, sous sa lanterne, le regarde avec morgue.

— Ah toi, tu es brillant!

C'est Fabi, qui a assisté à la scène de la porte du bar.

— Il t'aime, le flo. C'est pas assez clair?

— Allons donc. Pourquoi il m'aimerait? Pourquoi moi entre tous les autres?

— «Tous les autres»! Il n'y en a pas dix par soir qui l'enfilent, tu sais. Toi, Colonelle, le pilote d'avion, deux ou trois autres: c'est à peu près toute sa clientèle. Il va encore à l'école à mi-temps.

Blackburn ne savait rien de cela. Il reste planté là, son regard allant de Fabi à l'escalier.

— Vas-y, monte le rejoindre, et ne lui parle pas d'argent ce soir: il a ses sentiments, lui aussi.

Blackburn hésite, regarde autour de lui; la scène n'a attiré l'attention de personne. Il gagne l'escalier, monte en hâte au troisième.

Pas de réponse. Il entrebâille la porte. La chambre — ils et elles ont leur chambre plus ou moins attitrée — la chambre est obscure, avec la seule lueur des néons de la rue.

— Jodi?

Pas de réponse. Le garçon est couché en travers du lit, le visage dans l'oreiller. Il ne bouge pas lorsque le poids de Blackburn enfonce le matelas. Inquiet, l'homme pose une main sur son flanc; chaud, bougeant lentement, battements perceptibles dans la profondeur de son corps.

— Jodi, je... À ton âge, je sais, on croit que les adultes ont complètement tort ou alors, si on les aime, on croit qu'ils savent tout. J'étais comme ça à ton âge. Il y avait ce type...

Jac Marin. Le rapport était semblable, même si l'écart d'âge était moindre. Jac infaillible, un modèle à suivre et à imiter. Les premiers temps.

— Jodi, ce que j'essaie de te dire... c'est qu'à mon âge aussi on peut se tromper... faire des bêtises.

Va-t-il l'obliger à s'excuser, en toutes lettres?

Et pourquoi pas, Denis Blackburn? Tu es d'une espèce à part, qui ne s'excuse pas? Il se penche vers le garçon, l'étreint, enfouit son visage dans son cou. Leurs mains se trouvent.

— De quoi tu voulais me parler?

— De tout. De ce qui t'est arrivé hier matin. De ce que j'ai fait ce soir...

— De ce qui m'est arrivé hier, il n'y a pas grand-chose à dire, mon grand. Ces choses-là arrivent. Ton autre copain, le pilote: son avion peut s'écraser n'importe quand, même s'il ne va pas au front.

— Oui, mais toi c'est pas pareil.

L'homme s'approche du visage de Jodi, trouve sa joue dans l'ombre, moite et chaude. Jodi tourne la tête et leurs lèvres se cherchent. Blackburn s'allonge près de lui, son désir attisé. Qu'est-ce donc qu'écrivait Rilke? «Le besoin de vie est hâte et chasse. C'est le besoin d'avoir la vie tout de suite, tout entière, en une heure.»

C'est seulement plus tard, beaucoup plus tard, que Blackburn songe au hasch et au chronoreg qu'il aurait dû prendre pour éterniser cette heure. Mais l'aube est encore loin, et c'est l'éternité du sommeil qui s'empare de lui, Jodi lové et tout chaud contre son corps, yeux clos depuis longtemps déjà.

• • •

— Commandant Blackburn. Une disquette-message de la part du général Valois.

— Je descends.

Blackburn se retourne, constate que Jodi s'éveille.

— Tu pars? demande-t-il, tandis que l'officier s'habille.

— Possible.

— Pour longtemps?

— Sais pas. De nouveaux ordres, probablement.

Le garçon le regarde, sans un mot. Est-ce que Blackburn le reverra? Chaque départ peut toujours être définitif. Il s'était bien dit qu'il ne devait plus s'attacher, mais c'est déjà trop tard. Et avec Jodi, ça deviendrait pire: Sébastien, il le voyait rarement, aux six mois ou moins encore. Qu'est-ce que ç'aurait été s'ils avaient vécu plus près l'un de l'autre?

Sauf que la situation est inversée, comprend-il soudain. C'est Jodi qui risque de le perdre, bien plus que Blackburn ne risque de perdre le gamin. Il est à peu près hors de danger, ici, loin du front, et il faut espérer que la guerre se termine avant que Jodi n'atteigne dix-huit ans.

De la porte, il adresse un clin d'œil affectueux au gamin, puis il gagne l'escalier.

Les messagers sont deux, cette fois, un lieutenant et un sergent, ce dernier avec un porte-habit. Saluts réglementaires, presque enthousiastes.

— Repos, murmure Blackburn, n'ignorant pas qu'à sa base on le surnomme «commandant Repos».

L'officier lui tend une tablette à clavier et deux mini-disquettes. La première lui réclame son code d'identité et le convoque à une réunion conjointe du haut commandement et du cabinet restreint, au Lac-à-l'Épaule, à partir de onze heures; une brève cérémonie de remise de grades la précédera. Blackburn se renfrogne: les simples officiers comme lui n'ont pas accès à de telles réunions, c'est donc qu'on veut le shooter à la céréphédrine pour lui faire à nouveau jouer les chiens renifleurs.

La seconde disquette n'est pas confidentielle et établit que le commandant Denis Blackburn, présentement au service du contre-espionnage et basé à Sept-Îles, est lieutenant-colonel depuis zéro heure de ce jour.

— Nous devons vous remettre ceci, l'informe le lieutenant en lui tendant ce qui est probablement son nouvel uniforme sous une housse.

Blackburn réfléchit, soucieux, tout en se douchant et se rasant dans la chambre de Laura absente. Si elle y était, sûrement elle s'essoufflerait en exclamations de joie, mais lui songe au surcroît de responsabilités que représente cette promotion. On veut peut-être le récompenser, mais il soupçonne qu'on veut aussi lui confier quelque affaire difficile, exiger un service important.

• • •

Sous l'hélijet se succèdent les ronds sommets des Laurentides, le tapis ravagé de la forêt: le gris et l'ocre dominent, bien qu'on soit en été. Année après année, ces couleurs progressent: plus d'arbres morts, moins de feuilles ou d'aiguilles vertes dans les arbres encore vivants. En leur trompeuse transparence, les lacs sont morts, parfois aussi acides que le vinaigre. Le vert riche et profond qui jadis s'y mirait n'est plus qu'un souvenir, pour les forêts de l'hémisphère nord, et les fillettes dans les parcs ont les yeux brûlés par la pluie.

L'hélijet s'incline, en phase d'approche; sur la route venant de la capitale proche, des limousines ministérielles roulent à grande vitesse sous escorte policière. L'engin se pose sur l'héliport, au bord du lac. Le sentier longe la berge et Blackburn contemple au passage la profondeur cristalline, le contour net des pierres comme taillées et sculptées par le temps, tout au fond. En ce chaud matin au silence irréel, aucune forme de vie ne trouble le miroir calme du lac. Le silence? Non, il n'est pas total. Entre deux atterrissages d'hélijet, les montagnes renvoient l'écho de scies lointaines abattant une dernière fois les arbres avant que le bois ne meure sur pied et ne devienne inutilisable.

Silencieux, les militaires occupent le périmètre de l'hôtel où aura lieu la réunion au sommet. Des sentinelles partout, en planton ou en patrouille. Mitraillé de saluts, Blackburn renonce à répondre à chacun.

— Blackburn.

— Morel. **Général** Morel. Je vois que le galonnier est passé chez vous aussi.

Son supérieur le prend par un bras et l'amène vers un banc en retrait du chemin.

— Vous avez encore une osmoseringue pour moi? demande sombrement Blackburn.

— Non, c'est Farel et Haché qui se sont fait des injections aujourd'hui. Ils sont moins bons que vous, mais enfin...

— Vous ne voulez pas me brûler.

— Ce n'est pas ça. Les généraux, Valois surtout, veulent que vous soyez à la réunion.

— Qu'est-ce que c'est que ce sommet? Il était prévu?

— Celle d'il y a trois jours n'était qu'une réunion préparatoire pour aujourd'hui. Il paraît que c'est très important. Il est question de... Vous verrez.

Blackburn éprouve un serrement. Qu'est-ce qui peut être si crucial qu'on réunisse le gouvernement civil et le haut commandement?

• • •

— Lieutenant-colonel Blackburn, la plupart d'entre nous avons lu le rapport que le colonel Vidal, le général Valois et vous-même avez rédigé, sur la... disparition du sous-marin de la puissance intéressée. Mais vous, personnellement, avanceriez-vous une hypothèse sur ce qui s'est passé?

— Non, monsieur le Premier ministre, je... je n'ai pas d'hypothèse à formuler.

Un silence suit, comme si on attendait qu'il en risque une, quand même, après un préambule prudent. Mais ce serait irresponsable de sa part de donner voix aux idées hardies qui lui sont venues — et que sa raison combat. Il garde donc le silence, comme il l'a fait depuis le début de cette réunion où il se sent de trop. Le Premier ministre renonce à le faire parler.

— En tout cas je puis vous dire à tous, révèle-t-il, que j'ai parlé au vidéophone avec le Premier ministre de la puissance intéressée. C'était le lendemain matin de la disparition. Il m'a semblé réagir de façon très... modérée, très mesurée. Comme si, à Moscou, ils s'étaient vite remis du choc que cela a dû représenter.

— Comme s'ils savaient ce qui s'est passé? s'enquiert Valois.

— Oui, comme s'ils s'en doutaient. Mais sans rien pouvoir me dire. Ou sans consentir à me faire partager les raisons de son calme.

— Ils ne s'inquiéteraient pas du tout?!

— Oh oui, ils s'inquiètent, ils sont furieux. Mais on dirait qu'ils se résignent. Il n'y a rien qu'ils puissent faire et ils ne cherchent pas de bouc émissaire.

— Excusez-moi, monsieur le Premier ministre, demande un amiral, mais sur quoi cela débouche-t-il?

— Sur un éventuel désengagement.

— De l'Union Soviétique?

— Non, de notre part.

Un silence se fait. Des regards perplexes s'échangent.

Les États-Unis, annonce le Premier ministre, ont esquissé des avances. Une offre de négociations directes s'en vient. S'ils obtiennent les garanties qu'ils veulent au sujet de l'électricité et si nous coupons nos liens avec la puissance intéressée, ils agiront sur leur allié canadien.

Un concert de murmures accueille cette révélation. Quelques voix réclament des éclaircissements. Rèvelin, le ministre de l'Énergie, se voit passer la parole:

— Je vous rappelle que, autour de New York, la construction des digues a commencé — ils les appellent les *megadams* ; oserai-je parler de «mégadigues»?

— Osez, lui lance un collègue sarcastique.

— Lorsqu'elles seront complétées, toute la conurbation New York / Long Island sera protégée de la montée des eaux — ils ne veulent pas être pris de court en 2023.

Chacun pense aux images formidables du début de l'année: la syzygie, conjuguée au périhélie de la Terre et au périgée de la Lune, a soulevé les océans en des marées cataclysmiques. Sur toute la planète, malgré les mesures de prévention, il y a eu cent mille fois plus de morts que dix-huit ans plus tôt lorsque pareille conjoncture s'était produite. C'est qu'à cette époque, en 1987, la fonte des calottes glaciaires à cause du réchauffement global n'était pas encore mesurable.

Maintenant, depuis janvier, il est désormais trop tard pour visiter Venise. Les digues néerlandaises ont été débordées, le delta du Mékong est le bain de pieds le plus populeux de l'univers et, pour la première fois, le nombre de canots-automobiles à Miami dépasse celui des voitures.

Rèvelin poursuit:

— Non seulement les New-Yorkais ne veulent pas que l'activité portuaire soit interrompue par la montée des eaux, mais ils entendent profiter de l'occasion pour déclasser toutes les villes portuaires de la côte est américaine qui n'auraient pas les moyens de tels investissements. Or ils ont besoin d'énergie.

— Les centrales marémotrices... propose un ministre.

— ... n'auront pas un rendement optimum, répond un autre, tant que l'étiage ne sera pas atteint — et ce niveau n'est pas encore connu avec certitude.

Rèvelin reprend, un peu contrarié:

— Le trafic maritime ne sera pas entravé par les mégadigues. L'activité portuaire accrue reposera sur de gigantesques systèmes d'écluses devant l'estuaire de l'Hudson et le détroit de Block Island. Je ne sais pas si vous imaginez? Ça représente des besoins prodigieux en énergie, et la fusion nucléaire n'est pas encore exploitable à une échelle industrielle.

— Ils veulent notre hydro-électricité, quoi de nouveau? C'est pour cela que nous sommes en guerre.

— Leur nouvelle approche serait différente, réplique le Premier ministre: ils espèrent maintenant l'avoir par la paix.

Un silence attentif se fait. Le général Léger lève un doigt:

— Est-ce que ça annule l'offensive globale que nous mettons au point depuis trois jours? On nous a demandé de la préparer comme si c'était notre chance ultime.

C'est Juneau, le ministre de la Défense, qui lui répond:

— Je ne vous ai pas tout dit à la réunion du haut commandement, il y a trois jours: nous attendions la confirmation de certains renseignements.

— Le seul but de cette offensive, révèle le Premier ministre, sera de gagner des positions de négociation, pas nécessairement des positions que nous puissions occuper et défendre durant des années, ou même des mois.

— Occuper du terrain, ajoute Juneau, pour l'échanger contre des concessions.

Le Premier ministre a une mimique d'impatience et reprend la parole:

— Il y aurait avec les Étatsuniens des pourparlers secrets dont le résultat pourrait être... Voyez: nous garderions Baffin-sud, la pointe des Torngatt, la bande du Mécatina et, surtout, la fameuse enclave Churchill.

— Ça impliquerait un recul! proteste un général.

— Dans certains secteurs, oui. Mais voyez tout ce que nous gagnerions sur le tracé de 1927! Trois cent mille kilomètres carrés, la superficie de l'Italie! Le territoire d'avant-guerre agrandi de vingt pour cent! Et surtout, tout le bassin Churchill, toutes les têtes de rivières de la Côte Nord.

— Terre-Neuve et Ottawa n'accepteront jamais.

— Washington ferait un revirement d'alliance. Washington imposerait l'entente, prétextant le fait accompli et la nécessité de rétablir la paix au plus coupant. En compensation, ils offriraient aux Canadiens les îles de la côte du Pacifique jusqu'au cinquante-sixième parallèle, et renonceraient à tout droit de pêche sur les bancs de Terre-Neuve.

Blackburn est époustouflé, comme probablement tous ses voisins. Faut-il que les Étatsuniens redoutent la montée des eaux, pour envisager de telles concessions!

Guay, le ministre des Affaires extérieures, rappelle:

— Ils en ont plein les bras avec la guerre qui vient de se déclarer en Amérique centrale et dans les Antilles. Celle-là est bien plus grave: ce sont eux-mêmes qui sont en guerre, et leurs adversaires sont des régimes marxistes, autant dire que c'est leur guerre sainte. Régler au nord, ça leur permettrait de se concentrer sur l'essentiel.

— Je ne peux pas croire qu'ils offrent tout ça, dit un général à voix basse.

— Ils ne l'offriront pas, mais nous pourrons l'exiger: c'est jusque-là qu'ils sont prêts à aller. Nous l'avons su par un agent des Opérations consulaires: il a mis la main sur un mémorandum ultrasecret.

Une salve d'exclamations et d'applaudissements salue cette révélation. Enfin un bon coup! Il n'y en a pas eu tellement ces derniers mois, même ces dernières années. Le ministre Rimald tempère l'enthousiasme de ses collègues:

— Il y a un os. J'en vois même trois. Premièrement, la puissance intéressée sera très déçue de nous voir gagner grâce à un retournement des Étatsuniens: la *Pax Americana* n'est sûrement pas ce qui... l'intéresse.

— Ce sera un sale tour à leur jouer en effet, mais il n'est pas question d'être sportif ici. De toute façon, nous sommes maintenant certains qu'ils jouent double jeu.

— Deuxièmement, et je constate que vous y avez pensé puisque je n'en vois aucun dans cette salle: certains membres du cabinet et du caucus refuseront toute idée de recul sur le front, même des reculs mineurs.

— Ce sera effectivement un ennui, concède le Premier ministre. Nous y ferons face quand il se présentera.

— Troisième problème, et non le moindre: la guérilla irrédentiste ne permettra pas que la guerre s'arrête tant que...

— Tant qu'ils n'auront pas campé sur les rives de l'Atlantique, oui, intervient le ministre de la Défense. On connaît leur mot d'ordre. C'est ici qu'interviennent certains services de l'armée. Général Valois.

L'appelé se lève:

— Nous préparons l'opération Cyclone, une offensive majeure contre le quartier général et les positions de la guérilla. Dès que la tactique sera mise au point, nous allons tourner toute notre force de frappe contre la guérilla et lui porter un coup fatal.

— Parallèlement, du côté civil, enchaîne le ministre de l'Intérieur, le Contrext préparera une opération semblable contre tous les radicaux et extrémistes qui servent d'appui à la guérilla. Le jour de l'offensive, la Sûreté civile fera des arrestations massives. On échelonnera les libérations sur les semaines et les mois suivant la signature du traité. Le climat social et politique qui s'établira après la paix devrait rendre difficile ou impossible toute renaissance de l'irrédentisme: ils n'auront tout simplement plus de terrain de mécontentement sur lequel bâtir un nouvel extrémisme.

Dans la salle de conférences, chacun tente d'assimiler ce déluge de données nouvelles. Blackburn, pour sa part, sent sur lui l'attention du général Valois. Il soutient son regard et commence à deviner le rôle qu'on lui réserve. Ce n'est pas innocemment que Valois, il y a dix jours, lui a parlé de Jac Marin et des Irréguliers. Dans le grand coup qu'on s'apprête à porter à la guérilla, Blackburn a le sentiment de faire partie du gourdin, et ça ne l'enchante pas du tout.

Le Premier ministre se lève:

— Je n'ai pas besoin de vous souligner l'importance de ces perspectives. Nous ne pouvons soutenir beaucoup plus longtemps l'effort de guerre: nous sommes à la crête de la vague, nous ne pourrions que redescendre, reculer. Voici une occasion, non seulement de cesser la guerre sur une victoire mais aussi de gagner la paix, ce qui est encore plus important. Cette négociation **doit** avoir lieu, cette pacification **doit** se faire.

Il se rassoit:

— Vous voyez que nous avons plusieurs heures de discussion devant nous.

Blackburn se renfonce dans son fauteuil, résigné. Il préférerait être officier subalterne et ne pas assister aux réunions du haut commandement.

Quatrième partie

De quoi sommes-nous proches?
De la mort?
De ce qui n'est pas encore?

Rainer Maria RILKE, Œuvres complètes 1

14

Dans l'obscurité la plus complète, le *hover* léger s'immobilise au bord de l'immense lac. Son bourdonnement clair, à peine audible, s'éteint tout à fait. Un moment plus tard, un convoi de *hovers* lourds, des cuirassés, passe à proximité, tous projecteurs allumés. On entend croître puis décroître leur sourd bourdonnement, châteaux sans tourelles illuminés dans la nuit.

Le silence revenu, Eaulourde branche la caméra infrarouge, dont le téléobjectif tourne sans bruit dans l'air tiède de la nuit, jusqu'à sa portée maximum. Après un lent panorama sur les berges lointaines du réservoir, l'image s'arrête finalement sur le barrage, tout au bout. Une simple bande, la partie émergée d'un iceberg en béton dont l'autre flanc domine une gorge presque à sec. En prise de vue rasante, ainsi, presque rien n'est visible des installations de défense, hormis les plates-formes de quelques batteries de canons laser.

Eaulourde émet un code d'une microseconde. En réponse, à plusieurs mètres de la berge, un émetteur immergé envoie un signal condensé, quelques journées d'observation résumées en une dizaine de secondes. Parmi les souches en putréfaction, à demi enlisé dans la vase, un vieux camion à benne achève de rouiller, vestige de la construction du barrage cinquante ans plus tôt. Inaperçu parmi la masse métallique, un assemblage de senseurs ultrafins, installé là il y a des mois par Eaulourde et Robotech — ce dernier y a laissé sa peau. Cette nuit, seule Eaulourde pense à Robotech, mais bien sûr elle ne fait aucune réflexion à voix haute.

— Un *hover* cuirassé approche, Eaulourde. Nord, nord-est, encore assez loin.

— On repart.

Les relevés sont saufs, sur une mini-disquette. Le *hover* léger s'élève d'un mètre. En un bourdonnement aérien, il file entre les conifères dispersés. Quelques minutes plus tard, un *hover* lourd, masse sombre dans la nuit, passe sans ralentir au-dessus de l'épave engloutie.

Par la fenêtre ouverte, le bourdonnement sourd d'un *hover* parvient à Blackburn. Il lève le buste, prend appui sur ses coudes, attend que se dissipe une vague nausée. D'après l'ensoleillement, c'est l'après-midi. Le *hover* lourd passe au-dessus du lac, regagnant la base d'Aticonac toute proche. *Hover* lourd, le cuirassé des offensives terrestres: huit hommes d'équipage, batteries de lasers, de canons conventionnels, de mitrailleuses lourdes et de lance-missiles. Sensiblement le même véhicule que dans son rêve, mais dans le rêve c'était un *hover* ennemi.

Son rêve? Ou le rêve d'un autre? Cela ressemblait plutôt à des souvenirs, réels, concrets — ceux d'une femme, en fait. Blackburn se rappelle avoir vécu une expérience analogue: visions d'une cité tropicale, toujours liées à la présence de Lavilia Carlis. Cette fois-là aussi, c'était après avoir absorbé de la céréphédrine-psi.

On frappe à la porte et, avec consternation, Blackburn voit s'ouvrir le battant: était-il si lessivé, hier soir, qu'il ait même omis de verrouiller alors que quelqu'un en veut à sa peau?

— Tu es là pour la journée, chéri? Parce qu'il faut payer de nouveau ou encore libérer la chambre.

Ce «chéri» qu'elle prononce, c'est celui des prostituées, détaché et machinal; ce petit hôtel du village civil, et la cantine au rez-de-chaussée, c'est le bordel d'Aticonac. Hôtel Caribou. Blackburn s'y est réfugié hier soir, trop vidé pour regagner la base militaire.

— Tu peux dire au patron que je libère la chambre, marmonne-t-il, la bouche pâteuse.

Hier soir, réunion ultra-secrète de tous les officiers d'Aticonac, dans le bunker d'un champ de tir, hors du périmètre de la base. Soi-disant pour récapituler les consignes de l'offensive imminente. Mais en fait pour permettre à Blackburn, caché dans une chambre attenante, de sonder l'esprit de toutes ces femmes et ces hommes à qui il devra faire confiance durant sa mission ici. On sait que la base est infiltrée par la guérilla; il est vital que les intentions de Blackburn leur restent cachées.

Elles le resteront: tous les officiers se sont avérés loyaux — ou du moins, aucun n'est espion de la guérilla.

— Tu es sûr que tu ne veux pas profiter du lit encore une petite heure? Je m'appelle Sophie.

Blackburn dévisage la fille qui est entrée dans la chambre, mais son attention est ailleurs: quelqu'un sort de la pièce voisine, et c'est sûrement la femme dont il a partagé en rêve les souvenirs récents. Par la porte ouverte à demi, il la voit passer dans le couloir, il la voit de trois quarts arrière: une autre fille de la maison?

— Je vais te demander quelque chose, Sophie, murmure-t-il en s'asseyant et en cherchant son portefeuille dans sa veste.

Sophie ferme la porte sans hâte.

— Tu vas appeler cette fille, tout de suite.

— Josée?

— Tu vas l'appeler «Eaulourde». Juste ça, «Eaulourde», et tu reviendras ici.

— Mais...

— Je veux juste voir si elle va répondre, presse Blackburn en gagnant la porte et en l'entrouvrant. Vas-y.

Il lui donne de l'argent, le tarif d'une heure, puis dans la pénombre du couloir il fait quelques pas et se colle au mur. Il voit la femme descendant l'escalier vers le rez-de-chaussée. Il adresse un geste impératif à Sophie.

— Eaulourde? lance-t-elle à voix haute.

Tressaillement, la femme a commencé à lever la tête puis réprimé aussitôt ce mouvement et poursuivi sa descente. Dans la haute glace du palier, Blackburn a distingué la surprise, puis l'air soucieux de son visage. Elle ne s'appelle pas Josée; personne ici ne devrait connaître le nom de guerre qu'elle emploie dans le maquis. Eaulourde, celle qui était couchée dans la chambre voisine de Blackburn, leurs têtes séparées peut-être par la seule cloison, Eaulourde dont en rêve Blackburn a partagé la mémoire.

Il regagne sa chambre, referme la porte:

— Tu la connais bien? demande-t-il à Sophie.

— Elle n'est pas une habituée. Elle est ici depuis hier seulement.

— Mais tu l'avais déjà vue?

— Le mois dernier. Et le mois d'avant. Je pense qu'elle partage son temps entre ici et Labradorville ou Schefferville. Il y a beaucoup de roulement.

Il faut offrir de nouveaux corps aux soldats. Mais Eaulourde, elle, partage probablement son temps entre la guérilla sur le terrain et l'espionnage ici, près de la base militaire.

Blackburn pose encore quelques questions à Sophie, puis

double la somme qu'il lui a mise dans la main tout à l'heure:

— Merci. Et ça, c'est pour ton silence. Tu n'en parles à personne, compris? Personne.

Elle recule instinctivement: il a pris son ton le plus ferme et son air le plus grave. Elle sort sans un mot; Blackburn peut-il se fier à elle? De toute façon, Eaulourde va quitter le secteur dans l'heure qui suit, probablement; on ne la reverra plus ici. Et, chose importante, elle n'a pas vu Blackburn.

• • •

Sur les teintes crépusculaires du ciel, fils électriques et mélèzes tordus se profilent en noir. Un peu de la lueur orangée du couchant entre par les grandes baies du restaurant et permet de distinguer des silhouettes. Le restaurant occupe le rez-de-chaussée de l'hôtel Caribou. Voudrait-on l'oublier que le trophée ornant un mur de la salle le rappellerait: une tête de caribou empaillée, ornée de bois jadis superbes mais que quelque artiste au goût sûr a semé de paillettes dorées.

Le tintamarre étouffé de la radio tient un monologue parallèle à la rumeur des conversations. Le patron allume posément trois lampes à manchon. Blackburn pousse vers lui sa bouteille vide.

— Fait soif, hein? lance le patron. Jamais vu une chaleur pareille ici.

Blackburn ne répond pas. Assis parallèlement au comptoir, il regarde vers l'extérieur, au-dessus des têtes des gens attablés entre lui et les grandes fenêtres. Du ruban gommé opaque, libéralement employé, quadrille la vitre en losanges inégaux, pour limiter les éclats en cas d'effet de souffle. Dérisoire précaution; des contreplaqués conviendraient mieux. Mais les bâtisses ne seraient plus habitables, et il faut bien que la vie continue à Aticonac.

Le patron prend le temps de suspendre sa dernière lampe et d'empocher son briquet avant de s'occuper de la bouteille vide de l'officier.

— Maintenant que le soleil est couché, ça va redescendre vite.

Pour le moment, même s'il est vingt heures, c'est encore chaud: à cause des mouches noires on a doublé les moustiquaires et colmaté la moindre ouverture. Les jours de canicule comme aujourd'hui, les jours sans vent, aucun courant d'air ne rafraîchit le restaurant. Les mouches, elles, entrent quand même avec chaque client.

— Il a fait vingt-cinq degrés aujourd'hui. Ça ne s'était jamais vu.

Le patron pose la nouvelle bouteille de bière sur le comptoir, d'un geste plus sec que nécessaire. Blackburn consent enfin à le regarder.

— Ça doit être leur fameux effet de serre.

— Ça doit être ça, admet l'officier.

— À Montréal, paraît qu'il a fait quarante.

Mais Blackburn refuse de poursuivre la conversation. Son regard s'est reporté vers l'extérieur, vers le nord. Après les angles de quelques toits hérissés d'antennes et de paraboliques, l'horizon est bouché par la bande noire de la maigre forêt. Une frange, plutôt, une dentelle subarctique de petits arbres rabougris et clairsemés. Au-delà de cette frange, des lueurs, quelquefois même un éclair lointain, accompagnés d'une rumeur sourde qu'on entend malgré la radio.

— Ils sont entre ici et Twin Falls, affirme le tenancier comme s'il disposait d'une ligne directe avec le haut commandement.

À travers la grande baie du restaurant, des phares approchants trouent l'obscurité. Le convoi de semi-blindés passe dans un vrombissement assourdi qui fait vibrer les tablettes de verre derrière le comptoir. Blackburn tourne la tête et surprend le regard d'une femme accoudée au comptoir, juchée comme lui sur l'un des tabourets de vinyle usé. Elle détourne ses yeux maquillés.

Il la détaille à son tour. C'est le seul genre de fille qu'on trouve si près des zones de combat, rien d'extraordinaire à sa présence: il y en a une demi-douzaine dans la salle. Mais si son regard avait été un regard d'invite, elle ne l'aurait pas détourné instinctivement.

La radio continue de criailler et de gémir; Blackburn n'a pas entendu passer les informations. Les nouvelles du front qu'il y aurait entendues, du reste, auraient eu bien peu de pertinence par rapport aux réalités du terrain, qui changent constamment. Des positions perdues par les Terre-Neuviens, par exemple, ne sont pas nécessairement aux mains de l'armée québécoise, elles peuvent être sous le contrôle des forces irrégulières.

Blackburn quitte son tabouret, descend l'unique marche de la tribune qui porte le comptoir et gagne la porte. Dans le tambour qui sert de sas — contre le froid en hiver et contre les insectes en été — il vaporise de la mousse dans sa main droite, se l'applique sur le visage et les bras. L'odeur est infecte; on ne s'y habitue jamais complètement. Dehors, les moustiques ne l'encerclent pas moins, assez près de la peau et des yeux pour être harassants de toute façon. Impossible de se sentir propre, ici: toute la journée il faut porter en plus une crème solaire car l'ozone est rare, à quinze degrés du cercle arctique.

Quelque part le long de la rue presque obscure, un *ghetto-blaster* martèle les rythmes syncopés des succès de l'été, et de lointaines détonations y font écho. Un ululement de sirènes emplit rapidement le village: des jeeps de la police militaire, quittant la base et gagnant la berge du lac, au-delà des maisons, là où la forêt et ses arbres sombres reprennent leurs droits. Ce n'est pas loin, et Blackburn a la curiosité de s'y rendre, gagné par un sombre pressentiment.

Sans qu'il sache pourquoi, le nom de «Dragon» lui est venu à l'esprit, avec la conviction que cet homme a retrouvé sa trace et s'est déjà mis en chasse, ici, à Aticonac.

Montrant sa carte d'identité, Blackburn franchit le barrage que la police militaire est en train d'établir sur le chemin longeant la rive du lac. Il y a à quelques dizaines de mètres une cabane au toit à demi effondré. Des officiers; des médics. Il montre à nouveau sa carte, parvient à la porte sans battant.

Un corps, qu'on soulève et qu'on place sur un grand sac de polyéthylène ouvert. Un corps éventré, entrailles luisantes et pourpres, vêtements à demi arrachés et imbibés de sang.

— Un sale travail, commente le médecin tandis qu'on rabat les pans du sac et qu'on remonte la fermeture à glissière. Il y a plusieurs entailles, et elles ont été faites sur une assez longue période de temps, si on en juge par la quantité de sang répandu.

Il parle à un lieutenant de la police militaire au visage maculé d'un mélanome. Mais Blackburn, la gorge serrée, ne perd rien de ses paroles.

— Torturée? demande-t-il, le regard fixe.

— Probablement, oui, répond le médecin, que l'officier interrompt aussitôt:

— Qui êtes vous, vous?

Blackburn présente sa carte, machinalement, mais son regard ne quitte pas le corps dans son sac de plastique noir; il plie très peu aux articulations lorsque les brancardiers le soulèvent.

Sophie, la pauvre fille qu'il avait enjoint au silence avant-hier. Maintenant elle ne parlera plus, mais son assassin a dû lui faire dire le peu qu'elle savait: une description de Blackburn, sans son nom ni son grade, un récit de ce qui s'est passé entre eux. Éventrée, du vagin au sternum. La marque du Dragon, Blackburn en est sûr. Une vague nausée lui vient, rappel de celle qu'il a ressentie l'autre jour en examinant la fantascopie de Tournier. Sauf que cette fois elle a un âcre arrière-goût de remords.

— Avez-vous des renseignements sur ce meurtre, lieutenant-colonel? demande l'officier de la police militaire, celui qui souffre d'un cancer de la peau.

Blackburn hoche vaguement la tête, de gauche à droite. Il doit réfléchir à ce qu'il peut divulguer, compte tenu de sa mission actuelle. Sans dire un mot, il quitte la cabane, se remet en route vers la base militaire, à pied derrière l'ambulance qui roule cette fois sans sirène.

Un hélijet survole la bourgade à basse altitude tandis que Blackburn marche vers les grilles de la base militaire. Il le voit disparaître dans un nuage de poussière illuminée, derrière un rideau de mélèzes que secoue le souffle du rotor.

Le poste de garde passé, Blackburn voit approcher une jeep. Un petit projecteur s'allume et se braque sur lui, le faisant jurer.

— Lieutenant-colonel Blackburn?

— Oui. Éteignez ça!

— Le général Valois vient d'arriver par hélijet.

Blackburn monte à côté du chauffeur qui, virant en U, manque renverser un trio de soldats fumant un joint devant le magasin de la base.

Le Q.G. est formé de trois maisons mobiles juxtaposées. Gardé, bien sûr, mais mal: le camp entier est à peu près aussi discipliné qu'une cour d'école primaire. S'il y avait deux espions dans une base aussi réglée et contrôlée que Havre-au-Lac, songe Blackburn, combien doit-il y en avoir dans cette foire-ci?

Il salue mollement le colonel Brasseur en entrant dans son bureau; le colonel commente sa nonchalance d'un regard hostile. Son adjointe, Nicole Roy, fait semblant d'être ailleurs. Penché sur le lavabo, dans un renfoncement, Valois se rafraîchit le visage. Il se redresse et se retourne, passant la serviette sur son front dégarni.

— Ah, Blackburn. Vous vous êtes familiarisé avec le camp et la région?

Il fait signe que oui.

— Vous avez rencontré les officiers, vous avez choisi votre monde?

— An-han.

— Ils conviendront?

— Ça dépendra de ce que vous attendez de nous.

Le général s'assoit lourdement, dans le fauteuil le plus confortable du bureau. Il ne répond pas immédiatement à Blackburn.

— Brasseur, demande-t-il au colonel, d'après vos renseignements les plus récents, la guérilla a-t-elle oui ou non un quartier général?

— Vous savez bien ce qu'on disait: qu'ils n'en avaient pas vraiment, qu'ils agissaient par cellules, avec une coordination plutôt lâche. Il leur arrive aussi d'abandonner un camp lorsqu'ils se croient repérés.

— Mais maintenant, que croyez-vous?

— Sur la foi des plus récents interrogatoires de prisonniers, nous avons établi qu'ils ont, dans notre région, un... quartier général, oui. Peut-être pas **l'unique** quartier général, mais du moins un centre de coordination important.

— Le Q.G. de leur chef: Jac Marin, complète Valois en dévisageant Blackburn.

— Est-on certain que c'est encore Marin qui commande?

— On a le témoignage de quelques prisonniers, rappelle Brasseur. Marin est bien leur chef. Oh, bien sûr il a un état-major, plus ou moins informel: des lieutenants sur le terrain, des officiers de liaison. Les cellules doivent avoir une certaine autonomie, par la force des choses: elles sont si dispersées. Mais la guérilla n'est pas une démocratie: un chef s'est imposé, et ce type c'est Jac Marin.

Blackburn ne réplique pas. L'insultante ironie que ce doit être pour Valois et les colonels du Contrext: la guérilla commandée par un chef qu'eux-mêmes ont placé là. S'il n'avait pas trahi les ordres reçus, trahi sa loyauté à l'État, il pourrait mener tous ces guérilleros en rangs vers une prison militaire, mission accomplie. Au lieu de cela, fort de sa connaissance intime de l'armée, il les a rendus plus insaisissables que jamais.

— Asseyez-vous, Blackburn.

Denis s'assoit, réticent: il n'aime ni Brasseur ni Valois, et ne tient guère à faire du salon avec eux. La lieutenante Roy prend des notes.

— Marin a choisi le nom de guerre «Aguirre».

— «La Colère de Dieu».

— Pardon?

— Aguirre, la Colère de Dieu, explique Blackburn qui a brièvement souri en entendant le nom. Un conquistador espagnol, au seizième ou au dix-septième siècle. Un aventurier, un tyran, un mégalomane. Herzog a tourné un film à son propos voici un quart de siècle, et c'était l'un des préférés de Marin.

Un silence malaisé suit; personne ici, sauf Valois, ne savait que Blackburn a fréquenté leur redoutable adversaire.

— Voici ce que j'attends de vous, Blackburn. Dans un premier temps, repérer au mètre près cette base secrète et établir que c'est bien le centre nerveux de la guérilla. Dans un deuxième temps, l'investir ou l'infiltrer, obtenir des renseignements sur les autres camps de la guérilla.

— Rien que ça? ironise Blackburn.

— Vous avez toute autorité pour déployer des patrouilles de reconnaissance, aériennes ou de surface, ou combinées, vous avez accès à toutes les données recueillies depuis deux ans. Vous pouvez mobiliser tout le personnel du camp si nécessaire.

Brasseur a un geste de protestation, mais ne dit rien.

— Votre régiment ne sera pas mobilisé pour l'offensive générale, colonel: vous avez déjà perdu assez d'hommes.

— Si vous permettez, mon général: à partir en reconnaissance dans les secteurs de la guérilla, nous perdrons autant d'hommes que nous en perdrions au front.

— Vous exagérez. De toute façon, la consigne du lieutenant-colonel Blackburn sera d'agir avec mesure: après tout, il ne partira pas de zéro, il ne cherchera pas à l'aveuglette.

— Infiltrer leur base, observe Blackburn après un silence... Vous savez qu'ils me connaissent. Ils m'ont repéré et ont essayé de me supprimer: deux fois à Chicoutimi, une fois à Havre-au-Lac. Et ils savent ma présence ici.

— Au Havre-au-Lac, vous croyez que c'était eux?

— Cette Michalski était de leur côté, c'est évident. Ce doit être à sa demande que Dragon a été envoyé contre moi.

— Pour l'infiltration proprement dite, annonce Valois en prenant une mallette, vous aurez des agents du Contrext sous vos ordres. Ils arrivent depuis une semaine, par un ou par deux, en soldats ou en sous-offs, en civils. Ils se signaleront à vous.

Valois tend à Blackburn une disquette.

— Chacun a comme couverture un passé d'insubordination, sympathies présumées à l'endroit de la guérilla, attaches dans les milieux irrédentistes, prédispositions à déserter du côté des Irréguliers. En fait, ils sont déjà à moitié infiltrés.

— Vous préparez ceci depuis longtemps.

— Le Contrext prépare **quelque chose** depuis longtemps. Aujourd'hui nous y donnons forme. **Vous** y donnerez forme, Black-burn, vous êtes sur le terrain. Vous avez carte blanche.

Sombre, mal à l'aise, l'agent dévisage son supérieur. Il ne lit en lui aucun reflet de sa propre hostilité envers Valois. Au contraire, et c'est ce qui le gêne, Valois semble lui vouer une confiance mêlée d'estime et d'espoir. Il croit vraiment que Blackburn est le meilleur agent du service.

Et Blackburn n'aime pas du tout cela.

— Voyons les détails, maintenant, fait Valois en rapprochant son fauteuil du pupitre.

15

Après une semaine de détention à Aticonac, quelques captifs seront transférés demain vers le camp carcéral de Port-Cartier. Avant leur départ, Blackburn tient à rencontrer l'un d'eux. Les captures sont extrêmement rares; ce Labarre avec qui Blackburn veut converser était avec les Irréguliers mais n'a pas été fait prisonnier au terme d'une escarmouche. Il a été capturé alors que, seul aux commandes d'un *hover* léger, il tentait de se faufiler entre les bases d'Aticonac et d'Emeril, espérant gagner l'arrière.

C'est un ancien journaliste. On a établi qu'il était sincère lorsqu'il affirmait s'être enfui d'Harcel, le quartier général d'Aguirre. Un transfuge, lessivé de tout ce romantisme rebelle qui l'avait amené à s'intéresser, puis à se joindre, aux forces irrégulières.

— Pourquoi voulais-tu regagner le sud?

— Si je veux écrire, il faut que je sois vivant. L'espérance de vie des guérilleros diminue avec chaque mois qui passe.

— Tu es écrivain?

— Oui, mais j'ai dû me tourner vers le journalisme. Je veux publier un super-reportage, en tranches, dans un grand magazine international. Peut-être publier un livre. Si vous me rendez mes notes.

Blackburn le dévisage avec ce qu'il sait être son air le plus inexpressif, celui qui met toujours ses interlocuteurs mal à l'aise.

— Le compte rendu de ton interrogatoire indique que tu étais proche d'Aguirre, pendant tes dernières semaines parmi la guérilla.

— Très proche, affirme Labarre avec une nuance de défi comme si on mettait en doute son témoignage.

— Parle-moi de lui.

— Il vit sa vie par écran interposé. Il fait la guerre par télécommande. Toute son existence est un long jeu vidéo.

Blackburn agite quelques feuilles dactylographiées qui avaient été saisies sur Labarre:

— C'est de lui qu'il est question là-dedans?

— Qui d'autre?

Un grand écran couleur. Se profilant sur le rose et le vermillon du crépuscule, des hélijets approchent. Sur un autre écran, le téléobjectif montre la feuille d'érable rouge sur vague bleue de l'armée ennemie. Recul et déplacement rapide de l'image, qui cadre bientôt trois éclats cuivrés, volant à peine plus haut que les hélijets. Sur le radar où ils se détachent nettement, leur identification apparaît rapidement grâce à l'ordinateur: de vieux F-18 fleurdelisés.

Petits éclairs sous les ailes; les missiles tracent au-dessus de la toundra de minces traînées blanches vite dissipées. De sourdes explosions couchent les herbes du marécage, agitent sa surface d'un friselis nerveux, l'éclairant brièvement tel un faux retour du soleil.

Un à un, les amalgames de métal et de flammes vont choir dans la tourbière, y faisant siffler des geysers de vapeur. Tandis que s'éloigne le grondement des intercepteurs, le dernier hélijet terre-neuvien, le seul à n'avoir pas été détruit en vol, fait contact rudement avec la tourbière. Un bosquet d'aulnes s'agite sur la berge du marécage, puis se soulève: un *hover* de la guérilla, camouflé avec un art consommé, son image retransmise par un deuxième *hover* immobile à quelque distance.

— Déployez la mitrailleuse. Passez-moi les commandes.

Les carcasses sont tordues au milieu des nappes de flammes, fleurs ardentes flottant sur la tourbière. Puis, rapprochement vers le centre de l'image, sur une mare où l'éclairage orangé des flammes est moins intense; sur l'écran, la clarté se rétablit automatiquement.

— Accélérez graduellement. Maintenez la trajectoire.

Autour des hélijets écrasés, la surface du marécage est agitée de vaguelettes lumineuses, fragmentant en paillettes d'or les nappes de flammes qui éclairent le secteur. Là-bas, l'équipage survivant s'extrait de l'engin qui s'enlise graduellement. Certains des hommes sont blessés; l'un, inerte, est hissé de la porte latérale par ses camarades. Ils ne voient pas encore le *hover* qui fonce vers eux.

L'image se rapproche, de plus en plus vite maintenant,

malgré que le téléobjectif recule pour compenser. Sur leur îlot blindé, les survivants déploient un radeau pneumatique, qui se gonfle en un éclair. Puis des têtes se tournent vers la caméra, des bras se tendent, une fuite s'esquisse.

Un pouce écrase la commande de tir. Des traces linéaires zèbrent l'image, si évanescentes qu'on croirait un défaut passager de la vidéo. Mais les rafales, elles, ne sont pas des spectres. Les hommes, hachés, comme bousculés par le souffle même du *hover* qui fonce, retombent à l'eau en de grands éclaboussements dont l'un, au passage, laisse des gouttes rosées sur l'objectif de la caméra.

En lisant cette description, Blackburn a été ébranlé, mais pas surpris. C'est bien là le Jac Marin qu'il a connu, ou du moins son prolongement logique dans le temps. Qu'est-ce qui viendra ensuite?

— Explique-moi, Labarre, pourquoi tu ne peux préciser l'emplacement de la base d'Aguirre sur une carte topographique?

— J'ai une formation en lettres, pas en cartographie.

— Tu as pourtant trouvé le chemin qui menait à Jac Marin.

— Je l'ai déjà dit. J'y ai été amené de nuit. Je n'en ai jamais eu de vue aérienne. Je ne me suis jamais éloigné du périmètre.

— Tu as prétendu que tu étais l'aide de camp d'Aguirre.

— Je restais à la base quand il la quittait. J'avais des fonctions d'intendance, on ne me mêlait pas aux opérations tactiques.

— Tu étais son domestique.

Labarre adresse un regard hostile à l'officier, mais ne réplique pas.

— Et quand tu as fui?

— Le *hover* que j'ai volé était à l'atelier pour réparation de son système de guidage. Je n'avais même pas l'équivalent d'une boussole!

Blackburn sait tout cela: il a lu les comptes rendus. Il sait aussi que, parmi les rares guérilleros capturés, certains ignoraient même si leur camp servait de Q.G. à Aguirre: l'homme vit clandestinement, même dans son propre maquis, et seuls les officiers savent dans quel camp de la guérilla il séjourne tel mois ou telle saison. Un simple combattant peut apprendre, après des jours, que le camp où il vit est secrètement devenu le Q.G. d'Aguirre, et que cet homme en treillis qu'il croise de temps à autre est le redoutable chef de la guérilla.

«Aide de camp», songe Blackburn en dévisageant l'écrivain-journaliste, un homme dans la jeune trentaine, assez beau garçon. *Était-il aussi son amant?* Mais surtout, Blackburn se demande com-

ment il réagira en revoyant Marin. Ce détachement qu'il éprouve maintenant en songeant à lui est-il temporaire? Ou est-ce un plateau qu'il a atteint, la preuve que le livre est fermé pour de bon?

• • •

La lieutenante Roy, l'adjointe du colonel Brasseur, met Blackburn au courant de la situation dans le *hover* léger qui les emmène sur place.

— Nous avons une identification probable pour cette semi-remorque.

— Ils avaient laissé les plaques?

— Oui! La semi-remorque avait été volée l'an dernier à Havre-Saint-Pierre.

— Volée?

— Envolée, enlevée! Avec toute la quincaillerie. Par hélijet lourd, a supposé la police. Quel culot, hein?

Jac Marin a toujours été effronté, songe Blackburn tandis que devant le *hover* léger les arbres s'écartent pour dessiner une clairière. *À quelques centaines de mètres du périmètre de la base. Ho oui, Marin a du front.* La clairière est déjà investie par une quantité de véhicules militaires et de fantassins qui s'écartent sans hâte au passage du *hover* léger.

— La semi-remorque a été transportée ici par hélijet lourd aussi, constate Blackburn. C'est incontournable.

Roy approuve, avec une mimique désabusée. Prévoyant la suite, elle prend les devants:

— Vous vous demandez comment un hélijet lourd des Irréguliers est parvenu à trois cents mètres du glacis de la base sans que l'alarme soit donnée.

— Non, je **vous** le demande.

— Sabotage, vous vous en doutez bien. La console radar a été tripotée. Le signal en direct était remplacé par celui d'un ruban magnétique en boucle. Un très vieux truc, mais encore efficace.

Pas de très bonne humeur, Blackburn dévisage Roy tout en descendant du véhicule.

— Tous les coupables possibles ont été mis aux arrêts. Les interrogatoires sont commencés. Je vous emmènerai voir les suspects après.

Escorté par la lieutenante, Blackburn se fraie un chemin à travers ce qui ressemble à un camp de scouts, par l'ambiance. Ou tout simplement la base d'Aticonac, un soir de permission. Il s'arrête à proximité de la semi-remorque, dont l'arrière est ouvert et dont le côté a été percé d'une porte, vers l'avant. La longue boîte géante a été repeinte en camouflage et s'orne encore des sapins artificiels qui la dissimulaient. La semi-remorque devait faire partie d'un camp d'Irréguliers.

À l'avant, s'aérant par des volets ouverts, un groupe électrogène fonctionne, probablement au méthanol. À une question de Blackburn, Roy confirme que le générateur fonctionnait lorsque la première patrouille est arrivée sur place.

Ils n'ont pas juste largué leur cadeau, songe Blackburn, *ils ont pris la peine de descendre, de le placer de niveau et de fournir l'électricité!* Comme si la région leur appartenait et que les militaires d'Aticonac n'étaient que des hôtes.

— Laissez passer, peste Roy, laissez passer.

Et il faut faire la queue pour entrer, songe Blackburn avec un humour amer tandis que les hommes s'écartent avec réticence et libèrent le marchepied.

Dans la longue boîte géante, c'est presque comme si Jac Marin faisait l'accueil, sourire ironique aux lèvres: une rangée de machines s'allonge, une succession de couleurs phosphorescentes et criardes. Vidéojeux et holojeux, comme à l'arcade commerciale de n'importe quelle petite ville, de n'importe quel quartier, de n'importe quelle foire rurale saisonnière. Le vacarme est le même, les rafales assourdies, les explosions sonnant creux, les exclamations irritées ou enthousiastes des joueurs.

Si un camp des Irréguliers a eu droit à des agréments, celui-ci a dû être le premier que Jac Marin a songé à accorder: les vidéojeux et les holojeux. Il en a volé un plein camion pour ses hommes, et surtout pour lui, à n'en pas douter. Sa passion des vidéojeux, puis celle des holojeux, semble au cours des années s'être muée en obsession, au point qu'il a fait installer dans un repaire ces machines à tuer le temps. Puis, probablement, il a fallu évacuer un camp, ou peut-être ces jeux ont-ils finalement lassé Marin, qui en a imaginé un autre beaucoup plus drôle.

Indifférents à l'ironie d'Aguirre, les soldats jouent à leur tour, comme si la base venait de recevoir un nouvel équipement récréatif, dont le seul inconvénient serait d'avoir été installé à l'extérieur du périmètre. Les soldats jouent, et paient pour jouer. Jac Marin, s'il est témoin de cela, doit rire dans sa barbe, le rire satisfait de quelqu'un qui a vu juste en préparant un tour espiègle.

La réaction de Blackburn n'échappe pas à Roy, qui crie le nom d'un autre lieutenant. L'officier se faufile parmi ses hommes qui forment des grappes devant chaque machine, restreignant le passage dans la moitié du camion laissée libre.

— C'est toi qui as autorisé cette récréation? demande Roy sur le ton que prendrait son supérieur, Brasseur, mais avec moins d'effet.

— Comment aurais-je pu les empêcher?

— En leur interdisant de toucher aux machines. Tu es leur officier, non? Comment veux-tu qu'on prenne des empreintes, pour l'enquête?

— L'enquête? Ce sont les Irréguliers qui ont fait le coup, ça ne fait pas de doute. Comme quand ils avaient laissé des poupées gonflables dans leur camp d'Achouanipi.

Un camp secondaire, qu'on avait cru encercler et assiéger par surprise, mais qui avait été évacué d'avance par les Irréguliers.

— Et les micros, les caméras? intervient Blackburn.

— Les micros?

— Marin voudra savoir si et quand on a trouvé son... cadeau. Il doit y avoir un émetteur caché.

L'officier est sceptique, mais Blackburn se met déjà en chasse. Il entend Roy ordonner:

— Commence par interdire l'entrée du camion. Puis fais évacuer par les deux sorties. Ce n'est pas un...

Le reste se perd dans le brouhaha des joueurs excités, tandis que Blackburn progresse à l'abri des têtes et des épaules. Si caméras il y a, il ne veut pas être reconnu. Quant aux micros, ils pourraient être n'importe où. Autour de lui, les exclamations des joueurs deviennent protestations à mesure que progresse la consigne d'évacuation; la pression de la foule diminue.

La dernière machine de la rangée est plus avancée dans l'allée, par rapport aux autres. L'attention de Blackburn se porte instinctivement vers elle. Sur le côté de sa partie la plus haute, une surface réfléchissante, une glace sans tain. S'assurant d'être hors champ, il écarte une recrue, qui proteste:

— Hé! Ma partie n'est pas...

Blackburn pousse le jeune homme vers la porte proche et cela en fait tomber deux autres à l'extérieur. Avec la crosse de son pistolet, Blackburn fracasse la glace, révélant un objectif de caméra. Restant hors champ, il se décoiffe de son béret et en coiffe la lentille. Ensuite il tire deux coups en l'air pour obtenir le silence.

— TOUT LE MONDE DEHORS! crie-t-il. ÇA VA SAUTER D'UN INSTANT À L'AUTRE!

Puis il se rue vers la porte, saute au sol en négligeant le marchepied et s'éloigne en courant. Il n'est pas capitaine et cette remorque n'est pas un navire. *Quel héros!* songe-t-il, mais à cet instant une déflagration retentit et un souffle brûlant accompagne son plongeon.

Le silence ne dure qu'une seconde, puis les cris commencent à déchirer l'air, relançant dans sa tête le cinéma des souvenirs: Comitan, les obus, les corps projetés, tout en rouge et fauve sur l'écran de ses paupières closes.

• • •

Nuit, fumée. Bruit assourdissant. Bousculade, sous le ventre d'un hélijet stationnaire. Seul éclairage, ses gyrophares ambrés et une lueur verte qui balaie l'espace comme les pales d'un rotor. On peut toucher les pneus de l'engin en dressant les bras. Même le vent est là, le souffle tiède et anémique de quelques ventilateurs.

Les yeux fixes, Blackburn attend que la réalité se reforme autour de lui. Voilà. Le vacarme adopte un rythme, devient musique. Une discothèque de l'immense base d'Aticonac: une baraque exiguë, avec un comptoir d'un côté. Quelques mécaniciens au goût douteux ont suspendu au plafond le blindage d'un hélijet retiré du service: le ventre, le train d'atterrissage, même les mitrailleuses et les lance-roquettes — de la ferraille, bien entendu.

Là-dessous, dans la fumée du hasch et les éclairages latéraux, la danse paraît une débâcle, la mêlée d'une troupe de fuyards se battant pour évacuer le terrain.

Le rythme change, le *deejay* met des éclairages plus violents, venant du plafond, qui accusent brièvement les saillies des visages, pour la plupart masculins. Blackburn se rappelle qu'il a un verre à la main, et il prend une gorgée. Il y a moins de danseurs que l'autre soir où il est venu, estime Blackburn, et moins d'insouciance sur les visages des hommes immobiles sur les côtés de la salle. Chacun pense, bien entendu, au massacre de ce matin, aux treize morts et aux blessés graves. Chacun ici a perdu un ami dans l'explosion de la semi-remorque, ou chacun a aidé un brancardier à déplacer un mutilé hurlant, perdant son sang à profusion, perdant sa peau par lambeaux entiers. *Salut, ça va? C'est mon copain Jac qui a fait ça. Enfin, mon ex.*

Est-ce que ça peut vraiment être lui? Est-ce que ça peut être le

Jac Marin qu'il a aimé? *Il avait tout ça en lui. Déjà à cette époque.* Blackburn se revoit, encore adolescent, consentant à tracer sur son propre avant-bras, et sur celui de Marin, deux sillons à la pointe d'un poignard, tandis que Jac en faisait autant, simultanément. Il se rappelle la tension, le tremblement, la douleur ardente et le regard bleu, intense, qu'avait Jac en lui lacérant le bras, et son sourire, oui, son sourire tandis que Blackburn le lacérait, lui. Un défi. Marin lui en avait lancé d'autres, que Blackburn avait commencé à refuser quand ils étaient devenus trop sérieux.

Vidant son verre, Blackburn se déplace vers le fond de la salle, nageant dans la cohue, bras le long du corps comme un poisson vertical dépourvu de nageoires. Son regard rencontre celui d'un garçon, un jeune soldat. Un conscrit, un que l'école n'a su retenir et que l'armée a attiré comme une pente, inexorable.

Parmi les débris éparpillés de la semi-remorque, on a retrouvé à midi l'antenne qui retransmettait à Aguirre le son et les images de son traquenard. Cela confirme si bien le témoignage du journaliste Labarre, que Blackburn imagine aisément la scène: Jac Marin regardant jouer les soldats sur son écran géant, le pouce sur une commande, retardant le moment où il déclencherait l'explosion des charges, tardant jusqu'à ce qu'il observe qu'on faisait évacuer la semi-remorque.

Le Jac Marin qu'a connu Blackburn était voyeur. Il lui avait une fois payé une prostituée et les avait filmés sur vidéo, elle et Denis encore adolescent; elle non prévenue mais lui consentant, doublement excité de savoir que son amant observait tout. Ç'avait été un des défis de Marin, un de ses défis bénins et souvent grivois. À d'autres occasions, adolescent encore, Denis avait initié des garçons plus jeunes, la caméra vidéo de Marin toujours cachée derrière une glace sans tain, pour lui faire partager en différé ces libations à la Veuve Poignet. Par la suite, Denis Blackburn et Marin avaient souvent baisé en faisant repasser les bandes magnétoscopiques, parfois avec d'autres partenaires.

Ces bons souvenirs prennent un goût amer, après le traquenard de ce matin.

Il cherche le garçon qu'il a repéré plus tôt, et plus ou moins dragué. Le voici. Blackburn capte son regard, ne le laisse pas se détacher, sauf pour désigner d'un mouvement des yeux le fond obscur de la salle. Ce n'est pas la disco quasi luxueuse des hétéros, ce n'est qu'une baraque en périphérie du camp, et les choses se passent dans les coins.

La transition est subtile, entre la piste et le fond: contorsions de la danse, puis les mouvements plus mesurés des silhouettes qui se frôlent; ensuite la densité augmente, il y a des corps entre lesquels on ne parvient guère à se faufiler. Puis enfin, mouvement à nouveau, les cadences mesurées, la lente torsion des torses, les mains jamais au repos. Blackburn rejoint enfin le garçon. Un billet change de mains, le temps qu'une flamme de briquet confirme sa valeur.

Il porte déboutonnée sa chemise de soldat, et la peau lisse de ses pectoraux est brûlante sous les lèvres de Blackburn, comme enduite d'un mince film d'eau bouillante. Son jean, qui n'a rien du pantalon militaire, serre une taille étroite, des cuisses minces, un entrejambe bourré.

En s'agenouillant, Blackburn se sent à nouveau submergé, emporté sans bouger dans les flots épais du temps. C'est une eau qu'on ne sent pas, ni froide ni tiède, ni mouillée; il y dérive, il y surnage parfois pour reprendre son souffle, renouer avec l'instant présent, mais un remous le saisit à nouveau. Il ne sait à qui il fait l'amour, dans cette obscurité, ni où, ni quand. Cette chair qu'il pétrit, ces hanches qui ondulent entre ses mains, elles n'ont pas de nom, elles les ont tous, et cette fatigue à l'articulation de ses mâchoires est celle de toutes les fellations, et le sperme a partout ce goût âcre et tiède.

Blackburn refait surface; à nouveau le visage presque imberbe du soldat est devant le sien, tout contre, ses yeux sont insondables, humides et sombres, brillants d'étoiles. Le garçon et lui s'étreignent, leur étreinte est un nœud où le présent se sangle. Sous les mains de Blackburn, des cheveux très courts; sous son pouce, une oreille, le lobe percé, incrusté d'une pierre. Déjà la tête du garçon lui échappe, il la sent descendre et il accompagne des mains sa descente. À nouveau la noirceur l'aspire, l'instant n'est plus perceptible que comme une masse opaque qui le soutient dans son vertige, une obscurité qui a des mains, des mains qui glissent et trouvent le chemin de sa peau.

L'univers est un continuum obscur où le temps plaque d'éphémères visions, des images, des lueurs. Le présent, même le passé, ne parviennent plus à retenir Blackburn entre les mailles intangibles de leur trame. La «réalité» n'est qu'une mince couche de brume, la vraie réalité est un chaos informe vers lequel il se sent attiré, un terreau originel auquel il retourne avant son heure. Il n'a plus de corps, il n'est qu'ivresse et plaisir, il n'a que ses doigts pour garder contact avec la «réalité», et elle se cristallise entre son pouce et son index, une pierre dure et précieuse sertie dans le lobe du garçon. L'instant présent se rue sur lui au moment de l'orgasme, il est un funambule qui chancelle, qui tombe, le filet se rue vers lui, mais c'est une chute vers le haut, le filet est une trame lumineuse. Lorsqu'il rentre dedans, il sent à même sa chair les lignes de réalité, le présent qui se remet au foyer: le bruit prend forme et rythme, les lueurs deviennent projecteurs, l'ombre se condense en corps, la chaleur en mains, l'ivresse en odeur de haschisch et de sueur.

Réflexes inconscients, il se rajuste, écarte sans brusquerie des mains indésirées. Devant lui à nouveau, la figure du jeune homme, la pierre à son oreille, sombre comme ses yeux. Bref sourire, son visage déjà s'éloigne, sa main se détache après une ultime étreinte des doigts. La réalité est à nouveau réelle, pesant sur Blackburn, comme un lourd filet aux mailles rugueuses.

• • •

Un cheval, un cheval géant dressé sur d'énormes roues de camion poids lourd. Il domine le glacis d'Aticonac, et les lasers des tourelles sont braqués vers lui. Mais les soldats qui bientôt l'entourent le voient constellé d'écrans vidéo. Tous les jeux imaginables se déploient dans l'espace cubique fermé par ces vitres: des vaisseaux multicolores, la gloire des batailles, des monstres fabuleux, des magiciens et des guerriers, des tigres et des dragons.

Les jeunes soldats grimpent aux pattes du cheval tels des marins aux mâts d'un voilier. Manettes et pédales sollicitent leurs mains, leurs pieds. Certains trouvent les commandes des roues et pilotent le colosse équestre vers l'entrée de la base. Une haie humaine s'allonge sur son parcours, devient escorte en liesse; des vivats, des salves de joie.

Blackburn seul voit que la tête du cheval prend figure humaine, que ses yeux s'ouvrent et s'allument, puissants phares bleus qui le trouvent immédiatement, le clouent sur place.

Le cheval géant se cabre, se dresse sur ses pattes arrière, se transforme en colosse humain. C'est Aguirre, c'est la Colère de Dieu, les soldats lilliputiens tombent de ses bras et de ses cuisses, et partout sur son corps clignotent les écrans, lucarnes ouvertes sur le feu bleuté qui brûle en lui. Il pointe un doigt vers Blackburn et lui lance un éclair, qui le paralyse et le consume en même temps, dans une froide flamme bleuâtre. Puis Aguirre renverse la tête et montre au ciel sa bouche ouverte. Son feu intérieur s'avive, les frissons parcourent son corps de géant, puis des spasmes, et voici qu'il crache le feu tel un volcan, vapeur et lave tout à la fois, mais une lave bleue, aussi lumineuse qu'un ciel d'azur, puis sa tête entière explose en un dernier flash éblouissant.

• • •

Au restaurant du Caribou, où il commence à siroter son deuxième café du matin, Blackburn revoit encore clairement le cheval de Troie de son cauchemar. Il revoit aussi la mine atterrée du colonel Brasseur, son visage blême, et la colère congestionnant la figure du général Valois. Cette fois, Aguirre est allé trop loin dans ses provocations, et Valois a réclamé sa tête.

C'était hier.

Ce matin, Blackburn échappe, mais pour quelques heures seulement, à la pression que Valois met sur lui. Finaliser le plan des opérations. Élaborer chaque détail des missions. Et quand pourrons-nous les lancer? Et quand aurons-nous des résultats? Et quand l'armée sera-t-elle libre de se concentrer sur son offensive? Et quand aurai-je la tête de Jac Marin?

C'est Valois qui a baptisé les opérations, les alternatives à «Cyclone». D'une part «Fléau», pour détruire le camp des Irréguliers sans faire de prisonniers, les engloutir sous un déluge de feu. Et d'autre part «Café Filtre», par dérision, pour l'opération qui était prévue au départ, celle consistant à infiltrer et investir Harcel, le quartier général d'Aguirre. C'est celle que Blackburn trouve la plus intelligente, mais c'est aussi la plus difficile à réussir.

Et pour la réussir, mon caribou, il me faut un chimiste.

Le trophée de chasse, sur le mur au-dessus du comptoir, reste placide, indifférent au soliloque de Blackburn. Ses yeux vitreux ne suivent pas le client qui entre un moment plus tard, portant une mallette et un sac de voyage. Un civil, âge mûr, ventripotent, verres fumés qu'il enlève pour s'adresser à la caissière et lui demander une chambre pour la journée.

Avant de monter, il fait des yeux le tour du restaurant, mais ne reconnaît pas Blackburn qui lui tourne le dos et l'observe par le biais d'une glace.

Malgré qu'on soit encore au matin, il fait déjà chaud et humide; la journée s'annonce pénible. L'officier prend le temps de siroter quelques gorgées de café puis, laissant un fond de liquide tiède dans sa tasse, il se lève. Tandis que la caissière est à la cuisine, il se penche sur le comptoir et saisit sur une tablette la carte qu'a remplie le nouveau venu. Puis il monte à l'étage, va frapper à une porte. Après un moment, le battant s'entrouvre. L'occupant de la chambre dévisage Blackburn avec méfiance avant d'enlever la chaînette et d'ouvrir grand.

— Pourquoi m'avez-vous fait venir dans ce trou invraisemblable? se plaint l'homme, un quinquagénaire en mauvaise forme, aux doigts jaunis par la nicotine. Hôtel Caribou! Si le reste du Labrador est aussi déprimant, je me demande pourquoi on fait cette guerre!

— Morel a dû vous dire qu'on parle le moins possible de nos affaires au vidéophone. C'est pour ça que je tenais à votre présence.

— J'aurais pu vous envoyer les ampoules dans un coffret.

— Je ne veux pas seulement les ampoules, je veux tout le livret d'instructions.

— L'Aprex ne fait pas de livrets d'instruction, vous le savez bien.

— C'est pour ça que je vous ai fait venir.

Sans attendre une invitation, Blackburn s'assoit sur l'unique chaise de la petite chambre. Le chimiste de l'Aprex tire une mallette de sous son lit, la pose à plat, ouvre les serrures à combinaison.

— Il y a quelque temps que nous travaillons là-dessus, commence l'homme. Sans quoi je n'aurais pu répondre à votre commande à quelques jours d'avis.

Il ouvre la mallette et la tourne pour que Blackburn puisse voir. Des ampoules de trois couleurs, des seringues, un petit appareil anodin en apparence.

— Le retardant est conservé dans des ampoules à part. Vous ne pouvez le combiner à la cé-psi plus de dix heures avant l'injection.

— Sinon?

— Les liaisons sont instables. Vous vous retrouveriez avec une dose de céréphédrine qui serait mortelle si elle agissait toute en même temps.

— Et ces ampoules-là?

— Le catalyseur. Il permet à la cé-psi de se combiner au retardant. Vous introduisez les trois ampoules dans ce petit réacteur chimique, chacune dans son alvéole de couleur. La réaction est minutée, le combiné est analysé; les lectures vous sont données ici.

— Je ne suis pas chimiste.

— Le microprocesseur est programmé. Il indiquera «composé

stabilisé».

Le chimiste, Godbout, prend le temps de s'allumer une nouvelle cigarette.

— Et les effets? demande Blackburn.

— Les mêmes qu'une dose moyenne de cé-psi, mais pour une durée cinq fois plus longue. Toutefois...

Il hésite.

— Vous allez me dire que ce n'est pas encore tout à fait au point?

— Je vous l'ai dit, la combinaison est instable, même en milieu sanguin. On n'obtient pas un rendement égal dans le temps. La céréphédrine pourra être totalement efficace pendant une heure, moins performante l'heure suivante, meilleure ensuite: les résultats varient à chaque test.

— Commode, observe aigrement Blackburn.

Godbout fait un geste excédé:

— On fait ce qu'on peut, hein! Ne commencez pas à parler comme Morel.

Blackburn examine un moment le petit appareil de réaction, le temps que se dissipe la tension. Puis il demande:

— Et les risques?

— Encore flous. Vous serez l'un des premiers sujets à tester le composé. Au fait, nous l'appelons cé-psi+.

— Enchanté, répond cyniquement l'officier. Les risques?

— Ce sont ceux liés à une surdose de céréphédrine-psi, mais étalés dans le temps, de sorte qu'ils restent tolérables.

— Pour vous, sûrement.

Godbout l'ignore et poursuit:

— Le facteur inconnu, c'est qu'un pourcentage du composé garde sa stabilité beaucoup plus longtemps que la période souhaitée. On ne connaît pas les réactions du cerveau et de ses endorphines à une présence prolongée de la cé-psi. Normalement elle est éliminée de l'organisme assez rapidement. Les réactions qui peuvent s'amorcer à la faveur d'un séjour prolongé de la substance, nous n'en savons rien.

Blackburn considère sévèrement le chimiste, les plis de la peau sous ses yeux, la repousse poivre et sel de sa barbe, sa bouche ingrate.

— Beau métier que vous faites là, commente-t-il enfin.

Le chimiste écrase sa cigarette à demi fumée, en haussant les épaules:

— Je ne suis pas venu dans ce bled pour me faire faire la

morale. Vous allez utiliser le composé ou pas?

Blackburn réprime un soupir. A-t-il vraiment le choix?

• • •

Dehors, planté immobile dans l'ombre, Blackburn laisse le vent caresser ses paupières closes. Une brise, plutôt, mais fraîche et puissante malgré la vague odeur de brûlé qu'elle porte. Elle semble annoncer la fin de la canicule; si les mouches noires disparaissaient, ce serait presque agréable. Le son des combats n'est qu'une lointaine rumeur, on l'entend seulement lorsque les bruits du camp ont un répit.

Mais les éclaboussures sanglantes des combats se rendent quand même jusqu'à Aticonac, la base la plus proche du front. Presque avec régularité, les hélijets portant la croix rouge se posent sur l'aire qui leur est réservée, près de l'hôpital. Aucune sérénité là-bas, sous le blanc électrique des projecteurs: les soldats mutilés, en état de choc, ceux qui peuvent marcher mais qui sont pâles comme des draps et frappés de mutisme, les fractures ouvertes qui font hurler, à chaque pas des brancardiers, les brûlés dont la peau vient avec l'étoffe lorsqu'on tente de les déshabiller. Quand s'éloignent les battements des rotors, on peut parfois entendre les phrases hystériques, criées sans arrêt, de certains blessés qu'on porte à la salle d'urgence.

Lorsque ce matin, avant de se rendre au Caribou, Blackburn est passé à l'infirmerie pour renouveler sa provision de crème solaire anti-UV, il a malgré lui assisté à un arrivage particulièrement sanglant en provenance d'une zone de combats. Il ignorait jusque-là qu'on puisse survivre avec le quart du cerveau à découvert.

Blackburn rouvre les yeux. À quelque distance de lui, un sous-off s'immobilise et salue:

— Une patrouille héliportée rentre à la base, mon lieutenant-colonel. Le général Valois veut que vous assistiez au rapport.

Ils se mettent en route. Au Q. G., dans le bureau de Brasseur, seule une lampe de pupitre est allumée. Brasseur ne salue pas. Même en présence de Valois, l'hostilité entre lui et Blackburn se montre sans ambages. Le colonel n'apprécie guère de devoir partager son autorité avec un lieutenant-colonel fraîchement promu, envoyé de l'un de ces services si nombreux qu'on ne les démêle plus — envoyé prétendument pour réussir là où l'armée régulière échoue depuis si longtemps. Il lui reproche aussi, Blackburn en est persuadé, la perte de son adjointe Roy, au nombre des victimes du traquenard d'Aguirre, ce grand léthojeu où il a défié les soldats sans leur révéler les enjeux.

Un autre officier arrive, le capitaine de la patrouille héliportée: Rochon. Malgré sa fatigue évidente, il salue; Blackburn lui fait un clin d'œil complice. Il le connaît depuis quelques jours, et une estime amicale s'est établie entre eux. Rochon remet à Brasseur une cartouche de mini-diapos. Le colonel l'insère dans un projecteur, éteint la lampe, illumine un mur du bureau avec la première image. Puis la deuxième. La troisième.

Des corps.

Une cinquantaine de corps, des hommes en majorité, mais aussi des femmes et quelques jeunes. Des corps hachés, certains étêtés par des rafales de mitraillette; ceux qui ont tiré ne ménageaient pas les projectiles.

Des femmes aux cuisses nues, sanglantes.

Les photos sont prises sur une grève rocailleuse, où le pourpre du sang se mêle au gravier. Quelques chaloupes d'aluminium perforées, des séchoirs en troncs entrelacés, renversés, des tentes bleues parfois réduites en lambeaux sur leurs arceaux. Un campement de chasseurs montagnais ou naskapis.

Les couleurs sont crues à l'avant-plan, ternes au-delà: éclairage crépusculaire, complété par un flash. Cela remonte à plusieurs heures; l'hélijet, au retour, a connu des ennuis mécaniques qui l'ont forcé à atterrir.

— Quarante-huit corps, précise Rochon. Sur le bras sud du lac Ossokmanouane.

— Aucune chance que ce soit un coup de l'ennemi? demande Blackburn après un long silence.

— On est sûr que c'étaient les Irréguliers: une des femmes était encore consciente quand nous sommes arrivés et elle a pu dire quelques mots.

Blackburn tâte ses poches à la recherche d'hypothétiques cigarettes; il ne fume plus depuis des années, mais le geste lui revient parfois. Il refuse le paquet du colonel. Le nom de Dragon danse dans sa tête. Au-delà de la vitre à demi masquée par un store vertical, l'héliport s'illumine à nouveau. Des lattes de lumière bleutée s'étirent dans tout le bureau.

Ces images sanglantes, au mur, ont une teinte de panique. De précipitation. Les Irréguliers ont dû tomber sur les Naskapis par accident. Ou plutôt, les Naskapis sont tombés sur eux, sur des préparatifs, des manœuvres, la mise en place d'équipement. Blackburn revoit son rêve d'il y a quelques nuits, la vision qu'il a eue du souvenir d'Eaulourde, la femme de la guérilla. La corrélation se fait.

— Il y a maintenant un élément d'urgence, annonce Blackburn. D'après ce que vous m'avez raconté à mon arrivée, la guérilla rêve depuis toujours de faire sauter le barrage Joey-Smallwood?

— Oui, répond Brasseur, mais selon nous ce n'est pas à leur portée.

— Mais quel beau coup ce serait, remarque Valois. Les barrages suivants y passeraient, Churchill II, le chantier de Churchill III. Et les populations... Happy Valley et Goose Bay seraient balayées par le raz-de-marée. North West River et Rigolet seraient inondées. La base aérienne de Goose Bay rendue inutilisable pendant des semaines. Huit mille morts estimées. Dont six mille civils.

— Vos chiffres sont précis.

— C'est une opération que nous avions envisagée, mais nous avons jugé que ce n'était pas praticable. Et le gouvernement, lui, a jugé que ce n'était pas rentable.

Blackburn se lève, irrité, puis se rappelle qu'il est en présence de supérieurs. Il écarte une latte des stores et, le temps de prendre contenance, regarde un hélijet se poser dans un nuage lumineux de brindilles traversé par l'éclat des gyrophares. Le battement des rotors est fort malgré les vitres closes, et Blackburn peut prendre une profonde inspiration sans être entendu.

— Jac Marin a décidé de faire sauter le barrage, annonce-t-il. J'en suis persuadé.

— Le gouvernement n'a pas besoin de ça aux yeux de l'opinion mondiale. Pas avec l'affaire des zones de restriction qui est sortie récemment.

— Ça, c'était l'idée du haut commandement.

— Les Innus prenaient fait et cause pour l'ennemi, il fallait bien les neutraliser.

Blackburn hausse les épaules.

— Il faut augmenter les patrouilles aériennes, dit-il en changeant de sujet.

— L'ennemi va augmenter les siennes en retour.

— Voilà; et Aguirre sera forcé de se terrer.

— On ne peut se contenter de ça longtemps, observe Brasseur. Il faut agir de notre côté.

Et Valois de conclure:

— C'est comme s'il vous appelait, Blackburn.

16

Lueur crépusculaire; la taïga n'est encore qu'une bande noire, déchiquetée. L'ombre est profonde dans la grisaille bleutée de l'aube. Haut, très haut dans la stratosphère, quatre scintillements en formation griffent le ciel de longues traînées blanches.

La jeep qui mène Blackburn freine brusquement en faisant une embardée, à cause d'un robot d'entretien qui traverse le chemin, un gros aspirateur de piste trapu. Blackburn le regarde de travers, se méfiant désormais de tous les robots domestiques.

Les combats se sont éloignés encore, on n'entend plus rien vers l'est. Dans le calme de la nuit, les balises vertes de l'héliport clignotent à l'unisson. Une à une naissent les plaintes des turbines, vites couvertes par le battement sifflé des rotors. Au pas de course, sous les consignes criées par leurs officiers, hommes et femmes gagnent leurs hélijets dont certains portent le carré de la Croix-Rouge.

Blackburn, descendu de la jeep, reçoit d'un homme de piste un casque comme celui des pilotes. Il rejoint Rochon et, à grandes enjambées, ils gagnent ensemble l'un des appareils en sanglant leur mentonnière.

— Je ne croyais pas, lance Rochon, qu'on pouvait mobiliser autant de monde en aussi peu de temps, ici.

— Ou qu'on pouvait se faire détester par autant de monde en si peu de temps? plaisante Blackburn. Je t'avais dit «à l'aube» et on part à l'aube.

Ici, en cette saison, l'aube est à trois heures du matin... Rochon guide son supérieur par le bras vers l'un des engins, qu'il lui désigne. Devant chaque hélijet, un homme de piste, un signaleur, ses bâtons lumineux à la main. Blackburn reconnaît au passage le soldat avec qui il a baisé si brièvement, l'autre nuit, dans la noirceur du bouge.

Blackburn se hisse dans l'écoutille latérale de l'hélijet et reste près de l'ouverture. En montant derrière lui, Rochon donne de son bras plié le signal du départ. Étouffée par les casques, la rumeur des turbines enfle en un grondement total. La première vague d'hélijets décolle, au-dessus des signaleurs prudemment accroupis. Blackburn se sangle sur la banquette qu'on lui a désignée, au moment où son appareil se joint au manège aérien en une vertigineuse oscillation.

• • •

Le soleil est levé lorsque les hélijets se posent autour du lieu du massacre. Avant l'atterrissage, la fumée des combats était visible à l'horizon nord-est, vers le barrage Smallwood. Blackburn laisse son casque sur la banquette mais met en bandoulière sa sacoche porte-documents. Outre la poussière, les engins ont soulevé des nuages de mouches. Les médics vaporisent un désinfectant autour des corps; d'autres soldats usent libéralement d'un insecticide de site. On distribue les masques: déjà, l'odeur de mort est perceptible.

Blackburn, sur ces cadavres, voudrait poser son regard **légèrement**, pour ne pas en imprimer la vision dans sa mémoire, comme on ne touche une charogne que du bout du pied, pour ne pas se souiller. Mais c'est peine perdue, et le médecin-major s'assure qu'il ne regardera pas ailleurs:

— Vous aviez raison, lorsqu'on a examiné les diapos. Les femmes n'ont pas été tuées comme les hommes. Si on excepte celles qui ont été mitraillées dans le dos, probablement en tentant de fuir, les victimes ont été tuées de deux façons.

L'une est évidente dès qu'on a vu quelques corps: les hommes, deux ou trois balles dans le cou. Rarement des impacts nets: les victimes se débattaient, essayant de s'enfuir. Certaines têtes ne tiennent plus au torse que par des lambeaux de muscle.

Sous une tente prestement dressée, les soldats montent une salle d'autopsie — une salle de campagne, une salle de fortune, et Blackburn qui rumine ces mots pour s'occuper l'esprit trouve ironiques les deux termes.

Il s'autorise à entendre à nouveau ce que raconte Desforges, le médecin:

— Mais les femmes, c'est plus difficile à dire, outre qu'elles ont manifestement toutes été violées. Il y a des perforations à tous les niveaux du dos, de bien vilaines perforations.

— Commencez les autopsies. Vous me ferez rapport.

Il s'éloigne, va donner ses ordres au groupe chargé de la photographie, du vidéo. On fait aussi la cueillette des cartes de statut, établissant l'appartenance des chasseurs à la nation naskapie, leur point d'hivernement et leur territoire de chasse. Cette bande-là a échappé aux zones de restriction, parce qu'elle vivait en territoire terre-neuvien.

— Tenez, l'interpelle Rochon. C'est cette femme-ci qui a survécu jusqu'à notre arrivée, hier soir. Elle est morte en nous parlant.

Mû par un besoin urgent, Blackburn se hâte vers les hélijets, luttant contre la nausée. Il ne rend que quelques filets âcres, car son dernier repas remonte à la veille. Il s'assoit sur le marchepied d'un hélijet.

Voilà. Cela a pris une demi-heure, mais le voici en contact avec la réalité. Lumineuse comme ce matin ensoleillé, dure comme cette berge rocailleuse, froide comme ce lac nordique. Elle a une senteur, l'odeur chimique des désinfectants et insecticides. Elle a une couleur, c'est le brun du sang séché, ce sang dont tout le rivage semble avoir été aspergé avec le goupillon de la démence.

C'est cela. Le sang. L'homme qui a présidé au massacre, celui qui a ordonné qu'on tire, non pas une balle dans la tête mais une brève rafale dans le cou, cet homme-là a choisi la méthode la plus sanglante. Un nom vient aussitôt à l'esprit de Blackburn, mais il se garde même de le subvocaliser. Attendre le rapport des examinateurs qui, là-bas, préparent déjà leurs instruments sous les tentes médicales.

La réalité, étalée à quelques mètres de l'hélijet: un garçon, un adolescent au plus, abattu dans le dos, tombé de tout son long, retourné peut-être dans ses spasmes de mort. Il porte un vieux chandail évoquant les New Kids on the Block et leur mémorable tournée d'adieu — dont bien sûr il n'a vu aucune représentation puisque le groupe s'est dissous au siècle dernier. Ses yeux sombres sont ternes, voilés; Blackburn peut voir qu'il était beau malgré...

Comitan, une fois de plus; mais de loin, cette fois, comme si même cette nuit-là pouvait perdre de son intensité. Les cadavres empilés dans la chambre froide du dispensaire: raides, livides, croûtés de sang et de cervelle, et Blackburn forcé de les inventorier, de soulever à pleine main des jambes raidies.

Ici, sur la rive de ce paysage infiniment plat, Comitan a jeté une éclaboussure, quelques cadavres supplémentaires criblés de balles.

— DOUCEMENT! gueule Blackburn à l'endroit des brancardiers qui, avec leurs pieds, roulent le corps rigide du jeune Naskapi sur une civière.

Il se rend compte qu'il s'est levé, que sa main était en route vers l'étui à pistolet, comme s'il avait été capable de les menacer de son arme pour leur inculquer plus de respect envers les morts. Les brancardiers s'éloignent avec prudence, comme frappés de mutisme par l'éclat de voix du lieutenant-colonel.

— Rochon! appelle-t-il en revenant vers la grève. Choisis des gars qui ont de bons yeux, ordonne-t-il lorsqu'il l'a devant lui. Mets-les sur trois hélijets, qu'ils survolent le secteur à dix mètres en s'éloignant du site en zigzag.

— Vous pensez qu'il y en a qui ont pu s'éloigner avant de mourir?

— Tes hommes chercheront des corps, des pistes de sang si c'est possible — peut-être même un survivant. Un autre hélijet pour m'amener sur place si on repère quelqu'un.

Rochon acquiesce en saluant — ce qu'il ne prenait plus la peine de faire en présence de Blackburn. Sans doute a-t-il été témoin de son éclat contre les brancardiers.

Blackburn se laisse dériver vers les tentes de la morgue provisoire. Le site dûment photographié et filmé, on a commencé à le dédramatiser en alignant les cadavres sur des civières couvertes, à l'écart. Droits dans des sacs de plastique, les corps paraissent tellement plus neutres que quand ils gisent désarticulés et entremêlés.

Quel morne pays, plat et sans limite sous l'azur. Patrouillé par l'armée régulière le jour, sillonné par les Irréguliers la nuit, habité par les Amérindiens depuis des millénaires. Hier, et cette nuit encore, Blackburn a étudié les cartes topographiques avec Rochon et l'état-major d'Aticonac, examinant les sites présumés de la base rebelle et les camps mobiles d'une ou deux cellules. Sur ces terres, Attikameks, Naskapis et Irréguliers sont à couteaux tirés: les Amérindiens n'ont jamais caché leur sympathie pour les Fédéraux. Il y a déjà eu des escarmouches entre eux et la guérilla, mais un massacre comme celui-ci, jamais. Rien, normalement, ne justifierait pareil excès. «Normalement.»

Quelque chose s'est passé, quelque chose que les chefs de la guérilla ont jugé assez grave ou important pour ordonner ce massacre. Les Naskapis se sont-ils trouvés par accident sur le chemin de quelque manœuvre secrète de grande envergure?

L'un des brancardiers après qui Blackburn a crié tout à l'heure s'approche et, saluant à distance respectable, l'informe que le médecin-major veut lui faire rapport.

À contrecœur, Blackburn se dirige vers les tentes médicales, sans trouver un mot d'apaisement pour le soldat. Il commence déjà à être impopulaire, il n'en doute pas, mais il a trop à penser pour s'en préoccuper. Il remet sur sa bouche le masque respiratoire qu'il avait enlevé pour vomir.

Un soldat lui ouvre le rabat de la tente où Desforges fait ses autopsies. Un reste d'orgueil contraint Blackburn à entrer plutôt qu'à demander au médecin de sortir. Mais il s'applique à ne regarder que le visage de Desforges.

— La mort remonte à une douzaine d'heures, mettons treize, annonce le médecin. Il nous en reste plusieurs à examiner, mais Lodier et moi avons déjà un tableau assez clair. Regardez ça.

— Je vous écoute, réplique Blackburn sans baisser les yeux vers l'Amérindienne charcutée.

— Ce qui nous a tout de suite mis la puce à l'oreille, c'est que les blessures au dos ne sont pas des impacts de balles, ce sont des lacérations de sortie de balles. Voyez l'état de leur vulve: meurtrissures, brûlures, hémorragies massives par le vagin. Celui qui a fait ça est un dément, lieutenant-colonel, un dément.

— «Celui»?

— Les femmes ont toutes été tuées par le même type, c'est notre hypothèse. Peut-être pas les autres membres de la bande, mais les femmes, toutes les quinze...

Un nom, le même que tout à l'heure, avec plus de force. *Une des rares images claires montrait l'introduction d'une antique cartouche de dynamite, allumée...* La fantascopie de Jean-Nuage Tournier. Les images obsessionnelles de l'accouchement/hémorragie, l'accouchement/éclatement, la clameur du sang et de la chair.

Dragon.

Celui dont Blackburn a brièvement partagé les pensées, au LaSarre, celui qui deux fois a tenté de l'assassiner, celui dont il a deviné la main cette nuit-même lorsque les premières diapos du massacre sont parvenues au camp d'Aticonac. Et tout à l'heure, quand le souffle des rotors a dispersé les essaims de mouches, fait claquer les lambeaux de tentes et agité les chevelures mortes, c'est ce nom qui lui est revenu avec certitude. Une jonchée de victimes, le sol maculé: les victimes du Dragon.

Blackburn ignore quel ordre il avait reçu: éloigner, neutraliser, supprimer? Il l'a traduit en giclées de sang sur la grève nue, en hurlements de suppliciées, en brèves rafales cruelles. Dragon.

Et derrière lui, tenant sa laisse — ou ne la tenant pas, justement — Aguirre, la Colère de Dieu selon un ancien film, Aguirre jouant avec la vie d'autrui: Jac Marin.

— Si vous préférez sortir, remarque Desforges, allez-y. Je vous ai dit l'essentiel.

Blackburn se devine blême.

— Vous gardez des échantillons des projectiles, recommande-t-il avant de partir.

Ne rien négliger. Dehors, le capitaine Rochon vient à sa rencontre:

— Un des hélis a repéré un autre corps. Il a l'air moins massacré. Peut-être même qu'il serait encore vivant.

— Desforges, crie Blackburn. Lavez-vous les mains ou prêtez-moi un de vos docteurs. Doué pour les résurrections, si ça se trouve.

Un témoin du massacre, voilà ce qu'il faudrait. Savoir de quel côté venaient les *hovers* de la guérilla, dans quelle direction ils sont repartis, à quoi ressemblait leur chef.

— Rochon, tu restes ici. Prépare la crémation, ça ne sert à rien de les ramener au camp. Ils avaient tous des cartes de statut?

— On en a retrouvé autant que de corps.

— Merveilleux, commente-t-il amèrement. Je souhaite bien du plaisir à celui qui va ramener les cartes à la tribu.

Il gagne un des hélijets, dont la turbine se réchauffe, et un médecin l'y rejoint en se présentant: Lodier, assez jeune, un peu pâle. L'appareil décolle.

— Vous êtes resté en contact avec Contrôle-secteur? demande Blackburn au pilote.

— Depuis que nous sommes partis d'Aticonac. L'espace aérien est relativement sûr. Le front n'est pas loin, mais il est calme pour le moment.

Voilà au moins une bonne fortune: faire cette enquête aurait été encore moins rigolo en zone de balles perdues.

L'hélijet redescend aussitôt monté: on n'allait pas loin mais il y avait une tourbière à franchir. En voyant le corps à plat ventre, Blackburn se dit qu'il y a bien peu de chance d'en tirer un témoignage. Le côté visible de sa tête disparaît sous une hideuse croûte de sang séché.

— Trois-Doigts, fait Lodier en s'agenouillant près de lui.

— Tu le connaissais?

— C'est comme ça qu'on devait l'appeler: Trois-Doigts.

Il a soulevé l'avant-bras de l'Amérindien pour lui faire voir sa main incomplète, atrophiée: malformation de naissance, sûrement. Blackburn n'aime pas cette boutade du médecin, mais il ne dit rien. Du reste, l'attitude de Lodier change du tout au tout: ce bras n'est pas rigide, il est tiède, il... oui, il a même un pouls.

— Calvaire! Ce type est encore en vie!

Avec une serviette humide tirée d'un sachet, il nettoie son visage, enlève le sang par croûtes entières, parvient enfin à la blessure. Blackburn, lui, cherche en vain des perforations dans ses vêtements; apparemment, Trois-Doigts n'a été touché qu'à la tête.

— La balle a longé le crâne horizontalement, sans entrer. Lacération du cuir. L'os temporal... doit être sérieusement labouré. Perte de sang: pas assez pour qu'il meure sur le coup.

— Mais assez pour qu'on le croie mort.

— Commotion, aussi. Déshydraté. Il aurait survécu s'il avait été soigné hier, mais...

— Mais...?

— Nous allons le perdre avant d'être rentrés.

— Il ne parlera plus?

— Oh non. Cinq ou six heures plus tôt, je ne dis pas. Mais plus maintenant.

Si la patrouille l'avait trouvé hier; mais il commençait à faire noir. Savoir. Savoir d'où venait cet escadron de la mort, et si Marin était présent... Blackburn se décide brusquement — en fait il rumine depuis une heure, tergiversant, hésitant...

— Vous le ramenez à Desforges, ordonne-t-il.

Puis, désignant son propre casque au pilote, il demande quelle portée a le micro-écouteur intégré. Cent mètres? Parfait. Blackburn veut rester seul ici, à l'écart. Il appellera pour qu'on revienne le chercher. Le pilote se garde bien de demander des explications.

Peu après, les deux hélijets remontent et s'éloignent vers le campement dévasté au bord du lac. Blackburn examine les environs, les petites buttes allongées qui ondulent le terrain, la carcasse d'un canoë d'aluminium à la peinture usée, à quelque distance de l'eau. Il s'assoit à même le sol, sur une pente tournée vers le lieu du massacre. De sa sacoche il tire un petit sac de plastique, une flasque d'eau.

Une douzaine d'heures, a dit le médecin après ses autopsies. Les cadavres devaient être encore tièdes lorsque la patrouille de Rochon les a repérés. Peut-être même est-ce l'approche de ses hélijets, détectée au radar, qui a fait partir les assassins. Mais Blackburn veut arriver largement avant le massacre, même la veille, pour se chercher un point d'observation stratégique et bien abrité. Six capsules de chronoreg seront nécessaires, même en tenant compte de la disposition que Blackburn semble avoir acquise, celle de chronorégresser spontanément.

Il procède en aveugle, dans tout ceci. Et en téméraire: ne s'était-il pas juré de ne plus y toucher? Mais aujourd'hui il faut savoir qui a tiré: Dragon ou Aguirre? Il faut savoir.

• • •

L'éclairage a varié, comme un changement de polarisation.

L'ensoleillement venait du nord-est, maintenant il vient du nord-ouest; c'est le soir. Les hélijets n'y sont plus, ou n'y sont pas encore. À leur place, les *hovers* de la guérilla, avec leur camouflage d'herbes subarctiques. Là-bas, des cris, de brèves rafales d'armes automatiques, la ronde brutale de l'encerclement. La chronorégression n'a été que de douze heures, comprend Blackburn avec consternation: il arrive en plein massacre!

Trois-Doigts émerge en courant de derrière une butte terreuse. Il voit Blackburn, ou croit le voir, se jette instinctivement au sol et roule au bas de la pente. Il relève la tête, terrorisé, puis perplexe. Il regarde tout autour de lui, en hâte, affolé, il se relève à demi. La terne carcasse du canoë attire son attention; elle lui avait échappé durant sa fuite. Derrière lui, en provenance du campement naskapi, le son d'un *hover* qui se rapproche; on le mitraillera à vue, une balle le touchera à la tête.

Courant penché, il se rue vers le canoë renversé, se jette dans la terre humide et se cache dessous, relève d'une main fébrile les herbes que son passage a ployées. Le *hover* apparaît derrière la levée de terre, s'immobilise et se pose sur la crête. Il n'y a personne dans la tourelle ouverte; nul guérillero ne sort de l'engin. Seule l'antenne presque invisible du radar tourne d'un mouvement continu: une sentinelle, pendant que sur la berge le massacre commence.

Des hurlements de femmes dans le silence de la taïga; des rafales étouffées. Au loin, un envol de bernaches.

Savoir.

Blackburn s'approche, parfois penché, parfois à quatre pattes. Le voici au sommet de la petite côte, à plat ventre sous la coque même du *hover* blindé. Les guérilleros sont loin, mais pas si loin qu'il ne puisse identifier des silhouettes. Les Amérindiens sont à genoux, tombant l'un après l'autre après une giclée de plomb et de sang. Les femmes déjà sont jetées au sol, maintenues là à coups de crosses. Blackburn vacille un instant et revoit les prisonniers mexicains bousculés et brutalisés sur le terrain de foot de l'école, les deux rebelles mitraillés dans le dos en tentant de fuir.

Jac Marin n'est pas là, Blackburn reconnaîtrait sa silhouette. Une sorte de soulagement lui vient, sur lequel il refuse de s'interroger.

Quant à Dragon... Ce semble bien être lui, qui va et vient à grandes enjambées fébriles. La taille, la stature, la couleur des cheveux concordent, même si, pour le visage, c'est trop loin.

Oui, c'est Jean-Nuage Tournier, Blackburn **sent** le Dragon malgré la distance, il le reconnaît dans ses gestes, son allure, ses attitudes.

Sans plus de bruit qu'un reptile, Blackburn grimpe sur la coque du *hover*; il se glisse, genoux et paumes, jusqu'à la tourelle. L'écoutille est ouverte, son regard plonge dans l'habitacle obscur. Par-dessus l'épaule du pilote il peut voir les commandes, les écrans — celui du radar, et un écran vidéo qui montre la scène du carnage, comme si cet homme, éloigné pour faire le guet, ne voulait rien en manquer. Mais Blackburn connaît ces *hovers* et leur équipement, quelques minutes lui suffisent pour tout identifier, tout comprendre, tout mémoriser. Cette image vidéo, elle est retransmise vers un récepteur lointain, une mention superposée l'indique.

Et voici l'écran qui sert à la navigation: l'ordinateur de bord doit avoir en mémoire la topographie détaillée du pays, et il reproduit en isohypses celle du secteur immédiat. Oui, voici le contour du lac, Blackburn connaît bien les cartes, voici la position du *hover* et du campement naskapi. Diverses autres indications. Ceci... des lignes, une flèche dans un cercle, des lettres et des chiffres: la direction d'Harcel, le quartier général des Irréguliers, et sa distance exacte? Ce serait trop beau!

Blackburn est loin, les caractères sur l'écran sont trop petits;

s'il avance davantage la tête, le pilote sentira son souffle sur ses épaules. Du reste, c'est trop tard, l'homme s'inquiète de signaux sur son écran-radar et prévient ses camarades au campement naskapi: une patrouille héliportée de l'armée régulière. Dans quelques minutes, s'ils continuent sur cette trajectoire, ils seront en mesure de repérer les *hovers*. Blackburn recule, se laisse glisser en bas du véhicule, s'éloigne en roulant, juste à temps pour sentir la bouffée torride du *hover* qui s'élève et accélère.

Là-bas, sur la grève de l'Ossokmanouane, le massacre achève, une dernière femme se débat, jambes nues, écartelée par les hommes, et Dragon se penche sur elle pour la violer du canon brûlant de son arme.

Une demi-heure plus tard, le calme est revenu sur la rive du lac. Au camp tragique, la patrouille de Rochon prend de hâtives diapos qui seront montrées dans quelques heures au Q. G. d'Aticonac.

Blackburn parvient à faire sortir l'Amérindien caché sous le canoë jadis peinturé rouge. Trois-Doigts il s'appelle, comme l'avait deviné Lodier. À l'uniforme, il a reconnu que Blackburn n'était pas un des Irréguliers qui viennent d'exterminer sa bande. Il ne sait pas encore de quelle atroce façon. Il parle un peu d'anglais, assez pour que Blackburn parvienne à le comprendre, avec beaucoup de patience.

Pourquoi? Pourquoi cette sentence de mort, ce châtiment brusque telle une bourrasque?

Trois-Doigts ne sait pas. Lui et sa bande n'ont jamais de contacts avec les Irréguliers, ils s'en tiennent prudemment à distance.

Mais il doit bien y avoir une raison?

Peut-être. Peut-être est-ce à cause de la nuit dernière. Trois-Doigts et son frère étaient en canot-moteur sur le lac.

Ce lac-ci?

Oui, l'Ossokmanouane, mais plus vers le nord-ouest, là où il se resserre pour se joindre au lac Lobstick. Le frère de Trois-Doigts avait arrêté le moteur et il faisait nuit noire. Plus tard, ils ont entendu approcher un avion, un gros avion qui volait très bas.

Un gros avion? Pas un chasseur?

Non, ceux-là volent si vite qu'on se brise le cou à les regarder passer et font tant de bruit qu'on devient sourd pour un jour. Non, c'était un gros. Il volait si bas qu'une petite vague suivait son passage, sur le lac.

Et qu'ont-ils vu?

Il faisait plutôt noir, mais Trois-Doigts et son frère ont quand même réussi à voir: l'avion a laissé tomber quelque chose, avec un gros ballon pour amortir sa chute. Il y a eu un grand éclaboussement, le ballon s'est dégonflé mais il y en avait d'autres plus petits pour empêcher la chose de couler.

Et c'était?

Trois-Doigts ne sait pas. C'était sombre. Ça devait être lourd. Large peut-être comme un *hover* léger, un des véhicules de la guérilla, cependant plus long. Mais Trois-Doigts et son frère se sont éloignés.

Il y avait d'autres gens sur le lac?

Oui. Ils avaient dû rester cachés jusque-là près de la berge mais, dès que l'avion est passé, ils se sont approchés avec de grands canots pontés, ceux qui filent presque aussi vite qu'un *hover*. Sûrement ils sont allés chercher ce que l'avion avait largué.

Et ils ont vu Trois-Doigts et son frère?

Non, leur moteur couvrait le bruit de celui des Naskapis. Trois-Doigts et son frère ont cru s'éloigner sans être vus ni entendus. Ils ont cru cela, mais ils se sont trompés, car les Irréguliers sont venus aujourd'hui supprimer les témoins. Et leurs frères, et leurs sœurs, leurs femmes et leurs enfants.

Est-ce que Trois-Doigts et son frère leur avaient confié ce qu'ils avaient vu durant la nuit?

Oui, et la bande parlait de lever le camp, de remonter la rivière jusqu'au lac Aticonac. Un groupe l'a déjà fait, du reste: la famille de Jack Goose, qui est partie à l'aurore. Ils se rendent au village civil d'Aticonac; c'était décidé depuis quelques jours déjà. La femme de Jack est enceinte et, à son âge, c'est risqué: elle préfère accoucher à la clinique du village. Trois-Doigts espère seulement que les tueurs ne s'en sont pas pris à eux aussi.

Dans le soir qui tombe, il pleure en silence.

• • •

Aussi stable que celui d'un avion de ligne, le vol de l'hélijet permet à Blackburn de reporter sur une carte le souvenir de ce qu'il a vu tout à l'heure, ou hier. L'écran du tableau de navigation, dans le *hover*. La direction du Q.G. secret, par rapport au site du massacre: nord-nord-ouest, à un degré près. La distance était inférieure à cent kilomètres: il n'y avait que deux chiffres. Mais elle était supérieure à vingt-cinq kilomètres puisque tel était le rayon du périmètre illustré sur l'écran. La carte bien pliée sur ses genoux, règle et stylo-feutre en mains, Blackburn trace un cône tronqué, long et très étroit, à l'intérieur duquel doit se trouver la base secrète de la guérilla. Cela précise bien le site dont le prisonnier Labarre n'a pu donner qu'une approximation. Selon son témoignage, les Irréguliers ont un Q. G. entièrement souterrain, au camouflage impeccable, et pas seulement quelques hangars sous des branches de mélèze coupées. Le Q. G. a changé d'emplacement à quelques reprises; le plus récent est occupé depuis plusieurs mois et est nommé Harcel.

Le stylo appuyé sur la lèvre, Blackburn lève les yeux en remarquant une baisse de régime des turbines: on approche déjà d'Aticonac, l'héliport avec sa tour, les hangars, les baraquements et les rangées de tentes, les tourelles laser du réseau de défense et, plus loin, au bord du lac, le village civil. La porte est ouverte entre la cabine de pilotage et la soute; Blackburn voit par-dessus l'épaule du copilote. Un mouvement capte son regard, un pivotement de la plus proche tourelle laser. Ses canons se pointent vers les hélijets en approche. Un flash, là-bas, et ici une déflagration soudaine; l'hélijet est violemment secoué. Il se met à osciller tandis que le rotor grince et gémit, ses pales déformées. Nouvelle explosion, la cabine s'emplit de cris et de fumée.

— Turbojets un et deux perdus! crie le pilote. Rotor faussé. Nous tombons, nous tombons!

La Palice, songe absurdement Blackburn, puis avec horreur il se rend compte que l'engin bascule, non seulement il tombe, mais il tombe du côté où est assis Blackburn. Ce n'est pas comme un avion, qui peut parfois planer jusqu'au sol: l'héli tombe comme une pierre. Par le cockpit, il peut encore voir les autres hélijets, ceux qui précédaient le sien, et ils semblent continuer sans encombre. Pourquoi a-t-on fait feu, **qui** a fait feu, et la vérité brille tel un soleil dans son esprit: on veut le supprimer, lui, Blackburn. Il lui vient des images du petit déjeuner qu'il avait pris avec Florence **la chute se poursuit** le patio ravagé, **le sol approche** son robot domestique en forme de poubelle, **le frottement des mélèzes fracassés par l'hélijet** puis, ultime image, celle du robot de piste de l'héliport, dans le clignotement des balises vertes.

17

Lueur crépusculaire; la taïga n'est encore qu'une bande noire, déchiquetée. L'ombre est profonde dans la grisaille bleutée de l'aube. Haut, très haut dans la stratosphère, quatre scintillements en formation griffent le ciel de longues traînées blanches. La jeep qui amène Blackburn freine brusquement en faisant une embardée, à cause d'un robot d'entretien qui traverse le chemin, un gros aspirateur de piste. Le visage de Blackburn se fige à sa vue et, pour un moment, les balises vertes de l'héliport se reflètent dans ses yeux fixes comme autant d'étoiles clignotantes.

Une à une naissent les plaintes des turbines, vites couvertes par le battement sifflé des rotors. À contre-courant des hommes et des femmes qui se hâtent vers leurs hélijets, le capitaine Rochon s'approche de la jeep, voyant que Blackburn tarde à en descendre. Il lui tend le casque de pilote qu'a apporté un homme de piste et demande:

— Vous venez toujours avec nous, lieutenant-colonel?

Blackburn met le casque, machinalement.

— Non, hésite-t-il. C'est-à-dire... je vais faire un petit bout avec vous.

Rochon attend la suite, intrigué; Blackburn l'attire à l'écart:

— Je vais monter dans le même appareil que toi. Tu donneras ordre qu'on vole le moins haut possible, pour les premières minutes. Dès que nous aurons franchi la ligne des arbres, tu fais poser notre hélijet, je descends et tu prends le commandement des opérations.

Très tenté de demander pourquoi, Rochon s'en abstient. Il

guide Blackburn vers l'un des engins, qu'il lui désigne. Devant chaque hélijet, un homme de piste, un signaleur, ses bâtons lumineux à la main. Blackburn reconnaît au passage le soldat de la discothèque, celui qui a une pierre fine au lobe de l'oreille.

Dans le vacarme, Blackburn crie des consignes à son subordonné:

— Une fois sur place, vous filmez tout l'emplacement, puis chaque corps individuellement, pour l'identification. Vous recueillez toutes les cartes de statut, mais vous ne ramenez pas les corps: incinérez-les sur place. Et tu veilles à ce que les hommes se comportent décemment.

Blackburn se hisse dans l'écoutille latérale de l'hélijet, tandis que Rochon explique par radio les consignes du décollage et les précise à son propre pilote en circuit fermé. Lorsque c'est fait, Blackburn poursuit:

— Tu feras faire des autopsies sur place. Voyez surtout comment les femmes ont été tuées. Et vous chercherez des survivants: certains auront peut-être eu la chance de se cacher dans la tourbière, sous un canoë renversé, je ne sais pas. Vous le rassurez et vous le ramenez ici. Humainement. C'est clair?

— Compris.

— Tu es responsable du comportement de tes hommes.

Rochon hoche la tête, impressionné par l'intensité de Blackburn. Il attend le signal du départ, mais Blackburn a sorti une carte topographique de la région et y porte des informations acquises peut-être dans un univers parallèle, un univers qui s'est détaché de celui-ci il y a un moment à peine, lorsque Blackburn a eu une prémonition et que sa décision de ne pas aller au lac a créé un embranchement sur sa propre ligne temporelle. Ou est-ce bien ainsi que cela fonctionne? Blackburn n'a qu'une vague conscience de tout cela, une connaissance au mieux intuitive.

La direction du Q.G. secret, par rapport au site du massacre, est le nord-nord-ouest, à un degré près. La distance est inférieure à cent kilomètres, supérieure à vingt-cinq. Blackburn se voit tracer un cône tronqué et très étroit à l'intérieur duquel doit se trouver la base secrète de la guérilla, et cela correspond à l'un des emplacements hypothétiques mentionnés par le Service de reconnaissance. Rochon le regarde faire avec une curiosité perplexe et, lorsque Blackburn lève les yeux, il lui rappelle qu'on attend l'ordre du départ. Blackburn fait oui de la tête. Étouffé par les casques, la rumeur des turbines enfle bientôt en un grondement total.

L'hélijet de commandement, celui de Rochon et de Blackburn, décolle le dernier. Blackburn branche son micro à l'écouteur de Rochon:

— Attention aux embuscades, recommande-t-il. Surtout en revenant.

— En revenant ici?

— Bonne chance.

Et Blackburn saute de l'hélijet que, conformément aux ordres, son pilote a presque ramené au sol une fois franchie la ligne des premiers arbres. Deux mètres de chute, un roulé-boulé assez réussi. L'appareil remonte sans avoir touché terre, rattrape et devance les autres, les mène à une altitude de croisière normale.

Le silence se rétablit, sur la forêt et ses mélèzes rabougris. Blackburn se défait de sa sacoche porte-documents et la camoufle sous de la sphaigne, au pied d'un aulne nain.

Gardant casque et visière pour se protéger des branches, Blackburn se met en route vers la tourelle laser la plus proche de l'héliport. Lorsqu'il est en vue, il ne progresse plus que courbé, puis il s'arrête pour de bon, accroupi, afin d'en examiner la structure. Dans la lueur crépusculaire de l'aube, le dispositif à infrarouge de ses binoculaires ne lui montre rien de plus que la vision normale. Les volets des meurtrières sont ouverts: la base n'est pas en état d'alerte. Mais nul visage de sentinelle n'est visible, nulle fumée de cigarette, nulle musique ne s'entend.

La lourde porte d'accès est entrebâillée, une image de négligence qui surprend même ici, à Aticonac. Les tourelles sont pourvues de latrines, la sentinelle n'a aucune raison de sortir.

Mais quelqu'un est peut-être entré.

Blackburn s'approche davantage, sans son casque cette fois, pour entendre le moindre craquement que sa propre avance causerait, et s'arrêter aussitôt. Les jours du maquis sont loin, et il a l'impression de faire autant de bruit qu'un caribou en fuite.

Il s'accroupit à nouveau, à la limite de la zone défrichée, et attend de longues minutes. Rien. Personne.

Là-bas, au campement naskapi, les hélijets doivent se poser, Rochon et ses hommes se déployant sur la scène du carnage, le docteur Desforges soupçonnant déjà l'ultime horreur à la vue du corps sanglant des femmes.

Blackburn se décide, il court vers la porte entrouverte de la tourelle. L'éclairage de nuit règne à l'intérieur, ambré et diffus. L'homme de garde gît au sol, déculotté, son sexe dans une gangue de sang séché, grumeleux parmi le poil. La chemise est ouverte, le maillot n'est plus blanc mais pourpre, retombé sur un probable coup de poignard au cœur.

Immobile, Blackburn tend l'oreille, évitant de regarder le visage figé dans l'ultime grimace de l'agonie. Personne. La tourelle est vide, il ne sent aucune présence. Il faut aller voir en haut, dans le poste de tir. Mais avant, savoir depuis quand la sentinelle est morte. Il se penche et se contraint à toucher le cou: encore tiède. Peut-être le meurtrier quittait-il la tourelle pendant même que Blackburn s'en approchait? Accroupi près du corps, il ne peut manquer de voir maintenant l'hideuse morsure à son sexe. L'homme a dû recevoir un ou une prostituée, qui l'aura neutralisé à la faveur d'une fellation; le souffle coupé par la douleur, il aurait été vulnérable même à une vieille manchote. Ou à cette femme maquillée comme une professionnelle mais au regard fuyant, qui observait Blackburn au restaurant du Caribou, trois jours après son arrivée à la base.

Il monte l'échelle métallique, prend pied dans la cabine exiguë d'où l'on peut commander le tir des lasers, mais où normalement tout est contrôlé à distance, d'un poste centralisé de défense. L'appareillage de contrôle a été trafiqué; on n'a même pas refermé les consoles où l'on a refait des branchements de fibres optiques. C'est un acte commis à la hâte, décidé en panique: on a senti que Blackburn approcherait de trop près la vérité en visitant le campement des Naskapis exterminés.

Posément, il examine tout, sans toucher quoi que ce soit. Le relais a été saboté, mais adroitement, de sorte que, au poste central de défense, les voyants de cette tourelle-ci sont encore tous bleus. Sauf que cette tourelle ne reçoit plus les ordres télémétriques du central. Une antenne a été déployée par la trappe ouverte au sommet de la structure, antenne si mince qu'elle a échappé aux binoculaires de Blackburn.

Ce sera chose simple que de neutraliser le sabotage et empêcher que soit descendu l'hélijet du capitaine Rochon. Mais Blackburn en veut davantage, il veut savoir d'où viendront les signaux, il veut savoir qui commandera le tir. Chaque tourelle a une trousse d'instruments et de pleins cahiers de directives; le saboteur a tout laissé après s'en être servi — avec des gants, sûrement. Blackburn s'assoit et se met au travail.

• • •

Le soleil matinal est déjà haut lorsque Blackburn croit enfin avoir terminé. Mais il ne saura s'il a réussi que quand les signaux de télépointage et de tir seront effectivement reçus. Les doigts près du clavier du terminal, il attend. L'écran radar lui montre les hélijets approchant, retour du tragique campement. Celui de Rochon vient en tête. Blackburn se demande s'il est lui-même à bord, dans quelque autre univers où il sera tué lorsque sa ligne temporelle atteindra l'instant fatal.

Dans cet univers-ci, sur cette ligne temporelle, il compte bien que personne ne sera tué. Un bourdonnement envahit la tourelle, les commandes s'animent, écrans de visée et lampes témoins s'allument, l'affût pivote et les canons s'élèvent. Sur le terminal que Blackburn a programmé défilent les données chiffrées de la télémétrie, trop rapides pour l'œil; heureusement, tout cela s'enregistre. Le peu qu'il déchiffre lui prouve qu'il a eu raison dans ses estimations: il savait de quelle direction viendrait le signal pirate, il saura maintenant de quelle distance exacte, au mètre près comme l'avait exigé Valois sans peut-être croire que c'était possible. Et, si Blackburn a correctement programmé le terminal, personne là-bas ne saura que la tourelle a questionné les signaux pirates sur leur origine, durant l'infiniment bref va-et-vient entre deux interfaces.

Lorsque la tourelle vibre de toute l'énergie déchargée, les invisibles rayons percent un voile de cirrus trente degrés trop au nord. Les hélijets descendent vers l'aire et le tir des canons n'a été qu'un flash que des pilotes pensent avoir imaginé.

Est-ce qu'au même moment, dans un univers parallèle, un autre Blackburn meurt écrasé dans la carcasse d'un hélijet? Ce Blackburn-ci ne le saura jamais. Toutefois il y a quelque chose qu'il peut apprendre: l'identité de la personne qui a tué la sentinelle et saboté la tourelle laser. Si elle court toujours, si elle a ses informateurs, elle révélera aux guérilleros que leur quartier général est repéré et qu'une offensive se prépare contre eux. Il faut l'identifier immédiatement et la neutraliser. Et peut-être éviter que le garde de la tourelle laser ne soit poignardé.

Blackburn quitte le poste de tir et regagne l'orée de la zone défrichée. Il hésite, puis prend deux capsules bleues. Comment prévoir avec certitude la portée du saut en arrière? Le processus semble complexe et subtil: peut-être l'esprit a-t-il un contrôle inconscient sur la portée de la régression, peut-être est-on attiré naturellement vers les nœuds que les événements importants font dans la trame du temps?

Rien ne semble bouger, rien ne paraît changer, et Blackburn assis sur ses talons, à même le sol, se sent gagné par une torpeur légère, comme au soleil après un repas trop lourd. Il se sent tel un liquide flottant dans un autre: trouble, amorphe, informe.

Finalement, quelque chose le secoue, un son peut-être, et il se sent redevenir tangible. Il se rend compte que c'est la nuit, à peine allégée au nord-est par l'approche de l'aube. Du côté de la base, aucun bruit: les turbines des hélijets ne sont pas encore lancées. Qu'est-ce que Blackburn a entendu?

Il reste de longues minutes aux aguets, puis se décide à avancer, silencieux tel un commando; il ne se croyait plus capable d'une telle agilité. À mi-chemin, il s'étend au sol et reste là, à l'abri de quelques prêles. Devant lui, la tourelle profile sa masse irrégulière sur le bleu profond de la nuit, masquant les étoiles; seul le rectangle horizontal d'un volet ouvert tranche d'une lueur ambre, et rien ne bouge à l'intérieur.

Rien ne bouge? Le garde, s'il a donné rendez-vous à une prostituée, ne devrait-il pas être visible à la meurtrière, guettant son arrivée? Et qu'est-ce donc que Blackburn a entendu, tout à l'heure, quel son l'a tiré de sa torpeur? N'était-ce pas une voix humaine?

Un oiseau passe.

Sans un cri, accompagné du seul murmure soyeux de ses ailes; un harfang, pâle tel un spectre dans la nuit boréale, sa face comme celle d'une créature d'outre-monde.

Sur les ailes du harfang, Blackburn est emporté vers une autre nuit, un autre crépuscule: Bagotville, l'ennui de l'interminable hiver, les maux lancinants de la convalescence. Malgré le froid qui éveillait la douleur dans sa main, Blackburn était sorti avec Jac Marin sur le glacis de la base, pour la vérification routinière des antennes radar. Et ils avaient vu un harfang, une femelle tavelée de noir, fondre sans bruit sur une hermine jusque-là invisible dans la neige. Sanglante, les serres du rapace enfoncées dans ses flancs, l'hermine continuait de se défendre pendant même que l'oiseau l'emportait, gigotant et se tordant pour mordre le harfang à la gorge. Celui-ci ripostait à coups de son bec tranchant.

Marin observait la scène avec intensité, comme pour y lire les auspices de sa propre destinée.

Le harfang lâcha prise, battant des ailes non tant pour éviter l'écrasement que pour se défaire d'une proie trop féroce; et l'hermine restait suspendue, ses dents aiguës plantées dans la gorge blanche de l'oiseau, buvant son sang alors même qu'elle perdait le sien. Presque doucement, la neige les reçut toutes deux, l'hermine et la femelle harfang, le blanc se macula du pourpre de leur étreinte, et Marin ne sut jamais laquelle était morte la dernière, laquelle des deux férocités avait triomphé.

Le harfang a depuis longtemps disparu et Blackburn reprend conscience de l'instant présent. À quelque distance, du côté de la base, les hélijets lancent leur bourdonnement aigu. En face de Blackburn, quelqu'un sort de la tourelle laser: une femme. Et son intuition ne l'a pas trompé, c'est celle qui l'observait au restaurant du Caribou, personnifiant une prostituée mais détournant le regard par réflexe. Il la reconnaît dans la lueur ambrée de la porte, qu'elle ne referme pas derrière elle.

Tout est consommé, donc: le sabotage est fait, le garde poignardé depuis près d'une heure. C'est son cri d'agonie qui a tiré Blackburn de sa torpeur et l'a précipité ici. Maintenant il est trop tard; sauf peut-être pour capturer la femme qui s'éloigne vers Aticonac. L'homme se lève, se met à courir le plus silencieusement qu'il peut. Mais la femme marche d'un pas hâtif, le long de ce qui doit être un sentier, et la distance ne décroît pas vite. Une chose est sûre, toutefois, ce n'est pas la femme que les guérilleros nomment Eaulourde et qui agit parfois comme espionne à Aticonac.

Le bruit des hélijets enfle et envahit le ciel. Blackburn lève la tête, se retourne à demi: est-il aussi, en même temps, dans l'un de ces engins? Il les voit passer, à basse altitude, secouant la forêt de leur souffle rude. Le dernier vole encore plus bas, frôlant la cime des petits arbres.

Blackburn ne court plus, comme hypnotisé. Il faut savoir. Le paradoxe est imminent, l'impossible rencontre: là-bas, à quelques centaines de mètres, un autre lui-même saute de l'hélijet en marche et le regarde reprendre de l'altitude. Marcher vers lui, le confronter, départager l'illusion du réel.

Il rebrousse chemin, repasse au pied de la tourelle silencieuse. Mais la vision de Blackburn faiblit, s'éclipse, dans une grisaille qui n'est plus celle du crépuscule. L'escale tire à sa fin, le privilège est révoqué, le privilège de revenir sur les choses déjà accomplies, et tout disparaît telle une vague qui s'évaporerait avant de pouvoir déferler.

• • •

— Vous avez ramené Trois-Doigts?

— Quoi? réplique Rochon qui a compris tout autrement la question.

— Trois-Doigts, le Naskapi qui s'est échappé du campement.

Rochon regarde un moment son interlocuteur, et l'incrédulité gagne son visage:

— Comment avez-vous su son nom? C'était son nom?

— Je suppose, réplique Blackburn.

— Comment avez-vous su qu'il avait seulement trois doigts?

«Comment avez-vous su»? Blackburn a dû entendre cette question vingt fois durant cette dernière heure, et il n'a pu y répondre, sauf pour Valois, le seul ici à connaître son occasionnelle faculté de prémonition.

— En tout cas on l'a ramené, oui, mais il est mort en chemin; d'après le médecin, il était déjà dans le coma.

— Quoi, il n'avait pas eu...

Pas eu le temps de se cacher sous le vieux canoë d'aluminium. Car, dans cet univers-ci, dans cette ligne temporelle, Trois-Doigts a fui droit devant lui, il n'a pas fait halte et n'a pas eu le temps d'apercevoir la carcasse où il pouvait se cacher; on l'a vu du *hover* et on l'a mitraillé.

Sur une ligne parallèle, la même chose lui est arrivée; mais sur une autre encore, il a interrompu sa course en voyant Blackburn (ou une vague présence à peine matérialisée), affolé il a regardé de part et d'autre, il a vu le canoë sur la berge et a obliqué pour se cacher dessous. Et dans un autre univers encore, peut-être la bande n'a-t-elle pas été massacrée, le jeune Naskapi porte encore, sans trous de balles, le chandail à l'effigie d'un groupe rock du passé, et sa sœur quelle qu'elle soit n'a pas été violée par la mitrailleuse du Dragon.

Blackburn a un vertige, qu'il attribue aux effets persistants du chronoreg. Trois-Doigts est mort; pas de témoignage, donc. Mais Blackburn connaît maintenant l'emplacement précis du repaire de la guérilla.

Un sergent essoufflé s'arrête devant Blackburn:

— L'état-major de la base est réuni au bureau du colonel.

Blackburn le suit, main sur la sacoche porte-documents qu'il porte encore en bandoulière. Les jours de liberté du Dragon et d'Aguirre sont comptés, et il n'en éprouve qu'un sentiment mitigé où domine l'appréhension.

• • •

C'est le soir lorsque Blackburn sort du quartier général. Il est épuisé; lui et ses collègues ont passé une journée entière à mettre au point un plan d'action, les uns prônant l'offensive en règle, les autres l'infiltration. «Café Filtre», le projet de Blackburn, a prévalu finalement, mais après combien de discussions!

Pour l'heure, il doit se reposer; il n'est plus en mesure de planifier, d'organiser, de tout prévoir. Seul un esprit clair et dispos peut mettre au point tous les détails d'une stratégie si cruciale.

En chemin vers sa tente, Blackburn aperçoit un jeune homme adossé à la baraque du mess. C'est celui d'il y a deux soirs, celui qu'il a rencontré à la disco, celui aussi qui travaille comme homme de piste. Il doit avoir fini son quart, il n'est pas en uniforme: son jean ajusté, son tee-shirt trop court, aux manches coupées, sont le costume du prostitué. Il suit des yeux Blackburn, le drague du regard. Dans l'éclairage au sodium du camp, il paraît encore plus jeune, il ne doit pas avoir vingt ans.

Malgré un tressaillement à l'entrejambe, Blackburn ne s'arrête pas: il est vanné, il ne pourrait rien faire. Dans sa caravane, il se jette à plat ventre sur le lit de camp, laissant la porte d'aluminium se refermer toute seule.

Il est déjà au bord du sommeil lorsqu'un grattement à la porte, suivi du grincement du ressort, lui font rouvrir les yeux. Il se relève à demi. C'est le garçon, qui est là, provocant, sûr de lui, déhanché et appuyé d'une épaule sur le chambranle.

— Je peux entrer?

— Décampe, grommelle Blackburn en se tournant sur le dos.

— Fatigué? J'ai déjà travaillé comme masseur.

Blackburn n'en croit rien et l'impudence du jeune soldat l'estomaque: il a fait deux pas dans la caravane et laissé la porte se refermer derrière lui. Il croise les bras. C'est la deuxième fois en quelques jours que Blackburn oublie de verrouiller une porte derrière lui en se couchant. Avec un brusque afflux de sang au cerveau, il songe au garde de la tourelle et à la prostituée qui l'a poignardé au terme d'une cruelle fellation. Mais où ce garçon-ci cacherait-il une dague, sous des vêtements si serrés et si courts? L'alarme est passée, mais la lucidité reste: Blackburn est maintenant alerte, toute lassitude éloignée pour l'instant. Il s'assied sur son lit de camp. Le jeune homme n'avance plus, comme s'il avait deviné les limites de l'audace à ne pas franchir: il est quand même ici chez un officier, qui pourrait le faire mettre au trou pour un mois.

— Comment tu t'appelles?

— Ghislain.

Blackburn se lève et fait un pas vers le garçon.

— On se verra une autre fois, Ghislain, dit-il à voix basse. Aujourd'hui je ne peux pas, j'ai passé la nuit debout.

Il prend le jeune homme aux bras, doucement mais préparé à lui faire une clé s'il a un geste brusque. Il penche son visage vers le cou de Ghislain, promène ses lèvres sur sa peau.

— Comment tu fais pour garder un bronzage dans ce foutu bled? lui demande-t-il à travers un baiser.

Ghislain ne répond pas mais l'étreint doucement et Blackburn sent monter la vieille émotion, toujours la même, une tendresse que la guerre ne parvient pas à tarir. Il recule la tête, regarde brièvement Ghislain dans les yeux, de très près, puis se penche vers son autre joue.

— Tiens, tu as changé la pierre à ton oreille?

C'est un pendant, aujourd'hui, et non un simple brillant incrusté dans le lobe. Une breloque argentée, sans valeur. Blackburn s'incline pour embrasser Ghislain près de l'oreille. L'univers lui explose au visage.

18

Lueur crépusculaire; la taïga n'est encore qu'une bande noire, déchiquetée. L'ombre est profonde dans la grisaille bleutée de l'aube. Haut, très haut dans le ciel, quatre scintillements en formation griffent le ciel de longues traînées blanches.

Dans le calme de la nuit, les balises vertes de l'héliport clignotent à l'unisson et leur éclat teint de jade le plumage velouté d'un harfang qui survole la piste en prenant de l'altitude.

Le capitaine Rochon se hâte vers la jeep de Blackburn. Il lui tend un casque de pilote et lui demande:

— Vous venez toujours avec nous, lieutenant-colonel?

— Pas pour longtemps, hésite Blackburn. Tu prendras toi-même le commandement de la mission.

Rochon attend la suite, intrigué.

— Une fois là-bas, vous filmez tout, pour l'identification. Faites la crémation sur place, décemment. Faites faire quelques autopsies avant; voyez surtout comment les femmes ont été tuées.

S'abstenant de poser des questions pour le moment, Rochon guide son supérieur vers l'un des engins. Devant chaque hélijet, un homme de piste, un signaleur, ses bâtons lumineux à la main. Blackburn reconnaît au passage le soldat de la disco, celui qui a une pierre fine au lobe de l'oreille. L'officier ralentit, comme s'il venait de se rappeler quelque chose d'important; parvenu à l'hélijet de commandement, il s'immobilise tout à fait. Dans le vacarme, il crie les dernières consignes à son subordonné:

— Moi, je reste à l'héliport. Lorsque vous reviendrez, faites un grand détour et approchez la base à très basse altitude, par le lac et le village civil.

Blackburn se hisse dans l'écoutille latérale. Étouffée par les casques, la rumeur des turbines enfle en un grondement total. Blackburn fait entrouvrir l'écoutille du côté opposé, saute au sol et se hâte vers les bâtiments de l'héliport, tout proches, se servant des hélijets pour se cacher à la vue d'un homme de piste en particulier.

L'appareil que commande Rochon décolle à son tour, et bientôt le calme revient sur la forêt environnante. Blackburn réquisitionne une jeep en attente mais, avant de se faire ramener au camp, il déploie une carte topographique sur le capot et y trace quelques lignes, fait des traits, inscrit des chiffres: la direction, la distance, l'emplacement précis du Q. G. secret de la guérilla. Il sait parfaitement comment il a acquis ces informations. La thèse des univers parallèles créés à chaque instant décisif ne peut tenir: comment aurait-il gardé dans son propre cerveau les informations acquises dans d'autres mondes, d'autres vies simultanées? Non, c'est de messages qu'il s'agit, de messages mentaux envoyés d'un Blackburn mourant à lui-même quelques heures plus tôt: des mises en garde, mais aussi des renseignements.

Il ne sait plus. Avec les capsules de chronoreg, il a ouvert un abîme de possibilités, une infinité de paradoxes.

• • •

Un soir précoce couvre Aticonac; des nuages menaçants, couleur ardoise, pèsent sur cet après-midi d'été. À la fenêtre, appuyé d'une épaule au châssis, Blackburn contemple un moment le village. De sa position il voit la rivière qu'alimente le lac, et l'appontement de bois. Une famille de Naskapis arrive justement, on aide une femme énorme à quitter le canot motorisé. Saisi, Blackburn comprend que ce sont les uniques survivants du massacre de la veille: peut-être même ne sont-ils pas encore au courant du sort de leur bande. Jack Goose et sa femme qui vient accoucher à la clinique des Blancs. Dragon sait-il qu'ils ont eux aussi entendu le témoignage fatal de Trois-Doigts et de son frère?

Blackburn soupire. Si tout va bien, peut-être capturera-t-on le Dragon lui-même. Il s'éloigne de la fenêtre, ferme les rideaux; on se croirait au soir tant il fait noir dans la chambre. Il allume le plafonnier; une sordide lumière envahit la chambre. Voyant son visage dans une glace, il s'y attarde un moment: il n'est guère habitué à se voir en rouquin. Fera-t-il illusion? Qu'on ne voie plus Blackburn fréquenter les officiers du Q. G., effectuer des arrestations, donner des ordres. Qu'on voie plutôt un officier plus grand, plus carré d'épaules, plus pâle et coiffé de roux. Une précaution supplémentaire, pour le cas fort probable où la guérilla aurait ses informateurs au village civil et dans le camp militaire.

Tout habillée sur le lit, une fille somnole dans les vapeurs du klair que son client lui a généreusement prodigué. Ce que Blackburn voulait, c'était la chambre, et plusieurs heures de tranquillité. Sur la coiffeuse bancale il a posé ses appareils compacts, auxquels ses écouteurs sont téléreliés. Des six chambrettes de l'établissement, cinq ont maintenant un micro fiché dans leur cloison.

Presque directement sous Blackburn, au rez-de-chaussée, la prostituée Désy est accoudée au bar du restaurant, sous le regard placide du caribou empaillé, parlant à voix basse avec l'homme de piste. De l'écouteur gauche, Blackburn est en contact permanent avec des observateurs munis de téléobjectifs placés à distance autour de l'établissement.

— Ils montent, prévient l'un d'eux. Reine Désy et Routhier, ils montent.

— Reçu, murmure l'agent.

Ils n'ont que deux chambrettes où s'isoler, les autres sont prises. Coup de chance, Reine Désy choisit la chambre voisine de celle de Blackburn. Il sélectionne le canal correspondant.

— Tiens. Tu peux compter tout de suite, dit Reine Désy dès qu'elle et Ghislain Routhier sont seuls. Nous t'en donnerons le double quand ce sera fait.

— «Nous», c'est qui?

— Le Contre-espionnage. Nous surveillons Blackburn depuis quelque temps et nous avons des raisons de croire qu'il transmet des renseignements à l'ennemi.

Blackburn ne réagit pas. Le coup est classique; c'est de bonne guerre.

— On pense qu'il porte un micro-émetteur greffé dans la mâchoire. Mais on doit le vérifier sans qu'il en ait connaissance, on ne peut pas lui radiographier la mâchoire.

Blackburn aurait aimé avoir des images de la scène, mais le temps lui manquait pour installer l'appareillage nécessaire.

— Son émetteur, s'il a été fabriqué en Amérique, contient obligatoirement du titane. Le titane peut être détecté facilement. Mets ceci à ton oreille, à la place du brillant que tu as là.

— Qu'est-ce que c'est?

— Un petit bijou de micro-électronique. S'il approche à dix

centimètres d'un élément en titane, il émet un signal dans les ultrasons, un signal qu'on va pouvoir capter. Tout ce que tu as à faire, c'est t'approcher de Blackburn, l'embrasser ou t'arranger pour qu'il t'embrasse: rappelle-toi, dix centimètres de sa mâchoire. On va être à bonne distance pour capter le signal. On saura si Blackburn porte vraiment ce micro-émetteur.

— Quand?

— Il faut agir aujourd'hui. Au plus tard ce soir. C'est crucial.

Blackburn murmure un appel dans son micro, met un masque à oxygène à portée de sa main.

— D'autres questions? s'enquiert Reine Désy. Sinon on se laisse tout de suite.

Erreur. Ce n'est pas une professionnelle, ou du moins pas depuis longtemps: une rencontre si brève, dans une chambre de baise, paraîtra suspecte aux clients du rez-de-chaussée qui les ont vus monter. Au patron aussi, à moins qu'il ne soit de mèche.

— À sa sortie, souffle Blackburn.

Il relève le petit micro, fixe le masque à son visage, retire les écouteurs lorsqu'il est sûr que plus rien ne se dira. Déjà les bruits lui parviennent en direct: la porte de la chambre voisine, un éclatement amorti, des exclamations vite tues, le plancher grinçant sous le poids de plusieurs personnes.

Dans le corridor, une fumée qui se dissipe déjà. Des agents, hommes et femmes surgis des chambrettes voisines, encerclent déjà Routhier et Reine Désy prostrés, inertes. Tout en restant à distance, Blackburn demande:

— Laissez-moi voir la tête du garçon. Profil gauche.

Un agent s'écarte, un autre soutient la tête du jeune homme. Voilà: au lobe gauche, un pendant, l'éclat argenté du métal. Blackburn songe aux dauphins dressés pour s'approcher des sous-marins ennemis, des explosifs fixés au corps: une mine, mortelle pour sa cible et son porteur.

• • •

Lorsque Blackburn revient à la baraque de la police militaire, après être passé prendre une languette de titane à l'hôpital, Ghislain Routhier est en cours d'interrogatoire, à genoux dans une pièce à peu près vide d'ameublement.

— Laissez, ordonne Blackburn toujours déguisé. Le gros gibier, c'est la Désy. Faites-la amener.

On fait signe à Routhier de se lever. Il grimace, les genoux endoloris, ignorant qu'il s'en tire à très bon compte.

— Qu'il reste, demande Blackburn.

Et, sortant de sa poche un sachet de plastique transparent, il attend que la prostituée soit amenée. Il tire du sachet une petite chose argentée, le pendant d'oreille que Routhier a reçu de Reine Désy. Il tient l'objet à bout de bras, délicatement, tel un scorpion vivant.

Une fois introduite dans la pièce, la femme refuse qu'il lui mette le bijou au lobe; on doit lui maintenir la tête.

— Tu n'aimes pas ce petit bijou? Pourtant, tu en faisais cadeau à ce garçon.

Elle ne réplique pas, bien entendu. Blackburn s'assied à l'unique pupitre, fait signe qu'on évacue un peu la pièce. Routhier menotté au mur, Désy au plancher, seul reste Auger, le chef de la police militaire du camp. Blackburn consulte une tablette-écran.

— Irène Désilets, lit-il. Trente-deux ans. Permis de travail mensuel. Accès limité au village civil.

Il la regarde:

— Ça ne t'empêche pas de faire des promenades nocturnes dans la forêt, autour de la base. Du côté des tourelles laser, par exemple.

Elle ne répond pas. Elle n'est ni calme ni affolée. Extrêmement tendue.

— J'attends des renseignements du Contrext. Je m'attends à certains détails précis. Une formation en micro-électronique et en photonique, par exemple.

Silence, toujours. Ces préliminaires sont vains, elle le sait autant que Blackburn. On frappe à la porte: deux sous-off amènent un automate d'entraînement, comme celui qui portait une grenade sonique à Havre-au-Lac. Ils ont pris le plus abîmé par les coups de couteaux des soldats. Ils en remettent la boîte de contrôle à Blackburn.

Il enfonce la languette de titane dans la bouche du mannequin.

— Tu reconnais ce métal? demande-t-il à la détenue en se retournant vers elle. Attends, de plus près, tu vas reconnaître.

Blackburn fait faire quelques pas à l'automate. Désy se tend comme un arc, tirant sur l'anneau par lequel ses menottes sont fixées au plancher; le contre-plaqué grince mais les boulons tiennent bon.

— Dix centimètres, que tu as dit? s'enquiert Blackburn.

Il arrête le mannequin à un demi-mètre de la femme.

— Du titane, commente-t-il avec un regard vers le jeune Routhier. On s'en sert en chirurgie.

Il fait faire un autre pas à l'automate et questionne Désy:

— Comment avez-vous su qu'on avait réparé la mâchoire de Blackburn avec du titane?

Elle se renverse et éloigne la tête autant qu'elle le peut, comme au voisinage d'un serpent venimeux. Mais elle ne fait pas mine d'ouvrir la bouche. En vain cherchera-t-elle, si elle s'y résout, la micro-capsule de poison implantée dans la chair de sa joue. Peut-être l'incision, dont elle doit goûter le sang s'il coule encore, lui confirmera-t-elle que cet espoir est vain: on lui a enlevé cette ressource.

— Elle voudrait garder ses distances, commente Blackburn. Toi, Ghislain, tu serais allé voir Blackburn, il se serait collé à toi. Dis-nous, Reine Désy, reine des soirs, qu'est-ce qui serait arrivé?

— Vas-y, achève! lui crie-t-elle avec hargne.

Haussant les épaules, Blackburn rend les commandes à un des sous-officiers et lui dit d'emmener l'automate juste à l'extérieur de la baraque.

— J'ai reçu du matériel de Sept-Îles, annonce-t-il à la détenue. Tu ne seras pas plus difficile à percer qu'une autre.

Il s'approche et lui retire le pendant d'oreille qui la terrorisait tant.

— Vous gardez le garçon un jour ou deux, dit-il au chef de la police militaire. Mais je vous l'emprunte juste une minute.

Il mène Routhier à la sortie. On a arrêté l'automate à dix mètres de la baraque, au centre d'un espace de terre battue éclairé par les lampadaires du camp. Blackburn fait signe aux sous-officiers de s'éloigner.

— C'est vrai que Denis Blackburn a une pièce de titane dans la gueule, comme ce mannequin, dit-il à Routhier. Sa mâchoire a été refaite après un accident. Et c'est vrai aussi que tu aurais pu t'approcher de lui, avec ce bijou à ton oreille.

D'un geste mesuré, précis, il lance le pendant d'oreille vers la face de l'automate. L'explosion, qu'il était le seul à attendre, fait sursauter tout le monde.

Il observe le visage blême de Routhier, qui fixe l'automate encore debout mais vacillant, décapité, de la fumée s'échappant de son col calciné.

• • •

Les bras croisés sur le pupitre, la tête posée sur l'un d'eux, Blackburn est l'image du veilleur endormi à sa console de surveillance télévisée. Sauf qu'il a les yeux grands ouverts et que ses pensées n'arrêtent pas un instant. À travers la vitre qui sépare le bureau de la réception, il voit l'entrée de la clinique. C'est l'immeuble le plus moderne et le mieux tenu du village; depuis un jour ou deux seulement, un calme relatif y est revenu, depuis que les combats se sont déplacés vers l'est. Lorsque la base d'Aticonac et le village civil ont essuyé le tir des mortiers et des roquettes il y a deux semaines, les victimes civiles étaient amenées ici, il y en avait dans toutes les salles et les couloirs; on se serait cru à la salle des urgences d'un hôpital urbain. Les blessés les plus graves, du moins ceux qui étaient transportables, ont été envoyés au sud; les plus légers ont reçu leur congé. La clinique revient à une routine plus normale — les naissances, par exemple, même si c'est chose rare. À la réception, sur des chaises aux couleurs vives, la famille de Jack Goose attend des nouvelles de l'accouchement. Visages sombres, hostiles: leurs sympathies ne sont pas dans ce camp-ci, ils se savent mal aimés et c'est réciproque. Ils n'aiment guère non plus la technologie médicale des Blancs; toute la nuit ils ont attendu tandis que, dans une salle sans pénombre, la femme de Jack Goose geignait. Sa sœur a obtenu d'être présente, mais lavée, cheveux coupés, attifée d'un de ces absurdes sarraus azur que portent les docteurs.

Jack Goose a été mis au courant du massacre des siens par les Irréguliers. Comme on le souhaitait, il semble avoir résolu de n'en parler, surtout aux femmes, qu'après la naissance; l'accouchement sera bien assez difficile comme cela, un voyage de deux jours au neuvième mois de la grossesse n'était vraiment pas la chose à faire.

L'infirmière assise à la réception ignore les Naskapis. Dans le grand bureau de l'administration, Blackburn ne bouge pas du pupitre où il s'est posté, vêtu de l'uniforme pastel des internes. Toute la nuit il a songé à ce qui lui est arrivé ces dernières heures. Combien? Vingt-quatre heures, depuis qu'à l'aube il est descendu d'une jeep dans la lueur verte des balises de l'héliport? Vingt-quatre heures, mais combien de fois? Avec de petites doses de chronoreg il peut maintenant revenir dans le passé, éviter les pièges mortels du présent, cumuler des atouts pour l'avenir. Il cherche encore à se faire une opinion définitive sur ce qu'il a vécu, mais trop d'éléments nourrissent diverses hypothèses. Une chose semble sûre, toutefois: il a déjoué le Dragon. Le Dragon, voué à sa mort, contraint de confier à une subalterne l'exécution de la tâche. Le Dragon, tenant cette sentence de mort de plus haut encore, d'après ce qu'en savait Désy.

Tout cela, Blackburn le tient de la prostituée: ces renseignements, ces doutes, ces questions... Il ne restait rien de secret dans son esprit lorsque Blackburn a eu fini d'elle au début de la nuit. Aux petites heures, il a fait discrètement arrêter tous les complices de l'espionne, tous ses informateurs dans le camp militaire et le village civil. Une dizaine au total, par qui les Irréguliers étaient au courant de bien des choses. Blackburn et ses collègues sont conscients qu'il peut en rester d'autres, aussi garde-t-il son déguisement, y compris ces incommodes coussinets qui gonflent ses joues, et cette agaçante moustache postiche. On a aussi appris par Désy que la guérilla braque sur la base d'Aticonac des caméras vidéo, télémanipulées, dissimulées dans diverses caches. Blackburn a songé ne pas y toucher pour l'instant: par elles on pourra tromper la guérilla et lui donner de fausses informations. Quant à Eaulourde, identifiée comme une clé de voûte du réseau secret de la guérilla, elle n'a pas reparu à Aticonac depuis que Blackburn l'a démasquée par la voix de l'infortunée Sophie.

Reste le Dragon lui-même. Avec un peu de chance, on a arrêté tous les informateurs avant qu'il soit averti de l'arrestation de Désy. Il est dément, ce n'est plus à prouver; assez fou, peut-être, pour faire preuve de l'ultime audace et pénétrer à nouveau jusqu'ici.

Entre-temps le plan est en marche, le plan pour pénétrer Harcel, le Q. G. de la guérilla, le rendre vulnérable à une attaque, capturer Aguirre. Le temps presse. Cette livraison nocturne qu'a reçue la guérilla sur le lac Ossokmanouane, cette livraison qu'ils ont voulu garder secrète à tout prix, était-elle liée à leur intention présumée de s'en prendre au barrage Smallwood? Quelque chose comme un sous-marin de poche, qui leur aurait été livré par la puissance intéressée? Cette même nuit, la nuit du lac, un avion de transport soviétique a été porté disparu dans la baie d'Ungava. Disparition feinte, volontaire, tandis que l'avion poursuivait en rase-mottes son vol jusqu'au cœur des terres et en revenait aussi discrètement? Une preuve de plus du double jeu de la puissance: elle appuie en secret les Irréguliers, chez qui elle trouve la promesse d'une instabilité prolongée.

L'offensive de la guérilla contre le barrage des chutes Churchill est donc imminente. Il faut agir vite, neutraliser la guérilla pour de bon. Sur quelle ligne temporelle est le succès de l'opération? Blackburn devra-t-il en parcourir plusieurs, et revenir à des bifurcations, avant de réussir? Cette image récurrente, où il se voit projeté sur un mur par une rafale ou une explosion, l'attend-elle au détour de la réalité — **d'une** réalité?

La réalité, c'était Bagotville... dix ans plus tôt. L'ennui de l'interminable hiver, la douleur persistant des semaines durant, les premiers jours passés dans une infirmerie à l'éclairage aussi impitoyable que dans cette clinique-ci. Quelques semaines avant, Blackburn avait été grièvement blessé; on avait pu refaire ses doigts, sa mâchoire, sauver son œil, mais il restait à réadapter sa main à force d'exercices douloureux. On l'avait promu lieutenant et planqué dans cette base où il pourrait se reposer.

Mais Jac Marin était là.

Jac Marin, qu'alors Blackburn n'avait pas vu depuis dix ans. Depuis le maquis, en fait: l'attentat contre la ligne de transmission électrique. La fuite, les camarades traqués dans la forêt durant des jours, la clandestinité pour des mois après cela. Puis le contexte politique avait changé. Un État était né. Une armée se formait, les maquisards d'hier s'y enrôlaient, troquant le treillis contre l'uniforme gris-bleu. Blackburn avait acquis un diplôme d'ingénieur: micro-électronique, photonique, explosifs, et il était entré au Contresp. Marin, lui, avait acquis des galons: un grade plus élevé que Blackburn. Comme toujours.

Le mess des officiers; un moindre mal après les longues soirées de l'infirmerie.

— Pourquoi tu tournes autour de moi, comme ça, chaque jour?

— Pourquoi tu fais semblant de ne pas me connaître? riposta Marin.

— La base est assez grande pour qu'on n'ait pas à se parler, répliqua Blackburn.

— Mais ce n'est pas par hasard que tu es ici ce soir.

Leurs regards s'affrontèrent, celui de l'aîné toujours plein d'assurance ironique, celui de Blackburn défiant et acéré. Depuis des jours, les deux hommes tentaient de feindre que rien ne mijotait. Mais en vain.

— Tu ne veux pas reprendre?

— C'est toi qui me le demandes? s'irrita Blackburn.

— Tu en meurs d'envie.

Blackburn reposa son verre bruyamment et quitta le mess.

Jac Marin, c'était comme les courses automobiles: une attirance aux motifs inavoués. On y allait avec l'obscure attente de voir un accident se produire, d'être témoin de quelque chose de brusque, violent, spectaculaire. Jac Marin était un tueur.

— Et toi aussi, Denis. Sinon, qu'est-ce que tu fais dans l'armée?

— Il n'y a pas la guerre.

— C'est pour bientôt.

— Je n'irai pas au feu.

— Peux-tu en jurer? C'est un jeu qui attire tous les petits garçons.

— Moi, j'ai grandi, rétorqua Blackburn.

Ils se quittaient, fâchés, mais les circonstances les remettaient toujours en présence, en conversation. Les circonstances? Une obscure attirance, plutôt, et Blackburn commençait à être assez lucide pour se l'avouer. Presque.

Une complicité tacite les liait parfois, face au colonel Valois, le petit despote de la base.

— Ton attitude a changé, depuis ton arrivée à la base.

— Si tu veux dire: changé par rapport à toi...

— Oui oui, insistait Marin. Je crois qu'on va redevenir amis, comme dans le temps.

— Le temps où tu mitraillais des civils désarmés?

Il le plantait là, cet odieux Marin. Mais forcément ils se retrouvaient face à face, vivant sur la même base, habitant les mêmes casernes, fréquentant les mêmes salles. Le gymnase des officiers, un soir, tard. Seuls; l'entraîneur éloigné, peut-être sur un ordre discret de Marin. Une séance de combat, les arts martiaux cédant vite à une lutte moins élégante où Blackburn tentait de faire mal avec ses mains, là où il avait échoué avec ses paroles.

Vêtements déchirés, marques rouges de doigts sur la chair, membres meurtris par les clés, leur étreinte était devenue sensuelle, ils avaient baisé, non, ils avaient fait l'amour, une fois de plus, et Blackburn lui en voulait pour cela, par-dessus tout il s'en voulait à lui-même.

Ce fut la dernière fois. Blackburn se retrancha dans un mutisme buté. L'hiver s'allongeait, triomphant. Il y eut le jour du harfang, où Marin tenta en vain de le provoquer à parler. Le harfang et l'hermine, tombant du ciel, sanglants sur la neige. Quelques jours après, Blackburn obtenait la réaffectation qu'il avait demandée en secret.

Dix ans déjà. Parfois, dans un mess, Blackburn se prend à craindre l'apparition de Marin, un Marin qui recevrait avec un sourire ironique son regard stupéfait.

Avec humeur, Blackburn se lève et fait quelques pas, jusqu'à la fenêtre. C'est seulement la nuit, lorsqu'on regarde à l'horizon, que de lointains éclairs confirment la poursuite des combats. L'offensive est en cours, la vaste offensive visant à occuper le maximum de territoire, qu'on ne pourrait tenir longtemps mais dont on marchandera la cession lors des pourparlers qui s'en viennent. Le vieux barrage Smallwood fait l'objet de combats acharnés, où chaque camp toutefois a le bon sens de s'en tenir aux armes légères pour ne pas endommager les installations.

Au nord-est, c'est déjà l'aurore, mais le ciel est encore bouché de nuages et le rose est peut-être autant celui des incendies que celui des rayons solaires. Quittant les bureaux de l'administration, Blackburn songe à aller aux nouvelles: l'accouchement est-il près d'aboutir? Il ne reste plus que quelques patients dans les corridors, signe de retour à la normale; sur leurs hautes civières, ils dorment. La salle d'opération a été provisoirement convertie aux fins d'obstétrique; telle monopolisation aurait été impossible deux jours plus tôt.

Blackburn regarde par un carreau vitré de la double-porte; audelà de l'antichambre, une porte de verre donne sur la salle même. Singulier spectacle que ces gens officiant autour d'une Amérindienne en souffrance, comme si au foyer de leurs regards elle expiait toutes les erreurs de son ethnie. La sœur de Jack Goose est là, ainsi qu'une sage-femme montagnaise. Il manque un bambin pour que le tableau soit complet, l'homologue indien du Jean-Nuage Tournier à qui on a imposé, trente ans plus tôt, cette initiation à la mise bas. Où est-il à cette heure, Tournier, ce Dragon qui a brûlé du souffle métallique de son arme les matrices de quinze Amérindiennes?

La réponse est à l'entrée de la clinique lorsque Blackburn regagne les bureaux de l'administration. Ils sont deux, personnifiant des Amérindiens. Peut-être le deuxième en est-il vraiment un; Dragon, en tout cas, fait presque illusion. Il a teint en noir ses cheveux filasse, masqué tant bien que mal son début de calvitie, bruni sa peau et enfilé de vieux vêtements.

Ils feignent de connaître les Naskapis de la famille Goose, leur adressant de vagues hochements de tête. Devant la réceptionniste, ils parlent si bas qu'elle seule probablement les entend. Blackburn, caché derrière un classeur, aperçoit le pistolet dont ils la menacent, n'en montrant que la crosse. Le deuxième homme se retire un peu, sans quitter des yeux la garde. Dragon, lui, pousse les portes du corridor et se dirige vers le bloc opératoire. Il n'a vu personne dans les bureaux bien éclairés de l'administration.

Peu après, Blackburn gagne le corridor où les patients dorment sur des civières. Bonnet sur la tête, il relève un masque chirurgical qui laisse seulement ses yeux à découvert. Un violent appel, un appel mental, lui vient du futur proche: de lui-même, Blackburn, mourant dans les minutes qui viennent.

Un détour du couloir, et voici le Dragon, immobile devant les portes de la salle d'accouchement, le visage presque collé au carreau de vitre. Blackburn ne lui voit pas d'arme, mais il songe naturellement aux explosifs, dont l'homme est spécialiste. Blackburn est prêt à changer sa voix et à demander gentiment «Vous êtes de la famille?» mais ce n'est pas nécessaire, le Dragon ne l'a pas entendu approcher et on ne perçoit que la respiration malaisée des patients dans le couloir.

Blackburn sent son émotion comme une odeur lorsqu'on entre dans une pièce close. Avec un effet de choc, il reconnaît la peur. La peur de l'animal traqué, acculé, sans nulle part où fuir, la peur de l'enfant qui ne peut sortir et qu'on oblige à voir, à regarder. Il entend des cris malgré les portes étanches, des cris qui n'ont rien d'humain, rauques et bouleversants, et Jean-Nuage voudrait se boucher les oreilles, il voudrait fermer les yeux, mais il est hypnotisé par le sanglant spectacle, les spasmes et les eaux, l'œuf rose qui refuse de sortir, luisant de glaire parmi le rouge, puis enfin le monstre, l'hideuse petite face, mauve et grimaçante, qui est tournée vers lui et qu'il voit entre deux uniformes bleus.

Vacillant dans le flux d'émotions, Blackburn tire, de son pistolet à air comprimé, un dard qui pique Tournier au cou et le foudroie. Il l'attrape avant qu'il tombe, lui saisit les mains, qu'il avait sous sa veste. La goupille de la grenade est à demi retirée; avec une sueur froide, Blackburn la remet en place. Alors seulement il se laisse submerger par la nausée, la répulsion née au contact des sentiments de Tournier.

Et il sait que, sur une autre ligne temporelle d'où lui est venue une déchirante mise en garde, Tournier et lui gisent éventrés dans un couloir plein de fumée et de cris, tandis qu'à la réception un autre guérillero abat prestement les derniers Naskapis de la bande.

Blackburn a un vertige. Sa présence ici, était-ce seulement une intuition? Il savait que, obsédé, le Dragon traquerait les derniers Naskapis de la bande, les derniers à avoir reçu le témoignage de leurs congénères qui étaient sur le lac il y a deux nuits. Il savait que le Dragon, attiré comme l'est un papillon de nuit par la flamme, viendrait se brûler les yeux devant une salle d'obstétrique, devant le rouge spectacle d'un accouchement.

Dans la salle d'opération, on s'agite sans rien savoir du danger écarté. Blackburn remonte le couloir jusqu'au hall, entrouvre la porte et met en joue le complice de Dragon. Un dard le foudroie avant qu'il ait pu braquer son pistolet. Les exclamations éclatent dans le hall, une explosion de voix. Mais Blackburn songe seulement au Dragon, foudroyé, au Dragon que ne reverront plus ses camarades ni ses chefs, au Dragon qui ne pourra faire rapport de son échec à supprimer Blackburn. **Qui** lui avait donné cet ordre, et pourquoi?

D'un pas incertain, Blackburn regagne les bureaux de l'administration, d'où il appelle la Sûreté militaire de la base. Puis il fait quelques pas dans le corridor et contemple de loin le Dragon terrassé, cet ennemi jusque-là jamais rencontré, inconnu et en même temps connu au plus profond de son être. Il le regarde, et ne parvient pas à faire le lien entre ce visage et le boucher qui a massacré cinquante Amérindiens en moins d'une heure.

Que faire du Dragon, maintenant? Le garder ici, à la base, percer le blindage de son esprit? Mais ce ne sera pas facile, il faudrait du temps. Alors, l'envoyer vers le sud, où des experts pourront s'occuper de lui? Blackburn le voit, étalé sur le plancher, la bête malfaisante enfin vaincue, la bête qui le pourchassait depuis des semaines. Pourquoi?

Un frisson traverse Blackburn, comme si quelque chose de son hostilité veillait encore autour du Dragon, éveillée, malfaisante. Oui, l'envoyer le plus loin possible d'ici, dans des caissons, des fourgons blindés, des cellules à l'épreuve de tout.

La porte de la salle d'accouchement s'ouvre devant une infirmière affairée, et au-delà on entend se lamenter la sœur de Jack Goose. Le bébé est mort, gémit-elle, et Blackburn songe absurdement qu'il est mort de peur en voyant fixés sur lui les yeux terribles du Dragon.

• • •

Envoyer le Dragon au sud, à Port-Cartier, d'accord: là seulement on aura le temps et les drogues pour briser une résistance comme la sienne. Voilà quatre ans, déjà, on a dû recourir à la fantascopie pour percer ses motifs. Mais il y a quand même un minimum de renseignements à obtenir de lui aujourd'hui même, à la veille de la mission de commando contre Harcel. En compagnie d'Auger, le chef de la police militaire, Blackburn a mis au point les questions d'un interrogatoire avec polygraphe. Dans les locaux de la Sûreté militaire, Blackburn reste caché dans une pièce voisine, prêt à sonder Tournier sous l'influence de la céréphédrine-psi.

Plus que la drogue, que son système tolère de moins en moins bien, c'est le contact avec l'esprit du Dragon que Blackburn redoute. Aussi ne s'en est-il injecté qu'une dose modeste: il glanera les données qu'il pourra, avec au moins le sentiment de n'avoir pas négligé cette piste importante, mais il s'en tiendra à cela.

Dragon est encore apathique; toutefois on a doublé les courroies de nylon qui le lient à une lourde chaise. Auger est seul dans la pièce avec lui; on a même évacué la baraque de la police pour que Blackburn ne perçoive aucun sentiment parasite. Précaution inutile: dès que Blackburn s'ouvre aux perceptions ambiantes, la présence du Dragon s'impose à lui, intense malgré l'anesthésie dont il sort à peine. Profonde colère d'avoir été pris, possiblement de s'être laissé attirer dans un guet-apens, voilà son sentiment le plus immédiat. Et tout à côté, colorée de haine, la volonté de tuer Blackburn — mais il ne lui impute pas sa capture, son intention meurtrière date de bien plus longtemps.

Au-delà, plus profond, Blackburn devine l'omniprésente violence où surnagent des bribes de visions/souvenirs, tels des cadavres dans un lac de sang. Ossokmanouane est au premier plan de ces souvenirs, le plus frais, le plus cruel, le plus vaste massacre du Dragon. Et il va falloir fouiller, comme on tâtonnerait à la recherche d'une lancette perdue dans un bac de viscères excisés, de glaire et de sang.

Auger a déjà commencé l'interrogatoire avec des questions simples destinées à vérifier le fonctionnement du polygraphe; Blackburn a devant lui un écran-contrôle. Auger en arrive rapidement aux questions cruciales. Le Dragon s'obstine à ne pas répondre, ou à nier, mais les images évoquées dans son cerveau confirment les convictions de Blackburn: la tentative de ce matin à l'hôpital, et le massacre des Naskapis, visaient à éliminer tous ceux qui avaient pu recueillir le témoignage des hommes qui pêchaient cette fameuse nuit sur le lac Ossokmanouane. Leur témoignage sur le largage d'un objet massif, et sur la récupération de cet objet par la guérilla.

Et quelle était cette cargaison, quand doit-elle être utilisée? Les réponses sont plus abstraites, plus difficiles à percevoir, peut-être parce que Dragon lui-même n'a pas vu la cargaison, qu'il n'est pas lié de près à l'opération dont elle fait partie. Il semble s'agir d'un véhicule et d'une arme à la fois, une arme puissante. C'est clairement le vieux barrage Smallwood qui est visé, de façon imminente. Avec réticence, Blackburn sonde plus avant: cette question est cruciale. Mais toute l'affaire est occultée par une haie de cadavres, d'où le sang coule à flots, pâle et fluide. Clairement, pour le Dragon, ce massacre n'a pas été un ultime recours, il a été l'occasion de profiter d'un prétexte. Pour lui, le nord est plein de camps de pêcheurs où le métal brûlant de ses armes peut hacher la chair et faire gicler le sang.

Auger, qui dans ce premier interrogatoire n'a aucun moyen de savoir quels sujets il faut creuser, ni quels résultats obtient Blackburn après chaque question, passe aux suivantes sans que Blackburn ait pu faire toute la lumière sur Ossokmanouane.

— Tu as tenté à quelques reprises d'assassiner le lieutenant-colonel Blackburn.

— Connais pas.

Mais son esprit hurle «OUI!» et ses mains glissent une bombe dans un robot domestique.

— Tu as aussi ordonné à la prostituée Désy de l'assassiner.

— Je ne connais pas de Désy.

«Oui!» crie-t-il encore mentalement et, dans sa paume, la prostituée cueille une petite capsule de surexplosif.

— Cette mission de l'assassiner, elle t'a été confiée par quelqu'un.

Image très claire d'Hélène Michalski, soi-disant agent de liaison entre le haut commandement québécois et la puissance intéressée, mais en fait agent double appuyant la guérilla pour prolonger le conflit. Blackburn n'est pas autrement surpris: la première tentative de meurtre n'a-t-elle pas eu lieu à Havre-au-Lac, quelques heures seulement après que Michalski eut vu Blackburn puis se fut défilée?

— Qui est cette personne? demande Auger.

Image plus confuse, évocation d'un réseau, d'une quantité de visages flous et furtifs dont certains parlent dans des micro-écouteurs, évocation d'un sombre potentiel technique et matériel, sombre comme les nuits où des avions volant bas larguent des conteneurs sur le lac. Michalski est agent de liaison, peut-être agent de communications, dans le réseau de la guérilla, aussi entre ce réseau et la puissance intéressée. Du moins est-ce ainsi que Blackburn interprète ses perceptions, mais elles sont compliquées par les fantasmes sado-érotiques que le Dragon entretient au sujet de Michalski.

— Cette personne est-elle haut placée dans la guérilla?

Tunnels étroits et salles basses, réduits encombrés d'équipement; sensation de secret, de confinement, de clandestinité, mais aussi d'autorité incontestée. Le Dragon est sous les ordres de cette femme, oui, entièrement, mais aussi de façon cachée. À l'arrière-plan, Aguirre fait figure de chef plus lointain, moins respecté, à qui il ne s'ouvre jamais entièrement. À nouveau la vérité apparaît à Blackburn, une intuition qui ne se verbalise même pas, ni ne passe par des images claires: Jac Marin est bien le chef de la guérilla, mais cette femme, sa lieutenante, est celle qui commande vraiment, à son insu — du moins commande-t-elle au Dragon. Comment est-elle parvenue à s'imposer à lui, ce semble être toute une histoire en soi, un tunnel clair-obscur qui s'ouvre à la limite du «champ de vision» mental de Blackburn.

— Est-ce Jac Marin, alias Aguirre, qui a commandé le meurtre du lieutenant-colonel Blackburn?

À nouveau la sensation de secret, la conspiration du silence, loin des échiquiers d'écrans vidéos où Aguirre passe ses journées. Non, ce n'est pas Marin qui a commandé le meurtre, il faut même lui cacher qu'il y a un ordre de mort contre Blackburn. Seule Michalski le considère comme dangereux et souhaite son exécution, pour des motifs qu'elle n'a révélés ni à Marin ni même à Tournier. Nuance de ressentiment, de ce côté: l'entière dévotion du Dragon ne suscite pas en retour une entière ouverture de la Michalski. Fantasmes de soufflets et de coups: un jour elle devra bien parler.

— Le lieutenant-colonel Blackburn est-il considéré comme une menace pour la guérilla?

À nouveau, confusion; il n'y a pas d'image claire à espérer de questions aussi abstraites. Vision sanglante de Sophie, scène de torture: c'est Eaulourde qui a demandé au Dragon de l'interroger, pour savoir **qui** à Aticonac avait percé son identité. Avant de mourir, Sophie a décrit Blackburn, mais Dragon n'a pu le dire à Eaulourde, elle était sortie en mission. Il n'a transmis l'information à personne d'autre, sauf Michalski. Eaulourde semble elle aussi entourée de secret, elle a exigé que Dragon lui fasse rapport, à elle seule, de son interrogatoire aux dépens de Sophie. Peut-être tient-elle à protéger sa propre position au sein de la guérilla: elle aussi est une lieutenante d'Aguirre, centralisant les renseignements des espions dans l'armée régulière, mais elle serait déchue si on apprenait que son identité a été percée à Aticonac.

Auger en a fini des quelques questions que Blackburn avait eu le temps de lui préparer; c'était une occasion inattendue, un interrogatoire improvisé. L'opération pour laquelle Blackburn est ici doit continuer; il reste encore bien des préparatifs à faire.

Cela devra suffire, pour aujourd'hui. Mais les résultats sont excellents, Blackburn n'en attendait pas tant. À un moment, vers la fin de l'interrogatoire, la perception télépathique était totale, holographique, transcendant les images, les sentiments et même les pensées informulées, comme si Blackburn avait directement accès aux connaissances engrangées dans le cerveau de Tournier — sur certains points précis, il est vrai, dans les limites des questions que soulevait Auger.

Tout ce que Blackburn aurait pu apprendre s'il avait eu davantage de temps ou s'il s'était injecté une plus forte dose de céréphédrine-psi! Ou peut-être que non, peut-être que tout est dans la mesure, peut-être qu'il y a une dose optimale au-delà de laquelle l'effet est contrecarré par un mécanisme de rejet ou de lutte.

Déjà il sent naître le mal de tête qui suit immanquablement ces séances à la cé-psi. Mais la nausée qui l'accompagne, elle, est à moitié due au cloaque obscur qu'il sentait juste en dessous de la conscience du Dragon.

• • •

Au-delà de la clôture basse, grillagée, qui encercle l'héliport ambulancier du camp militaire, les trains de remorques porte-bagages se succèdent, comme l'on en voyait dans les aéroports, mais tirés par des jeeps. Les morts y sont alignés, étiquetés. Sac de plastique après sac de plastique, on les pose au sol, en rangées, pas toujours doucement. Les rotors jumeaux d'un vieil hélicoptère brassent l'air, lentement; un autre est en attente tout près, on achève de le charger. À leur arrivée à Sept-Îles, sans même ouvrir la glissière des sacs noirs, on mettra les cadavres dans des cercueils étanches d'aluminium.

Blackburn s'est arrêté près de Beauchamp, un officier proche de la cinquantaine, pilote d'hélicoptère. Il se retient au dernier instant de lui parler, se rappelant qu'il est déguisé. Mais Beauchamp le regarde, et Blackburn soutient un moment le regard grave de ses yeux gris — les yeux qui ont vu la guerre, a dit quelqu'un, en reviennent graves ou déments. Blackburn détourne les siens, gêné sans savoir pourquoi au juste.

Sous le porche de l'hôpital, tout proche, quelques recrues regardent sans un mot l'alignement des sacs noirs. L'un a la moitié du visage masqué par les bandages, l'autre porte épinglée à sa poitrine la manche vide de son pyjama. Dix-huit, dix-neuf ans? Et, dans ces sacs noirs, quelques-uns de leurs amis, quelque chose de leur vie. Au civil, après la guerre, l'un d'eux massacrera peut-être la clientèle d'un MacDo ou la foule devant un holociné?

Blackburn se rend compte que le pilote regarde dans la même direction. Puis, sans un mot, il met son béret et marche vers son hélicoptère dont le macabre chargement est terminé.

Blackburn est encore là, grave, regardant les formes massives des deux hélicoptères disparaître au sud, lorsqu'un sergent le trouve et lui annonce que Valois l'attend au Q. G. .

— Enlevez votre déguisement, ordonne le général lorsque Blackburn se présente. Nous attendons une communication importante du ministre de la Défense.

— Pourquoi faut-il... proteste Blackburn.

— Une communication personnelle, lieutenant-colonel. Adressée à vous et à moi.

Mais pas à Brasseur, songe Blackburn. *Il doit être furieux.* L'écran du vidéophone luit déjà dans le bureau provisoire de Valois. Le général compose quelques commandes sur le clavier, donne son code et son ultracode, tandis que Blackburn enlève de sa bouche les coussinets qui gonflaient ses joues. D'une main il arrache aussi doucement que possible sa moustache postiche, de l'autre il compose sur le clavier son code et son ultracode.

— Aucun moyen d'être sûrs que cette communication restera secrète, ici, grommelle Valois à son intention. Les Irréguliers ont peut-être un spécialiste du décodage.

Blackburn ne réplique pas. Sur l'écran du vidéophone, le buste du ministre de la Défense, Juneau. Blackburn se prend une chaise et s'assoit près du général pour être dans le champ de la caméra. En noir et blanc, le roux de ses cheveux sera moins remarquable.

— Général Valois, c'est le lieutenant-colonel Blackburn à côté de vous?

— Lui-même.

— Vous avez bien changé, Blackburn.

— Merci, répond l'intéressé sans masquer son ironie.

— Le Premier ministre a des recommandations de la plus haute importance à vous faire. Je lui cède la parole.

Le P.M. en personne, s'inquiète Blackburn. *Ce n'est pas encore assez compliqué comme ça?* Le Premier ministre a les traits tirés.

— Général Valois, lieutenant-colonel Blackburn, nous avons reçu vos rapports sur l'imminence d'une opération des Irréguliers contre le barrage Joey-Smallwood. Nous avons aussi étudié votre évaluation des pertes de vies qui en résulteraient chez les populations civiles du Lac Melville.

Hypocrite, songe Blackburn. Ces évaluations, le gouvernement les connaissait déjà, c'est lui qui les avait demandées aux experts militaires.

— La destruction du barrage serait catastrophique. Nous sommes à la veille d'amorcer des pourparlers secrets en vue d'un cessez-le-feu. Grâce au succès de l'offensive actuelle, nous serons en mesure de dicter les conditions de cette armistice. La destruction du barrage remettrait tout en question: l'ennemi se braquerait, refuserait toute négociation, et l'opinion mondiale nous serait à jamais hostile.

Elle ne nous a jamais été très favorable, songe Blackburn sans donner voix à sa réplique.

— Les pourparlers ne nous seront utiles que s'ils ont lieu bientôt, au lendemain de l'offensive. Quelques mois, ou même quelques semaines de délai, et l'ennemi se rendra compte que nous ne pouvons garder tout ce terrain par la force. Il attendra simplement l'occasion de le reprendre.

— Monsieur le Premier ministre, nous comprenons très bien, hasarde Valois.

— Il en va de la paix continentale, messieurs, enchérit le chef du gouvernement. Les États-Unis tiennent à notre hydro-électricité, celle qui est produite actuellement et celle qui peut l'être en surcroît. Ils préfèrent que ça se fasse par l'établissement d'une paix durable, mais si cette paix ne se fait pas dans les toutes prochaines semaines, ils sont prêts à se lancer directement dans la guerre. Inutile de vous faire un dessin, je crois?

— Inutile, monsieur le Premier ministre, convient Valois.

Au Québec, une telle intervention serait brève et elle réussirait: on n'est pas en Amérique latine où chaque citoyen est prêt à combattre l'envahisseur dans les rues et dans les champs. Jusqu'ici, toute cette guerre nordique s'est faite de façon mesurée, chacun soupesant ce que les populations locales et les puissances voisines seraient prêtes à tolérer comme affrontement: mouvements d'occupation et escarmouches dans la taïga ou près du cercle arctique, mais pas de bombardement, pas d'offensive dans les régions habitées. Qu'on fasse mine de toucher au sud, la population civile et son gouvernement baisseraient immédiatement les bras.

— Nous avons déjà ordonné que le barrage soit délesté, rappelle le Premier ministre. Mais ça n'aura qu'un effet mineur sur la gravité des dégâts si les Irréguliers le détruisent ces prochains jours. Il n'y a donc qu'une issue: neutraliser les Irréguliers, de toute urgence.

Blackburn attend en vain la péroraison. L'homme d'État leur reconnaît au moins l'intelligence d'apprécier leur rôle crucial. Il les salue, leur souhaite bon succès et met fin à la communication. Valois et Blackburn restent un moment silencieux, sans se regarder directement.

— L'opération Cyclone devra être lancée, conclut le général. Tant pis pour l'infiltration, nous n'aurons pas le temps.

— Laissez-nous quarante heures, proteste Blackburn. Je vais reprendre ma couleur naturelle, puis je me rends au mess des officiers. Café Filtre est prête à commencer, tout le monde est en place.

Ils discutent un moment, sur un ton assez vif. Lorsque Blackburn quitte le bureau, il a obtenu trente heures de délai avant que le Q. G. d'Aguirre soit bombardé.

Pourquoi tient-il tant à se retrouver devant Jac Marin?

Cinquième partie

C'est dans ce risque seul
que tu prends vraiment part au jeu.

Rainer Maria RILKE, Œuvres complètes 2

19

Sur le grand écran du mess, on projette un vieux film — STAR TREK 7, croit reconnaître Blackburn: le docteur est devenu un vieillard pathétique. L'écran est trop près et Blackburn voit surtout les lignes floues, tricolores, qui composent l'image. Le projecteur est vieux; rien ici n'est neuf ou luxueux, même au mess des officiers.

Redevenu lui-même, c'est la première fois que Blackburn paraît en public depuis son retour des berges sanglantes de l'Ossokmanouane. On pourrait même croire qu'il a dormi tout ce temps-là, qu'il n'a pris part ni à l'arrestation de Désy, ni à celle des informateurs, ni à la capture et à l'interrogatoire du Dragon, ni aux préparatifs fébriles qui ont pour foyer le Q. G. de la base; un grand officier roux s'en est chargé.

En fait, un peu de sommeil serait le bienvenu; Blackburn n'en a eu qu'une dizaine d'heures depuis trois jours. S'il ne se passe rien d'ici un moment, Blackburn va s'endormir là, au bar du mess, le menton sur la main. Toutefois cela n'arrive pas; des agents de la police militaire font irruption dans le mess des officiers, pistolets dégainés. Leur chef, le lieutenant Minot, celui qui a enquêté sur le meurtre de la prostituée Sophie, interpelle Blackburn:

— Vous êtes en état d'arrestation, lieutenant-colonel. Venez avec nous.

Il n'a pas l'air de plaisanter. Blackburn se lève, dans le silence qui a envahi la salle. Seule la trame sonore du vidéo continue en sourdine.

• • •

Un grand écran, d'autres plus petits, et un homme qui les regarde. Des faits inattendus se sont produits à la base d'Aticonac et les télécaméras sont braquées dessus. Des coups de feu, des rafales de mitraillette. L'homme se redresse à demi sur son siège. Sur le grand écran, il voit les portes grillagées du camp renversées par un hover *blindé — un de ces redoutables cuirassés. Un* hover *léger le suit, des salves saluent leur fuite.*

Des explosions illuminent la base, profilant les angles des bâtiments sur d'éphémères nuées ardentes: les hangars des véhicules terrestres.

Un sabotage? Une opération concertée, planifiée? L'homme qui observe les écrans est perplexe, irrité: il n'a rien ordonné de cela. Encore une initiative de Dragon? Depuis quelques semaines il semble jouer son propre jeu; au retour de ses absences, ses rapports sont incomplets — et que dire de son gâchis au campement des Naskapis! Depuis deux jours on ne l'a pas revu, il n'a pris qu'un homme avec lui en disant qu'il allait réparer une erreur.

L'homme devant les écrans sélectionne une autre image, commande le mouvement d'un téléobjectif. À l'héliport, des rotors se mettent à tourner déjà: la poursuite sera aérienne. Mais de nouvelles explosions déchirent la nuit, soulignent en ombres chinoises les hélijets. Pas d'incendie majeur, mais les projecteurs sont hors d'usage; dans l'infrarouge, on ne distingue pas assez pour évaluer les dommages à la flottille aérienne.

Quelqu'un s'est échappé d'Aticonac et y a laissé le chaos pour couvrir sa fuite.

L'homme ramène sur le grand écran l'image qui suit les hovers *en fuite. Le second, plus léger, prend du retard; peut-être les fuyards n'ont-ils pu s'emparer que d'un véhicule en mauvais état?*

Y aurait-il eu mutinerie à Aticonac? Par ses informateurs, eux-mêmes écroués pour la plupart hier, l'homme sait qu'il y avait à la base d'Aticonac quelques sympathisants de la guérilla. Une douzaine ont été appréhendés et internés, selon la dernière source qui soit encore active dans la base. Une douzaine, y compris le lieutenant-colonel Denis Blackburn — ce qui le laisse perplexe. Jusqu'à récemment, Blackburn fréquentait aussi bien l'état-major de la base que (discrètement) les sympathisants qui viennent d'être arrêtés. Il aurait joué double jeu, il aurait fini par être démasqué par ses supérieurs? Peut-être par ce mystérieux officier apparu avant-hier, présent à tous les interrogatoires?

L'homme soupire, excédé: il est mi-aveugle et mi-sourd, dans ce trou confiné qui lui sert de quartier général. Des lieutenants trop autonomes, des renseignements fragmentaires, des informateurs qui voient de loin mais n'ont pas accès aux communications importantes, aux discussions cruciales.

À la base militaire, les tourelles laser entrent en jeu. À l'infrarouge, on voit luire les accumulateurs de charge, à l'optique on voit les canons pivoter. Les hovers foncent vers les caméras qui les observent, on a l'impression qu'ils vont défoncer l'écran. La cache de la caméra est en plein dans la ligne de tir, les décharges laser se voient clairement, tels des flashes, et ce qui devait arriver arrive bien vite: l'image disparaît dans un dernier éclat. L'homme jure entre ses dents, incrédule devant tant de malchance: c'était l'une des caméras les plus stratégiques pour l'observation de la base.

Il passe à une autre image. Les hovers après une bifurcation, semblent foncer vers cette nouvelle caméra. Ah non! jure l'homme. Le passage du véhicule lourd agite un instant l'image. Le hover plus léger semble piloté par un idiot: il file en ligne droite, sans zigzag pour compliquer la visée des tourelles laser. Dans ces conditions, il est surprenant qu'on tarde tant à l'abattre.

L'homme devant ses écrans se sent impuissant, il voudrait avoir sous la main les contrôles à distance de ce hover, il saurait bien manœuvrer pour échapper au tir ennemi. Mais l'explosion se produit sans qu'il y puisse rien. Modeste explosion; le réservoir devait être à moitié vide. Un tourbillon de flammes culbute sur la taïga, lançant partout des débris rougeoyants, s'arrêtant finalement tout près de la caméra et de sa cache.

À la lueur des flammes, l'homme peut passer en vision optique; il balaie lentement l'aire autour de la cache, fait un zoom sur la carcasse noircie du hover. On voit des cadavres, certains encore prisonniers des débris, d'autres semés derrière, parmi les fragments. Pas jolis à voir, méconnaissables pour la plupart, soit faute d'éclairage, soit à cause du sang. Mais l'homme parvient à en identifier deux, peut-être trois: des informateurs que la guérilla entretenait au sein de la base ou dans le village civil, au nombre de ceux qui ont été arrêtés hier.

À l'infrarouge, il peut dénombrer les corps, même ceux éjectés à des dizaines de mètres de la carcasse: ils sont encore chauds. Le compte y est: une dizaine.

Une évasion collective, donc; mais, de ce groupe, aucun n'a survécu.

Reste le hover lourd, que les batteries laser semblent incapables d'abattre — sabotage, là aussi?

Denis Blackburn est-il à bord?

• • •

Le monde est une vaste salle de jeux obscure, où les néons tracent des lignes éblouissantes. Blackburn et Jac Marin s'y affrontent, debout sur des voiturettes armées dont les commandes sont celles d'un jeu électronique. L'un fonçant vers l'autre, c'est une course à obstacles où des praticables surgissent du sol, des représentations bidimensionnelles en trompe-l'œil. Voici l'Eldorado, tel un bouquet d'angles blancs et or dans la jungle; voici Comitan, un empilement de cadavres parmi les décombres, et Blackburn manque de s'y casser la figure. Il les contourne, mais constamment s'en dressent devant lui de nouvelles représentations. Voici Quetzalcóatl crachant des flammes, voici un sous-marin soviétique qui s'évapore au dernier instant, voici un robot domestique porteur d'une bombe. Et des hélijets qui tombent tels des fruits mûrs, des tourelles laser, des *hovers* qui explosent.

En face, Jac Marin se cache derrière ses complices tel un chasseur derrière des bosquets. Voici une Désy de carton, un Dragon grimaçant aux yeux de braise, une farouche combattante de la guérilla, un cheval de Troie semi-remorque, voici des Amérindiens mitraillés. Mais on se joue de Blackburn: Aguirre devenu personnage de contre-plaqué, c'est Dragon et Eaulourde qui s'embusquent derrière lui, puis Michalski derrière eux tous. Et on se canarde, d'absurdes traits lumineux raient l'air en tout sens, les cibles éclatent en gerbes d'étincelles.

Blackburn et Jac Marin foncent l'un vers l'autre, la collision est imminente. Puis, sans le moindre choc, les voici face à face, démasqués, et Blackburn sent que l'autre lit dans sa tête ses stratagèmes les plus secrets.

Une main sur son épaule éveille Blackburn. Il met un bon moment à comprendre où il est, et qui sont ces hommes en tenue de simples soldats. Ce sont les prisonniers bidon, les évadés de cette nuit: les agents du Contrext qui ont été mis à sa disposition pour cette mission, jouant le rôle de sympathisants de la guérilla. Ils le joueront mieux que lui, ce rôle, ils ont eu des semaines et des mois pour pratiquer; l'idée d'infiltrer la guérilla ne date pas d'hier.

Blackburn se lève, ses courbatures le font gémir: un *hover* d'assaut n'est pas le dortoir idéal, surtout bondé comme il l'est. L'équipage normal est de huit personnes. Le *hover* est l'élément essentiel de la mise en scène, le *hover* prétendument volé à la faveur de prétendus sabotages, au milieu de feux d'artifice et de rafales tirées à blanc — les gardes eux-mêmes l'ignoraient, ils ont dû se trouver à la fois malchanceux dans leur tir et chanceux de s'en tirer indemnes; ce matin ils auront reçu la consigne de n'en parler à personne.

Les moins fortunés ont été les espions authentiques, imbibés de drogue, empilés dans le *hover* léger, entraînés dans la fuite par pilotage automatique, jusqu'au point précis où les batteries laser devaient détruire l'engin, juste devant une caméra-espion des Irréguliers.

— On est encerclés, annonce à voix basse Laurin, celui qui a éveillé Blackburn.

Il lui montre sur l'écran radar des points phosphorescents, qui doivent plus aux conjectures de l'ordinateur qu'à l'écho véritable des ondes.

— Coques non métalliques, protection anti-radar entière. Ils sont une dizaine, des *hovers* semi-légers pour la plupart.

Blackburn grimpe dans la tourelle, sort le buste à l'air libre. C'est l'aube, les dernières étoiles s'éteignent dans un ciel gris-bleu. L'air frais lui fait un bien immense et dissipe les dernières brumes. Un affleurement rocheux, un des rares en cette contrée, domine le véhicule et le dissimule à la vue — sur un côté du moins. Quelques hommes de la mission sont assis ou accroupis sur le blindage, attendant la suite. Un vaste marécage occupe la moitié du paysage. Leur fuite, cette nuit, les a menés jusqu'ici, mais ce n'était pas à l'aveuglette: Blackburn connaît maintenant par cœur les cartes topographiques et les stéréoscopies de la région.

— Vous les avez repérés visuellement? demande-t-il.

On lui tend les binoculaires et on dirige discrètement son regard: là-bas, une motte de tourbe, plus loin des touffes d'osmonde, là encore un grand mélèze déraciné. Seul le regard attentif décèle les lignes et les angles, les surfaces un peu trop planes pour être naturelles, mais peintes avec un art consommé du camouflage.

Sur un des *hovers*, camouflé d'aulnes, l'écoutille se soulève avec ses branchages; la tête d'une femme apparaît. Au rapprochement maximum, Blackburn l'observe sur l'écran du télévidéo: c'est Eaulourde! Il pianote une commande sur le clavier, l'ordinateur de bord isole et agrandit le profil de la femme. Le dossier entier de la guérilla est parcouru et une photo apparaît sur un petit écran: profil et face, le nom et les antécédents, le nom de guerre qu'elle s'est choisi. Aucun doute.

Blackburn note aussi la caméra vidéo montée sur l'affût de la mitrailleuse, comme si quelque voyeur avait transformé le *hover* en car de reportages télévisés, comme au lac Ossokmanouane.

— Ils convergent, prévient le préposé au radar.

Sur chaque *hover*, un homme est apparu à la tourelle et braque sa mitrailleuse, doublée d'une caméra vidéo, vers l'engin de l'armée régulière. L'un après l'autre, Blackburn les observe sur son écran, demande leur identité à l'ordinateur de bord. Il obtient une identification dans la plupart des cas, mémorise les visages, les noms de guerre: Robotech, Chegueva, Lumineux, Goldorak, Brochet... Bien entendu, Aguirre n'est pas du nombre.

— On sort, décide finalement Blackburn. Sans armes.

Inutile de soupeser les éventualités; ce sera vite réglé, de toute façon. Il laisse quelques-uns de ses camarades monter vers l'écoutille, tandis qu'il commande l'effacement des mini-disquettes où étaient consignés tous les renseignements disponibles sur la guérilla. Il prend aussi le temps de s'injecter discrètement une dose de cé-psi+, le composé que lui a apporté le chimiste de l'Aprex trois jours plus tôt. Il doit s'injecter la drogue maintenant: on ne lui en laissera pas le loisir une fois capturé. Il peut seulement espérer qu'il aura à portée de son esprit des officiers clés de la guérilla pendant les périodes où l'effet de la drogue sera à son optimum. Mais il ne parvient pas à chasser de son esprit l'ignorance avouée du chimiste quant aux effets à moyen terme du composé. C'est avant-hier seulement que Blackburn a absorbé plusieurs capsules de chronoreg.

Il sort à son tour, l'avant-dernier, de façon à ne pas laisser deviner qu'il est le meneur du groupe. Aucun n'hésite à se placer ainsi dans la mire des Irréguliers: ce sont des hommes du Contrext, trempés par un entraînement rigoureux et des missions antérieures jamais faciles. Bientôt la douzaine est plus ou moins alignée sur le blindage, agitant les bras tant en signe d'appel que pour montrer qu'elle est désarmée.

Tous les *hovers* déguisés en accidents de terrain convergent vers le cuirassé. Les mitrailleuses lourdes sont braquées, leurs commandes aux mains de femmes et d'hommes farouches, cheveux courts ou barbe mal rasée, tenue assez uniforme mais négligée. En somme, rien ne les distingue de l'armée régulière, hormis peut-être un «air» difficile à préciser.

Blackburn s'attend que tout son passé défile dans sa tête. N'est-ce pas ici qu'il doit mourir, mitraillé, projeté par la rafale contre la muraille rocheuse derrière lui? Mais les *hovers* de la guérilla ralentissent, s'immobilisent en demi-cercle. Des écoutilles s'ouvrent à l'avant des véhicules.

— Dragon n'est pas avec vous? demande une femme de la guérilla avec des insignes d'officier. Est-ce Dragon qui a organisé votre évasion?

C'est Eaulourde, celle qui a lancé le Dragon contre la malheureuse Sophie. En principe, elle ne peut reconnaître Blackburn, ne l'ayant jamais vu. En tout cas, la nouvelle de l'arrestation de Dragon et de son transfert vers le sud ne semble pas être parvenue à la guérilla.

— On le connaît pas, votre Dragon, répond un compagnon de Blackburn en criant lui aussi. Il y a un groupe de vos partisans qui s'est évadé avec nous, mais leur *hover* a été descendu. Il était peut-être à bord?

— Non, Dragon n'était pas une taupe. Il se serait introduit à Aticonac au plus tôt avant-hier.

— Pas vu.

Étrange conversation, dans le bourdonnement des moteurs, sous la mire des mitrailleuses. La caméra d'un *hover*, celui d'Eaulourde justement, effectue un lent balayage sur l'équipage du cuirassé, son téléobjectif déployé au maximum. Blackburn voit l'objectif le dépasser, puis revenir et se fixer sur lui. Qui se cache derrière cette lentille? Jac Marin. Qui d'autre dans la guérilla pourrait le reconnaître et s'intéresser aussi à lui?

— On veut se joindre à vous, déclare un des hommes de Blackburn comme si la situation n'était déjà claire pour tout le monde.

Une interjection sarcastique d'Eaulourde accueille cette déclaration. Elle est sceptique: depuis longtemps, aucun déserteur n'a choisi le camp des Irréguliers. Tout le romantisme des premières années a perdu son éclat.

Encerclé avec ses compagnons par les guérilleros descendus de leurs *hovers*, Blackburn est contraint à se déshabiller comme tous les autres, fouillé minutieusement, passé aux détecteurs d'ondes et de métal. La tension qui régnait atteint son paroxysme durant la fouille. Un des hommes, Primeau, s'oppose à ce qu'on lui fouille le rectum. Eaulourde s'approche de lui d'un pas décidé:

— Tu as un micro-émetteur dans le cul? Tu veux guider l'aviation jusqu'à notre repaire?

Elle lui colle le canon de sa mitraillette sous la mâchoire. Le préposé à la fouille tente à nouveau d'introduire son spéculum-détecteur.

— Laisse-toi faire, conseille Blackburn en même temps que deux autres collègues.

Mais l'agent a un autre geste de refus, il se cambre avec défiance. Une brève rafale éclate; Blackburn hurle, éclaboussé par quelque chose de chaud. Il ferme les yeux, grimaçant, tandis que s'écroule le corps avec une moitié de tête.

• • •

Couché en position fœtale sur le plancher encombré, Blackburn a un goût aigre dans la bouche. Il porte des menottes et un bandeau, comme tous ses compagnons répartis dans les *hovers* des Irréguliers. Aguirre sera-t-il dupe de la supercherie? On ne fait pas confiance aux transfuges, c'est clair. On ne se contentera pas de simples interrogatoires.

Une seule consolation, bien momentanée: Blackburn reste anonyme parmi les transfuges, Eaulourde ne se méfie pas particulièrement de lui. Mais, depuis l'interrogatoire de Dragon, Blackburn a des motifs supplémentaires de s'inquiéter: cette Michalski, faisant partie de l'état-major de la guérilla, ne risque-t-elle pas d'être là, au Q. G. secret? Elle ne manquera pas de le reconnaître, et aucun talent de comédien ne sauvera Blackburn de l'intention meurtrière de cette femme. De quelque façon mystérieuse, elle a depuis longtemps deviné son rôle crucial.

Blackburn met à profit la durée du trajet pour sonder l'esprit d'un guérillero, l'officier qui commande ce *hover* et qu'on appelle Goldorak, en souvenir de dessins animés d'il y a vingt ans. La cépsi+ commence à faire effet, la présence des hommes tout proches s'impose à son esprit sans même qu'il le veuille. Blackburn entreprend de s'ouvrir plus particulièrement à Goldorak, excluant délibérément les pensées des autres hommes. Doit-il se surprendre d'être à nouveau submergé par des visions d'Ossokmanouane, du massacre sur la grève ensoleillée? Goldorak lui-même a tué, mitraillant des hommes à bout portant, sectionnant leur cou d'une brève rafale pour que le Dragon voie davantage de sang. Scène assez marquante pour que l'homme y songe encore constamment, trois jours plus tard. D'un effort, Blackburn écarte la vision. Mais Goldorak ne pensera pas nécessairement à Michalski, peut-être pas avant des heures. Blackburn évoque le visage de la femme, l'agent double, vue durant quelques heures seulement dans les salles sous-marines du Havre-au-Lac, et il suggère cette image au guérillero.

Résonance immédiate: une autre image de la même femme, cheveux courts cette fois. Elle revient à Harcel ce soir ou cette nuit, à nouveau elle réclamera des comptes à tout le monde, demandera à voir Dragon qui lui semble si dévoué. Elle n'est guère aimée dans le camp, les officiers subalternes l'expulseraient volontiers si ses puissants maîtres n'étaient indispensables à la survie de la guérilla.

Le *hover* ralentit enfin, après avoir emprunté un itinéraire compliqué pour gagner Harcel. Il parcourt à petite allure un plan incliné, puis s'immobilise et se pose. On délie les mains de Blackburn, on le fait monter et franchir l'écoutille, toujours aveuglé par le bandeau. Précaution inutile: il sait maintenant que le Q. G. de la guérilla est dissimulé sous les carcasses dégonflées de deux dirigeables et leurs immenses soutes d'aluminium. Une cachette à la vue de toutes les patrouilles aériennes, repérable comme le nez au milieu de la figure. Au début de la guerre, présume-t-on, deux dirigeables-cargos, ramenant probablement du minerai du nord, ont été abattus en vol. Presque inaccessibles par surface, sur un îlot du lac Lobstick, ils ont constitué durant des années une cache idéale et le Q. G. y est établi depuis des mois. Selon le témoignage du prisonnier Labarre, certains officiers de la guérilla réclamaient un déménagement, craignant que ce repaire ne soit «brûlé», mais Aguirre s'y opposait, ayant de plus en plus de matériel électronique à réinstaller en cas de déplacement. La toile des ballons doit recouvrir d'immenses tentes au plancher à demi creusé. Les vastes volumes des soutes ont dû être vidés de leurs conteneurs à minerai, redressés, et doivent servir de hangars ou de garages. Un camouflage peint doit accentuer leur détérioration: carcasses apparemment tordues et défoncées, à demi enlisées dans la tourbière. Interrogé par Blackburn, l'ingénieur militaire en poste à Aticonac a volontiers extrapolé: on a pu creuser jusqu'au pergélisol, consolider les parois des tranchées, imperméabiliser et isoler ces fosses. Antennes, radars, canons laser, lance-missiles, peuvent être dissimulés parmi les débris d'hélices, de moteurs, de poutrelles, qui jonchent le sol autour des épaves. Un mini-réacteur, convenablement isolé pour dissimuler sa chaleur aux senseurs aéroportés, a pu être immergé près de l'îlot pour fournir l'énergie de façon fiable et continue.

C'est tout cela que veulent cacher les guérilleros en bandant les yeux de leurs «visiteurs». Mais Blackburn descend du *hover* avec calme, sinon avec assurance. Ce repaire est une cible, déjà en mémoire dans les ordinateurs de navigation; à Sept-Îles, les soutes de bombardiers sont pleines, pour une envolée que seul un appel codé interrompra. Blackburn et ses compagnons ont trente heures, décomptées à partir de son arrestation mise en scène la veille, pour rendre Harcel vulnérable à une invasion, pour obtenir des renseignements stratégiques sur l'ensemble de la guérilla, ses repaires secondaires et ses appuis clandestins dans les villes. À Aticonac, on maintient un écran de fumée pour cacher aux caméras de la guérilla les préparatifs en cours; explosions, incendies, décombres fumants, n'ont été qu'artifices. Tous les *hovers* sont prêts à converger vers Harcel, comme c'est le cas aux bases d'Emeril, d'Esker et de Schefferville. Dans les bases mêmes, pour tromper d'éventuels informateurs de la guérilla, on laisse croire aux troupes qu'elles participeront sous peu à l'offensive majeure qui se poursuit à l'est.

Les patrouilles aériennes et les patrouilles aquatiques sur le lac Lobstick, le réservoir du barrage Smallwood, ont été doublées. On est en train d'immerger des filets supplémentaires, de vastes filets métalliques capables de retenir sous-marins de poche et torpilles. Mais le réservoir est profond, et les cinq kilomètres de filet ne rejoignent peut-être pas le fond en tous les endroits: aucune mesure ne peut faire échec à coup sûr à une attaque subaquatique contre le barrage.

Tout cela, Blackburn y pense. Mais il songe surtout à Jac Marin, Aguirre, à qui il sera confronté dans les heures qui viennent.

Malgré ses yeux bandés, Blackburn a la perception d'une vaste salle au plafond bas, métallique. Perception auditive d'abord: des turbines de *hovers* qui s'éteignent, à bonne distance mais toujours dans le même grand espace clos, des voix lointaines échangeant à haute voix consignes et interjections. Puis par la somme des visions des gens qui l'entourent et dont il reçoit des perceptions: fragmentaires dans la plupart des cas, de simples bribes, mais se juxtaposant pour créer l'image d'un vaste garage ou hangar à l'éclairage médiocre, rempli de véhicules alignés.

Puis, des galeries ou des tunnels: simples tranchées dans la tourbière, les parois renforcées d'une structure de polymère qui draine l'eau et sert d'isolant. L'ambiance est celle d'un lieu confiné, mal ventilé, pauvrement éclairé.

Mais c'est surtout à l'ambiance mentale que Blackburn porte attention. L'affluence des Irréguliers et de leurs pensées lui confirme ce qu'il sait depuis un bon moment déjà: la supercherie a fonctionné dans une certaine mesure. Tous croient que les évadés d'Aticonac sont des transfuges de bonne foi; les officiers sont circonspects mais les haut gradés savent, pour avoir parcouru certains dossiers constitués par leurs espions, que quelques-uns des transfuges sont des sympathisants de longue date. Excellent travail du Contrext. Mais l'idée d'une ruse de la part de l'armée n'est exclue par personne.

Toutefois, et Blackburn s'en alarme, ce ne sont pas les événements des dernières heures qui préoccupent les Irréguliers. Il sent de la tension, de l'expectative, de l'agitation: une offensive est en préparation, une offensive capitale. Elle est imminente: une question de jours, peut-être d'heures. Mais Blackburn ne sent pas tout à fait la peur qui précède les assauts d'infanterie: l'offensive, quoique cruciale, ne comprend peut-être que quelques hommes. Une opération de commandos, donc. Nul ne sait s'il s'ensuivra une offensive générale, engageant tous les combattants. D'où la nervosité que perçoit Blackburn.

Cela confirme les plus sérieuses inquiétudes de l'état-major d'Aticonac: le délai de trente heures qu'on a fixé à Blackburn est peut-être déjà trop long. Peut-être, pendant même qu'ils s'introduisent dans le Q.G. de la guérilla et apaisent les méfiances, peut-être un commando est-il déjà en route vers le barrage Smallwood? La mission de Blackburn, préparée depuis une semaine, réussirait mais quelques heures trop tard!

Diverses chaînes de pensées s'imposent à Blackburn durant le trajet entre le vaste hangar et une salle où seront détenus les transfuges. L'une s'impose à lui, toutefois, comme le chant d'un ténor dans la rumeur d'une foule: Jac Marin. **Jouant**. Oui, c'est l'esprit du jeu, jouant d'adresse et d'habileté. Une porte, sans doute, une cloison seulement, le sépare de Blackburn dont il ignore la proximité. A-t-il vraiment le temps de jouer, ici, au quartier général de la guérilla qu'il dirige? Il est aux commandes simulées d'un véhicule quelconque, petit et maniable, capable de se mouvoir dans les trois dimensions. Avion? Pourquoi alors la visibilité est-elle limitée à des écrans radar et des vidéos à l'infrarouge? Un sous-marin, alors. C'est comme un jeu de cache-cache, entre des obstacles fins et linéaires, des pièges sensibles. Blackburn ralentit pour prolonger le contact, mais on le pousse rudement et il doit continuer, le long d'une coursive qui l'éloigne bientôt d'Aguirre et de sa concentration.

• • •

Les heures ont passé, dans cet entrepôt surveillé par vidéo où chaque phrase échangée par les transfuges doit être écoutée. Un à un ils sont emmenés, ils comparaissent devant des officiers de la guérilla qui les tabassent. On le voit à leur visage tuméfié lorsqu'ils reviennent. Ils marmonnent «Je ne comprends pas, ils se méfient de nous». Phrase convenue, par laquelle ils font rapport à leurs camarades et à Blackburn en particulier: elle signifie que l'interrogatoire semble s'être conclu à leur avantage, à l'avantage de leur ruse.

La moitié du groupe a été questionnée; un homme a été torturé, on l'a même entendu hurler car bien des installations de ce Q. G. ne sont que des tentes. Le tour de Blackburn viendra tôt ou tard: le plus difficile, le plus décisif. Mais ce qui le préoccupe autant, c'est le sort de Primeau, sauvagement abattu ce matin. Et le ressentiment de ses collègues: au moins deux adressent à Blackburn des regards hostiles, comme s'il était responsable de ce qui s'est passé et du tabassage infligé par les guérilleros. Et il se **sent** responsable. Ce stratagème, c'était le sien. Le colonel Brasseur prônait un bombardement du repaire sans autre procès. Blackburn a fait valoir qu'il fallait prendre Aguirre et ses officiers vivants pour leur extorquer tous les renseignements nécessaires à la défaite totale de la guérilla. Et c'est vrai.

Cependant, n'est-ce pas aussi parce que Blackburn tient à revoir Marin? Mais pourquoi faire, au juste?

La porte de l'entrepôt s'ouvre, un garde entre et laisse passer un garçon qui pousse une haute desserte chargée de plateaux.

— En tout cas on va manger mieux qu'à la prison militaire, lance un agent qui n'a pas renoncé à jouer les déserteurs.

L'attention de Blackburn se porte sur l'adolescent qui fait le service. Un Amérindien: seize, dix-sept ans. Le garde est ressorti et l'a laissé seul avec les transfuges. Le gamin n'est pas bavard, pas hostile non plus. Avec ses yeux noirs et brillants, sa beauté est frappante, et Blackburn ne doute pas un instant qu'il est le mignon d'Aguirre. Il se demande si c'est un Naskapi et s'il est apparenté à la bande qui s'est fait massacrer sur la rive de l'Ossokmanouane. L'Amérindien soutient le regard de Blackburn.

— Prenez rien? demande-t-il à Blackburn dans un français approximatif.

L'officier fait signe que non. Comme la plupart de ses camarades, il est beaucoup trop anxieux pour avoir quelque appétit. Le garçon hausse les épaules, se hisse sur une pile de caisses pour s'asseoir en attendant que les captifs aient mangé. Dans ce mouvement, son ventre est dénudé un instant et Blackburn remarque des cercles ou des anneaux roses sur sa peau cannelle. Traces de brûlure au premier degré, bien guéries, de la forme et du diamètre d'un canon de mitraillette.

— C'est ici qu'ils t'ont fait ça? demande Blackburn en feignant l'étonnement.

— Non, c'est les autres, répond le garçon sans réticence.

— Les autres...?

— Les Newfies.

Les Terre-Neuviens, ou leurs alliés canadiens si ce gamin ne fait pas trop la différence. Blackburn note avec une satisfaction mitigée que ni la guérilla ni l'armée dont il est officier n'ont le monopole des mauvais traitements envers les autochtones.

— Comment est-ce arrivé?

Le garçon hausse les épaules:

— Demande Agwir te montrer le vidéo.

Blackburn se tait, tandis qu'un malaise se répand en lui tel un liquide lourd et oppressant. Une séance de torture, filmée par Aguirre? Il aurait été témoin et l'aurait laissée se prolonger? Où est la limite entre ce que Blackburn sait de Jac Marin, et ce que lui suggèrent ces brûlures sur le ventre d'un adolescent? Où est la limite entre les massacres du Dragon et ceux dont Aguirre s'est rendu coupable, comme celui de la semi-remorque piégée? Mais ce garçon n'est pas prisonnier ici. Il ne manifeste aucun ressentiment, il n'a donc pas été torturé ici.

Blackburn a de plus en plus, et de moins en moins, hâte d'être confronté à Jac Marin.

20

Menotté, les chevilles liées par une corde qui le laisse marcher à l'aise mais l'empêche de courir, Blackburn est finalement amené à son tour. Pourtant, on est venu chercher Laurin il y a moins d'une heure et il n'est pas revenu. *Marin. On m'emmène voir Marin.* Finalement, la confrontation. Deux ans qu'ils se sont vus. Dix ans qu'ils se sont parlé. À Sept-Îles, dans l'arrière-salle où Marin avait triomphé aux léthojeux, Blackburn s'est défilé avant qu'un seul mot soit échangé. À l'époque, ils appartenaient encore à la même armée; mais peut-être Marin songeait-il déjà à changer de camp. Maintenant ils sont adversaires.

Deux gardes escortent Blackburn. À leur approche, une porte s'ouvre et le jeune Amérindien en sort, portant sur un plateau bouteilles vides et assiette sale. *Il sert de domestique, voilà.* Manifestement libre de ses déplacements mais non armé, à la différence de tous les Irréguliers. Le garçon reconnaît Blackburn aussi et soutient son regard.

Des deux gardes, l'un reste dans le couloir mais l'autre entre avec le captif par la même porte, dans la salle où, ce matin, Blackburn a cru sentir la présence d'Aguirre.

Il n'y a personne. Une odeur de cannabis saisit Blackburn dès l'entrée. La pièce doit être un ancien conteneur cargo, reposant à même le pergélisol, largement sous le niveau de la surface. Sombre, elle est occupée en majeure partie par un impressionnant volume d'équipement électronique et informatique. L'espace dégagé forme un L, et Blackburn se rend compte maintenant qu'il y a un préposé assis dans la plus petite partie de la salle, devant une console qui doit être celle du radar et des communications car il prononce à voix basse, dans un micro-écouteur, des phrases de routine.

Mais le plus gros de l'équipement, qui intègre un large secteur informatique, est centré sur un damier vertical d'écrans vidéo, fidèle à la description qu'en a fait le journaliste transfuge, Labarre. Sur l'un des écrans, on voit la chambre où Eaulourde interroge un par un les prisonniers d'Aticonac, ceux qui espèrent se faire passer pour transfuges mais dont la sincérité est mise en doute à coups d'électrochocs — s'ils sont vraiment partisans de la guérilla, ils lui pardonneront ces excès.

C'est Laurin qu'Eaulourde cuisine maintenant. Sur un écran voisin paraît sa photo accompagnée de renseignements. Est-ce qu'Aguirre suit lui aussi les interrogatoires, examine-t-il en même temps les dossiers fournis par ses espions?

Mais où est-il?

Ayant noté la hauteur de la petite salle, Blackburn songe à lever les yeux en tournant la tête. Intuition juste. Une mezzanine de lattes métalliques longe le mur au-dessus de la porte. Dans la fumée qui flotte sous le plafond, Blackburn distingue un brasillement, qui tire un instant un visage de l'ombre.

Des traits plus accusés qu'autrefois, une barbe de quelques jours, voilà ce que distingue d'abord Blackburn. Puis, ses yeux s'habituant à l'ombre qui règne là-haut, il aperçoit le reste: les yeux clairs, mi-clos, le front qui a reculé au cours des années...

Avec deux doigts, Aguirre lui fait signe de monter. Mais il l'arrête du geste lorsque Blackburn atteint le sommet du raide escalier métallique, et le visiteur comprend «... sieds-toi». Il s'assoit à même la mezzanine tandis qu'en bas, son garde retire ostensiblement le cran d'arrêt de sa mitraillette et garde l'arme pointée vers lui tout en se prenant une chaise.

Blackburn prend l'offensive:

— Toute une salle de vidéojeux pour toi seul, ironise-t-il. Tu t'es bien installé.

Marin a un sourire et soulève davantage les paupières. Il tend à Blackburn un joint.

— Et toi, Denis, à quel jeu joues-tu?

D'un petit signe de tête, Blackburn refuse de fumer: pour prendre le joint, il lui faudrait se déplacer, étirer le bras, et il craint trop que ce soit interprété comme une agression par le garde en bas. D'où il est, Blackburn aurait besoin d'une pique pour tuer Aguirre, et ce n'est pas son intention, même si ses supérieurs l'y ont autorisé. Ils lui ont même suggéré implicitement de le faire, cela les vengerait des humiliations que Marin leur a infligées et leur épargnerait un procès en cour martiale où il les narguerait sûrement durant des semaines.

Marin se redresse un peu dans le fauteuil d'avion de ligne où il est affalé.

— J'ai été surpris, poursuit-il d'une voix assourdie, de te reconnaître parmi ces hommes. Leurs sympathies nous étaient connues, au moins pour certains d'entre eux.

— Qu'est-ce que ce serait si elles ne vous étaient pas connues, lance Blackburn en faisant allusion aux exclamations de douleur qui échappent à Laurin et qui sont retransmises avec l'image — à volume baissé, heureusement.

— On n'est jamais trop prudent. Nous n'acceptons de volontaires que ceux qui sont assez convaincus pour endurer cette petite épreuve. Ceux d'aujourd'hui passeront quelques jours au frais. Quand nous serons persuadés de leur sincérité, ils seront intégrés à diverses unités dans les semaines qui viennent.

Il hausse les épaules, comme si un futur si lointain n'avait pas d'importance.

— Mais toi, Denis? Tu as toujours été un brave soldat, loyal et tout. Lieutenant-colonel, maintenant?

— Justement, c'était plus délicat pour moi; je devais cacher mon jeu.

— Ton jeu. On en revient à ça. C'est l'histoire de notre vie, non?

— J'y ai déjà pensé en ces termes-là, oui.

Marin n'est pas dupe, Blackburn en est sûr, malgré le ton qui est presque celui de la conversation cordiale. L'angoisse resserre sa poitrine, et il sent davantage ses battements cardiaques; les condamnés à mort, sans doute, ont la même sensation. Et Blackburn ne parierait rien sur la mansuétude d'Aguirre.

Un silence s'est installé; les paupières à nouveau sont à demi fermées sur les yeux de Marin, ces yeux qui paraissent plus enfoncés que jadis, dans un visage plus maigre. On ne doit pas manger tous les jours à sa faim, dans ce trou, et les nuits doivent être froides.

Une diversion serait la bienvenue, et Blackburn n'a pas à chercher beaucoup:

— Le garçon que j'ai croisé en entrant, c'est ton serin?

— Envieux?

— Comment l'as-tu gagné? Vous n'êtes pas au mieux avec les Naskapis, je crois?

Marin ne réplique pas à cette allusion et Blackburn se reproche aussitôt de l'avoir faite. Aguirre se penche vers une console installée à portée de sa main, repêche une vidéocassette parmi une pile et l'insère dans un magnétoscope. Du menton, il désigne l'un des écrans de la salle des commandes. Mentalement, Blackburn revoit les images de l'Ossokmanouane. Mais ce n'est pas cela. Une berge, oui, mais celle plus rocailleuse d'une rivière. Trois hélijets du modèle canadien, posés au sol, leurs rotors en régime d'attente. Cela, vu de très loin.

L'image se rapproche, lentement; des oscillations suggèrent qu'elle est prise d'un *hover* en mouvement.

Deux grands canots sur la berge. Et, à mesure que l'image se rapproche, des silhouettes humaines, certaines debout et en uniforme, d'autres prostrées. Mouvements brusques, débuts de fuite, rafales assourdies de mitraillettes. Puis d'autres, tirées sur les prisonniers qui n'avaient pas bougé. Un seul est épargné, et la caméra en se rapprochant montrera que c'est le plus jeune. Pas de vieillards, pas de femmes ni d'enfants parmi ces Naskapis; une expédition de pêche, sûrement. L'image se resserre sur le survivant, mais cette fois c'est un effet du téléobjectif. On le menotte derrière le dos, on entrave ses chevilles; un officier sans mitraillette fait sauter les boutons de sa chemise longue et la lui enlève à moitié; il le déculotte jusqu'aux genoux.

Le *hover* portant la caméra continue de se rapprocher lentement. Une autre image apparaît sur l'écran voisin, prise d'un véhicule qui paraît foncer à plein régime, derrière deux *hovers* légers; ils remontent la rivière, soulevant des embruns, frôlant les roches des rapides.

La première image, maintenant, permet de reconnaître le jeune Naskapi.

— S'appelle Virgil, murmure Aguirre, et Blackburn remarque qu'il a une main sur sa braguette.

L'officier qui tourmentait Virgil prend une mitraillette et s'amuse à tirer des rafales au-dessus de la tête du garçon. Ses hommes rigolent. Puis l'officier lui fait humer le canon de l'arme ou lui fait sentir sa chaleur; Virgil recule la tête autant que possible, mais il est solidement tenu. Alors l'officier applique le bout du canon sous son nombril, comme pour tracer un deuxième cercle sur la peau du ventre. On devine le cri du jeune autochtone. Puis une autre brûlure, sous la première. Une autre, à l'aine. Aux pectoraux, près des mamelons. À l'intérieur des cuisses, qu'il a lisses comme celles d'un enfant; le téléobjectif permet maintenant de voir avec une netteté peu ordinaire. Repensant au Dragon, Blackburn devine aisément la suite du programme. Mais, sur la deuxième image, on commence à apercevoir les hélijets en attente, et le *hover* léger de la guérilla qui s'approche doucement à l'abri d'un îlot herbeux dans le cours de la rivière. Une tête, des épaules et un fusil émergent de la tourelle; on reconnaît Jac Marin.

Sur le premier écran, le supplice se prolonge. Se débattant trop vigoureusement, le garçon a été jeté à terre, où des bottes le clouent au sol rocheux. À nouveau l'officier approche la mitraillette du corps de sa victime. Mais son occiput éclate en une brusque floraison rouge. Il s'écroule, et ses hommes ne comprennent que lorsque leur poitrine à leur tour se perce de rouge. Le temps de réagir, ils sont déjà tous fauchés car les trois autres *hovers* ont fait feu à la mitrailleuse lourde.

Dans l'ombre, Aguirre se masturbait indolemment à travers son pantalon; il s'interrompt.

— Tu as toujours aimé les exercices de tir au fusil, commente Blackburn avec une émotion mitigée. As-tu gagné une médaille pour ce carton-là?

— Ma médaille, ç'a été Virgil, répond Marin négligemment comme si tout l'épisode avait perdu de son intérêt.

— Farouche?

— Très. Après tout, les siens lui ont appris à nous détester pardessus tout. Mais après ce qui venait d'arriver à ses frères, sur cette rivière, il a compris qu'il y avait du faux dans ce qu'on lui avait enseigné. Je l'ai pansé, je l'ai soigné; il a fini par m'accepter.

Est-ce du soulagement que Blackburn éprouve? Soulagement de voir que Marin n'est pas qu'un autre Dragon? Mais Aguirre a d'autre sang sur les mains, même si ce jour-là il a joué les sauveteurs, perché sur son *hover*.

Quand était-ce? Labarre n'en a pas parlé, c'est donc survenu après sa désertion. Un mois? Aguirre aurait donc recommencé à sortir. Sur le terrain, dans le feu de l'action. Las de faire la guerre par écrans et commandes interposées? Blackburn repense au «jeu» que jouait Aguirre dans cette salle même, ce matin.

Une flamme jaillit du poing de Marin, qui allume un autre joint. Blackburn a un regard pour le garde resté en bas: son attention ne s'est pas relâchée, même s'il n'a pas dû comprendre la moitié de cette conversation à mi-voix.

— Tes patrons sont des idiots, dit posément Aguirre. Arrêter nos sympathisants à Aticonac, te glisser dans leur groupe, faciliter leur évasion dans l'espoir de te placer comme espion... Procéder comme ça, ajoute-t-il en baissant encore la voix, alors qu'ils avaient agi presque de la même façon il y a deux ans pour me faire entrer ici!

Blackburn sent l'oppression de sa poitrine, plus forte que tout à l'heure, mais il ne répond pas. Lui seul est démasqué, les autres hommes du groupe sont considérés comme de véritables sympathisants de la guérilla. Mais la mission est un échec. Les autres ont des ordres, ils pourraient agir sans Blackburn. Néanmoins il sera trop tard, dans quelques jours, lorsqu'on commencera à les intégrer à la vie du camp.

«Café Filtre» n'avait aucune chance de réussite, Blackburn s'en rend compte plus que jamais. Il fallait bien davantage que vingt heures à des transfuges pour gagner la confiance des Irréguliers et acquérir dans leur base assez de liberté pour tenter quoi que ce fût. Mais l'alternative était l'opération «Fléau», le bombardement immédiat d'Harcel, qui aurait laissé intacts tous les camps secondaires de la guérilla et la moitié de ses effectifs.

— Vois-tu, je te connais trop bien, Denis Blackburn. Les autres transfuges, nous les avions déjà repérés, pour la plupart, nous en aurions même contacté quelques-uns, éventuellement. Certains avaient déjà été emprisonnés ou rétrogradés pour indiscipline, pour avoir énoncé des «propos démoralisants», comme on dit dans ton armée. Ces choses-là ne restent pas secrètes, pas pour nous: nous avons nos informateurs au Service des Dossiers et nous savons qui, dans l'armée régulière, a des sympathies pour nous.

Un brasillement; on entend Marin inspirer de la fumée.

— Mais toi, Denis, poursuit-il, toi qui n'as jamais rué dans les brancards, toi qui prends tes ordres du Contresp...

Habile. Mais Blackburn devine qu'il va à la pêche. Ses espions ont eu accès au Service des Dossiers, mais pas aux dossiers ultra-secrets, pas à celui de l'officier Blackburn. Il ne sait rien de son activité cachée à Aticonac. Par contre, inutile de feindre la bonne foi: il connaît trop bien Blackburn, cela au moins est vrai.

Marin écrase le mégot de son joint sur une latte métallique de la mezzanine, puis il regarde Blackburn bien dans les yeux:

— As-tu été envoyé ici pour me supprimer, Denis?

• • •

Blackburn n'a aucune notion du temps lorsqu'il sort enfin de la chambre où Eaulourde l'a questionné durant des heures. Il est sans montre, bien entendu, et ignore même à quelle heure l'interrogatoire a commencé. Tout ce qu'il sait, tandis que deux gardes le ramènent au petit entrepôt où sont retenus les transfuges, c'est qu'on doit être en soirée.

Il ne doit pas être trop amoché car, après l'avoir observé un bon moment à son arrivée, les camarades paraissent rassurés. Au Contresp, Blackburn a subi le même entraînement qu'eux: il est tout aussi capable de résister aux techniques d'interrogatoire classiques. Heureux, toutefois, que les Irréguliers ne disposent ni de drogues ni d'appareils de pointe comme Blackburn en avait pour Reine Désy. Rien que les traditionnelles pinces à électrochocs. Encore Blackburn soupçonne-t-il d'avoir eu droit à un traitement de faveur: on ne lui a infligé de décharges qu'aux pieds, aux mains et aux pectoraux, on a épargné ses organes génitaux. Sur consigne de Jac Marin, il s'en doute, en souvenir d'une époque où Jac et lui avaient des moments tendres — cela lui semble remonter à une autre vie, un autre monde.

Aucune consigne de clémence n'aurait prévalu auprès d'Eaulourde, toutefois, si elle avait soupçonné qui est vraiment Blackburn. Soupçonné que c'est lui, au village civil d'Aticonac, qui a percé son incognito et l'a «brûlée» pour de bon.

Blackburn promène un regard las sur les étagères où sont rangés sac à dos, draps et lits de camp. Il n'a d'autre sensation, dans ses membres, qu'une douleur diffuse et lasse. À ses mains et ses chevilles, des meurtrissures où la chair est à vif. Il n'a aucune force et parvient à peine à remuer les doigts; tout son corps est engourdi. Les autres agents sont ressortis de leur interrogatoire dans cet état ou pire; les premiers commencent à peine à s'en remettre. Même s'ils avaient un arsenal entier à leur disposition, les faux transfuges d'Aticonac seraient incapable d'investir la base rebelle, ni même ses latrines.

Aussi sent-il peser lourdement le regard de ses camarades, dans ce réduit où tous sont assis sur des sacs de couchage ou des couvertures roulées. Avec la présence indubitable d'un micro, il ne peut rien leur dire, évidemment. Le mieux qu'il peut faire est d'afficher de l'assurance, tandis que s'égrènent les heures du délai qu'on lui a accordé. Quinze ou seize heures se sont passées, sûrement, depuis la fausse arrestation de Blackburn au mess des officiers d'Aticonac; il en reste donc moins de quinze avant l'opération Fléau, avant que l'aviation anéantisse Harcel — et «anéantissement» est bien la consigne du haut commandement, un kilomètre carré de boue noire et fumante. L'angoisse se transforme en peur, graduellement, la peur séculaire des bombardements. Il ne doit pas y avoir d'abri, ici: seul l'aluminium, le plastique et la toile les protègent des kilotonnes qui pleuvront demain. Si un bunker a été creusé sous la base, on n'y amènera sûrement pas les onze imposteurs qu'on soupçonnera immanquablement d'avoir appelé sur Harcel cette offensive aérienne.

Le seul espoir du groupe, c'est le lien qui a déjà existé entre Blackburn et Jac Marin. Les autres agents ne savent rien de précis, mais on leur a dit que Blackburn manœuvrerait de ce côté et que peut-être ce serait la seule avenue possible. Encore faut-il trouver l'occasion de s'y engager, dans cette avenue.

• • •

À nouveau on emmène Blackburn dans la tanière d'Aguirre. À nouveau un des gardes reste dans le corridor et l'autre entre avec Blackburn. Pas encore de tête-à-tête avec Jac Marin, donc, puisqu'il y a aussi le préposé aux communications — mais ses oreilles sont prises par deux écouteurs distincts.

Ce soir, la base de la guérilla semble repliée sur elle-même: nulle opération extérieure, la plupart des écrans montrent des coursives, des salles et des tentes du repaire, surpeuplées d'hommes et de femmes en treillis. Même les officiers n'ont pas de cabine privée, aussi ne faut-il pas se surprendre qu'Aguirre lui-même doive partager son intimité avec les préposés aux consoles lorsqu'il y en a en service.

Blackburn sait où chercher, cette fois, et il regarde derrière lui, vers le haut. Néanmoins il ne repère pas tout de suite Aguirre, retiré à une extrémité de la mezzanine, étendu sur une couchette, le buste surélevé par des couvertures roulées. Sur une tablette devant lui, à un mètre à peine devant son visage, la lueur d'un terminal ou d'un écran vidéo rend son visage blafard et son regard fixe. Il ne réagit pas tout de suite à l'arrivée de Blackburn, qui a le temps d'observer les écrans. L'un d'eux montre une vaste salle que l'on apprête pour une réunion: une salle d'état-major, avec une large table et des cartes roulées sur les murs. Dans l'armée régulière, il y aurait un système d'holovision au-dessus de la grande table.

— Brochet, attend dehors, prononce enfin Aguirre. Je suis armé.

Lorsque le garde sort, sans un mot, Blackburn obtempère à un signe d'Aguirre et monte l'escalier métallique, cette fois jusque sur la mezzanine. Il soupèse ses chances d'attaquer Marin, peut-être de le prendre en otage pour gagner les commandes de la base. Elles sont minces: un pistolet est à portée de main d'Aguirre.

— Je pensais, dit Blackburn après un moment, que tu me considérais comme un espion de l'armée régulière.

— Je le crois toujours, répond Marin avec quelque retard, sans détacher ses yeux de l'écran.

— Alors pourquoi me laisser en liberté dans ton repaire?

— Tu ne peux pas sortir. Tu ne peux pas communiquer. Tu ne peux prendre d'otage, ce serait inutile.

— Donc je suis inoffensif.

— Tu as toujours été inoffensif, Denis.

Ces inévitables sarcasmes. Oh oui, Jac Marin est tout là, même s'il paraît captivé par cet écran.

— Si je suis inoffensif, ordonne qu'on détache mes mains et mes chevilles.

— Bien sûr que non, réplique Marin avec l'ombre d'un sourire. Tu es inoffensif parce que tes gestes sont limités. Tu peux difficilement courir, tu ne peux donner de coups de pied. Tes mains ont-elles retrouvé leur force?

Blackburn reste coi un moment; ses mains, en effet, sont encore gourdes. En plus, il croit qu'on les a légèrement drogués, lui et ses camarades, sans doute à travers l'eau qu'on leur a donnée à boire. Cette apathie contre laquelle il doit constamment lutter, et qu'il a notée chez les autres, n'est pas naturelle.

De légers grésillements viennent de l'écouteur minuscule qu'Aguirre porte à l'oreille. Cela ranime la curiosité de Blackburn; il s'approche de façon à voir l'écran qui captive tant Aguirre. Il est en slip et en maillot; Blackburn remarque qu'il a une érection.

Il voit l'écran de biais, maintenant, et il est près de Marin à le toucher; mais le pistolet est hors de portée. Blackburn met un moment à reconnaître la scène, à cause de la perspective.

Ossokmanouane.

Le massacre, les femmes se débattant, certaines échappant presque à leurs tortionnaires mais rattrapées aussitôt, leurs vêtements déchirés au coutelas et leurs cuisses entaillées du même coup. Et Dragon, son monstrueux phallus de métal creux, brûlant et sombre, crachant le feu et le plomb d'une même giclée dans le ventre des femmes.

Avec un grognement de colère, Blackburn se rue vers le petit téléviseur, mais un revers de Marin l'atteint au front et l'arrête avec la violence d'une décharge.

Tombé à genoux, Blackburn met un moment à récupérer. Il a très mal au cou; il a dû se claquer les muscles lorsque sa tête a eu un sursaut vers l'arrière. Marin avait au doigt une de ces bagues-chocs capables d'étourdir un colosse.

— Qu'y a-t-il, Denis? Tu n'aimes pas que les gens aillent au bout de leurs fantasmes? Dragon est allé au bout des siens. Je ne sais pas où il est présentement mais, tant qu'il vivra, il sera féroce. Je crois qu'il est capable de faire pire que ça.

Marin désigne du pouce l'écran où continue de défiler l'épisode d'Ossokmanouane. Blackburn se rappelle: le *hover* posté à quelque distance du lieu, comme une sentinelle, avait lui aussi sa caméra braquée vers le campement naskapi. Aguirre, sans doute, regardait les meurtres de son lieutenant. Oublié, son geste de miséricorde envers le jeune Virgil quelques semaines plus tôt. Labarre avait raison: il voulait tout voir. En direct, en différé, à distance, en gros plan. Il aimait télécommander, piloter par radio. Tout ce qui pouvait tenir sur un écran le captivait. La guerre comme un vidéojeu en trois dimensions. Mais désormais ça ne lui suffit plus.

Engourdi, Blackburn ne se relève pas; dans son coin, à l'écart, le préposé aux communications n'a peut-être rien vu.

— Et toi, Denis, qu'est-ce que tu es venu chercher ici?

Marin se redresse et allume une petite pipe de haschisch, qui était prête sur une tablette proche. Il en tire une bouffée, puis une autre, et tend la pipe à Blackburn. Blackburn refuse, mais un peu de la fumée que rejette Marin trouve le chemin de ses poumons.

Le temps s'étire. Blackburn se rend compte que son esprit est engourdi depuis un moment, qu'il ne guette plus l'occasion de maîtriser Aguirre ou de prendre son arme.

Ayant quitté sa couchette, Marin s'active lentement sur la mezzanine, glissant des vidéocassettes dans les appareils, sélectionnant l'alimentation des écrans de la salle. Ils sont ainsi disposés que, même de sa couchette, il doit pouvoir tout voir. C'est ici sa tanière, Marin n'a pas de chambre plus confortable ni de bureau plus aéré, il n'y a qu'un rideau pour isoler l'extrémité de la mezzanine.

— Moi, je le sais ce que tu es venu chercher, Denis, affirme Aguirre en réponse à une question que lui-même a posée une heure auparavant — ou c'est ce qui semble à Blackburn. J'ai toujours su mieux que toi ce que tu voulais. Je suis le maître, Denis, tu es l'élève. Qu'as-tu appris, toutes ces années?

Marin est penché sur lui, maintenant, il le pousse sur la couchette, l'y étend avec cette force qui a toujours étonné chez un homme d'apparence frêle. Blackburn résiste mollement, le cou endolori; la fumée bleue du hasch commence à lui donner cette équanimité qu'ont les vieux sages sur leur montagne. Les écrans sont nombreux, omniprésents. Paysages qui foncent, ponctués de traits de feu, *hovers* soulevant des embruns, hélijets explosant en plein vol, commandos courant dans la forêt, harcelant les véhicules de l'armée régulière. Et le massacre d'Ossokmanouane, depuis le début; sous tous les angles, dirait-on.

Et le son, assourdi: les rafales, les cris, les appels, la clameur des turbines, les moteurs emballés, l'intense décharge des lasers.

Le laissant entravé, Marin l'a dévêtu, et Blackburn s'en est à peine rendu compte. Marin est nu lui aussi, maintenant, sa bouche est partout, et ses lèvres, et bientôt son corps couvre celui de Blackburn, mais sans jamais lui cacher tous les écrans.

— Voici ce que tu es venu chercher, Denis, lui souffle Marin dans l'oreille. Tout ça est en moi.

Le temps se fragmente, se disperse. Blackburn voit des scènes qu'il n'avait pas vues à Ossokmanouane, même lorsqu'il était sur place. Il voit le jeune Amérindien, celui du chandail des New Kids, il le voit échappant à une combattante de la guérilla, puis abattu d'une brève rafale par un des hommes. Il voit Virgil, sur la scène d'un autre drame, au bord de sa rivière, debout parmi les cadavres de ses frères, sa chemise déchirée par l'officier assassin, muet dans sa terreur. Il le voit nu, maintenant, et chaque fois que l'arme brûlante marque sa peau, c'est en gros plan dans la tête de Blackburn, cette poitrine lisse est celle de tous les garçons qu'il a vus en fantasme, ces brûlures sont celles des baisers qu'il leur donnerait, et il vient, il jouit, dans la bouche d'Aguirre, et son cri est celui du gamin brûlé au ventre.

• • •

— Aguirre à la salle d'état-major. Aguirre.

La voix d'Eaulourde dans un interphone. Combien d'heures ont passé depuis cet accouplement hâtif où Jac Marin a renoué avec la chair qu'il avait lui-même forcée un quart de siècle plus tôt? Quelques minutes seulement, Blackburn s'en rend compte en voyant Aguirre passer sur son corps luisant de sueur une serviette mouillée, puis s'essuyer avec le bout resté sec. Il appelle son jeune domestique par l'interphone, puis s'habille prestement, sur cette mezzanine où il a à peine la place pour se tenir debout. Les longues mèches châtain de sa nuque pendent jusque entre ses omoplates, épousant l'ocre cuivré de sa peau. Dans son dos, des marques rouges, des marques de doigts, et Blackburn comprend que ce sont les traces de ses propres doigts qui s'estompent à peine, un long moment après leur étreinte.

Aguirre enfonce prestement quelques touches sur sa console, éteint les écrans. Il descend l'escalier sur les rampes, comme un gamin, au moment où Virgil entre avec des canettes froides dans un carton. Marin en ouvre une et la boit presque entière, d'une traite, en lançant à Blackburn son seul regard depuis tout à l'heure. Ce regard bleu, quasi brillant, lavé de toute fumée, c'est presque celui que Blackburn a connu au siècle dernier. Il n'y manque que le clin d'œil à la fois goguenard et complice.

Puis il sort, lançant des ordres à mi-voix à l'un des gardes et à Virgil. Grimaçant de sa douleur au cou, Blackburn se redresse sur la couchette d'Aguirre, tandis que le jeune Naskapi monte vers lui. Il s'est reboutonné, mais le désordre de sa tenue ne passe pas inaperçu aux yeux vifs de l'adolescent. Demi-sourire ironique. Moqueur?

Blackburn ouvre une canette et se désaltère, laissant à ses idées le temps de s'éclaircir. Combien d'occasions a-t-il ratées durant la dernière demi-heure, occasions de maîtriser Aguirre, de s'armer lui-même, de prendre le contrôle de cette salle qui est le centre nerveux de la base? Maintenant il est trop tard, Blackburn s'en rend compte: le garde que Marin appelle Brochet est à nouveau en bas, mitraillette pointée, et il n'hésitera pas à hacher le prisonnier.

— On descend, ordonne sèchement le guérillero.

Mais Blackburn tarde un peu, saisi par le brusque changement dans le visage de Virgil. Il a les yeux rivés à un écran resté allumé pendant que se rebobinait la vidéocassette qui l'alimentait. Pour sa mise en scène, Aguirre avait branché les magnétoscopes en automatique, relisant leurs cassettes après les avoir rebobinées. Il a oublié de l'arrêter, ce magnétoscope-là, et maintenant Virgil révulsé voit pour la première fois le massacre de ses cousins naskapis aux mains du Dragon...

• • •

— On vous a assigné des couchettes dans les tentes dortoirs, annonce un officier.

— Ah, tout de même!

— Comme ça, vous pourrez faire connaissance avec vos futurs camarades. Éventuellement vous serez intégrés à ces unités.

Des murmures enthousiastes accueillent ces propos, mais tournent à la protestation lorsque l'officier ajoute, ironique:

— Jusqu'à nouvel ordre, vous resterez menottés à vos couchettes.

C'est dans l'ordre des choses, admet intérieurement Blackburn. Ç'aurait pu être pire: Primeau, froidement abattu ce matin, en est la preuve morte.

Et quelle heure peut-il être, maintenant? Le milieu de la nuit, sinon l'aube? La réunion d'état-major que préside Aguirre, si elle dure encore, se prolonge depuis des heures. Il ne doit rester que quatre ou cinq heures au délai que Valois a accordé au commando «Café Fort».

Quelque part dans la base, tout près, quelqu'un écoute à plein volume la onzième symphonie de Chostakovitch.

— Toi, tu couches ici, lance l'officier de la guérilla lorsque Blackburn fait mine de suivre ses compagnons.

— Pourquoi?

— Tu n'as pas à te plaindre, tu auras plus de place que n'importe qui dans ce foutu camp! Et tout ce qu'il faut pour te faire un lit!

C'est ce que Blackburn se résigne à faire, furieux de n'avoir pu échanger de message avec ses camarades, ne fût-ce que par le regard: il était si sûr de les suivre vers les tentes dortoirs.

À quoi rime ce branle-bas dont il a eu un aperçu avant que la porte se ferme et qu'il entend maintenant à travers le battant de nylon? Des va-et-vient collectifs, des ordres prononcés fort quoique sans affolement. Les préparatifs d'une mission de commandos? Ou même d'une offensive générale? Des communications saisies dans la tanière d'Aguirre, Blackburn a en effet déduit que plusieurs commandants de la guérilla, sinon tous, se réunissaient cette nuit ici-même, à Harcel. Événement rare, s'il faut croire ce que le Contrext a appris de la guérilla et de son fonctionnement par cellules autonomes.

Pourvu qu'Harcel ne se vide pas de tous ses hommes avant l'opération Cyclone: on ne neutraliserait que l'équipement et quelques personnes, le gros des combattants échapperait à l'attaque!

Blackburn réprime un geste rageur, un mouvement d'impatience qui ravive sa douleur au cou. Tout semble concourir à faire échouer cette mission qu'on lui a mise sur les bras.

Se décidant à faire fi de la caméra de surveillance, Blackburn inspecte minutieusement le magasin où il est enfermé. Il espère que personne n'observe l'écran, là-bas, dans la tanière d'Aguirre. Mais rien d'utile n'est entreposé ici, ni outils, ni produits pharmaceutiques, ni armes bien entendu. Même pas une fourchette ou un piquet de tente. De plus, il a toujours les chevilles et les poignets liés.

Finalement, après avoir retiré toutes les ampoules électriques sauf une, il feint de s'étendre sur des couvertures déroulées à même le sol. La pénombre, au moins, rendra la surveillance malaisée et lui sera favorable pour attaquer éventuellement un garde.

Peu après, toutefois, la porte s'ouvre. Il n'y a plus de musique dans le couloir. Une voix ordonne à Blackburn:

— Éloigne-toi. Vers le centre de la pièce, que je te voie.

Raté. Aguirre n'allait pas être victime d'un coup aussi classique. Blackburn gagne le centre du magasin, près des couvertures roulées qui, sous une autre couverture, simulaient un corps endormi.

Aguirre s'appuie au chambranle pour laisser passer la lumière du corridor. Cela suffit pour qu'ils se voient bien. Il est maintenant vêtu d'un gilet matelassé, sans manche, il porte le foulard de la guérilla et la ceinture d'armes, il a la main sur la crosse de son pistolet. Au regard de Blackburn, qui doit être vaguement interrogatif, il répond:

— Chacun son jeu, Denis. Le tien est bien engagé, mais méfie-toi de Micha, c'est elle qui commandera en mon absence et je doute qu'elle approuve votre présence ici. Encore moins la tienne.

Blackburn reste sans voix, conscient toutefois qu'il ne devrait pas être surpris: Marin a toujours été intuitif et perspicace.

— Elle se battra avec le désespoir des perdants, ajoute Marin.

— Comment ça?

— Nous perdons notre guerre, c'est certain. Nous sommes repérés. Et puis le front sera bientôt hors de notre portée, il se déplace trop vite. Mais vous perdrez aussi la vôtre, votre guerre.

— Et toi?

— Moi, je gagnerai la mienne. J'irai au bout de mon jeu.

Au bout de son fantasme; Blackburn se rappelle le Dragon.

— Tu vas te tuer, dit Blackburn.

Ce n'est pas une question.

— Toute ma vie j'ai essayé.

De se tuer. N'était-ce pas l'unique règle du jeu? Cette nuit, c'est le jeu ultime. Les images des écrans seront en direct, les commandes en temps réel, l'engin en sera un vrai, avec Aguirre dedans.

Une silhouette apparaît dans le couloir, derrière Aguirre. C'est Virgil, le visage dur, le regard haineux.

— Il a un poignard!

Aguirre se déplace tout en dégainant son pistolet à l'intention de Blackburn, qu'il soupçonne d'une ruse grossière. La lame de Virgil — MURDERER! — a un mètre supplémentaire à parcourir et n'a plus derrière elle le poids du garçon lorsqu'elle pique vainement le flanc d'Aguirre. Il a quand même une exclamation, de surprise et de douleur. Le jeune Naskapi hésite. Une brève rafale met fin à son incertitude.

— Meurtrier! a-t-il le temps de répéter en anglais, râlant sur le sol du couloir.

Marin se retourne vers Blackburn, pâle comme un linge.

— Tout à l'heure, dit Blackburn, sur ta mezzanine... Un des vidéos tournait encore. Virgil a vu le massacre de la bande naskapie. Ils étaient sûrement apparentés. J'ai vu sa face... changer.

Pistolet toujours tendu, Aguirre renvoie les gardes qui croient à une tentative orchestrée d'évasion. D'une voix qui retrouve une apparente assurance, il ordonne qu'on enlève le corps du jeune Amérindien. Quelles pensées traversent Jac Marin, Blackburn n'en est pas sûr, mais son émoi est visible.

Le calme revenu, indifférent à sa blessure qui saigne, il rengaine son pistolet et fait quelques pas vers Blackburn, la main tendue. *Maintenant ou jamais!* songe l'agent. Mais une décharge le renverse sur la couchette, étourdi. *Oublié cette foutue bague-choc*, songe-t-il confusément sur le tas de couvertures où il s'est affalé.

Dans la pénombre, Marin lui adresse un sourire ironique, presque sympathique, comme pour se moquer encore une fois, mais gentiment, de sa naïveté. Et Blackburn, ne sachant s'il doit y croire, le voit s'accroupir à côté de lui, prendre sa main inerte et l'étreindre entre les deux siennes.

— Souviens-toi, lui dit Marin à mi-voix. Joue ton jeu jusqu'au bout. Sans ça, rien n'en vaut la peine.

Il se penche sur Blackburn engourdi et l'embrasse sur les lèvres, brièvement, doucement.

21

À l'aube, Blackburn et les «transfuges» sont emmenés vers le hangar semi-souterrain, le grand garage où s'alignaient les véhicules de la guérilla. La plupart des *hovers* sont sortis, et Blackburn y voit la confirmation de ce qu'il redoutait: Cyclone risque d'investir une base déserte — ou, de plus en plus probablement, Fléau risque de bombarder une base déserte.

Blackburn et ses hommes, toujours menottés et entravés aux chevilles, sont alignés le long de l'une des grandes portes du hangar. La nouvelle commandante des Irréguliers arrive un instant après, escortée d'hommes en armes. Jac Marin avait prévenu Blackburn: Hélène Michalski, qu'on appelle ici Micha, est revenue d'une absence. Lieutenante d'Aguirre, elle prend le commandement en son absence. Contrairement à Eaulourde, elle **sait** que Blackburn appartient au Contresp, qu'il est même un de ses principaux agents, et cela couvre de soupçons tous les hommes venus à la guérilla avec lui.

On n'avait pas eu tort, du côté du Contresp. Au début de la guerre, peut-être, Michalski était simple agent de liaison entre le haut commandement québécois et la puissance intéressée. Mais elle est ensuite devenue une intermédiaire entre la puissance intéressée et la guérilla. Puis, se sentant soupçonnée, confirmée dans ses craintes à Havre-au-Lac en y voyant Blackburn, elle a pris le maquis, s'est jointe à la guérilla pour de bon. Déjà lieutenante d'Aguirre, elle est vite devenue son principal second. Tout se met en place maintenant: les soupçons, les renseignements fragmentaires, l'attitude des guérilleros en son absence et en sa présence.

Malgré ses cheveux courts et son visage plus maigre, Blackburn la reconnaît sans peine: il n'y a pas trois semaines qu'ils se sont dévisagés dans les coursives sous-marines de Havre-au-Lac. À cet instant, elle a dû le sonder: elle est télépathe, Blackburn n'en doute plus. Et sans doute capable de prémonitions: elle aura pressenti que Blackburn était lié à sa défaite, de quelque façon.

Mais aujourd'hui, elle n'entend pas subir une défaite.

Elle marche vers Blackburn et se plante en face de lui, n'entretenant aucun doute sur son autorité au sein du groupe des «transfuges». Elle le toise, et Blackburn sait à l'instant, avec certitude, ce qu'il soupçonnait depuis un certain temps: c'est elle qui veut sa mort, depuis les premières heures où ils se sont vus, à Havre-au-Lac.

Elle entreprend de le sonder, aujourd'hui encore, et Blackburn n'a pas l'entraînement requis pour lui opposer une barrière mentale. Tous ses secrets sont exposés, tel un dossier ouvert par une bourrasque et dont les feuilles s'éparpilleraient au grand jour: l'opération Cyclone et l'opération Café Filtre, les informateurs et les espions arrêtés à Aticonac, la capture du Dragon, le massacre d'Ossokmanouane expliqué et la livraison nocturne du submersible éventée, le stratagème des faux transfuges et la mise en scène accompagnant leur «évasion». Tout ce qu'Aguirre a soupçonné mais dont il ne s'est pas inquiété outre-mesure parce que, désormais, seule sa victoire personnelle lui importait.

— Et Argus? demande agressivement Michalski. Où est Argus dans tout ça?

Elle tente de sonder plus avant, et une vague douleur naît dans le crâne de Blackburn. Chicoutimi et Sept-Îles sont ramenées à la surface, les semaines et les mois antérieurs, les épisodes les plus marquants du tragique séjour au Mexique. Blackburn porte les mains à sa tête en grimaçant, comme si un nid de guêpes ardentes venait d'y être furieusement secoué. Quetzalcóatl crache ses flammes sur le carnaval et les rebelles de Comitan tombent sous les rafales. Le dispensaire, Sébastien, son cadavre déjà rigide...

— Noon! geint Blackburn en se serrant la tête.

Mais Michalski fouille sans pitié et finalement elle tombe sur ce qu'elle cherchait: Lavilia Carlis, nimbée d'images qui sont à la fois celles de la villa Cayre et celles d'Eldorado.

— Quels sont tes rapports avec cette femme? veut savoir Michalski, et elle est maintenant proche de Blackburn, proche à le toucher tandis qu'il s'effondre à genoux, les oreilles mugissantes.

Des doigts ardents fouillent les moindres replis de son cerveau, débusquant le souvenir de scènes qu'il avait oubliées mais qui repassent avec une clarté cinématographique: Lavilia, leur étreinte dans la piscine de jade, leur dispute dans une chambre de la villa, leur réconciliation et leurs adieux. Et les images d'Eldorado, la cité-jardin sous un dôme lumineux — oui, c'était un dôme, ce ciel étrangement nervuré. Il revoit les entretiens dont il était témoin et acteur à la fois — ou plutôt dont Lavilia était actrice et dont il partageait le souvenir. Et il revoit une femme, la joueuse d'échecs, sosie parfaite de cette Michalski dont il subit aujourd'hui la torture. Il sent ses mains sur le côté de son visage, la pointe dure de ses doigts sur ses tempes, les pouces enfonçant ses yeux pour ajouter au supplice; dans un instant, ses globes crèveront sous la pression.

— Cette femme qui se fait appeler Lavilia, quels sont ses plans? Quels sont ses projets?

Mais elle a beau fouiller, Blackburn n'en sait pas plus, même s'il doit y perdre la vue.

Mouvements brusques et secousse, exclamations. Puis une brève rafale. À travers les cercles phosphorescents que génèrent ses nerfs optiques, il distingue Michalski assise au sol, étourdie, saignant du nez, tenant de la gauche son bras droit inerte: c'est Laurin qui, de deux coups bien placés, a sauvé Blackburn de l'aveuglement et a terrassé Michalski. Mais il l'a payé de sa vie et la mitraillette d'un garde fume encore.

On relève Michalski, dont le bras semble brisé.

— Exécutez-les, tranche-t-elle. Ouvrez la porte et fusillez-les tous.

Ainsi les images qu'a Blackburn depuis sa jeunesse prendront forme aujourd'hui. Fusillé, ou mitraillé, mais non projeté contre un mur par la force de la rafale: pour ne pas perforer les grandes portes du hangar, on va les ouvrir, le vaste espace de l'île et du lac remplacera le mur des exécutions.

Son regard retrouve celui de la femme tandis qu'on entend se déclencher le verrou des grandes portes, puis se mettre en marche les moteurs électriques. Blackburn est submergé par la haine de Michalski, mais il perçoit aussi son appréhension, même sa peur. Elle a peur de lui, de ce qu'il représente ou de ce qu'il annonce. Mais Blackburn ne comprend pas: quel danger représente-t-il, lui qui a raté sa mission et va mourir dans un moment? Que vient faire dans cette histoire Lavilia Carlis, rencontrée sous les tropiques? Et qu'est-ce qu'Argus, dont le nom était associé, dans l'esprit de Micha, à une foison d'images trop nombreuses et trop singulières pour que Blackburn y voie clair?

Des impacts métalliques résonnent simultanément dans tout le hangar, à demi masqués par le bruit des treuils. Les yeux de Michalski s'étrécissent en fixant Blackburn, tandis que des sifflements étouffés emplissent l'espace, puis elle esquisse un mouvement de fuite qui devient chute dans la brume naissante.

• • •

Eldorado sous une coupole. De cet angle, le doute n'est pas possible: bleu et lumineux, ce n'est pas le ciel, c'est un dôme. Le long de galeries spacieuses et rectilignes, Blackburn marche d'un pas sûr, sachant où il va. Pourtant, tout ici est nouveau pour lui, les robots qui filent silencieusement, les gens aux costumes sobres et résolument modernes. À un carrefour, un jeu de miroirs lui renvoie une image. C'est celle d'une femme, Lavilia Carlis, cette Lavilia qui se disait assurée de le revoir un jour. Le voici presque devant la glace, Lavilia doit être toute proche mais il ne l'aperçoit pas; quel angle singulier lui joue ce tour? Il fait un geste pour chasser de ses cheveux un pétale de fleur, ramené sans doute des sentiers parfumés d'Eldorado. Et Lavilia fait ce geste en même temps dans la glace: **il est** Lavilia, il voit par ses yeux et l'accompagne vers l'intercité dont un train arrive justement, élégant et silencieux. Le temps de laisser descendre et monter les passagers, le voici reparti, accélérant puissamment et sans à-coup pour s'engouffrer dans un tunnel. Qui s'ouvre aussitôt à l'air libre, sur un paysage de roc et de pénombre où des coupoles aplaties luisent au loin, bleutées, coiffant des falaises ou des plateaux. Le ciel est noir, foisonnant d'étoiles et d'astres moins brillants, traversé par la course lumineuse de petits vaisseaux.

Dépassé, Blackburn tente désespérément de retrouver la réalité, et dans cet effort il ouvre les yeux. Lavilia Carlis se penche sur lui, semblable à ce qu'elle était dans sa vision.

— Pourquoi serais-tu ici? murmure-t-il vaguement, persuadé qu'elle est un fantasme. À Chicoutimi j'ai cru te voir et....

— J'étais à Chicoutimi pendant ton dernier séjour. Tu as pu m'apercevoir, à l'Hôtel des Gouverneurs.

— Et j'ai pu te rêver: des fois je vois des gens qui n'y sont plus.

Et dans son sommeil, parfois, son esprit frôle celui des gens qui dorment à proximité. Ainsi, Eaulourde à l'hôtel Caribou, au village civil d'Aticonac. Ainsi Lavilia Carlis, qui sans doute dormait dans la chambre voisine de la sienne à l'Hôtel des Gouverneurs.

— Pourquoi es-tu ici? demande-t-il à nouveau d'une voix pâteuse. Ta place est l'Eldorado, les jardins de la villa Cayre.

Surprise, Lavilia fronce les sourcils, s'éloigne, et Blackburn perd contact avec les images dont sa tête est pleine. Il regarde autour de lui, reconnaît les lieux: le vaste hangar semi-souterrain où on allait l'exécuter avec ses camarades, la base secrète de la guérilla. Il déglutit avec peine; il a un goût âcre et irritant dans la gorge, une sensation de nausée. Il se redresse un peu en prenant appui sur ses coudes. Le sol est jonché de corps, Irréguliers et faux transfuges. Toute la base a dû être inondée de gaz soporifique. Blackburn croit se souvenir d'un sifflement étouffé, comme le bruit de la vapeur qui s'échappe. Mais pareille attaque peut-elle être venue de l'extérieur sans que rien n'alerte les défenses de la base?

D'autres personnes vont et viennent sans paraître incommodées: des hommes, des femmes, dont les tenues de combat lui sont parfaitement inconnues: ces étoffes, ces armes ou ces accessoires, quels qu'ils soient, ne sont d'aucune armée terrienne. Et ces soldats, s'ils en sont, ne couchent pas sous des tentes, à même le sol. Ils semblent être de toutes les races, mais le métis et le mulâtre dominent. Dans la tête de Blackburn, les pièces d'un puzzle se mettent en place toutes seules, des fragments d'information emmagasinés. Des liens se font, résultats d'un travail insoupçonné de son cerveau: Argus que redoutait Micha, ne serait-ce cette force d'intervention qui agit sous ses yeux avec tant d'efficacité? Argus, ne serait-ce pas cette nouvelle donnée des relations internationales, cette nouvelle donnée qui bouleverse la politique des grandes puissances et les font renoncer à la suprématie dans l'espace? Argus, ne serait-ce pas un sous-marin nucléaire enlevé vers les cieux?

Blackburn s'assied, encore engourdi. Certaines des grandes portes du hangar sont ouvertes et la lumière du matin inonde le glacis de la base. Mais comment sont venues ces troupes de choc qui emmènent Michalski inconsciente, liée sur une civière? À bord de quels hydroglisseurs, de quels hélijets?

La raison de Blackburn vacille lorsqu'il voit les brancardiers gravir quelques marches invisibles et s'estomper l'un après l'autre dans l'air du matin. Leur image a d'abord fluctué, vacillé, comme un reflet sur une eau calme soudain agitée.

Il se rend compte ensuite qu'il y a là-bas quelques zones où l'air vacille ainsi, comme vu à travers une eau en mouvement. Le même phénomène, lueurs en moins, que celui dont Blackburn a été témoin au-dessus du détroit d'Hudson. Mais cette fois à une échelle réduite. Les véhicules d'Argus peuvent être rendus invisibles.

Lavilia Carlis discute avec un homme au teint clair et une autre femme. L'échange semble vif, mais Blackburn n'en saisit rien; il n'en reconnaît même pas la langue. Il se lève, vacillant, et s'approche du petit groupe au moment où Lavilia semble avoir fait triompher son point de vue. Elle lance une consigne à une autre femme.

— Qui êtes-vous? demande Blackburn. Toi, Lavilia Carlis, tu t'intéresses davantage à cette guerre que tu le laissais paraître à Vera Cruz.

— Nous nous intéressons à cette personne que tu connais sous le nom de Michalski.

— Et que vous appelez Drax, réplique-t-il, se rappelant avec étonnement un nom qu'il a entendu une seule fois en rêve, il y a longtemps, et qui a resurgi à l'instant, dans la discussion en langue étrangère.

Lavilia n'essaie pas de masquer sa surprise. Alarmé lui aussi, l'homme avec qui elle discutait la questionne sévèrement, et sa réponse est hésitante.

— Qu'est-ce que vous leur injectez? demande Blackburn en désignant ses camarades sur lesquels se penche une femme, médecin peut-être.

— Un antidote au soporifique que vous avez respiré. Nous t'avons fait la même injection il y a un moment. Toi et tes hommes êtes pleins de ressources: vous aurez le temps de désarmer les Irréguliers, peut-être de les enfermer dans une salle, et de vous rendre maîtres de la base.

Un nouveau venu glisse au passage quelques mots à Lavilia et lui tend une tablette-écran.

— Pourquoi faites-vous tout ça? demande Blackburn.

— Pour rétablir un peu l'équilibre... Un équilibre que Drax a rompu en intervenant, en contribuant au pourrissement du conflit. Son jeu était la guerre; le nôtre est la paix. Si le conflit ne se règle pas dans les jours qui viennent, comme ton haut commandement l'espère, il dégénérera en guerre continentale, peut-être même en guerre mondiale.

Le commando étranger achève d'évacuer la base, regagnant les engins invisibles dont Blackburn perçoit le sourd bourdonnement.

— Dans la mémoire de leur ordinateur, dit Lavilia, tu trouveras assez de renseignements pour désarmer la guérilla: les repaires des cellules combattantes, les réseaux clandestins dans les villes... Sois prudent, l'ordinateur est piégé, pour le cas où quelqu'un tenterait d'accéder aux mémoires sans clé. Le mot de passe est «Markland, accès total».

— Markland. Le nom que les Vikings donnaient au Labrador.

— Et pour la mémoire à accès privilégié, «Estotilandia». Tu vas t'en souvenir? «Estotilandia». Bon succès.

— Tu ne peux partir comme ça! Tu me dois des explications!

D'un geste énergique et vif, Lavilia se défait de la main qui avait saisi son poignet. Elle recule de quelques pas en pointant son arme, dont le canon très mince doit tirer des dards.

— Tu en sais déjà trop, Denis. Compte-toi chanceux d'avoir obtenu autant d'aide cette nuit: mon supérieur n'était pas d'accord.

Elle a atteint l'une des grandes portes, accroissant la distance entre eux malgré les quelques pas qu'il a osés.

— Un conseil, lance-t-elle en sortant à reculons. Feins de te réveiller en même temps que les autres et ne parle de ceci à personne. Le moins tu paraîtras en savoir et le mieux ce sera pour toi.

La grande porte blindée retombe avec fracas, et Blackburn s'élance. Les plafonniers s'éteignent, plongeant le vaste garage dans l'obscurité; les moteurs des portes ne fonctionnent plus, et il faudrait plus d'une paire de bras pour manœuvrer les treuils manuels. Blackburn perçoit, étouffés par le blindage, de sourds bourdonnements qui vont s'élevant, passant à un registre plus clair en s'éloignant. Il donne un coup de poing au blindage, comme un prisonnier furieux frappe à la porte de sa geôle.

Piégé! Piégé dans ces souterrains que l'aviation bombardera incessamment: il ne doit pas être loin de quatre heures du matin, l'ultime échéance. Blackburn s'élance vers les guérilleros inconscients. Dans la lumière bleutée venant des coursives qui débouchent sur le hangar, il regarde la montre de l'un d'eux: quatre heures cinq! Une sensation de chaud et de froid tétanise Blackburn: les bombardiers ont déjà décollé de Sept-Îles! Ils seront au-dessus d'Harcel dans moins d'une heure!

Blackburn devine le mouvement de ses hommes qui s'éveillent. Réprimant un geste d'impatience, il met en pratique le conseil de Lavilia et va s'étendre parmi ses camarades avant qu'ils commencent à voir clair. Pour l'heure, il se taira, feignant de ne savoir rien de plus qu'eux sur la disparition de Michalski et l'offensive non violente qui vient de désarmer la guérilla.

Mais, de fait, en sait-il tellement plus?

• • •

Afin que «Café Filtre» devienne l'opération Cyclone plutôt que l'opération Fléau, il reste un quart d'heure à Blackburn pour maîtriser les commandes, dans la tanière d'Aguirre. Sans quoi le commando Café Fort se fera proprement moudre, avec le reste de la base, par les bombes de l'escadrille Fléau.

Blackburn prend avec lui Leduc, confie à Doré et aux autres agents le désarmement des Irréguliers. Tous seront fouillés, tandis qu'ils dorment encore. Le plus tôt possible, il ne devra plus y avoir d'armes dans la base, qu'à l'arsenal et dans la tanière d'Aguirre, et ils feront de ces deux points leurs bunkers en attendant les renforts. Entre-temps, s'ils maîtrisent bien leur peur des bombardiers qui approchent, ils ont quand même le geste et la parole nerveux.

— Allons, lieutenant-colonel, insiste Leduc et revenant à la charge. C'est vous qui avez mis toute la base hors de combat? Quel gaz avez-vous employé? Vous aviez un agent sur place, hein?

Mais Blackburn ne répond que par de vagues «confidentiel» ou «tu sauras tout». Il sera toujours temps de se préoccuper des réponses; en attendant, les circonstances lui ont redonné l'estime de ses agents, qui avaient hier perdu confiance en lui devant la tournure dramatique de l'opération. Le timbre d'une alarme le dispense d'explications: brusque, intense, le bruit cadencé ajoute à la tension.

— Ça va réveiller les guérilleros! peste Blackburn.

Dans la tanière câblée d'Aguirre, Blackburn cherche frénétiquement à faire taire l'alarme. Il trouve l'interrupteur, en même temps que la cause de tout cet émoi automatique: le radar d'Harcel a repéré une escadrille venant du sud et faisant route directement vers le Q. G. secret.

Leduc hésite devant la console des communications, d'où Blackburn écarte pour lui la préposée endormie. Mais, après un moment d'anxiété, il annonce qu'il est prêt à émettre sur la fréquence convenue. Blackburn se rue vers un micro-écouteur:

— Café Fort appelle Météo. Café Fort à Météo!

— Ici Météo, parlez.

— Avortez Fléau! Je répète, avortez Fléau!

— Mot de code?

— Basse pression. Basse pression!

— Basse pression bien reçu. Vous êtes chanceux: l'escadrille est en vue de votre îlot et a commencé sa descente.

À nouveau Blackburn sent une impression de chaud et de froid traverser son corps. Il échange un regard grave avec son agent.

— Leduc va vous détailler la situation et vous transmettre les plans de la base.

Leduc lui fait une mimique signifiant «comment vais-je faire ça, moi?», mais Blackburn a déjà gagné la console principale. Il regrette de n'être pas à la fine pointe en matière d'informatique. L'appareillage, il l'avait déjà noté, est du dernier cri, sûrement pas d'origine soviétique. La formation de Blackburn était en électronique; ce qu'il a devant lui relève davantage de la photonique. Ça ne lui est pas étranger, certes, et il a bien su se débrouiller voici quelques jours dans la tourelle laser du glacis d'Aticonac. Mais aujourd'hui les minutes comptent, rendant cruciale la différence entre expertise et simple compétence.

Sur un écran à cristaux liquides, un curseur clignote sous la mention accès général.

D,accès total, tape-t-il.

Clé d'accès? Inscrivez dans les dix secondes.

Sinon, autodestruction, songe Blackburn. *Du système seul ou de la base au complet?* Il tape Markland, accès total.

Accès total, lui concède l'ordinateur. Commence alors une longue enquête où Blackburn demande menu après menu, dossier après dossier. Aux côtés de Blackburn, Leduc travaillant sur un autre clavier cherche les plans de la base qu'ils occupent, afin de les transmettre aux forces héliportées de Cyclone.

À un moment, Doré lui annonce par interphone:

— Nous détenons toutes les armes et l'arsenal. Nous commençons à traîner les Irréguliers vers le magasin où ils nous ont gardés.

— Toujours inconscients?

— Pour le moment. Et nous avons eu une surprise à l'arsenal.

— Une surprise? s'inquiète Blackburn.

— Les Irréguliers possèdent des fusilasers, dernier cri. Avec des batteries aussi compactes que celles de nos plus récents prototypes.

— Apporte tout ça ici, Doré. Trouve des walkies-talkies et distribue-les à nos gars.

Il se remet au travail. Comme il s'en doutait, nulle part le dessein d'Aguirre n'est inscrit noir sur blanc. Il faudra faire des recoupements, des déductions. Entre autres à partir des cartes topographiques où lui et ses lieutenants ont inscrit des repères, des positions, tracé des déplacements. Sur le grand écran, parmi les courbes isohypses, ces points et ces lignes ne sont accompagnés que d'abréviations et de chiffres, évidemment pas conçus pour faciliter la tâche d'un espion.

Les minutes filent entre les doigts de Blackburn et son énervement croît encore plus vite. Leduc est plus chanceux: avec une exclamation de triomphe il a mis le doigt sur les diagrammes d'Harcel: conduites d'air et d'eau, câblage électrique, où figure entre autres un circuit reliant toutes les issues de la base. À bord de leurs hélijets, les officiers de l'opération Cyclone pourront les examiner sur leurs terminaux.

Doré entre en coup de vent dans le poste de commande avec un carton plein de masques à oxygène.

— Ils commencent à se réveiller! Nous n'avons pas eu le temps de les enfermer tous!

— Combien sont enfermés?

— La moitié, à peu près.

— Les autres pourront les libérer?

— Ils y arriveront, oui.

— Ordonne un repli. La moitié de tes hommes ici, l'autre moitié à l'arsenal.

Doré transmet l'ordre par walkie-talkie.

— Et sors celle-ci dans le couloir.

— La cavalerie est en route? demande Doré en empoignant le col de la guérillera inerte.

— Oui. Nous avons les fusilasers, nous avons les masques: nous pourrons tenir.

Par radio, Leduc précise où les agents de Café Filtre se sont retranchés dans Harcel, pour que les troupes de choc ne les abattent pas par erreur. De son côté, Blackburn complète graduellement le tableau de l'offensive d'Aguirre. La grande sortie des Irréguliers serait en fait une diversion: avec leurs *hovers* légers et de l'infanterie, ils sont en route pour attaquer le barrage Smallwood à partir de l'aval, un vaste mouvement tournant devant les mener à l'est de Twin Falls, à l'arrière-front de l'armée québécoise. Aguirre, lui, ne les accompagne pas: cela au moins est clair, par les indications que Blackburn a su déchiffrer.

Un tumulte dans le corridor et des exclamations le ramènent sur place: les Irréguliers restés à la base ont compris que leurs envahisseurs sont moins d'une dizaine et, même sans armes à feu, ils veulent profiter de leur supériorité numérique.

— À coups de bâtons! Ils ont eu Rondeau, il doit être mort!

Blackburn se retourne, voit un de ses agents la tête en sang, refermant derrière lui la porte de la salle et s'y adossant.

— Faut pas se laisser enfermer! Rouvrez cette porte, ordonne Blackburn, et tenez-les en respect! Lauzon, tu peux surveiller leurs mouvements par ces écrans.

On entend à quelque distance les fusilasers des agents qui défendent l'arsenal: de sourds bourdonnements, brefs et intenses. Leduc, à la console des communications, crie les nouvelles qu'il reçoit d'un signaleur de l'armée.

— Nos intercepteurs ont repéré les *hovers* des Irréguliers au-dessus de la rivière Churchill.

De jour, c'était inévitable; les Irréguliers savaient qu'ils seraient repérés, si près du front. Mais de quelle façon Aguirre compte-t-il profiter de cette diversion? En frappant le barrage par l'amont, certes. Et probablement à bord du mini-submersible livré nuitamment par la puissance intéressée, pour le plus grand malheur de Trois-Doigts et de sa bande. C'est sans doute au pilotage de cet engin qu'Aguirre s'exerçait lorsque Blackburn est entré dans la base hier matin. Mais quelle est sa mission, au juste? Aller poser une mine dont l'explosion fissurerait l'ouvrage? Les grands filets métalliques qu'on a immergés près du barrage suffiront-ils à lui faire obstacle?

— Ils ont des pistolets! crie Doré. Ils tirent sur les caméras. Bientôt nous serons aveugles, ici!

Blackburn jette un regard vers les écrans de surveillance.

— Qu'est-ce que c'est que cette fumée? demande-t-il en en désignant un.

— Un laser a dû enflammer de la toile de tente.

— On avait bien besoin de ça!

Une bonne part d'Harcel est faite de tentes, alignées sous l'immense chapiteau d'une carcasse de dirigeable. Blackburn espère que ce revêtement n'est pas inflammable. Fébrilement, il reprend son inventaire de la mémoire. La configuration du système lui est maintenant claire, et il semble que toute la mémoire soit accessible directement, même si l'information est peut-être sauvegardée sur un disque optique entreposé ailleurs par précaution.

D,accès privilégié, demande-t-il en se reprochant de n'avoir pas commencé par là.

Clé d'accès? Inscrivez dans les dix secondes.

Plus compliqué, cela; le nom du Labrador tel qu'il figurait sur certains portulans.

Estoli... Il corrige nerveusement et poursuit, le front en sueur: Estotilandia, accès privilégié. Un instant passe, durant lequel il retient son souffle en priant pour que le renseignement de Lavilia soit exact. Accès privilégié, lui accorde enfin l'ordinateur.

Depuis un instant, Blackburn sent la fumée qui se répand dans Harcel. La petite salle de commande s'emplit d'intenses bourdonnements électriques: les fusilasers trouvés à l'arsenal, quelle que soit leur origine, ne chôment pas aux mains des hommes du Contrext.

— J'ai une image extérieure! triomphe Doré de son côté. Une caméra qui couvre tout le périmètre!

Blackburn jette un regard à l'écran que montre Doré. Il voit des hélijets se poser sur l'îlot d'Harcel en créant des trombes dans la fumée de l'incendie et dégorger des fantassins par dizaines. Grâce aux plans qu'on leur a transmis, ils pourront mener l'assaut avec un minimum de pertes.

Blackburn revient à son ordinateur, examine un menu, tape quelques commandes.

— Les effectifs! murmure-t-il triomphalement. Les camps secondaires...

Cyclone sera un succès. Entre-temps, la fusillade dans le dos de Blackburn devient plus nourrie, pistolets et revolvers d'une part, fusilasers de l'autre; l'air de la salle sent l'ozone à plein nez.

— Une grenade! hurle un agent derrière Blackburn.

Il rentre instinctivement la tête dans les épaules et une explosion l'assourdit, il la sent dans son diaphragme, ses tympans s'enfoncent sous la brusque augmentation de la pression d'air. La grenade a heureusement heurté le chambranle et explosé plus loin dans le couloir. Quelqu'un ferme la porte, à temps pour assourdir une nouvelle déflagration.

De plus en plus nerveux, Blackburn poursuit son inventaire. Une liste de villes l'intrigue, et il trouve en regard de chacune un registre de noms. Les contacts civils des Irréguliers? Blackburn et ses supérieurs n'en espéraient pas tant!

Trois déflagrations simultanées enfoncent la porte de la salle et font clignoter toutes les lumières. Une autre suit et, rien n'ayant fait obstacle à son souffle, elle crible la salle de fragments métalliques. Blackburn en sent quelques-uns s'enfoncer dans le dossier de son siège; une douleur lui perce le dos, une autre lui lacère le côté du cou, près de la clavicule; du verre pulvérisé cascade des écrans. Il voit Doré en sang, titubant dans la fumée, hurlant sans doute de douleur, mais il n'entend plus rien. La fumée le fait tousser, cela ramène un peu de son à ses oreilles et fait crier la douleur dans ses muscles perforés. Le fragment de grenade, freiné par le dossier de la chaise, s'est niché, brûlant, dans son grand muscle dorsal droit, mais ne semble pas avoir pénétré plus avant.

Blackburn a fait le tour de ce que contenait la mémoire à accès privilégié, mais quelque chose manque toujours. Des éléments cruciaux; Aguirre semble les avoir cachés ailleurs. Peut-être ne les a-t-il pas confiés à la mémoire intégrée du système?

La fumée contraint Blackburn à passer en hâte un masque à oxygène et, de son cou, il ramène sa main trempée d'un sang pourpre. La fusillade reprend. À la faveur des explosions, l'adversaire a gagné une position avantageuse dans le couloir et, au pistolet, peut tirer dans la salle de commande par la porte enfoncée. Des balles percent la console, fracassent un clavier. Cette fois, Blackburn quitte prestement son poste: s'il y a des charges explosives pour l'autodestruction du central, une balle perdue risque de les faire détoner. Grimaçant à cause de la douleur au cou et au dos, il s'agenouille en retrait de la porte en prenant un fusilaser et sa batterie. Heureusement, les armes ne manquent pas.

Blackburn et ses camarades ripostent au laser et, dans l'air enfumé, les rayons sont parfaitement visibles, des lignes éblouissantes, ultra-droites, qui tranchent plastique et nylon comme du beurre, emplissant le couloir de fumée toxique. Seuls Leduc et Lauzon font le coup de feu avec Blackburn; Doré agonise dans une mare de sang où les débris de la salle sont comme autant d'îlots miniatures en un grand lac pourpre.

Blackburn cesse le feu; l'adversaire ne semble plus tirer. On entend toutefois des salves plus lointaines, à l'arme automatique: l'armée est entrée et a engagé le combat. Leduc regagne son micro et rappelle la position de la salle de commandes et de l'arsenal où ils se sont réfugiés, pour ne pas être victimes d'une méprise.

De sa position, à genoux sur le plancher, Blackburn regarde vers la console tout en enlevant sa chemise à demi ensanglantée et en épongeant son cou avec; en un instant, l'étoffe gris-bleu achève de s'imbiber de sang. Il aperçoit un tiroir sous la console. Un petit tiroir plat qui jusque-là avait échappé à son attention, un tiroir muni d'une serrure à combinaison. Un tiroir pouvant contenir une ou quelques disquettes!

— Je pense que c'est fini, dit Lauzon en désignant le couloir.

Leduc lui répond par un signe incertain de la main. Blackburn se lève et, larmoyant malgré son masque, risque un regard dans le couloir. Dans l'embrasure d'une porte, en biais, il aperçoit deux Irréguliers avec des mouchoirs sur le bas du visage, venant de remettre des chargeurs dans leurs pistolets. Blackburn tire une décharge à leurs pieds; ils bondissent pour se mettre à l'abri. À l'autre bout du corridor gisent les corps, à la fois sanglants et noircis, de quelques autres Irréguliers. Blackburn lutte contre la nausée; l'odeur de chair et de cheveux brûlés atteint ses narines malgré le filtre.

Des soldats surgissent au-delà du coude.

— Ne tirez pas! leur lance-t-il. Café Fort!

Mais il est sauvé surtout par le maillot de corps azur et le pantalon bleu-gris qu'il porte encore et qui l'identifient à l'armée régulière. En regardant le moins possible le visage lacéré et les yeux fixes de Doré, il regagne la console de l'ordinateur et son tiroir secret.

• • •

— Votre cou s'est remis à saigner, Blackburn. Je vous avais dit: pas de contorsions!

— Pas grave, docteur. Avec la transfusion que vous m'avez faite, je peux bien saigner encore un peu.

Le muscle qu'il s'est claqué durant son affrontement avec Aguirre lui fait aussi mal que sa lacération de l'autre côté. Blackburn passe les doigts sur le bandage à son cou et les ramène rougis: Lodier a raison. Mais comment voulez-vous travailler sous une console sans vous tordre le cou? Dans son dos, le fragment de grenade a été retiré et la douleur est moindre grâce à une anesthésie locale. Il se remet à l'ouvrage avec les appareils et les outils de précision qu'on lui a apportés d'Aticonac.

— Je tenais à vous voir avant de partir, annonce le jeune médecin. Mon travail ici est fini et on me réclame dans d'autres zones de combat. Les assauts contre les camps secondaires des Irréguliers ne se sont pas passés aussi bien qu'ici.

— De grosses pertes? marmonne Blackburn, un brin de fibre optique à la commissure des lèvres.

— Du côté des Irréguliers surtout. Mais au point de vue tactique, succès sur tous les fronts.

Sauf le principal, songe Blackburn. Le gros des troupes irrégulières a été anéanti par l'aviation en amont du barrage Joey-Smallwood, mais les patrouilles aquatiques sur le lac Lobstick, le réservoir, n'ont pas encore rapporté de contact sous-marin. Le plan d'Aguirre a-t-il échoué, y a-t-il renoncé? Ou est-il terré quelque part au fond du lac, guettant une accalmie des patrouilles? Sa mine est-elle déjà posée, prête à exploser et à fissurer le barrage? La réponse est peut-être sur ces disquettes que Blackburn cherche à atteindre. Mais le petit tiroir est doté d'un dispositif qui libérera un intense champ magnétique et effacera tout enregistrement si la serrure est forcée.

Lodier parti, Blackburn étend jusqu'au couloir les fibres optiques qu'il a branchées près de la serrure, et il fait sortir de la salle le technicien qui l'assiste, Plante. Ils s'adossent de part et d'autre de la porte défoncée. Graduellement, la douleur redevient entière, au cou et au dos de Blackburn, et il doit faire une pause pour respirer profondément à quelques reprises. L'odeur de brûlé persiste. Le plancher enfoncé, les parois noircies et fondues, perforées, criblées de balles, témoignent de l'explosion des grenades et de la fusillade. Blackburn songe au bilan du commando Café Fort: de douze hommes qu'ils étaient au départ, seuls lui et quatre autres sont encore vivants.

— Ça ne va pas, lieutenant-colonel?

— Oui oui.

Il pose en son giron le micro-ordinateur qu'il a relié au tiroir piégé, il place sur son oreille un micro-écouteur. Le stéthoscope du cambrioleur est bien relégué aux musées. Blackburn n'a qu'à regarder sur l'écran plat les successions rapides de chiffres, les diagrammes de circuits qui se font et se défont à mesure que le logiciel établit la configuration du dispositif piégé.

— Voilà, c'est ouvert, constate Blackburn après un instant.

Ils retournent dans la salle. Le tiroir plat est ouvert, quelques disquettes s'y trouvent. La première sur le dessus est un logiciel d'entraînement. Blackburn l'insère dans le seul lecteur intact, celui d'un simulateur qui occupe une extrémité de la vaste console. Poignées, manettes et pédaliers y figurent les commandes d'un appareil. Dès que les écrans s'allument, une quantité d'indicateurs s'y trouvent reproduits, tandis qu'un quatrième écran semble figurer un hublot. Blackburn est débordé d'informations, comme un novice qui s'assoirait dans le cockpit d'un intercepteur.

Le général Valois paraît à la porte de la salle, en tenue de combat. Sa présence en compagnie des troupes de choc avait surpris Blackburn tout à l'heure.

— Je retourne à Aticonac, Blackburn. Toujours rien de neuf?

— Rien pour le moment. Je vous préviens dès que j'ai du concret.

Le général grogne quelque chose d'indistinct et s'éloigne. Blackburn n'a pas détaché son regard des écrans. C'est bien d'un mini-submersible qu'il s'agit: jauges de pression, bathymètres, gyroscope, senseurs de sonars. L'engin doit être parfaitement silencieux, indétectable: en ce domaine, les techniques de pointe sont l'apanage de la puissance intéressée. Blackburn cherche impatiemment les commandes d'un tube lance-torpilles ou encore celles de bras télémanipulateurs pour la pose de mines.

Soudain la peur le glace: le mini-submersible qu'Aguirre s'exerçait à piloter n'est pas muni de torpilles, il **est** une torpille. Et pas n'importe laquelle.

— Meeeerde... lance-t-il en se ruant dans le couloir. Il galope vers un escalier métallique, qu'il gravit jusqu'à une écoutille dans le plafond. Valois n'est sûrement pas encore parti.

Dehors, le ciel est couvert, d'un gris plombé, sauf à l'ouest où brille un jour couleur de perle. Valois n'est qu'à quelques pas de l'écoutille, marchant vers son hélijet dont les rotors tournent déjà.

— C'est très grave! lui lance Blackburn en se hâtant vers lui.

Un éclair intense et lointain le dispense d'expliquer son alarme. Une fausse aurore s'allume sur le lac, à l'est, alors qu'au couchant le soleil luit encore. Valois tourne la tête et voit lui aussi la ligne éblouissante au ras de l'horizon. Les cirrus, dix mille mètres plus haut, s'illuminent de son reflet.

— Mon Dieu! murmure le général tandis qu'un arc de cercle aveuglant soulève le lac, se transforme en dôme, puis en coupole, dans un brouillard de lumière blanche.

22

Sept-Îles. Commandement régional pour la Côte-Nord. Le général Valois et le lieutenant-colonel Blackburn viennent d'être interrogés durant des heures lors d'une réunion d'urgence du haut commandement à laquelle assistait le ministre de la Défense en personne.

Blackburn est maintenant seul dans la salle déserte. Versant un reste d'eau tiède dans son verre, il avale deux comprimés d'un puissant analgésique. En plus d'une terrible céphalée, il a encore mal au dos et au cou, la blessure des fragments de grenade et les séquelles du premier coup qu'Aguirre lui a donné avec sa bague-choc.

Jac Marin. «Je gagnerai ma guerre. J'irai jusqu'au bout de mon jeu.» Il a gagné, bien gagné. Il a mis sur les dents, pendant plusieurs heures extrêmement tendues, les superpuissances de la planète. Jusqu'à ce qu'il soit établi que l'explosion avait été isolée, de puissance très limitée, qu'aucun missile intercontinental n'avait été lancé et qu'aucun ne devait l'être.

«Chirurgicale», c'est ainsi que les Étatsuniens qualifient une bombe atomique miniature, propre, sans retombées. Parce que l'explosion a été subaquatique, même l'effet de souffle a été minimal. Le réservoir du barrage Smallwood n'en a pas moins déferlé le long de la vallée, emportant Churchill II et les ouvrages de Churchill III, emportant la petite ville de Happy Valley et la superbase militaire de Goose Bay, les localités riveraines du Lac Melville et du goulet Hamilton. Plusieurs centaines de morts, malgré les évacuations.

Coulées, les négociations de paix qu'on espérait pour la semaine suivante. Compromises, les fournitures d'électricité en échange desquelles les États-Uniens auraient parrainé le cessez-le-feu. Interrompue, l'offensive des troupes vers l'est pour assurer des positions de négociation.

Pourtant Cyclone n'a pas été un échec quant à ses objectifs premiers: il n'y a plus d'Irréguliers. La Sûreté civile achève d'écrouer les sympathisants irrédentistes dans les zones civiles. Mais le pire n'a pu être évité. «Je gagnerai ma guerre. J'irai jusqu'au bout de mon jeu.» Blackburn y pense, y repense et ne parvient pas à éprouver autre chose que du soulagement pour Jac, et presque une lueur de joie dans la grisaille de la tristesse. Comme on en éprouve, avec altruisme, pour quelqu'un qui a triomphé, même si on a soi-même échoué.

Blackburn se lève, éteint la plupart des plafonniers et gagne les fenêtres panoramiques pour contempler la nuit tombante. C'est ici l'avant-dernier étage du plus haut édifice de la ville, en périphérie, à l'entrée de la base militaire. Le commandement régional y a son siège, les communications maritimes et aériennes, la tour de contrôle de l'aéroport proche. On l'a bien cuisiné, ici, mais Blackburn a clairement établi qu'il avait fait l'impossible. Les blessures à son dos et à son cou étaient là pour attester de sa vaillance. Valois a même déposé en sa faveur, il a cité à comparaître le lieutenant Leduc du Contrext, qui a vu Blackburn s'acharner sur l'ordinateur d'Harcel pendant même que les balles fracassaient les écrans autour de lui, et le médecin Lodier selon qui, à quelques centimètres près, Blackburn aurait pu être tué ou rendu quadraplégique par les fragments de grenades auxquels il s'est exposé.

Non, Blackburn ne sera pas blâmé. Ce qui ne l'empêche pas de revoir constamment l'ellipse de lumière éblouissante qui s'élargissait rapidement, telle une tache sur le ventre des hauts nuages du soir. Quiconque aurait été en l'air à cet instant, au-dessus du réservoir, serait devenu aveugle. Les pertes du côté québécois sont d'ailleurs élevées. Tout ce que l'armée avait de vedettes, d'hydroglisseurs et d'avisos sur le lac Lobstick, a chevauché la vague cataclysmique jusque chez les Terre-Neuviens.

— Lieutenant-colonel, une responsable de la Croix-Rouge internationale veut discuter avec vous. Au sujet des prisonniers de guerre.

— Ce n'est pas à moi de... commence Blackburn avec irritation, en se retournant vers l'officier qui vient d'entrer.

Mais il s'interrompt en reconnaissant derrière lui Lavilia Carlis, portant la version féminine de l'uniforme de l'organisme international.

— Merci, major, dit-elle en entrant. Lieutenant-colonel, les premiers rapports font état de quelques centaines de prisonniers parmi les guérilleros. Quelles sont vos intentions...

Mais elle se tait et cesse de jouer ce rôle après que la porte s'est fermée. Elle soutient le regard de Blackburn, mais échoue à lire quelles émotions le traversent. Blackburn lui-même, du reste, n'en sait pas plus. La surprise qu'il devrait éprouver est absente. L'étonnement a d'ailleurs été banni de son registre d'émotions, hier à l'aube, lorsque Lavilia Carlis est apparue à la tête d'un improbable commando disposant de véhicules invisibles.

— Par où est-ce qu'on commence? demande-t-il à mi-voix en s'enfonçant les mains dans les poches de son pantalon.

— J'ai bien peu de temps pour l'explication des gravures, dit Lavilia avec un soupçon d'impatience.

— Alors fais-moi un résumé, insiste Blackburn. Je suis intelligent.

Et, devant son demi-sourire, il enchérit:

— C'est vrai, j'ai des périodes de lucidité comme j'en ai rarement éprouvé. Une clarté d'esprit comme si j'avais jeûné une semaine. Ça doit être l'effet combiné de certaines...

— Je sais, Denis, je sais.

Aujourd'hui il a brillé, à certains moments de la réunion du haut commandement. Il anticipait questions et remarques, les lisant dans l'esprit de ses interlocuteurs avant même qu'elles soient formulées. Il percevait clairement la situation dans son entièreté, telle qu'elle se déployait dans l'esprit du ministre de la Défense, avec la portée de chaque option possible, même si Juneau s'abstenait de les énoncer. Sûrement la cé-psi+ agit plus longtemps que ne le soupçonnait le chimiste Godbout, et son effet s'améliore au lieu de décliner.

— Il existe, dit Lavilia en s'asseyant, une société humaine qui suit une évolution séparée du reste des Terriens depuis plus de trois siècles. Les Éryméens.

— Tu es une Éryméenne, comprend tout de suite Blackburn. Cette langue que tu parlais avec tes camarades, lorsque vous avez enlevé Michalski-Drax...

— Tout juste. Nous vivons sur un petit corps planétaire de la ceinture des astéroïdes.

— Enigma 13545, en orbite synchrone avec la Terre.

Lavilia reste sans voix.

— C'est moi qui suis censée t'étonner, finit-elle par articuler.

Mais Blackburn s'est étonné lui-même. Cette bribe d'information, glanée à l'holovision deux semaines plus tôt, en un moment de crise où il avait bien d'autres soucis, il ignorait la posséder encore — et au chiffre près!

— Nous appelons notre astéroïde Érymède. Notre science et notre technologie ont un demi-siècle d'avance sur les vôtres. Nous avons une flotte spatiale, nous sommes établis sur quelques planètes, sur certains astéroïdes et un bon nombre de lunes. Nous surveillons les Terriens à partir d'une base lunaire.

— Face cachée, cratère Tsiolkovsky. Les photos prises au télescope par *Endeavour I*, c'était donc vrai?

Lavilia fixe à nouveau Blackburn, dissimulant mieux sa surprise, cette fois.

— Notre existence est maintenant connue, à la tête des grandes puissances et de l'O.N.U. Ça a enlevé de l'intérêt à leur course vers les planètes. Et ça a tempéré certaines ardeurs... hégémonistes.

— Mais, bien entendu, on ne dit rien aux populations.

— Ni aux chefs des moyens États. Mais les grands savent que toute nouvelle guerre mondiale est devenue impossible. Nous pouvons neutraliser toute espèce de missile, paralyser des flottes en mer ou des escadres de bombardiers.

— Vos appareils sont dotés d'invisibilité?

— Nous appelons ça un écran optique. Mais notre technologie n'est pas infaillible. Pendant ton séjour à la villa Cayre, justement...

— Cet hélicoptère parfaitement silencieux...?

— Et plus rapide que n'importe lequel des vôtres... Oui, c'est un produit de nos usines, déguisé en véhicule terrien. Mais cette nuit-là nous avions un incident majeur sur les bras.

Blackburn se rappelle un réveil, un téléjournal matinal, un reportage sur l'atterrissage forcé d'un vaisseau inconnu, dans la forêt du Yucatán.

— Un appareil aérien, plutôt massif, avec de petites ailes en delta?

— Ce sont nos navettes. Cette nuit-là, nous avons saboté les communications et entravé les recherches entreprises par l'armée mexicaine, le temps de dépanner notre engin. Nous avons une longue habitude de l'esquive; ça nous a souvent permis d'intervenir lors de crises internationales.

— Hier matin, tu m'as parlé de guerre continentale, même de guerre mondiale.

— À cause de Drax. Le facteur de perturbation. Elle était coordonnatrice aux Opérations, et membre influente du Conseil d'Argus.

— Argus aux milliers d'yeux. C'est votre...?

— C'est le nom du réseau, et de la cité lunaire. Surveillance constante, interventions occasionnelles.

— Mais Drax voulait intervenir constamment.

Lavilia hoche la tête.

— Ce qui nous a sauvés, c'est qu'elle a commencé ouvertement, en faisant la promotion de ses idées au Conseil. Peu l'ont suivie, et elle a été démise. Puis placée en résidence surveillée quand elle a passé outre aux interdictions du Conseil suprême.

— Une prison dorée, une reconstitution d'Eldorado sous un dôme atmosphérique.

— Ton empathie est plus développée que nous le soupçonnions, Denis.

— Construire un décor pareil pour une prisonnière...!

— Ce n'est pas un décor, c'est l'authentique Eldorado, enlevée au dix-neuvième siècle puis rebâtie sur Érymède voici soixante ans. Nos Mentors et nous sommes... collectionneurs. Nous avons sous dômes les jardins de Babylone, un monastère gothique et un temple abyssinien.

Blackburn étouffe un chuintement irrité, incrédule. Il fait quelques pas impatients qui le mènent à une baie vitrée.

— Pourquoi croirais-je à toutes ces fables? lance-t-il sèchement en se retournant.

— Parce que tu en as déjà lu une partie dans mon esprit lorsque j'étais à proximité de toi. Parce que tu peux colliger toutes ces informations éparses que les médias ont diffusées et que ta mémoire a enregistrées. Et parce que tu as été toi-même témoin de certaines choses.

— Je sais que sur Enigma...

— Érymède.

— ... vos généticiens savent déjà cloner des êtres humains.

— Depuis un tiers de siècle. Drax nous a laissés emprisonner sa clone, après avoir altéré sa peau pour lui donner l'apparence de la soixantaine.

— Et quelle... perturbation a-t-elle causée?

— Pendant longtemps, nous n'avons rien su, puisque nous la

croyions en résidence surveillée sur Érymède. Mais votre guerre nous a mis la puce à l'oreille.

— Notre guerre?

— Tous les experts d'Argus, tous nos ordinateurs, le simple bon sens même, clamaient l'invraisemblance de cette guerre, surtout du fait qu'elle s'éternisait. Les Québécois, des Nord-Américains sans tradition politique marxiste, acceptant l'appui de l'Union Soviétique? Et, surtout, les Étatsuniens tolérant une telle guerre chez leur voisin canadien, à une heure d'avion de Washington? Nous sommes devenus très, très curieux.

— Mais quelles ont été les interventions de Drax?

— C'est ce que révéleront les interrogatoires. Entre-temps nous n'avions aucune idée de l'endroit où elle était. Dans les coulisses du Pentagone, pour retarder une inévitable intervention étatsunienne? À Toronto, parce que la guerre développait l'industrie lourde ontarienne? À Saint-John's, parce qu'elle créait des emplois pour les chômeurs? Ou dans les coulisses du Kremlin, pour encourager l'audace incroyable dont les Soviétiques ont fait preuve? À Québec, ou alors dans les milieux irrédentistes, pour attiser la ferveur nationaliste chez un peuple qui, de lui-même, n'aurait jamais eu le cran d'annexer le bassin Churchill? Drax pouvait agir n'importe où — peut-être a-t-elle agi à tous ces points.

— Et toi, tu enquêtais? À Chicoutimi...

— Ce n'est pas par hasard que j'y étais en même temps que toi, et peu avant: cette réunion du haut commandement et du ministre de la Défense du Québec, il nous fallait l'analyser pour déceler la main de Drax. Comme nous l'avons fait chaque fois que ça nous a été possible et pour chaque camp du conflit. Mais ma participation dans ce dossier était récente. Quelques semaines plus tôt, je savais du dossier seulement ce que tout agent des Opérations en connaissait. Un événement crucial m'a mêlé pour de bon à l'affaire.

— À savoir?

— Ta rencontre, Denis Blackburn.

Il revoit les jardins de la villa Cayre et il se souvient: «Nous nous reverrons», avait-elle assuré.

— Tu es empathe, lui rappelle-t-elle, et il t'arrive d'avoir des prémonitions. Je suis empathe et j'ai des prémonitions. Lorsque nos esprits se sont touchés pour la première fois, au consulat japonais, j'ai vu Drax dans ton futur.

Blackburn plisse les yeux, encore plus attentif.

— Chez des gens comme toi, explique-t-elle, il se produit

parfois ce que nous appelons une jonction. Le Denis Blackburn présent établit une jonction, un contact, avec le Denis Blackburn d'un instant futur, et **reçoit** quelque information de ce futur. Parfois, sans même en avoir conscience. Mais quand c'est conscient, il s'agit d'une prémonition. C'est comme si ta ligne temporelle décrivait des méandres très serrés et que ta conscience pouvait parfois, accidentellement, sauter quelques boucles au lieu de suivre la ligne complète.

Devant le regard perplexe de Blackburn, elle renchérit:

— Nos spécialistes, les Psychéens, ont établi ça avec certitude depuis longtemps. Ils ont même une conception holistique de la conscience: dans la quatrième dimension, Denis, ton esprit est un tout. Ta conscience passée, présente et future coexistent dans la quatrième dimension. Mais elle est lue de façon linéaire et dans une direction unique par ton cerveau. De la même façon qu'un spectacle enregistré est entier dans une holodisquette, mais qu'il t'est restitué de façon linéaire par le dispositif de lecture.

— Attends, attends! objecte Blackburn. On peut **altérer** le futur.

— De la même façon qu'on peut altérer un hologramme; c'est délicat mais c'est possible.

Blackburn s'assoit, vacillant sous ce flot d'informations.

— Quand je t'ai rencontré, Denis, j'ai eu brièvement accès à ta conscience holistique. Drax était là, dans quelque instant futur de ta vie. Mais le pont n'a duré qu'un instant.

— Le pont?

— Le pont: le contact entre deux consciences. C'est toujours fugace.

Du coin de l'œil, Lavilia et Blackburn voient s'éteindre une bonne partie des lumières du panorama urbain. Tous les lampadaires. Puis, graduellement, tout l'affichage lumineux des artères commerciales.

— Blackout, murmure l'officier. Ils redoutent un bombardement en représailles contre la crue du Churchill.

Après un moment de silence, Lavilia reprend, d'une voix plus malaisée.

— Nous cherchions Drax, je l'avais trouvée: dans ton futur. Toi, Denis, tu allais nous mener à elle. Nous ignorions où, quand, comment; il fallait donc te suivre, ne jamais te perdre de vue, ne fût-ce qu'une heure.

Blackburn la dévisage, attendant la suite, les mâchoires serrées.

— Nous t'avons emmené sur la Lune, dans une clinique d'Argus, et nous t'avons greffé un implant, Denis. Un émetteur hyperminiaturisé dans le thalamus, cette partie de ton cerveau qui centralise toutes les perceptions. Tes perceptions, Denis, et non tes réflexions, ni tes pensées, ni tes sentiments: je t'en donne ma parole. Ces perceptions nous étaient retransmises, en temps réel, où que tu fusses.

Il la regarde maintenant sans aménité. Ses reproches, elle les connaît d'avance. Mais il est mal placé pour les formuler: agent du Contre-espionnage, combien de caméras clandestines a-t-il posées, combien de micros (y compris sous-cutanés), combien de vidéos indiscrets a-t-il regardés, combien de fantascopies a-t-il examinées? Mais un émetteur espion **dans le cerveau même!** Que peut-il dire? Si le Contresp disposait de telles ressources, il aurait à peine plus de scrupules à y recourir. Va-t-il reprocher à Argus et Lavilia leur manque d'éthique? Il connaît leurs arguments: la paix continentale était en jeu, peut-être la paix mondiale, tant que Drax jouait aux échecs avec les gouvernements terriens.

— Mais quand m'avez-vous greffé ça? Une opération au thalamus, ce n'est pas une simple vasectomie! Il faut un délai de convalescence...

— Cherche bien, Denis. Où manque-t-il six jours dans ta vie?

Acapulco. L'agression dans la ruelle. Villa Cayre, le réveil six jours plus tard. Lavilia avait parlé d'une commotion cérébrale.

— C'est toi qui m'as fait assommer dans cette ruelle? demande-t-il agressivement.

— Non, c'étaient vraiment des détrousseurs, et ceux-là étaient recherchés pour plusieurs meurtres de touristes. Nous, nous t'aurions endormi plus doucement.

— La belle affaire! réplique Blackburn, hostile.

Puis les mots lui manquent à mesure qu'il saisit toute la portée de la révélation. Ce sont **eux**, Lavilia, Argus, les Éryméens, qui ont volé six jours de sa vie, ces six jours cruciaux où il aurait pu chronorégresser et sauver Sébastien, à Comitan.

Il se sent sur le point d'exploser, il voudrait cribler Lavilia de fragments métalliques, mais il n'est pas une bombe.

— Denis, attends!

La porte claque sur Lavilia Carlis et la salle de réunion. Dans le couloir, les pas de Blackburn martèlent le silence. En sa tête il lui semble sentir cette incrustation étrangère brûlant telle une braise de colère sous les replis de son cerveau.

Tout! Ils ont **tout** épié: ses amours avec Jodi et sa dispute avec Colonelle, ses retrouvailles tumultueuses avec Jac Marin, cet amour-haine que seule sa mort semble être parvenue à résoudre. Ont-ils tout enregistré aussi?

Blackburn donne un coup de poing au bouton de l'ascenseur.

Tout! *Et ma colère, vous l'entendez aussi? J'espère qu'elle vous crève les tympans!* Ou le cerveau puisque, probablement, «l'écoute» se fait directement au niveau cérébral. Le pire est que Blackburn n'a aucun moyen d'y mettre fin, encore moins d'enlever l'implant. La chirurgie terrienne aurait été incapable de lui faire cette greffe, elle sera bien incapable de la lui enlever sans lésion.

La porte s'ouvre et Blackburn entre dans la cabine, où deux haut gradés discutent de la tension dans l'Atlantique Nord, qui semble atteindre un point critique. Mais la brusque descente de l'ascenseur amortit tous les sons, dans la pression ouatée que le vertige applique à ses tympans. Le rez-de-chaussée est vite atteint, cependant, et Blackburn se remet de son étourdissement avant que ses voisins l'aient remarqué.

Les Éryméens ont-ils tout enregistré? se demande Blackburn en songeant à cette tranche de vie pillée à son insu. *Mes chronorégressions?* Des enregistrements existent-ils de ses chronorégressions? La réponse s'y trouverait peut-être, la réponse à cette obsédante question sur la réalité objective de ces régressions dans le temps.

Devant l'édifice du commandement régional, Blackburn repère le vélix qui a été mis à sa disposition.

— Quartier des officiers, lance-t-il au chauffeur.

Le véhicule se soulève et accélère, replongeant Blackburn dans l'ouate mugissante d'un autre étourdissement. Il n'en émerge que pour entendre la fin d'une question qu'il n'a pas comprise: le caporal qui le pilote semble s'inquiéter des rumeurs de crise. Le mot paraît absurde à Blackburn dans ce contexte de guerre.

— Je ne crois pas, répond-il à tout hasard sur un ton qu'il veut rassurant.

«Toute nouvelle guerre mondiale est devenue impossible», a affirmé Lavilia Carlis. «Nous pouvons neutraliser toute espèce de missile, paralyser des flottes en mer ou des escadres de bombardiers.» Et Blackburn la croit sans peine. Il peut encore évoquer aisément, sur l'écran de sa mémoire, la scène titanesque dont il a été témoin certain soir, sur la rive venteuse du détroit d'Hudson: un sous-marin nucléaire contraint à faire surface et enlevé vers les cieux par un vaisseau deux fois plus massif que lui, capable de le gober en même temps que des tonnes d'eau de mer. Un porte-avions, voilà la comparaison de masse qui lui était venue, et aussi l'impression de voir deux soleils posés sur la mer, soulevant des trombes de vapeur dans le formidable déploiement de puissance nécessaire à cet amerrissage et ce décollage successifs. Puis l'écran optique replongeant le tout dans une quasi-invisibilité d'où seules s'échappaient quelques bouffées de lueurs fugaces pour témoigner d'une titanesque dépense d'énergie. Et tout cela afin de capturer une personne, cette Drax qui s'était échappée l'instant d'avant à bord d'un sous-marin de poche. Dans la mémoire d'un Blackburn qui ne se doutait de rien, Drax avait vu leur confrontation finale au quartier général secret des Irréguliers. Blackburn se rappelle la sensation fulgurante, lorsque pour la première fois Drax-Michalski s'est trouvée devant lui: elle a ouvert son esprit, étiré sa conscience vers le passé et le futur proches comme lui-même ne savait le faire. À cet instant, sur la Lune, Argus a repéré Drax, organisé en quelques dizaines de minutes l'enlèvement d'un sous-marin complet, mettant en œuvre des ressources qui rendent vaine toute prétention hégémoniste d'une puissance terrienne.

Qu'ont-ils fait du sous-marin? se demande distraitement Blackburn. *L'ont-ils laissé en orbite?*

— Vous êtes arrivé, lieutenant-colonel.

La porte du vélix se soulève et Blackburn revient à l'instant présent.

— Merci, marmonne-t-il en sortant du véhicule.

Un nouveau vertige lui vient, du seul fait de s'être levé. Un intercepteur survole le quartier des officiers au décollage et emporte dans son rugissement la conscience de Blackburn.

• • •

Les yeux de Blackburn sont ouverts depuis plusieurs minutes lorsque sa conscience commence enfin à s'agréger. La conscience du lieu d'abord: une chambre d'hôpital. Puis une parcelle de mémoire: un vélix, un caporal saluant, le rugissement d'un avion chasseur. Mais la conscience du temps ne revient pas, ni la mémoire complète. Une odeur de fraises, presque grisante, lui parvient avec une brise tiède. De fraises que l'on fait cuire avec du sucre pour fourrer des tartes.

L'apparition du professeur Malineau dans son champ de vision ne dissipe pas la confusion de Blackburn: est-ce hier qu'il a dîné avec lui pour lui parler de chronoreg?

— Denis. Denis, sais-tu où tu es?

Il tourne la tête et collige assez d'information pour répondre:

— À l'infirmerie... de la base de Sept-Îles.

— Bien. Sais-tu **quand** tu es?

— ...

— Ne cherche pas une date.

— Le siècle, ça vous suffirait?

— Cherche un événement marquant, et situe-toi par rapport à lui.

Un événement marquant. L'explosion nucléaire, bien sûr! Jac Marin a gagné sa guerre.

— La destruction du barrage Smallwood, articule Blackburn d'une voix qui prend de l'assurance.

— Très bien. Et quand est-ce arrivé?

Question piège? Voyons, qu'y a-t-il eu après? Une longue réunion du haut commandement, le lendemain de l'explosion. Elle a commencé en fin d'après-midi et a duré une bonne partie de la soirée. Puis, Lavilia Carlis et ses révélations sidérantes. L'implant cervical, Blackburn était furieux...

— J'ai des souvenirs jusqu'au lendemain de l'explosion, répond-il enfin. En soirée. Un vélix m'a conduit à mes quartiers.

— Excellent, commente Malineau, et Blackburn perçoit très bien le soulagement dans sa voix, ce qui l'inquiète.

— Mais que faites-vous ici? Est-ce que j'ai été longtemps dans le noir?

— Une quinzaine d'heures. Ton électro-encéphalogramme a... préoccupé les médecins, ici.

«Préoccupé»! Malineau voulait dire «inquiété», devine Blackburn dont la lucidité se rétablit à une vitesse surprenante. Il se redresse, s'assoit dans son lit.

— Ils ont trouvé dans ton porte-cartes un mot demandant que je sois contacté en cas d'accident neurologique ou cérébral.

— Ils vous ont rejoint à Montréal?

— Sans difficulté: c'était la nuit, je dormais chez moi. Ils m'ont amené à Sept-Îles en hélijet. Ils tiennent beaucoup à toi, Denis.

— Je parie que oui, marmonne Blackburn.

Mais ce n'est guère ce qui le préoccupe. Il songe à cette inconscience de quinze heures, à la difficulté qu'il a eue à reprendre contact avec la réalité. Cela lui a paru encore plus long que l'autre fois, à Havre-au-Lac. Il pourrait maintenant renseigner le chimiste de l'Aprex: quand on lui laisse le temps d'agir, la cé-psi+ cause de très malsaines réactions.

— Et... comment étais-je? demande-t-il à mi-voix après avoir vérifié qu'ils sont seuls dans la petite chambre.

— Ton É.E.G. est revenu à la normale, maintenant, affirme Malineau, mais son patient note que ce n'est pas la réponse à sa question.

Blackburn tente une autre approche:

— Votre diagnostic, alors?

— Je te recommande de ne plus rien prendre avant quelques mois, répond le professeur en devenant grave. Même pendant un an, si c'est possible: aucune drogue.

— Mes supérieurs ne voudront jamais. Ils me paient pour prendre des drogues.

— Je parlerai à Morel.

— Il ne vous aimait pas particulièrement.

— Mais il connaît mon expertise. Je suis devenu une autorité mondiale, depuis l'époque du Bureau des recherches spéciales.

Blackburn réfléchit: il a pris une petite dose de cé-psi voici trois jours. Puis la cé-psi+ , avant-hier. Et du chronoreg? Plusieurs jours; il ne se rappelle même plus quand. Si: lorsqu'il a enquêté sur le massacre des Naskapis, voilà cinq jours.

— Est-ce que le chronoreg a des effets à retardement?

— On sait que le chronoreg met plusieurs jours à être éliminé du système et que ce délai s'accroît avec chaque usage. Plus souvent tu en prends, moins vite ton système parvient à l'éliminer. N'oublie pas ce que je t'ai dit l'autre jour: on commence seulement à expérimenter le chronoreg en essais contrôlés. Tout reste à découvrir, de ce côté.

Blackburn rumine un moment, s'assoit sur le bord du lit en cherchant du regard son uniforme.

— Tout à l'heure, vous n'avez par vraiment répondu à ma question, demande-t-il brusquement. Comment étais-je lorsqu'ils vous ont vidéophoné?

— Les tracés de ton É.E.G. étaient faibles, **très** confus. Soumet ton cerveau à un autre stress chimique dans les jours qui viennent, Denis, et tu deviendras un légume. Ça aurait pu t'arriver hier, d'ailleurs, tu n'avais qu'une chance sur trois de t'en tirer en bon état. Si tu pouvais lancer les mêmes dés à nouveau, tu tirerais probablement la combinaison perdante.

• • •

Revenant sur la promesse qu'il a faite au professeur Malineau, Blackburn ne se rend pas immédiatement à son logis en quittant l'infirmerie, quelques heures après son réveil. Il se sent raisonnablement bien, comme après une longue nuit de sommeil; un vague engourdissement semble être la seule séquelle de sa perte de conscience, mais son esprit est clair, presque fébrile. L'image de Malineau l'a frappé, l'idée qu'il ait joué aux dés sa santé mentale, ou même sa vie.

Blackburn fait un crochet par la salle des opérations, qui est au commandement régional ce que la passerelle est à un vaisseau de la marine.

Ce qu'il lit sur les grands écrans synoptiques est alarmant; la tension a atteint un point critique pendant que Blackburn était hors de combat. Dans le détroit de Davis, il y a eu hier escalade de l'intimidation de la flotte canado-britannique envers les navires du Danemark: ne se contentant plus de coups de semonce, on a coulé un cargo danois. Des bâtiments de guerre qui croisaient au large du Groenland sont aussitôt venus riposter et il y a eu canonnade. Par chance, aucun missile n'a été lancé. Mais le Danemark a convoqué d'urgence les chefs d'État islandais et norvégien. Au terme de la réunion, qui a duré une partie de la journée, les trois viennent d'annoncer leur retrait de l'OTAN, plus diverses fermetures et expulsions dirigées contre les Canadiens et les Britanniques. Le flanc nord de l'OTAN est soudain affaibli, déchiré par un quasi-état de guerre dans la mer du Nord et la mer de Norvège — où les litiges anglo-danois et anglo-norvégiens empoisonnaient la situation depuis des années déjà. L'Union Soviétique doit se féliciter des efforts qu'elle a investis dans le conflit du Labrador.

Lorsque Blackburn quitte le siège du commandement régional, la soirée est avancée. Comme la veille, l'extinction des feux a été ordonnée; seuls les feux de circulation et les phares des véhicules pointillent les artères de la ville et de la base militaire.

Qu'est-ce que vous en pensez? songe Blackburn à l'intention des Éryméens. *Drax a-t-elle assez gâté la sauce?* Mais Lavilia l'a assuré qu'on ne pouvait percevoir ses pensées. Peut-être aussi n'y a-t-il plus personne à l'écoute de son implant cervical? Drax appréhendée, ils n'ont plus besoin de suivre Blackburn.

Comme la veille, le vélix conduit le lieutenant-colonel à la porte de son logis, dans le périmètre de la base. Cette fois, Blackburn ne s'évanouit pas et seules les blessures à son dos et à son cou le font grimacer lorsqu'il se redresse au sortir du vélix. Il allume, chez lui, et ferme la porte. *Qui va me retirer cet implant?* se demande-t-il en enlevant son veston d'uniforme. Il n'y a pas vingt réponses: seuls les Éryméens peuvent le lui extraire. Tout furieux qu'il soit envers eux, il va devoir les contacter et leur adresser sa requête. Il la déguisera en injonction, certes, mais ça ne changera rien à la réalité: il ne s'appartient pas, tant qu'il aura ce corps étranger dans la tête.

Un message clignotant sur son microrд capte son attention. Information importante en attente. Blackburn tape son code d'identité. L'information vient du Contrext: Dragon s'est évadé hier soir en tuant les deux gardes qui le ramenaient de la salle d'interrogatoire, sur la base régionale de Sept-Îles, vers la prison de Port-Cartier.

Dragon! Blackburn l'avait presque oublié. C'est pourtant vrai qu'il a dû être interrogé au siège même du commandement régional, dans le même immeuble où, hier, Blackburn et ses supérieurs comparaissaient devant le ministre de la Défense. La même journée; quelques étages seulement les séparaient. *Les interrogatoires n'étaient pas encore terminés? Ça fait des jours que je leur ai envoyé Dragon menotté!*

Un son dans la pièce le fige et lance un frisson à travers son corps. Le son d'une respiration, mais cela a été bref. Son logis n'a qu'une pièce, comme une grande chambre de motel, et il n'y avait personne quand il est entré. Sous le lit, peut-être, ou derrière un fauteuil?

Dragon est en liberté. Peut-être n'a-t-il pas quitté le périmètre de la base? *Mauvais réflexes!* peste Blackburn en dégainant enfin son pistolet. Dans le même mouvement, il se retourne et fait un pas de côté. Il entend, nettement cette fois, une inspiration par le nez comme chez quelqu'un qu'on a brusquement effrayé. Mais Blackburn est seul dans la pièce et le bruit ne venait pas de sous le lit. *Meeeerde. Est-ce que je déraille pour de bon?*

Lavilia Carlis apparaît, un peu comme un personnage téléporté dans un épisode de STAR TREK.

Le cerveau de Blackburn atteint un point critique de stress, tendu en un effort comme celui de l'acrobate sur le point de perdre l'équilibre. *Écran optique*, comprend-il soudain avec un soulagement tangible. *Portatif*. Oui, cette ceinture bardée d'un appareillage compact, que Lavilia porte sous sa veste d'officier de la Croix-Rouge internationale...

Une autre personne apparaît à côté d'elle, un homme que Blackburn se rappelle avoir vu à Harcel, lors de l'enlèvement de Michalski-Drax. Il semblait être son supérieur et lui reprochait l'aide qu'elle offrait à Blackburn et à ses agents. L'homme, environ cinquante ans, châtain blond, le teint clair mais les yeux sombres et bridés, a un air résolu. Blackburn déplace son pistolet et fait de lui sa cible.

Les deux Éryméens restent prudemment immobiles. Comme Blackburn ne semble pas prêt à désarmer, Lavilia dit enfin, avec un sourire incertain et nerveux:

— Tu as décidé de nous faire passer un mauvais quart d'heure?

Pas une vilaine idée, songe-t-il brièvement, mais déjà il baisse son arme. Toutefois il ne la rengaine pas encore.

— Que faites-vous chez moi? Comment avez-vous franchi...

Mais Blackburn n'achève pas sa question, la réponse est évidente: les Éryméens ont franchi les barrières de la base comme ils sont entrés ici: invisibles.

— Mes patrons vous offriraient une fortune pour ce petit système.

— Je n'en doute pas, dit Lavilia. Je peux te présenter le mien, de patron?

Blackburn ne répond pas: la scène a une teinte d'humour absurde qui le déconcerte totalement.

— Carl Andersen est notre coordonnateur aux Opérations et membre du Conseil d'Argus.

Coordonnateur? Conseil? Étourdiment, Blackburn n'avait pas songé que cette société éryméenne avait elle aussi ses structures. D'une remarquable efficacité lorsqu'on songe à l'enlèvement du *Krilenko* à une heure d'avis.

— On peut s'asseoir? demande Lavilia qui prend un fauteuil sans attendre la réponse.

Andersen, lui, reste debout. Il semble convenu que, ce soir, c'est lui qui parlera pour Argus.

— Nous nous sommes permis de venir vous attendre ici.

— J'étais à l'infirmerie. Vous ne le saviez pas?

— J'ai fini par demander qu'on vous repère, oui.

— Crois-nous si tu veux, intervient Lavilia, mais Argus avait cessé de te surveiller depuis la capture de Drax.

— Mais ça vous a été facile de reprendre la surveillance.

Lavilia semble souffrir de l'amertume que démontre Blackburn. Elle le regarde sans un mot pendant un moment, vient près de dire quelque chose à une ou deux reprises. Il ne lui en donne pas l'occasion, se versant à boire sans la regarder, et sans leur offrir un verre. Carl Andersen reprend la parole; il a, de façon plus prononcée, le même accent étranger que Lavilia.

— Je ne trouve pas de façon diplomatique de vous dire ceci, monsieur Blackburn, alors j'y vais carrément. Hier soir, Lavilia était venue vous demander quelque chose au nom d'Argus. Ce soir, c'est encore plus urgent.

— Me demander quelque chose? Je ne sais rien qu'Argus n'ait su en même temps que moi, en direct!

— Vous demander un service, Denis Blackburn.

L'officier les dévisage, à court de mots, incapable même de mimer l'étonnement incrédule et l'indignation qui lui coupent le souffle. Andersen lève la main:

— Je sais, monsieur Blackburn, s'il y a quelqu'un à qui vous ne devez pas de faveur, c'est bien nous.

— Mets-en! s'exclame le militaire.

— Et vous allez m'envoyer promener lorsque je vous dirai que c'est pour la planète, pas pour nous.

Il ne parvient ni à rire ni à engueuler l'Éryméen. Avec une exclamation inarticulée, il finit par saisir une bouteille de scotch où il vient de puiser et par la lancer sur le mur au-dessus de la fenêtre et des visiteurs. Lavilia rentre la tête dans les épaules sous la douche d'alcool et de verre émietté; Andersen fait un geste incertain vers sa ceinture.

— Ça fait du bien, exhale Blackburn avec un souffle bruyant, puis il s'assoit sans douceur comme quelqu'un se campant en vue d'une dispute.

Mais sa main qui n'a pas lâché le verre tremble encore un peu; il prend une gorgée.

— Parlez toujours. Je ne peux pas vous en empêcher, je suppose.

Le sourire incertain retrouve le chemin des lèvres de Lavilia, puis disparaît. Andersen reprend, en homme habitué à faire la synthèse d'un problème:

— Les ordinateurs d'Argus et presque tous nos spécialistes s'accordent à prédire le déclenchement, dans les vingt prochaines heures, d'un conflit mondial. Conventionnel. Les armes nucléaires semblent exclues.

— Simple: arrêtez-le.

— Je suis sérieux, Denis Blackburn. L'OTAN est en crise et les

États-Unis sont persuadés que l'Union Soviétique va choisir d'en profiter. En Amérique centrale, les Étatsuniens sont en train d'intervenir militairement au Yucatán et dans l'État du Chiapas, sans autorisation mexicaine. En ce moment même, Cuba et la flotte soviétique des Sargasses s'apprêtent à engager le combat avec la flotte étatsunienne dans le canal du Vent. Ils attendent seulement des nouvelles du Labrador et de l'Atlantique Nord: si la tension y monte d'un cran, ils foncent, avec l'assurance que les forces étatsuniennes seront partagées entre deux zones de conflit.

— J'étais sé...

— Les Amériques s'embrasent, Denis Blackburn. Le point critique a été atteint avant-hier, lorsque l'arme atomique a été utilisée — peu importe par qui, la nationalité des responsables n'est qu'une variable secondaire dans un réseau de tensions.

— J'étais sérieux, reprend Blackburn, lorsque je vous ai dit «empêchez-la, cette guerre». Vous en avez les moyens, non?

— Nous pouvons plus aisément interrompre une guerre nucléaire qui recourrait à des vagues de missiles et de bombardiers. Contre une armée de fantassins et de chars d'assaut, nous serions moins efficaces. C'est une mécanique qu'on peut enrayer en interrompant toutes les communications radio, mais les combats ne cesseront pas instantanément, pas avant qu'il y ait eu des centaines de milliers de victimes parmi les combattants et les civils. Savez-vous combien de soldats sont mobilisés sur cette planète, présentement, pendant que vous et moi discutons? Près de vingt millions.

Blackburn se rappelle la tension presque tangible qui régnait dans la salle des opérations lorsqu'il est passé, tout à l'heure, au siège du commandement régional.

— Terre-Neuve a décidé le bombardement d'un objectif québécois au sud du quarante-neuvième parallèle, en représailles à la crue du Churchill. C'est pour ce soir, Denis Blackburn.

Au sud du quarante-neuvième! Bluffe-t-il? Blackburn regarde Lavilia mais ne parvient pas à se faire une opinion. Il ne connaît pas Andersen, et à peine cette Lavilia Carlis: ce n'est pas celle de la villa Cayre et de ses jardins opulents.

— Et qu'est-ce que je peux y faire? réplique-t-il avec irritation.

— L'événement critique a été l'explosion nucléaire, nous en sommes sûrs. Sans cette explosion, la guerre du Labrador finissait en quelques jours et le traité de paix se signait dans les semaines suivantes. La tension baissait dans l'Atlantique Nord, l'OTAN restait unie. La flotte soviétique des Sargasses n'osait appuyer concrètement ses alliés antillais et centraméricains, et un équilibre était atteint sans que les Étatsuniens aient à déployer de troupes hors de leurs frontières. Supprimez l'événement critique et la tension se résorbe.

— Comment voulez-vous supprimer quelque chose qui...

Mais Blackburn s'interrompt, comprenant avant qu'Andersen le lui épelle:

— Il y a une chose que nous ne savons faire malgré toutes nos ressources, Denis Blackburn: retourner dans le passé.

— LE PASSÉ NE PEUT ÊTRE CHANGÉ! proteste Blackburn, et il se rend compte qu'il a crié.

— Mais oui, il peut. Vous-même l'avez fait.

Blackburn ne se souvient pas qu'il a défendu le même argument pas plus tard qu'hier. Il vide son verre d'une lampée, incendiant sa gorge. Comme s'il voulait opposer à la requête d'Andersen une ébriété incapacitante. Mais il a mieux, songe-t-il soudain: il a un billet du médecin!

— Je ne peux plus prendre de drogue, dit-il presque précipitamment. Si vous étiez resté à l'écoute de mon cerveau, la nuit dernière, vous auriez vu que mon É.E.G. était complètement détraqué.

— Mais vous êtes rétabli. Et il vous reste assez de capsules de chronoreg.

Andersen ouvre sa main gauche jusque-là fermée: des capsules bleues dans un sachet de plastique. *Mon chronoreg!* se fâche mentalement Blackburn, puis il se rend compte qu'il réagit tel un avare qui a surpris des intrus jouant dans son or. *Ils ont fouillé mon tiroir-coffre! Ils se permettent tout!*

— Le saut ne serait que de quatre-vingts heures dans le passé, poursuit Andersen. Les treize capsules devraient suffire.

— C'est ce que je croyais, répond sèchement le militaire, c'est ça que j'avais dit à Lavilia, à Vera Cruz. Mais le chronoreg à lui seul n'est pas aussi puissant que je le pensais alors. Il lui faut l'effet multiplicateur d'une émotion intense, un... un choc émotif, pratiquement. C'est ce qui s'est passé à Comitan. C'est ce qui s'est passé à Chicoutimi et à Aticonac, quand j'ai échappé aux attentats.

Lavilia et Andersen se regardent, lui sceptique, elle presque suppliante mais muette. Clairement, elle s'oppose à cette requête de son coordonnateur.

— Vous voyez, ce n'est pas possible, tranche Blackburn. Même si je voulais.

Mais une voix l'interrompt, retransmise par le vidéophone de l'appartement et tous ceux de la base:

— Alerte un! Alerte un! Des bombardiers terre-neuviens viennent d'être repérés. Ils se dirigent vers le sud. Tous les pilotes à leurs intercepteurs!

La suite, s'il y en a une, est inaudible dans le rugissement des intercepteurs qui décollent, ceux qui étaient déjà en attente sur la piste, comme à toute heure du jour. Avec un juron étouffé, Blackburn se hâte vers son micrord et réclame un tableau de la situation, auquel son grade lui donne accès. Il interprète en un instant les tracés et les données laconiques:

— Ils sont passés inaperçus pendant plus de trente minutes, même à l'infrarouge!

— Refroidisseurs d'infrarouge, confirme Andersen. Système étatsunien, encore inconnu des Soviétiques.

Mais la suite est plus alarmante pour Blackburn. On vient d'estimer la trajectoire des bombardiers: probablement après un vol est-ouest, ils ont obliqué à quatre-vingt-dix degrés, vers le sud, et se dirigent vers Chicoutimi-Bagotville. Les chasseurs de la base de Sept-Îles n'arriveront pas à temps pour les intercepter. Restent ceux de Bagotville. Mais les bombardiers semblent escortés de plusieurs dizaines d'avions-chasseurs.

Soudain l'écran se déploie et se rue vers Blackburn, devenant hologramme, puis réalité: une ville en flammes, du haut des airs. Déflagrations, nuages de fumée. Chicoutimi! C'est la basse-ville, le quartier commercial et portuaire. Cette façade art déco, dans l'éclat des incendies...

— Qu'y a-t-il, Denis? Tu vois quelque chose?

— Chicoutimi. Il faut que j'y aille! Le LaSarre va être bombardé!

23

Blackburn entre en bourrasque dans le bureau du répartiteur, près des hangars. Une activité fébrile y règne et la police militaire commence à poster des colosses armés aux points névralgiques de la base régionale.

— J'ai besoin d'un hélijet ou d'un ADAV pour aller à Chicoutimi, lance Blackburn à l'officier répartiteur. Immédiatement!

— Impossible, lieutenant-colonel. Tous les appareils et les pilotes de la base viennent d'être placés sous les ordres directs du Commandement. Les seules assignations viendront de là.

Blackburn donne un coup de poing furieux sur le comptoir, puis voit que le garde de la police militaire le surveille. Il sort, poussant la porte avec violence. D'un sifflement péremptoire, il hèle une jeep qui passe à vide. Le chauffeur commence à protester qu'il est déjà réquisitionné, mais Blackburn l'interrompt brutalement:

— Au siège du Commandement! Priorité!

Le caporal obtempère: la réquisition antérieure ne devait pas venir d'un lieutenant-colonel.

Les derniers intercepteurs de la base décollent dans un rugissement assez puissant pour déchausser les dents.

Blackburn se fait déposer devant le porche de l'édifice, tout près de l'entrée de la base.

— Blackburn! l'interpelle une voix. Blackburn!

Il se retourne seulement parce qu'il a reconnu l'accent d'Andersen; l'Éryméen a-t-il l'audace de se montrer à découvert, sur une base militaire? Mais Blackburn ne l'aperçoit nulle part parmi les officiers qui vont et viennent en hâte. Une main se pose sur son avant-bras et il sursaute. Lavilia, essoufflée, invisible elle aussi, lui parle à mi-voix:

— Vous perdrez un temps précieux à obtenir un autorisation, Denis. Ils ne vous accorderont pas un avion pour une démarche personnelle.

Ébranlé, Blackburn a l'impression que l'air ambiant lui parle.

— Nous avons notre hélicoptère juste à l'extérieur du périmètre, Denis. Comme celui que vous avez aperçu à Vera Cruz. Il peut nous mener à Chicoutimi bien plus vite que n'importe lequel de vos hélijets.

Un peu d'ordre revient dans l'esprit de Blackburn dès que se montre la nécessité de gestes concrets:

— Il faut d'abord que je trouve un véhicule pour sortir de la base.

— Nous vous attendrons sur la route, exactement à mi-chemin entre le premier et le deuxième lampadaire.

La main invisible lâche son bras. Blackburn se remet en mouvement; est-ce que quelqu'un a eu le loisir de se demander pourquoi il s'était figé à quelques pas du portique? Il remonte la brève ligne des jeeps et des vélix d'officiers stationnés devant l'immeuble, mais tous ont des chauffeurs. Il se résigne à choisir le vélix en queue de ligne, le plus éloigné des gardes postés à l'entrée de l'immeuble. Il commande l'ouverture de la portière. Un sergent le regarde avec étonnement à travers la surface vitrée qui se soulève. Le pistolet discrètement braqué sur son visage le pétrifie.

— Pousse-toi.

Le chauffeur ne se le fait pas répéter et gagne tant bien que mal le siège du passager malgré la console mitoyenne. Blackburn s'assoit en glissant sa main gauche, armée, sous le revers de son veston, à hauteur d'épaule.

— Tu ne dis pas un mot, enjoint-il en commandant la fermeture de la portière. Ça ne me fait rien de percer mon uniforme, alors tu ne bouges pas.

— Compris, articule le sous-officier.

Les turbines vrombissent discrètement, le vélix se soulève, et Blackburn manœuvre sans peine d'une seule main. Il ralentit devant les grilles de la base, dont l'une s'ouvre automatiquement à l'approche du véhicule; un vélix de général, rien de moins, ce sont les seuls équipés d'une télécommande prioritaire. Mais cela ne dispense pas Blackburn de répondre au garde armé qui se penche vers lui. Il baisse électriquement la glace, tout en faisant saillir davantage le canon de son arme sous l'étoffe de son veston, à l'intention de son passager involontaire.

— J'ai une mission auprès des autorités civiles, affirme Blackburn au garde.

— Votre autorisation de sortie ne nous est pas parvenue, mon lieutenant-colonel.

— N'ont pas eu le temps, je suppose. C'est le bordel, là-haut, vous imaginez bien.

Le garde est sceptique et jette un regard curieux au sergent figé, mais Blackburn remet déjà le vélix en mouvement:

— Il faut que j'y aille, c'est urgent.

Il ne tient pas compte de la protestation du garde. Ils ne le bloqueront pas et ne tireront pas sur lui, Blackburn en est persuadé, mais ils demanderont immédiatement confirmation au Commandement. Dans l'écran rétroviseur, il voit que l'officier a regagné en hâte sa cabine vitrée et que les autres gardes tiennent leur mitraillette comme si elle les embarrassait. Ils regardent s'éloigner le vélix et leur doute s'accroît lorsqu'ils voient se soulever la portière droite tandis que ralentit le véhicule.

— Tu sautes, ordonne Blackburn au chauffeur du général.

— Maintenant?

— Eh, ça ne te tuera pas! réplique Blackburn en sortant le pistolet de sous son veston.

L'autre ne se le fait pas dire deux fois et va rouler sur l'asphalte. Le vélix poursuit, portière relevée, puis ralentit encore. Il tangue nettement lorsqu'il atteint la mi-distance entre deux lampadaires éteints: à l'avant et à l'arrière, quelqu'un est monté dans le vélix du côté droit. Au même instant, le haut-parleur du poste de garde retentit:

— Lieutenant-colonel Blackburn, revenez aux grilles! Vous n'avez aucune autorisation!

— Quitte la route, Denis, dit en même temps la voix toute proche de Lavilia. Notre héli n'est qu'à trois cents mètres sur la droite.

Blackburn éteint les feux du vélix, puis bifurque. Dans la nuit, les projecteurs du poste de garde allumés un instant trop tard le cherchent en vain sur la route. Puis ils fouillent le champ inculte qui forme le glacis de la base. Lorsque l'une des ellipses lumineuses accroche enfin le vélix bleu marine et fait briller ses glaces, les deux portières en sont grandes ouvertes, soulevées comme deux ailes vitrifiées.

Caché par la masse du véhicule, Blackburn court vers un hélicoptère qu'il ne voit pas, se fiant uniquement à la main de Lavilia qui tient la sienne.

— Nous approchons, ralentis, lui dit-elle à mi-voix. Arrête-toi, tends la main. Tu sens une surface?

— Oui, un angle.

— Lève un pied: il y a un marchepied.

— Oui.

Devant lui, tel un mirage, l'intérieur d'un engin prend forme lorsque sa tête et son buste y entrent les premiers. Une lueur rouge, tamisée. Une banquette. Devant, deux autres sièges et les commandes d'un hélicoptère conventionnel. Mais l'engin s'élève presque sans bruit, aux mains de Lavilia redevenue visible, et prend rapidement une vitesse dont aucun hélicoptère terrien n'est capable.

• • •

Son écran optique devenu inutile dans la nuit, l'hélicoptère gris sombre file à basse altitude. La clarté lunaire révèle quelques nuages vers l'ouest. «C'est la guerre, tout le monde est en danger dans une certain mesure. S'il y avait un bombardement et que tu recevais l'hôtel sur le crâne?» Ce soir-là, pas si lointain, Blackburn s'était demandé pourquoi il formulait cette hypothèse alarmiste qui effrayait Laura. Personne, à ce moment, n'envisageait le bombardement d'objectifs civils. En ce moment même, Blackburn en est sûr, on pense que les bombardiers terre-neuviens ont pour objectif la base militaire et non la ville. Et peut-être est-ce vrai, peut-être n'est-ce que par accident que Chicoutimi sera bombardée. Mais elle le sera, Blackburn l'a clairement vu.

Plus à l'ouest, le ciel est sillonné de chasseurs et d'intercepteurs qui scintillent sous forme de points sur les écrans de la console. S'ils repéraient l'héli, ils pourraient vouloir le prendre pour cible. Toutefois ce n'est pas cela qui inquiète Blackburn tandis que la noirceur opaque de la forêt fuit sous leurs pieds, parfois déchirée de rivières. Il tente de chasser l'idée mais elle lui revient sans cesse: la vision qu'il vient d'avoir et celle qu'il avait eue à Vera Cruz un mois plus tôt, se superposent tout à fait. Des maisons transformées en bûchers, des pans de murs profilés sur un enfer de flammes, l'écroulement de toitures en des gerbes d'étincelles... Et des silhouettes humaines courant en panique dans la lueur fauve des incendies. Cette fois, c'est vrai, Comitan a rattrapé Blackburn chez lui, dans la ville même où il est né.

— Regardez!

Mais Blackburn a déjà vu, à travers la coupole du cockpit: au loin, des traits de feu déchirent le ciel, ici des pointillés fulgurants, là une violente explosion, une culbute incandescente, un mince nuage couleur de feu s'étirant en arc vers la terre. Un féroce combat aérien dont les esquives et les voltes s'allongent sur des kilomètres à la fois. Dans la forêt, au moins deux brasiers sont visibles et, à l'instant même, un autre naît lorsque s'écrase un intercepteur en flammes.

— Nous allons passer juste sous la zone de combat; dois-je faire un détour? demande Lavilia à Carl Andersen.

— Pas de détour, intervient Blackburn, même si à cet instant un chasseur amputé de ses ailes passe en roulant telle une barrique quelques centaines de mètres devant eux, enveloppé de flammes comme un météore, ronflant tel le flambeau de quelque titanesque avaleur de feu.

Dans le ciel, une nuée est maintenant visible, mais créée de main d'homme: des missiles frappant leur cible la révèlent par moments, l'alimentant des fumées d'une nouvelle explosion. Des chasseurs s'y profilent, virant sur l'aile. Le fil incandescent des lasers y laisse des traces rectilignes, dont la rétine garde une rémanence. Le spectacle est celui d'un orage aux éclairs frénétiques; le bruit est celui d'un séisme sans répit, **au-dessus** de l'hélicoptère.

Blackburn surprend un regard consterné que s'échangent Andersen et Lavilia. À droite, vers l'avant, se distingue la lueur de lointains incendies de forêt. Carl Andersen, parvenu à se brancher sur les communications de Bagotville, rapporte:

— La plupart des bombardiers semblent avoir été abattus avant d'atteindre la base ou la ville.

Ces feux lointains, alors, sont ceux allumés par des dizaines de bombes explosant ensemble à l'impact des avions. Mais une vaste lumière à l'horizon capte bientôt l'attention de Blackburn, la lueur nocturne d'une ville. Chicoutimi. N'y avait-on pas ordonné l'extinction des feux, comme à Sept-Îles? Cependant, à l'approche, Blackburn comprend que ce sont les incendies qui donnent cette aura dorée à la ville. Un bas nuage de fumée, éclairé par en dessous, s'élargit sur le Saguenay. Des éclairs l'illuminent périodiquement, tels les flashes d'un colossal photographe; même le couvert nuageux, des kilomètres plus haut, se teint d'occasionnels rougeoiements. Andersen rapporte les précisions qu'il entend:

— Un seul bombardier a pu survoler la ville. Il s'est écrasé sur un pétrolier, dans le port.

— Mais les bombes? demande Blackburn presque en criant. A-t-il lâché ses bombes?

Andersen le regarde gravement, hoche la tête brièvement:

— Aucun doute. Regardez la superficie de l'incendie.

L'hélicoptère a ralenti, l'agglomération se déploie sous lui telle une maquette obscure. La haute-ville semble intacte, mais les immeubles et les arbres de la crête se profilent sur une muraille de fumée teintée d'orange.

Un intercepteur volant bas, un de ses réacteurs en flammes et l'autre dégorgeant une fumée noire, manœuvre pour atterrir sur une des artères majeures de la basse-ville.

— Déposez-moi dans la basse-ville, réclame Blackburn.

— Denis, elle brûle! réplique Lavilia.

Puis elle entend, un ton plus bas:

— Mon arme est braquée sur la console, Lavilia. Ou bien tu atterris, ou bien je bousille tout et on se pose sans douceur.

— Sois raisonnable.

Un coup de feu tonne dans le cockpit, fracassant une partie du tableau de bord, émiettant la moitié du plexiglas.

— Suis-je sérieux, tu penses? profère Blackburn tandis qu'Andersen soupèse ses maigres chances de le désarmer.

— Laisse-moi repérer un parc de stationnement, réclame Lavilia.

— Là, sur ta gauche, derrière cet entrepôt.

L'appareil descend lentement vers l'enfer, dont les flammes l'encerclent bientôt, montant plus haut que le niveau de son rotor. Mais le stationnement est encombré et Lavilia n'a d'autre choix que de poser l'hélicoptère sur la plate-forme d'un camion fardier, à peine plus large que l'écart de ses patins. Quoi que ce soit qu'ait détruit le coup de feu de Blackburn, cela n'affecte heureusement pas les commandes. Lavilia pose l'engin avec adresse. Une odeur de fumée envahit déjà la cabine.

Blackburn sort sans attendre, prend pied sur le fardier et saute au sol, accueilli par l'odeur âcre des feux. Un ronflement assourdissant emplit l'air: vers la gauche de Blackburn brûle le pétrolier, à bonne distance mais avec une telle fureur qu'il en sent la chaleur sur sa joue et son front. En comparaison, les autres foyers semblent mineurs; mais chacun à lui seul nécessiterait en temps normal le déploiement de tous les pompiers de la ville.

Blackburn galope dans Comitan en flammes. Les gens qui courent autour de lui sont ceux de Chicoutimi; leurs cris sont inarticulés mais leurs appels sont en français. Les cratères béent dans des rues d'asphalte et non des chemins de terre; les débris des façades sont d'aluminium et de plastique, non de crépi et de claie. Les cadavres que l'officier contourne en regardant le moins possible sont lacérés et brûlés plutôt que criblés de balles. Pourtant les fantômes de Comitan courent à côté de lui.

Soudain, un bruit d'hélijet. Blackburn se jette de côté et roule dans un abribus aux vitres fracassées. Il distingue des hélis volant bas, dans des tourbillons de fumée, et s'attend au bruit des mitrailleuses lourdes, hachant fuyards et façades. Mais lorsqu'ils émergent de la fumée, Blackburn voit sur leur flanc le grand carré blanc et la croix rouge. Il se relève, les mains en sang; il se remet à courir, tant pour fuir Comitan que pour retrouver Laura.

En approchant d'une intersection, Blackburn passe à côté d'un vélix noir dont le toit et la coupole sont fracassés, peut-être à la suite d'un capotage. Non, il y a eu collision. L'autre véhicule flambe, immobilisé au milieu de l'intersection: un avion-chasseur, amputé d'une aile, le train de gauche brisé. C'est l'avion désemparé que Blackburn a vu atterrir en catastrophe voilà un moment.

Il s'arrête; il a reconnu au passage l'un des occupants du vélix, malgré le sang qui macule un côté de sa tête. C'est Moreau, du Contrext; l'autre, à ses côtés, un brun à la calvitie avancée, est son collègue Fafard. Quelle déveine: survivre à un bombardement et mourir dans la rue après une collision avec un avion...

Blackburn reprend sa course. Une rue plus loin, il se range tout juste à temps pour éviter une ambulance qui venait en trombe derrière lui et qui poursuit son chemin, ululant, zigzaguant parmi les poteaux renversés et les enseignes tombées des devantures, prenant de l'altitude brièvement pour survoler un doublicoptère écrasé au milieu de l'avenue.

Blackburn n'a pas cette faculté et il se trouve bientôt bloqué par une large crevasse, qui s'agrandit en lac au pied d'une église dont les fondations ont été mises au jour par un cratère de bombe. L'eau d'une conduite majeure y coule en torrent puis se déverse dans les caves de l'église. À droite, les flammes jaillissent d'une vitrine de quincaillerie. Blackburn n'a d'autre choix que de descendre la paroi du fossé, qui s'éboule sous ses semelles. Il perd pied et le courant l'emporte. Dans le petit lac, il parvient à s'accrocher à des conduites électriques, à un mètre du trou où l'eau s'engouffre avec un bruit de cascade. Il progresse le long des câbles; heureusement, le courant est interrompu dans ce secteur.

Blackburn doit pousser un sac quasi submergé, qui s'avère être le dos d'un cadavre. Le courant emporte le corps, qui disparaît dans le gouffre. Blackburn a un vertige, il croit ramper sur une pile de cadavres naskapis, au bord d'un lac aux eaux sanglantes. Il reprend pied, gravit la côte à plat ventre sur la terre graveleuse et mouillée, regagne l'asphalte en étouffant un sanglot de dégoût. Il resterait là, prostré, à attendre un improbable sommeil, mais il se relève, tiré par une vision de Laura en peignoir à ramages, ses longs cheveux dénoués au matin.

Lorsqu'il s'approche de l'intersection suivante, une petite bande d'adolescents passe devant lui en courant: dix-huit, dix-neuf ans, ils ont les bras chargés d'appareils électroniques, projecteurs holos, lecteurs de disques optiques, micrords. Ils tournent dans la rue d'où vient Blackburn, puis ralentissent en voyant la crevasse et le torrent. Un vélix de police surgit à son tour, gyrophares éteints et sirène muette; il ralentit et se pose sur la chaussée. Deux agents en sortent. Blackburn est à mi-chemin. Les policiers sont armés de fusils et mettent en joue les jeunes pillards. Blackburn se jette de côté pour s'ôter de leur ligne de mire, et roule sur lui-même. Dans sa tête se dresse le mur des exécutions, tandis que l'officier mexicain crie *Fuego!* et que son peloton crible de balles un révolutionnaire. La vraie salve est moins nourrie, elle s'égrène coup par coup, et là-bas les voleurs sursautent, crient, échappent leur butin, basculent bras écartés dans la crevasse. Blackburn voit les derniers, retournés vers les policiers, avec des yeux fous, des yeux de bêtes traquées, et le cou de l'un d'eux éclate tel un boyau sous une trop forte pression de sang, et le visage de l'autre est brusquement défiguré par un choc pourpre, et la mâchoire de Sébastien est brisée par une roche mexicaine. Un des policiers tourne son regard vers Blackburn qui se relève.

— Où étais-tu, toi? lui demande-t-il haineusement, avec tout le reproche du monde dans sa voix.

— Descends-le donc lui aussi, crie un civil, témoin de la scène.

Blackburn se faufile dans une ruelle, entre un camion et un mur de brique, se met à courir dès qu'il le peut comme s'il était coupable de ce bombardement. Quelques gouttes de pluie le touchent au front, tiédies par la chaleur de l'air qui enveloppe la ville. Au bout de la venelle, il distingue deux silhouettes courant, une masculine, une féminine, et il lui semble que la femme crie, mais la rumeur des incendies, des écroulements, des sirènes, est trop forte pour qu'il en soit sûr. Un grand chien court avec eux, ou derrière eux. Blackburn les perd de vue au débouché de la venelle sur une rue illuminée. Au moment où il y arrive à son tour, un char d'assaut surgit en défonçant un mur et bloque la ruelle. Instinctivement, Blackburn fait un crochet, saute dans un escalier métallique et le gravit jusqu'au premier palier. Il s'arrête: pas de char d'assaut mexicain, pas de mur défoncé.

Mais d'où il est, il voit en contrebas, à une dizaine de mètres, l'homme qui poursuivait une femme et l'a rattrapée en traversant la rue. Elle gît sur le dos dans une camionnette ancien modèle, à la porte latérale ouverte. Dragon se penche sur elle, un couteau de boucher à la main.

Dragon.

Avec des exclamations apeurées, un groupe s'éloigne de la scène en courant: deux femmes, traînant des fillettes, terrorisées par le Dragon.

Dragon venu du nord, avec les loups. Car il y a un loup à ses pieds, montant la garde — non, c'est un chien énorme, celui qui tout à l'heure courait à ses côtés.

En bordure de la rue, une borne-fontaine a été brisée par un camion; l'eau gicle entre ses roues pour former une nappe dans la rue et ensuite, le long du trottoir, un ruisseau large d'un mètre. Au coin de la rue, un puisard bloqué ne suffit plus à drainer l'eau; une mare s'élargit à vue d'œil, envahissant l'intersection, reflétant l'incendie d'une école toute proche.

— DRAGON! crie Blackburn en voyant le massacre des Naskapis reconstitué à l'échelle, avec une seule victime, un lac tout petit et dans l'air une odeur d'essence au lieu de celle des morts.

Dragon se retourne, son visage illuminé par l'incendie. Blackburn aperçoit le ventre blanc de la femme, avec une diagonale sanglante de ses côtes à sa hanche. Dragon lève les yeux et voit celui qui l'interpelle.

— TOI! hurle le tueur en pointant son couteau sanglant.

La haine et la peur convulsent ses traits; l'homme découvre ses dents comme un fauve, ou un dément. La peur prend le dessus, toutefois, lorsque Blackburn braque vers lui son pistolet.

Dans l'eau du ruisseau, des filets irisés expliquent l'odeur d'essence: le véhicule arrêté sur une borne-fontaine est un camion-citerne, quelque débris projeté par une explosion a dû percer sa coque, et le carburant se déverse avec le débit d'un robinet.

Les deux ennemis restent immobiles un instant, rivés l'un à l'autre par la haine dans leur regard, ni l'un ni l'autre ne sachant quoi faire dans le moment suivant. Une déflagration, dans le port, roule comme un puissant coup de tonnerre. Malgré la distance et les obstacles, Blackburn en sent le souffle chaud un instant plus tard, et un mur déjà instable de l'école en flammes s'écroule dans la rue inondée en un déluge de brandons. Dragon profite du fracas pour saisir un fusil qu'il avait déposé, appuyé à la camionnette. Il l'arme d'un geste sec mais Blackburn fait feu le premier, trois fois.

Le coude brisé, le flanc lacéré, Dragon laisse échapper son fusil et s'élance en grimaçant vers l'intersection. L'eau gicle sous ses pas, puis il se rend compte que des flammes bleues courent sur toute la mare qu'il veut franchir. À cet instant elle s'enflamme en entier avec un formidable ronflement et le feu remonte le ruisseau à contre-courant. Avec horreur Blackburn voit le Dragon tournoyer dans les flammes, sa veste noire faisant deux courtes ailes sous des bras levés. Toute la rue s'embrase rapidement telle une crêpe flambée, et Blackburn doit reculer dans l'escalier métallique. La dernière vision qu'il emporte, avant de retraiter dans la ruelle, c'est celle du Dragon rampant dans le feu, juste avant l'explosion du camion-citerne qui emporte tout dans une gloire de flammes d'or.

• • •

Au détour d'un autobus à demi enfoncé dans un cratère tel un navire sombrant par la proue, Blackburn aperçoit enfin l'hôtel LaSarre. Intact!

Ses murs au moins sont debout, même si les vitres de la façade ont toutes été soufflées et sa marquise décrochée. L'incendie d'une taverne en face l'éclaire d'un crépuscule fauve, avec de brusques flambées dorées.

Intact, mais hors d'atteinte. Il faudrait que Blackburn contourne un brasier, mais l'étroitesse de la rue transversale ne lui donne pas assez d'espace. Qu'importe. Dos à un mur de briques, Blackburn progresse en crabe, de côté, cachant son visage derrière son bras, avec l'impression de passer devant la gueule d'un haut-fourneau. Il cherche douloureusement son souffle. La charpie et les gravats qu'il foule sont en ignition tant la chaleur est intense. Mais heureusement ses propres vêtements, imbibés d'eau lors de sa baignade forcée, sont restés trempés sous la pluie éparse.

En un instant Blackburn est passé, libre maintenant de marcher vers le LaSarre. Devant l'hôtel s'agitent des gens. Les lamentations qui lui parviennent sont de voix familières. Une femme est soudain dans ses bras, un visage en pleurs, puis une autre, des plaintes larmoyantes: les filles du LaSarre, Noisette, Fabi. Elles parlent d'une auto tombée du ciel et il les écarte, ne comprenant rien parmi leurs hoquets. Laura? Où est Laura? Et Jodi, était-il chez lui, ce soir, ou ici au LaSarre? Les poumons de Blackburn sont un gouffre qu'il ne parvient pas à emplir.

Quelqu'un manœuvre une petite voiture pour en braquer les phares sur l'entrée de l'hôtel. C'est Lamielle, un peu plus maître de lui; il aperçoit Blackburn, lui dit que tout le monde a eu le temps de gagner l'abri sous les caves avant que ne tombent les bombes.

— Est-ce que tout le monde est sorti, maintenant? crie Blackburn, mais derrière lui un fracas enterre la réponse.

Dans une gerbe de flammèches, le mur de la taverne en biais du LaSarre vient de s'écrouler, et des filles brûlées aux bras hurlent en tournoyant. Sur les talons d'un autre officier, Blackburn gagne en hâte le perron ensanglanté. Il reconnaît au passage un corps, que portent trois filles: Éva, le crâne défoncé.

Il entre dans le hall saccagé. Quelque chose doit brûler quelque part car l'air s'emplit de fumée; les phares de la Micra y tracent deux rais éblouissants. Regardant en l'air, Blackburn ne comprend pas immédiatement ce qu'il voit tout là-haut: une zone de lueur mouvante dans un enchevêtrement sombre. Puis il réalise, en recevant une goutte de pluie: toit et plafonds sont éventrés et, par ce vaste trou, le ciel de la ville est visible, un ciel de nuées fauves.

Un autre phare fouille le hall et Blackburn voit enfin l'auto tombée du ciel. Fabi ne délirait pas: ce qui a défoncé le toit, puis le plafond des étages, ce qui maintenant fait ployer le palier du premier, c'est bien une voiture, noircie, aplatie, roues en l'air et pneus fondus, à demi couverte de gravats. Une bombe explosant dans un garage étagé l'aura projetée entière, avec peut-être des tonnes de fragments de béton — ou peut-être est-ce la récente explosion d'un réservoir d'hydrocarbures.

De temps à autre, un grincement vient de là-haut; quelque

part, l'eau coule en filets constants. Le plancher du hall est affaissé, jonché de débris, de meubles fracassés, tombés de l'étage supérieur par un autre trou moins grand. Des plafonniers et des lattes pendent du plafond. À gauche, le salon: ses hautes fenêtres laissent entrer la lueur cuivrée du désastre et le cabinet aux liqueurs penche dangereusement vers ce gouffre. À droite, à l'entrée du bar La Caserne, Lili Marlène a disparu, émiettée.

À nouveau, Lamielle est aux côtés de Blackburn:

— Le bombardement avait cessé, il n'a duré que trente secondes. Nous avons attendu, mais plus rien ne se passait. Laura a voulu que nous sortions.

— Où est-elle? Elle est blessée?

— Il y a dû y avoir une bombe qui n'a pas explosé à l'impact. Nous remontions de la cave, et soudain... c'était comme une météorite. Le plafond nous est tombé sur la tête.

Blackburn saisit Lamielle aux revers et vocifère:

— OÙ EST LAURA?

Puis il lui arrache sa lanterne à piles et balaie lui-même le plancher, larmoyant et toussant dans la fumée. Presque tout de suite, du côté du bar, l'ellipse blanche se pose sur un lourd fragment de béton, d'où émerge une armature tordue; sous lui, parmi des gravats, une carpette, des lames de parquet brisées, des lambeaux de matelas, un couvre-lit déchiré. Autour, une jonchée de draps pliés, de taies d'oreiller, de serviettes, toutes venues de là-haut. Là-dessus, une commode disloquée emportée par l'affaissement du plancher de l'étage. Et ces longs cheveux, cette épaule blanche... Avec une inspiration brève et sifflante, Blackburn se fige. Puis il se rue, saisit à pleines mains le châssis déboîté du meuble, le soulève et le rejette. Il reconnaît le peignoir ramagé, maintenant taché de pourpre. D'autres secouristes s'approchent, munis de lampes.

— Laura! souffle-t-il en s'agenouillant.

Il la retourne doucement à la lumière des torches électriques, mais seul le buste pivote, les hanches bougeant à peine, et il la lâche avec horreur, devinant la colonne vertébrale cassée, disloquée. Sur ses paupières crispées une image fugace luit un moment, le profil entrevu de Laura, intact, douloureusement beau dans la lumière blanche.

Il étouffe un gémissement, se relève en regardant ailleurs. Une explosion gronde au loin, dominant brièvement la rumeur du désastre. Comitan, ses bâtisses éventrées, apparaissent et s'estompent, fugaces, devant ses yeux. Dans la lueur des incendies environnants, profilées sur les portes béantes et les fenêtres, les silhouettes devant Blackburn vacillent un moment. Laura. Si douce et tiède, son sourire de bonté et ses yeux rieurs. Poupée brisée, écrasée. Laura... Le cœur de Blackburn gèle dans un néant glacé.

Le vertige se dissipe. Blackburn tousse, fait quelques pas, anéanti. Cela ne lui entre pas dans la tête: Laura morte, morte, morte, mais il ne comprend pas, pas encore.

Un cri déchirant le saisit: quelqu'un, homme ou femme, hurle son désespoir. Là-bas, en bas. Toussant, cherchant parmi les décombres un endroit où poser le pied, Blackburn s'avance comme attiré par un instinct. Pourtant il serait plus prudent de sortir: des lueurs orangées s'agitent dans le corridor menant aux cuisines. Des étages vient un nouveau grincement, cette fois plus prolongé, suivi d'un craquement sonore. Blackburn bondit de côté; une cuvette et son réservoir viennent se fracasser parmi les débris du rez-de-chaussée.

L'escalier menant à l'étage est à demi effondré; parmi des cloisons éclatées, la porte de la cave pend sur ses gonds. Dans la fumée, Blackburn devine presque au-dessus de lui la présence incongrue de l'auto, et doit se pencher pour éviter les poutres ployées sous elle. Il marche dans une poussière de plâtre imbibée de sang. Deux soldats émergent dans les marches de la cave, soulevant une fille qui gémit, l'épaule broyée. Il lui semble reconnaître ce teint mat, ces cheveux noirs: Lolita? Paloma? Carlota?

— Ne restez pas là, prévient un soldat énervé, tout va s'écrouler d'un moment à l'autre.

— L'autre est mort, ajoute son camarade, et ce fou en bas veut rester avec!

Blackburn se penche sur l'escalier des caves, son regard brouillé plonge dans un espace moins enfumé. Les tunnels précaires de Comitan? Y avait-il à Comitan deux furets se poursuivant parmi les bouteilles vides et les goulots cassés? Un bref chapelet d'ampoules pend au plafond, éclairant le sous-sol et les marches jonchées de plâtras. Des caisses de bière sont superposées, quelques-unes renversées. De gros fragments de béton ou de ciment montrent que l'armature même de l'hôtel est brisée.

Un homme agenouillé sanglote, un officier. En son giron repose la tête d'un garçon inerte, trois filets de sang coulant de sous ses cheveux bouclés, sur ses paupières closes. L'homme lève vers Blackburn un visage défait, et c'est Colonelle qui pleure ainsi, et Blackburn hurle à son tour mais c'est le nom d'un autre mort qui déchire sa gorge:

— SÉBASTIEEEEEEEN!

• • •

Il pleut d'abondance lorsque Lavilia Carlis et Carl Andersen parviennent enfin à la rue de l'hôtel LaSarre. À cause de leurs costumes de la Croix-Rouge internationale, ils ont dû porter secours à des sinistrés et leurs chemises sont tachées d'un sang qui n'est pas le leur. Quand ils arrivent devant l'hôtel, des flammes sont visibles au fond de la bâtisse, par la porte du rez-de-chaussée; les fenêtres du deuxième dégorgent une fumée sombre.

Des corps s'alignent dans la rue, couverts de draps dépareillés; on en recouvre un dernier, tout frêle, tandis que l'Artilleur soutient Colonelle effondré. L'un des brancardiers qui viennent d'allonger le corps met du temps à se relever. Uniforme souillé, manche décousue, mains ensanglantées, visage marqué de traînées noires, yeux rougis; le pansement à son cou est gris de cendre; du sang coule d'une coupure à sa tempe.

Denis Blackburn. Avec ce regard vide qu'ont les grands sinistrés.

Ses yeux bougent. Il cherche dans la rue, regarde chaque véhicule comme pour jauger ses chances de traverser une ville en ruines, suit un moment du regard deux ambulances militaires qui approchent. Puis il voit Lavilia et son compagnon; il les reconnaît.

Il marche vers eux, du pas résolu de celui qui va accomplir une vengeance, ou donner un ordre.

— Tes amies...? commence Lavilia d'une voix incertaine.

— Votre hélicoptère peut encore voler? l'interrompt Blackburn.

— Oui, mais...

— Je dois rentrer à Sept-Îles tout de suite.

La tristesse dans les yeux de Lavilia s'approfondit encore. Mais c'est Andersen qui répond:

— Ça ne sera pas nécessaire, Denis Blackburn.

De sa poche, il sort le sachet de chronoreg.

24

«Moi je le sais, ce que tu es venu chercher, Denis. J'ai toujours su mieux que toi ce que tu voulais.»

Les paroles de Jac Marin se répètent dans la tête de Blackburn, tandis qu'il regarde le chef se rhabiller sur la mezzanine de sa tanière. «Voici ce que tu es venu chercher, Denis. Tout ça est en moi.» Tout cela: la vitesse, l'adresse, le risque, la violence. Une étreinte avec la mort.

Marin éteint ses écrans, rembobine ses vidéos, descend l'escalier de la mezzanine. Il boit à une canette froide qu'a apportée son jeune domestique amérindien. Puis il sort après avoir prononcé des ordres à mi-voix.

Virgil, monté sur la mezzanine, a maintenant les yeux rivés à l'un des écrans vidéo. Les mitraillettes qui crachent le feu, les Naskapis fauchés dans leur fuite. Une nuit d'incendie se déploie dans l'esprit de Blackburn: des adolescents fuyant dans une rue dévastée, descendus comme du gibier par la police; dans les rues d'une ville bombardée, les corps des victimes extraits des décombres, un carrousel d'images venues du futur.

— On descend, ordonne sèchement un Irrégulier.

Mais Blackburn, ébranlé, tarde à obéir. Dans les décombres de l'hôtel LaSarre, il vient de dégager Laura de sous une commode déboîtée. Dans la fumée qui épaissit, il remonte de la cave le corps de Jodi.

— Tu es sourd? Descends de là!

Blackburn obtempère enfin. Dans les coursives d'Harcel il se laisse guider passivement, tandis que le futur continue de se mettre en place dans sa tête: la fausse aurore au-dessus du lac Lobstick, le dôme nucléaire aussi blanc que des glaciers au soleil, le visage grave des généraux et du ministre réunis dans une ambiance de crise, Chicoutimi en flammes tandis que s'écrasent les derniers avions de la bataille.

Et, lorsqu'il est ramené auprès de ses camarades, la mort de Laurin, Laurin qui sera descendu d'une brève rafale dans les hangars de la base. Blackburn le dévisage sans un mot, au point que Laurin fronce les sourcils, intrigué, puis inquiet.

— Ça ne va pas?

Si, pourtant, songe Blackburn qui n'a jamais eu une prémonition si claire, si complète et si cohérente. Mais il voit aussi clairement ce qu'il a à faire et, dans sa poitrine, son cœur pèse soudain autant que du plomb.

• • •

Ses derniers camarades emmenés vers les dortoirs, Blackburn se retrouve seul dans l'entrepôt où on les gardait depuis leur arrivée à Harcel. À travers la porte de nylon continuent de lui parvenir la onzième symphonie de Chostakovitch et les bruits du branle-bas qui agite le quartier général des Irréguliers.

Si la base d'Harcel se vide de tous ses hommes, c'est la seule chance de succès de l'opération Café Filtre. Autrement, impossible de se rendre maîtres de la base. Blackburn et ses dix compagnons sont complètement désarmés. Désarmés? Il a une arme: la colère de Virgil, sa vengeance, son poignard. Blackburn n'a qu'à se taire.

Le captif tente de fléchir les muscles de son cou endolori; il grimace de douleur. La bague-choc est vraiment une petite arme sournoise.

Est-ce que, dans cette ligne temporelle, Blackburn recevra des éclats de grenade dans le côté du cou et dans le dos, en la tanière d'Aguirre? Et s'il se trouve un ou deux centimètres plus à gauche, est-ce que ces mêmes éclats ne vont pas sectionner son artère carotide ou sa moelle épinière? Un frisson le secoue; il chasse cette pensée.

Mais c'est le sort de Laurin qui lui revient à l'esprit. En prolongeant la discussion finale avec Micha, en retardant son agression contre laquelle Laurin voudra défendre Blackburn, ne pourrait-on lui sauver la vie? L'intervention des Éryméens se produirait alors assez tôt pour sauver Laurin.

Cependant, l'intervention éryméenne ne sera foudroyante que si les portes du hangar s'ouvrent grand. Or elles seront ouvertes **après** que Michalski aura ordonné l'exécution collective, rendue furieuse par la douleur et l'humiliation. Les grandes portes fermées, le gaz soporifique des Éryméens ne se répandra que par les prises d'air, donc beaucoup moins vite. Blackburn et ses compagnons risquent alors d'être **tous** descendus, lorsque Micha devinera l'invasion imminente.

Après un regard vers la caméra de surveillance, Blackburn se traîne les pieds jusqu'à des couvertures pliées, posées à même le plancher; il s'assoit là, poignets et chevilles entravées. *Combien en savent les autres Irréguliers?* se demande Blackburn. Les guérilleros eux-mêmes ne savent pas l'essentiel, Blackburn en est certain. Mais les officiers, les autres commandants irréguliers, savent-ils que leur chef Aguirre va se ruer sur le barrage Smallwood aux commandes d'une torpille nucléaire? Savent-ils qu'une bonne partie de leurs effectifs sera emportée par le cataclysme et que la guérilla n'y survivra que très décimée? *Non, ils ne savent pas. Ils pensent que le barrage sera seulement mis hors d'usage*. Michalski le sait, elle. C'est peut-être même elle qui a eu l'idée et qui l'a mise en œuvre. C'est elle qui manœuvre les pièces du jeu, et Jac Marin est son fou.

Jac. Est-il le seul à savoir piloter le mini-submersible livré par les Soviétiques? Est-il le seul à s'être exercé sur ce simulateur dans sa tanière? Peut-être. En tout cas il est le seul assez habile pour manœuvrer parmi les câbles et les filets métalliques immergés, en tirant parti des inégalités et des débris du fond du lac. Et puis, presque tout le monde a déjà quitté la base pour la manœuvre de diversion: Harcel est maintenant quasi silencieuse. Jac Marin doit se mettre en route plus tard, sans lien radio avec le reste des commandos. Une fois l'opération lancée, pourra-t-on la rappeler, pourra-t-on remplacer Aguirre au pied levé?

Il faut que Jac meure.

Combien de gens a-t-il tués? Combien de meurtres a-t-il autorisés, combien de massacres?

Je ne serai jamais capable.

Marin, lui, serait capable. De tuer sans prévenir, en regardant sa victime dans les yeux. «Je suis le maître, disait-il, tu es l'élève. Qu'as-tu appris, toutes ces années?»

Un bruit à la porte. On déverrouille. Le battant s'ouvre, Marin le pousse doucement jusqu'au fond. Il regarde Blackburn avec attention, jette des coups d'œil rapides à gauche et à droite avant d'entrer. Il a la main sur la crosse de son pistolet. Dans le couloir, la musique s'est tue.

— Je voulais te saluer avant d'aller jouer ma partie.

— Ta partie? répète Blackburn, la gorge serrée.

— Chacun son jeu, Denis. Le tien est bien engagé, mais méfie-toi de Micha, c'est elle qui commande en mon absence et je doute qu'elle approuve votre présence ici. Encore moins la tienne.

Jac. Ne pas regarder la porte ouverte derrière lui, ni le couloir au-delà. *Ne faut pas qu'il se méfie*. Le regarder en face, le regarder dans les yeux, dans ses beaux yeux bleus. Le regarder dans les yeux, même à l'instant où...

— Micha se battra avec le désespoir des perdants, ajoute Marin.

— Comment ça?

— Nous perdrons notre guerre, c'est certain. Nous sommes repérés. Et puis le front est hors de notre portée, il s'est déplacé trop vite. Mais vous perdrez aussi la vôtre, votre guerre.

— Et toi? demande Blackburn à mi-voix, tel un acteur répétant son rôle, mais étranglé par l'angoisse.

— Moi, je gagnerai la mienne. J'irai au bout de mon jeu.

Tenir jusqu'au bout. Jac serait capable, lui.

— Tu veux te tuer... Est-ce que quelqu'un d'autre serait prêt à le faire à ta place?

— Toute ma vie j'ai essayé de me tuer. Je n'ai jamais demandé à personne de le faire à ma place.

C'est pourtant ce qui va arriver. Hors foyer, un mouvement derrière Marin, la silhouette du jeune Virgil. Ne pas trahir sa présence. *Jusqu'au bout*. Ne pas regarder ailleurs que dans les yeux de Jac.

— Je n'ai jamais vu autant d'intensité dans ton regard, Denis, il y quelque chose de changé en toi. J'aimerais lire dans tes...

Il s'interrompt en aspirant un râle. Blackburn a entendu, presque senti, le coup de poignard, le choc de la garde sur le dos, au bout de la plongée de la lame.

— *Murderer!* prononce le jeune Naskapi à voix haute.

Maintenant Blackburn pourrait regarder ailleurs, mais il ne peut plus détacher ses yeux de ceux de Jac Marin, dont le regard devient rapidement flou.

Un coup de feu éclate: balle perdue, le dernier spasme d'Aguirre en tombant sur ses genoux. *Voilà. Ai-je bien appris ma leçon, Jac?*

Déjà Virgil s'enfuit dans le couloir; toutefois une brève rafale scelle son sort. Les gardes accourent, pointent leur arme sur Blackburn. Mais il n'a pas bougé, assis au milieu de la pièce, chevilles et poignets menottés, deux larmes perlant à ses yeux rivés sur le géant terrassé.

• • •

— Exécutez-les! Ouvrez la porte et descendez-les tous!

Laurin meurt sur le sol, Michalski a le bras brisé, elle serre les mâchoires et Blackburn, les yeux douloureux, lit dans son regard autant de haine que de souffrance. Elle fait mine de s'éloigner tandis que quelqu'un déclenche le verrou des grandes portes du hangar, et met en marche les moteurs électriques. Elle veut fuir, car elle croit avoir lu dans l'esprit de Blackburn l'imminence de sa capture.

— Vous abandonnez la partie, Drax? Vous renversez votre roi?

Elle s'immobilise, regarde Blackburn sans dissimuler sa perplexité. Mais elle le soupçonne de parler pour la retarder, et fait mine de repartir.

— Vous aviez pourtant la plupart des rois et des reines sous votre contrôle, Drax. Les noirs, les rouges, les roses, les verts...

Sa perplexité s'accroît: les Terriens ne connaissent pas le jeu d'échecs à quatre. A-t-elle affaire à un Éryméen, et peut-il avoir dissimulé son origine même lorsqu'elle a sondé son esprit? Mais il est plus important de fuir que de comprendre, et elle s'élance à nouveau, cette fois à la course.

— Trop tard, Drax, lance Blackburn en devinant du mouvement à l'extérieur de la base. Ils vont vous ramener jouer aux échecs à Eldorado, contre votre clone. Contre vous-même, Drax, pour le reste de votre vie!

Des bruits d'explosions étouffées et des sifflements ont accompagné la fin de sa phrase. Parce qu'il les attendait, il voit des capsules s'écraser sur le plancher du hangar, et le gaz en faire éruption pour se répandre avec une vitesse foudroyante. Il se laisse tomber sur les genoux délibérément, mais déjà l'inconscience le gagne et il s'affale au complet.

• • •

Lavilia Carlis doit être proche car voici à nouveau que Blackburn est dans son esprit, dans sa mémoire, revivant son récent départ d'Érymède après un dernier et vain interrogatoire du clone de Drax. L'astrobus quitte Élysée, il vient de décoller. Il survole un immense puits évasé, fermé par une coupole transparente, profond de plusieurs dizaines d'étages, le fond occupé par un bosquet. Les terrasses et les balcons de ces étages, ourlés de verdure, s'ouvrent sur le vaste espace central qu'ils encerclent. Là semblent flotter des points de couleur en vol, de grands oiseaux exotiques peut-être, mais le «puits» est dépassé, la vision a été fugace car Lavilia elle-même n'y a pas arrêté son regard, habituée qu'elle est à ce spectacle, comme à celui des intercités filant à la surface de l'astéroïde dans leurs tunnels transparents, des parcs-cratères ou des cités-cratères sous leurs immenses dômes.

Blackburn ouvre les yeux. Carl Andersen a déjà quitté la vaste salle et le commando éryméen achève d'évacuer la base, regagnant ses engins camouflés dont Blackburn perçoit le sourd bourdonnement.

Un moment plus tard, lorsque Lavilia Carlis lui donne les mots d'accès à l'ordinateur central d'Harcel, il semble à Blackburn qu'elle lui rappelle une leçon déjà apprise dans un autre temps.

— Tu ne peux partir comme ça! lui lance-t-il lorsqu'elle fait mine de se retirer en lui souhaitant bon succès. Quand allez-vous me retirer cet implant?

Sans trop qu'il sache pourquoi, la surprise totale de Lavilia lui fait plaisir à voir. D'un geste énergique et vif, elle se défait de sa main, qui l'avait saisie au poignet. Elle recule de quelques pas en pointant un pistolet à dards.

— Tu en sais beaucoup, Denis, beaucoup trop. Est-ce que la liaison par l'implant était bidirectionnelle sans que nous le sachions? Non, c'est impossible! Tu as lu tout ça dans mon esprit, comme le meilleur de nos télépathes.

De tranchant, le ton de Blackburn devient agressif:

— Vous vous croyez tout-puissants, avec votre technologie. Mais vous avez mis des années à découvrir le jeu de Drax et à l'arrêter!

Progressant à reculons, Lavilia atteint l'une des grandes portes. Son visage est le masque même de l'incrédulité et de la perplexité.

— Et Sébastien? l'accuse Blackburn. Je sais maintenant que j'aurais pu le sauver si tu m'avais aidé cette nuit-là à Acapulco, au lieu de m'enlever pour te servir de moi. D'une certaine façon, tu as tué Sébastien, Lavilia! Il avait vingt-deux ans. Est-ce qu'Érymède est assez toute-puissante pour me le rendre?

Lavilia ouvre la bouche, mais aucune réponse ne lui vient, si ce n'est un tremblement de la lèvre. Du coin de l'œil, Blackburn voit qu'un de ses propres hommes commence à se réveiller. Les plafonniers s'éteignent.

— Pars! lance Blackburn. Elle n'aura pas lieu, votre troisième guerre mondiale! Je viens de l'empêcher, et tu ne le sais même pas!

• • •

À la console des communications, Leduc crie les nouvelles qu'il reçoit d'un signaleur de l'armée:

— Nos intercepteurs ont repéré les *hovers* des Irréguliers: ils ont fait demi-tour, ils reviennent vers ici!

— J'espère qu'ils vont tous être descendus avant d'arriver ici, observe nerveusement Lauzon. Nous sommes déjà assez mal pris!

Ainsi, le mouvement de diversion a été annulé, les *hovers* reviennent à Harcel. Avant sa capture, Michalski est donc parvenue à leur annoncer la mort d'Aguirre et elle a annulé toute l'offensive. Peut-être espérait-elle, dans les jours suivants, former un ou une pilote qui puisse prendre la place de Marin aux commandes du mini-submersible?

— Les Irréguliers ont des pistolets! crie Doré devant les écrans de surveillance. Ils tirent sur les caméras! Bientôt nous serons tous aveugles, ici!

Blackburn se passe une main sur les yeux, tente de chasser la migraine en se reposant la vue. Mais rien n'y fait. Le monde autour de lui vacille à intervalles réguliers. Il se résigne à quitter l'ordinateur, dont il a tiré tous les renseignements utiles à l'opération Cyclone: l'emplacement des camps secondaires des Irréguliers, la liste de leurs contacts civils. Il prend un fusilaser et va se poster près d'un de ses hommes, à plat ventre. Un bourdonnement presque constant tourmente ses nerfs auditifs. Sans savoir pourquoi, il songe à des dés qui portent de complexes symboles chimiques à la place des points habituels. Et il revoit Godbout, le chimiste de l'Aprex, avouant son ignorance par des haussements d'épaules bourrus. Si Blackburn survit, il se promet bien de tout faire pour que Godbout soit limogé et l'Aprex fermée pour de bon.

— J'ai une image extérieure! triomphe Doré. Une caméra qui couvre tout le périmètre!

Blackburn se retourne vers l'écran que montre Doré. Il voit des hélijets se poser sur l'îlot et dégorger des fantassins par dizaines, prêts à investir Harcel. Un choc métallique ramène son attention à la porte, à un mètre de lui. Une grenade rebondit sur le plancher du couloir, hors de la salle.

— UNE GRENADE! hurle-t-il en se roulant de côté.

L'explosion l'assourdit, il a l'impression que deux doigts métalliques ont défoncé ses tympans et vrillent son cerveau. Un de ses agents bondit pour fermer la porte, à temps pour assourdir une nouvelle déflagration. Blackburn sent son être se dissocier en une séquence de copies de lui-même secouées par l'onde de choc, puis convergeant à nouveau à grand-peine pour reconstituer un tout.

Une déflagration trois fois plus puissante enfonce la porte de la salle et la projette vers lui. Une noirceur complète anéantit Blackburn.

• • •

Blanche sous le soleil, Tulum est étrangement vide. Déserte, jusqu'à ses remparts et au-delà, jusqu'à cet horizon vert et aussi plat que la mer. Blackburn et Sébastien somnolent à l'ombre, sur la plate-forme du curieux petit temple aux murs évasés. Le ventre du garçon sert d'oreiller à Blackburn, et sa respiration le berce indolemment, dans la bonne odeur de pain des corps qui ont chaud.

Soudain, cris et bruits: des mains brutales s'emparent de Blackburn et le soulèvent. Il se débat en protestant et parvient à voir Sébastien, de qui on l'éloigne. Le corps bronzé du garçon blanchit jusqu'à prendre la couleur et la texture de la pierre où il est allongé, immobile.

Mais Tulum est loin déjà et ses ravisseurs emmènent Blackburn dans la forêt yucatane. Ils sont costumés d'étoffes aux couleurs vives, parés d'or et d'onyx, armés d'obsidienne. Blackburn crie «Êtes-vous Mayas ou Aztèques?» Ils ne répondent pas, mais l'emmènent à Chichen-Itza. En passant devant l'observatoire, il voit Lavilia Carlis au sommet des marches, flanquée de Carl Andersen, immobiles, leurs bras tendus indiquant divers points du firmament. Mais le ciel est bleu, férocement ensoleillé, et Blackburn ferme les yeux en grimaçant. Il voit quand même la grande pyramide lorsqu'on arrive à sa base, et les têtes de serpents-dragons qui flanquent ses escaliers vertigineux. Les prêtres, vociférant toujours, montent en courant et le traînent là-haut par les pieds, laissant sa tête heurter chaque marche, telle une rafale de coups de masse. Blackburn hurle en vain tandis que le temple des jaguars, le temple aux mille colonnes et toute la foule maya, à l'envers, tressautent dans son champ de vision. Il parvient à voir que tous les gens de ce peuple ont exactement la même tête brune au menton rond, au nez busqué, mais portent des uniformes dépareillés de guérilleros mexicains, d'Irréguliers, de soldats.

Le sacrifice est expéditif: on arrache les vêtements de Blackburn, on lui ouvre la poitrine d'un coup si violent qu'on lui brise les côtes, et une main brûlante lui arrache le cœur, tout palpitant, rouge comme une fraise dont il a la forme, mais une fraise géante, monstrueuse, luisante. Puis, d'un coup de pied méprisant, on envoie rouler Blackburn au bas des marches abruptes et il roule, il roule, laissant une traînée pourpre sur les pierres derrière lui, puis dans l'herbe, puis sur une terre sèche, et il continue de rouler par-delà montagnes et plateaux jusqu'au centre du Mexique, où il se demande s'il ne fait pas l'objet d'un échange culturel et religieux avec les Aztèques, mais il sait qu'on ne voudra pas de lui parce que son cœur est déjà pris, de sorte qu'il continue de rouler dans les hauts plateaux, et depuis longtemps il n'a plus de sang pour irriguer cette pierraille sèche et ce sable où flotte une odeur de confiture de fraises chaude.

Les yeux de Blackburn sont ouverts depuis longtemps lorsque sa conscience commence enfin à s'agréger. La conscience du lieu, d'abord: une chambre d'hôpital. D'une fenêtre lui vient une odeur de fraises, presque grisante, portée par une brise tiède qu'il sent sur ses bras nus. Des fraises qu'on fait cuire avec du sucre (et des cœurs humains coupés en dés?) pour fourrer des tartes ou des chaussons. Ce n'est pas chez les Mayas qu'on prépare de tels desserts, ni parmi la guérilla du Chiapas, ni chez les Irréguliers de l'enclave Churchill. Voilà une parcelle de mémoire. Et en voici une autre: Aticonac. Aticonac? Les cuisiniers de campagne de l'armée ont rarement les ressources pour préparer des gâteries, même à l'intention des officiers.

À moins que cela n'ait changé. **Quand** donc est Blackburn?

L'apparition du professeur Malineau dans son champ de vision ne dissipe pas sa confusion: était-ce hier qu'il a dîné avec lui pour parler de chronoreg?

— Denis. Denis, sais-tu où tu es?

— Pas chez les Mayas.

— Non, en effet, répond Malineau interloqué. Tu es à la base de Sept-Îles.

— À l'infirmerie...
— De la base de Sept-Îles, oui.

Les gens de Sept-Îles ont-ils de l'aspirine? En placent-ils dans le crâne de leurs victimes, à la place du cerveau, pour...

— Denis, sais-tu **quand** tu es?

— ...

— Ne cherche pas une date. Cherche un événement marquant. Situe-toi par rapport à lui.

Un événement marquant. La conquête espagnole? Quelque chose de plus récent. La mort de Sébastien? L'histoire ne s'est pas arrêtée là. Malheureusement. Plus récent, alors. La mort de Laura et de Jodi...

— Qu'y a-t-il, Denis? Où as-tu mal?

Non, ça c'est le futur. Et le futur ne sera pas. Pas ainsi.

— Denis?

— Ça va. Je me rappelle... La base des Irréguliers...

— Oui...?

— Assiégés... Je suppose que la cavalerie est arrivée à temps?

— De justesse, paraît-il. Et quand est-ce arrivé?

— C'est à vous de me le dire. Hier? Avant-hier?

— Tu as subi une commotion cérébrale. Mineure, à ce que croyaient les médics qui accompagnaient la troupe: l'hématome ne témoignait pas d'un si grand choc.

— Bon. Combien de temps ai-je été dans le noir?

— Plus de cinquante heures, Denis. Ton électro-encéphalogramme a beaucoup inquiété les médecins d'Aticonac, et ils t'ont évacué sur Sept-Îles.

Blackburn se redresse péniblement, s'assoit dans son lit, ce qui éveille en lui une sensation de nausée. Sa tête tourne un moment. En tâtant, il la trouve coiffée d'un bandage.

— Le turban, c'est bien nécessaire? Et puis, qu'est-ce que vous faites ici? Vous devriez être à Montréal.

— Ils ont trouvé dans ton porte-cartes un mot demandant que je sois contacté en cas d'accident neurologique ou cérébral.

— Ils vous ont dérangé pour rien ou c'était sérieux?

— Très sérieux. Les tracés de ton É.E.G. étaient faibles et extrêmement confus. Maintenant ils sont presque revenus à la normale.

Blackburn met un moment à réagir, et il voit rouler des dés portant des majuscules accompagnées de petits chiffres, des symboles chimiques au lieu de points.

— «Presque»?

— Tu as failli devenir un légume, Denis. Tu as été quelques heures dans le coma.

Il dévisage le professeur, et son air grave lui serre la gorge.

— J'ai été chanceux? demande Blackburn en songeant aux dés.

— Non.

Une vague d'inquiétude submerge l'officier. Presque en panique, il rouvre et ferme les mains, agite les orteils, fléchit ses genoux et étend ses bras. Tout paraît normal, et même le vertige dû à cette agitation est moindre que tout à l'heure; seuls persistent la nausée et le mal de tête.

— Tu as subi des lésions indéterminées au cerveau, Denis. Au point de vue motricité et sensibilité, tu t'en tires bien. Mais une partie de tes cellules cérébrales sont mortes.

Un courant glacé traverse Blackburn.

— Lesquelles?

— Aucune région en particulier. Des neurones ici et là; partout. Nous ignorons encore quelle différence ça fera.

— Ça n'en fait aucune, proteste le convalescent. Je suis parfaitement lucide. Tenez, je reconnais le colonel Séguin.

Séguin, qui passait dans le couloir, s'arrête et entre dans la chambre:

— Heureux de te revoir parmi nous, Blackburn.

Malineau prend congé:

— Je te laisse causer un peu avec ton patron, Denis, il s'est inquiété de toi. Mais après: repos.

Dès que le professeur referme la porte derrière lui, Blackburn s'assoit sur le bord de son lit, luttant calmement contre la nausée.

— Et l'opération Cyclone? demande-t-il au colonel.

— Succès sur toute la ligne. La guérilla n'existe plus et le Contrext a fait arrêter tous ses partisans. Maintenant que nos arrières sont assurés, nous mettons tout dans l'offensive. Demain, nos troupes camperont au soixante-troisième méridien; après-demain, nous occuperons toute la vallée du Churchill.

Blackburn attend la suite, mais il n'y en a pas. Aucune mention d'une explosion nucléaire ni de la destruction du barrage Smallwood. Ce ne sont pas des détails dont Séguin oublierait de lui parler.

— C'est toi qui as tué Jac Marin, à Harcel?

— Non.

Ainsi, les grandes lignes de l'opération Cyclone ont été rendues publiques parmi les haut gradés, après sa réussite, puisque Séguin est au courant. Il lui donnerait bien une baffe, pour avoir ainsi mis le doigt sur une blessure à vif. Mais Séguin ne comprendrait pas. N'a-t-il pas accompli sa mission? Jac Marin contre Jodi et Laura: voilà le troc auquel Blackburn s'est résigné, mais personne ne le saura jamais.

Pour reprendre contenance, il se lève et cherche son uniforme.

— Savez-vous ce que préparait Aguirre? demande-t-il presque sur un ton de défi. Anéantir le barrage Smallwood avec une torpille nucléaire, pilotée par lui.

— Comment sais-tu ça? s'étonne le colonel. L'information n'a été diffusée que ce matin, restreinte aux généraux et à certains colonels.

— Je suis votre meilleur agent du Contresp, non?

Séguin ne relève pas l'ironie.

— Marin s'est vanté de ses intentions devant toi? suppose-t-il.

Blackburn ne répond pas. Il devra s'asseoir pour passer son pantalon d'uniforme, incapable qu'il est de rester en équilibre sur un pied. Peut-être ne devrait-il pas quitter le lit tout de suite.

Séguin gagne la porte.

— Valois veut que tu dictes un rapport complet, enjoint-il. Et ne parle à personne de cette arme nucléaire: ultra-confidentiel. Si l'information sort, je ne donne pas cher de tes galons.

Blackburn renonce à s'habiller.

— Recommandez qu'on accroisse au maximum la surveillance aérienne visuelle, dit-il au colonel. Les Terre-Neuviens pourraient réagir à notre offensive par un bombardement.

— Nous avons des senseurs à infrarouges, Blackburn.

— Et eux ont des refroidisseurs d'infrarouges: technologie étatsunienne de pointe. Les Soviétiques eux-mêmes ne la connaissent pas encore.

Blackburn soutient le regard incrédule du colonel. Il cache sa propre stupéfaction de s'entendre: jamais autant d'informations, et d'aussi précises, ne s'étaient échangées entre un Blackburn futur et le Blackburn actuel. Qu'est-ce qui a pu faire croire à Malineau que ses facultés mentales étaient diminuées?

Il finit par détourner les yeux. Séguin est perplexe, méfiant.

— Je transmettrai, dit-il à mi-voix. Je suis tenté de croire que tu fabules, mais... Comment es-tu venu en possession de ces renseignements?

Blackburn ne répond pas et, après avoir attendu un moment, Séguin sort de la chambre. Dans le couloir, des prêtres mayas, hilares cette fois, font de grands saluts enthousiastes à Blackburn.

25

Blackburn s'habille, après une sieste qui a au moins apaisé son mal de tête, et il sort. Au-dessus de Sept-Îles, le ciel vespéral est gris de nuages. Un vol d'oies sauvages passe à la verticale de la base, bien moins haut qu'à la saison des migrations, de sorte que Blackburn entend leur cri, comme les lointaines trompettes de quelque apocalypse à petite échelle, ou celles d'un jugement — ni dernier, ni général. *Un présage de mort*, songe-t-il, mais aussitôt il chasse cette pensée lugubre. *Non, cette nuit on ne meurt pas.*

Malgré les conseils du professeur Malineau, Blackburn tient à poursuivre sa convalescence chez lui, dans son propre lit, au quartier des officiers. S'il doit se recoucher, ce sera moins déprimant hors des murs de l'infirmerie, loin des fumets du mess des officiers, qui ne sont pas toujours aussi appétissants qu'à son premier réveil. Il espère ne pas avoir à se recoucher tout de suite, il espère reprendre le dessus.

Mais le trajet en vélix, pourtant pas trop rapide et sans trop de virages, le laisse étourdi sur le seuil de sa porte, luttant contre la nausée. Une fois entré, il gagne d'un pas vacillant le plus proche fauteuil. À l'autre bout de la pièce, le micrord est allumé et, constate-t-il, il montre un film télévisé. Un western — Blackburn a horreur des westerns.

Sous un ciel limpide où clignote une ligne de caractères, quelqu'un est poursuivi par des vilains, tous vêtus de sombre: gris foncé, vert bouteille, bleu marine, plutôt des uniformes militaires que des tenues de brigands. Ils vocifèrent dans leur poursuite et

Blackburn réalise que ce sont des questions qu'ils lancent au fuyard, comme on lance un lasso. «Comment as-tu lu la disquette secrète d'Aguirre?» «Pourquoi as-tu refermé son tiroir piégé?» «Tu as fait fonctionner son simulateur de plongée; pourquoi n'en as-tu pas parlé?»

Tous ces truands ont la même gueule: le visage dur, la bouche sévère, l'œil méfiant, soupçonneux. Ils ne font que cela: regarder Blackburn d'un œil soupçonneux, le poursuivre de leur regard. Ce sont leurs chevaux qui crient les questions pour eux.

Le fuyard a deux faces: l'une tournée vers l'avant, c'est celle de Blackburn, l'autre tournée vers l'arrière, et c'est celle de Blackburn. Il parvient à semer ses poursuivants en traversant, sans couler, un lac froid et profond, bleu comme le ciel, marbré de rouge par le sang de milliers de Naskapis.

Mais un autre écran s'allume, au-dessus et à gauche du premier. D'autres poursuivants sont aux trousses de Blackburn: les grands patrons du Contresp, dans un chariot couvert tiré par des bœufs au galop. «Qui t'a renseigné sur l'équipement des bombardiers terre-neuviens?» mugissent les bovins. «Comment connaissais-tu la technologie secrète étatsunienne?» «Es-tu un agent double?» «Pour qui, Blackburn, pour qui travailles-tu?» Mais Blackburn ne répond pas, même s'il a trois visages et trois bouches. Il traverse une tourbière boréale et le chariot de ses poursuivants s'y enlise, finit par y sombrer comme les avions, les hélijets et les *hovers* dont on voit dépasser les bouts d'aile ou de carcasse.

Surgi d'un troisième écran, un train se lance à la poursuite de Blackburn, une de ces locomotives antiques avec un chasse-pierres à l'avant et une énorme cheminée. Le général Morel et le chimiste Godbout se penchent hors de la cabine. «À qui as-tu parlé de la céréphédrine-psi, Blackburn?» «Tu ne devais en parler à personne!» «Et le composé cé-psi+, quand nous feras-tu rapport sur ses effets?» «Tu es notre cobaye, mugit le sifflet de la locomotive, nous avons encore besoin de toi!» Et la machine tire un interminable chapelet d'ampoules géantes sur boggies, sauf le premier wagon qui est un pullman aménagé en *saloon*, où Morel et Godbout jouent aux dés sur une table au tapis vert. Les dés sont gros et leurs faces dépourvues des points habituels. À leur place, des symboles chimiques, des majuscules accompagnées de petits chiffres, reliées entre elles par des traits ou des doubles traits. «Lésions au cerveau!» triomphe le chimiste en tirant une combinaison faste.

Blackburn, le cavalier aux quatre visages, qui tient ses rênes comme les manettes d'un holojeu, manœuvre pour échapper à ses poursuivants, s'enfonçant sous terre avec son cheval.

Il en ressort sur un cinquième écran — les autres sont toujours allumés et suivent d'autres Blackburn pourchassés par d'autres vilains. Il a dix paires d'yeux, maintenant, et l'une aperçoit au loin, sur la steppe surchauffée, une petite bâtisse isolée. Il cingle son cheval. Mais celui-ci le désarçonne et se retourne contre lui, et il a un visage humain, avec le casque noir de la police militaire, et lui aussi jette des questions au visage de Blackburn, comme des poignées de sable: «Qu'aviez-vous dans votre tiroir-coffre?» «Pourquoi refusez-vous d'en parler?» «Substance illicite, peut-être?» «Et ces jeunes, vous les connaissiez?» «Vous fréquentiez pourtant la disco qui est leur repaire, Blackburn.» «Lieutenant-colonel Blackburn?» «Blackburn?»

L'homme est sur écran géant, cette fois, il est sans casque, souffre d'un cancer de la peau, et s'appelle Minot. L'écran s'estompe rapidement.

— La porte était ouverte, je suis entré.

— Je viens juste d'arriver.

— De l'infirmerie, je sais. J'ai commencé par appeler là.

Blackburn reporte son regard aux autres écrans qui flottent en l'air autour de son micrord tels des mirages, translucides et colorés. Il entend encore le galop des chevaux et des bœufs, les roues du chariot et des trains.

— Je suis le lieutenant Minot...

— ... de la Sûreté militaire, oui. Je n'ai pas perdu la mémoire.

— Bien. Je vais être bref...

Derrière lui, mains sur les hanches, tous les vilains ont mis pied à terre et fixent Blackburn, guettant ce qu'il va dire. Il y a Valois, avec un chapeau de cow-boy, et Séguin avec une vieille casquette de confédéré, et Morel avec un chapeau mexicain, et...

— C'est arrivé hier, poursuit le policier militaire. On m'a dit que vous étiez hospitalisé, alors je n'ai pas insisté. De toute façon, rien ne semblait avoir disparu.

— On a pincé les coupables? demande Blackburn avec un effort pour se concentrer sur la seule personne de Minot.

— Pas sur le fait. Quelqu'un les a vus sortir, nous a donné un signalement, et nous les avons pincés tôt ce matin.

Blackburn fait des yeux le tour de son appartement. Rien, en effet, ne semble avoir disparu, hormis les cinq nouveaux téléviseurs qui flottaient à l'instant autour de son micrord, et qui ont fini par s'évaporer.

— Qu'ont-ils avoué?

— Rien. Disaient qu'ils cherchaient de l'argent, et ils n'en ont pas trouvé.

Inquiet, Blackburn se lève et gagne son pupitre. Le tiroir-coffre a été forcé, et pas très proprement. Inutile d'en faire l'inventaire. Quelque chose manque, c'est visible au premier coup d'œil. Avec un tel butin, les voleurs n'avaient pas à fouiller davantage.

— Et où sont-il maintenant? Où sont ces recrues?

— Quoi, ils vous ont pris quelque chose?

— Non. Où sont-ils détenus?

— Ils ont été transférés à Port-Cartier. Effraction chez un officier supérieur, tentative de vol, ce ne sont pas des infractions mineures. Vous êtes sûr qu'ils ne vous ont rien pris? Vous faites une bien triste tête.

Blackburn referme le coffre lentement, sans répondre. Il ne va pas avouer qu'il possédait treize capsules de chronoreg: il irait en prison à vie! Les jeunes soldats qui ont fait le coup ont eu beau jeu de feindre l'innocence, ils savaient que leur victime ne pourrait porter plainte. Et bien sûr ils ont eu le temps de vendre la marchandise. Qui les a mis sur la piste de son chronoreg? Ce jeune homme que Blackburn a déjà amené à sa chambre, Mario, celui qui travaillait de jour à la base et de soir dans une disco de la ville? Il aura eu la langue trop longue, il aura parlé de cette nouvelle drogue qu'un officier lui a fait essayer.

— Vous êtes libre de vous taire, bien entendu, prononce sèchement le lieutenant Minot.

Il devine la vérité, du moins en partie: marchandise ou substance illicite, mais il ignore laquelle. Heureusement.

— Vous avez un message sur votre micrord, signale Minot.

— Je sais, merci.

Blackburn se rappelle maintenant avoir vu le message clignoter dès son arrivée, et durant tout l'épisode de la poursuite, même s'il n'était pas en mesure de la lire: information importante en attente.

— Si vous changez d'idée, vous savez où me trouver, conclut l'officier en se dirigeant vers la sortie.

— C'est ça, lieutenant. Merci de vous être dérangé. Bonne nuit.

Il raccompagne Minot; ses perceptions sont revenues à la normale. Il s'adosse un instant à la porte, tout à fait abattu. *Quelle guigne! Des milliers de dollars de chronoreg, envolés! Des mois de solde! Plus jamais d'excursions vers le passé.*

Blackburn regagne son pupitre et tape son code d'identité sur le clavier du micrord.

Le passé lui est fermé, à jamais. *Qu'est-ce que je vais faire?* Il s'étonne un peu de sa réaction. Était-il si accroché au chronoreg? Il lui est déjà arrivé de faire l'amour avec Jodi sans songer à prendre une capsule. Le manque n'est donc pas si grand. Et, du point de vue de sa santé, c'est plutôt un service que lui ont rendu ces jeunes délinquants.

L'information qui s'affiche sur l'écran du micrord vient du Contrext: Dragon s'est évadé hier soir en tuant ses deux gardes. Dragon! Blackburn l'avait presque oublié. Pendant même qu'il regarde son micrord, un complément d'information s'ajoute au bas de l'écran, accompagné de l'heure: Mise à jour: Jean-Nuage Tournier aurait été aperçu ce soir sur la rive nord du Saguenay, sur la route 172 en direction de Chicoutimi. À confirmer, mais le signalement concorde.

Blackburn se redresse, le cœur battant plus vite que la normale. Le Dragon à Chicoutimi: il n'aime pas cela du tout, mais son pressentiment reste vague. Il compose sur son vidéophone le numéro de l'officier répartiteur.

• • •

Jouant de son grade, et aussi de sa participation à l'enquête sur Dragon et à sa capture, Blackburn est parvenu à obtenir un avion, un de ces petits jets réservés aux généraux et au ministre. Sa mission de neutraliser les Irréguliers, a-t-il fait valoir, n'était pas accomplie tant qu'un terroriste aussi dangereux que Dragon était en liberté — et **qui** connaissait mieux cet homme que Blackburn, en ce moment?

— Mais ta convalescence... a objecté Séguin, méfiant.

— Je vais très bien.

Et je suis très lucide, songe Blackburn en bouclant son harnais de sécurité. *Ce type n'est pas pilote, il est agent au Contrext.* Depuis peu, sans doute, et pour cela on a espéré que Blackburn ne connaîtrait pas son identité, mais c'était compter sans sa mémoire visuelle.

L'avion décolle et Blackburn remarque à quelques détails que cet homme n'a pas piloté depuis des mois, sinon des années. *Voilà la raison du retard. Ils ont tergiversé, le temps de trouver un agent pour m'accompagner discrètement, peut-être pour me suivre à Chicoutimi. Savoir si je ne suis pas un agent double tentant de renouer contact avec un chef des Irréguliers.* Séguin n'a toujours pas digéré la facilité avec laquelle Blackburn semble avoir forcé le système informatique de la base Harcel, ni comment il détenait les renseignements que des spécialistes ont mis trente heures à obtenir.

C'est son problème, songe Blackburn en inclinant vers l'arrière le dossier de son siège de copilote. *Le mien, c'est ce mal de tête. Et cette nausée.* Mais Blackburn sait bien que son problème, c'est plus qu'un mal de tête. C'est, entre autres, cet ornithoptère à pédales qui vole de concert avec eux et duquel un colonel Séguin essoufflé l'observe avec hargne.

• • •

La Terre est plate, ouverte à l'infini; d'un côté la mer s'étend jusqu'à un horizon infiniment bleu, de l'autre côté le désert s'étire à perte de vue, à peine soulevé de quelques dunes. Entre ces deux immensités, une lisière de plage, sable blanc léché par les vagues.

Blackburn et un garçon, en maillots de bain, y construisent un château. L'adolescent a dix-sept ans, peut-être dix-huit, cheveux bouclés, bruns mais avec quelques mèches blondes, comme le voulait la mode de l'an dernier. Il rit tel un gamin, creusant la plage à l'aide d'une petite pelle de couleur vive.

«Lequel es-tu?» demande Blackburn d'une voix enjouée. «Tu ressembles aux deux, mais tu es trop vieux pour être Jodi et trop jeune pour être Sébastien. Tu es les deux, n'est-ce pas?»

Le garçon ne répond pas, mais il regarde Blackburn en souriant, et ses yeux sont vairons, l'un brun, l'autre bleu, dans ce visage qui a pris une belle teinte cannelle sous le soleil des tropiques.

Le trou est profond, maintenant, et le sable accumulé suffira pour un énorme château. Le château se construit tout seul, du reste, c'est le sable lui-même qui se modèle, et l'architecture qu'il choisit est précolombienne. Blackburn s'amuse à raffiner les détails, ici un escalier monumental, là une plate-forme sacrificielle, là un temple miniature.

Les jambes enterrées dans le sable, le garçon s'allonge, couché sur le dos, et la terrasse servant d'assise à l'acropole devient son socle, sa couche. Son catafalque, comprend soudain Blackburn en remarquant qu'il a les mains croisées sur le torse et les yeux clos. «NON!» proteste Blackburn en tendant une main, et il rencontre un flanc dur comme le marbre. Il tente de se lever, mais il est lui aussi enfoui dans le sable jusqu'à la taille, et le sable continue son assaut, sa montée, non pour l'enfouir mais pour le transformer, lui, Blackburn, en statue de sable.

Il voit son bras, sa main, prendre une texture sablée. Il peut encore bouger, toutefois, et à nouveau il touche au corps du garçon, mais ses doigts s'effritent en heurtant le marbre de son ventre. La main de Blackburn et la vision se désagrègent en même temps, cédant peu à peu à la noirceur, où trois dés phosphorescents rebondissent un moment.

Son corps se contracte, comme si le diaphragme avait résolu d'expulser pour de bon tous les organes du thorax, les chasser vers le haut, par la bouche. Dans le sac qu'il ne se rappelle pas avoir ouvert, Blackburn ne vomit qu'un liquide âcre: il y a des jours qu'il n'a rien mangé de solide. À cause de son inconscience, bien sûr, puis à cause d'un manque d'appétit depuis son réveil; il n'a pris aujourd'hui qu'un bouillon et des jus de fruit.

De la cabine de pilotage, une voix:

— Ça va, lieutenant-colonel?

Blackburn ne se rappelle pas non plus avoir quitté le cockpit, à cause de la nausée, sans doute, et être venu se réfugier dans la section passagers.

— Ça ne va pas, hein? demande le pilote, que Blackburn voit maintenant penché dans l'allée centrale, le visage tourné vers lui.

— Ça ira. Ça ira.

L'estomac vidé, la nausée s'apaise en effet, et Blackburn s'essuie la bouche avec un mouchoir de papier. Les hublots sont obscurs, la seule lueur vient des instruments du cockpit, vers l'avant. Blackburn ferme le sac pour mal de l'air et l'éloigne. Il recule le dossier autant que possible et s'adosse, avec un soupir, mais il a bien soin de ne pas fermer les yeux. Il réentend constamment la voix du professeur Malineau, lointaine, sur une autre ligne temporelle: «... tu n'avais qu'une chance sur trois de t'en tirer en bon état. Si tu pouvais lancer les mêmes dés à nouveau, tu tirerais probablement la combinaison perdante.»

• • •

Blackburn est assis à table, dans l'immense salle à manger d'un hôtel de luxe, quelque part au Mexique — ou est-ce dans le sud des États-Unis? Tout est vaste et calme, aérien. Par-delà les larges baies vitrées, des terrasses, des cascades rectilignes, l'océan turquoise. L'homme en face de lui a le front dégagé, des cheveux gris, les sourcils froncés sur un regard qui est plus grave que sévère. Sa barbe est courte, grisonnante comme l'est la peau sous ses yeux, à l'ombre des orbites creuses.

Un bref sourire éclaire son visage lorsqu'il dit à Blackburn:

— Ne regarde pas tout de suite mais...

Et du regard il indique le haut, invitant justement Blackburn à voir. Des dizaines et des dizaines de ventilateurs au plafond, en rangées, tournent tous à la même vitesse, formant un dais vibrant, en constant mouvement, à la vaste salle à manger. Blackburn éloigne son regard, étourdi par ce papillotement.

La figure de son vis-à-vis a changé, la peau a bruni, les yeux se sont bridés un peu et la barbe s'est clairsemée, ne subsistant plus qu'au menton. Il manque des dents au sourire énigmatique du vieil homme.

Blackburn regarde à nouveau en l'air, et le plafond de la salle a disparu, comme ses murs et ses baies panoramiques. Les ventilateurs tournent toujours, suspendus à nul plafond, et au-delà le ciel est bleu, impitoyable. Devant Blackburn le vieux maître flotte un instant, translucide, puis s'estompe. Le désert s'étend, plat, rocheux, jusqu'à un horizon de falaises stratifiées, découpées par une mer ou un estuaire asséché depuis des millions d'années. Une *mesa* se dresse à mi-chemin, précédée de colonnes de roc, tels des cierges ocre dans la lumière oblique du soleil.

Le vieil Anasazi est apparu au sommet d'une de ces colonnes, stylite pas plus gros qu'un insecte, à cette distance.

«*Anasazi* est aussi le nom que le peuple de mes ancêtres se donnait», explique l'Amérindien qui est à nouveau devant Blackburn. «Cela voulait dire *les Anciens*.» Blackburn se rend compte qu'il a rejoint le maître sur sa colonne rocheuse. Anasazi, d'une voix grave, parle la langue de son peuple, et il est donné à Blackburn de la comprendre.

«Où sommes-nous?» veut demander Blackburn, mais il prononce «Quand sommes-nous?» et le vieil Hopi pointe un doigt vers la falaise. Un *pueblo* s'étale au pied de la paroi stratifiée, il est beige et ocre, dépeuplé. «Mon peuple l'a abandonné voici un siècle, pour chercher la fertilité au bord des rivières.» Il pointe son doigt au sud: «Sur leur lagune, les Aztèques bâtissent Tenochtitlan. Voilà **quand** nous sommes.» Il touche le grossier collier de turquoises à son cou. «Et maintenant je te dirai **pourquoi** nous sommes.» Il commence ses explications, mais Blackburn ne peut suivre, réalisant bientôt qu'il a perdu la grâce qui lui avait été donnée de comprendre ce langage. Les propos du Hopi deviennent silence pour lui.

Le paysage change graduellement, tel un mirage. Blackburn, toujours assis en tailleur, est maintenant sur un haut plateau, immense, montueux, et le soleil est ailleurs dans le ciel. Derrière une jonchée de roches s'ouvrent les arches de plusieurs grottes, noires dans la lumière du jour. «Ce sont des sépultures», explique le vieil Hopi réapparu. Il est debout, il prend la main de Blackburn et l'aide à se relever. Ils sont sous une arche, maintenant, et Anasazi explique les peintures sur la paroi minérale, noires sur ocre. «Il est facile d'écrire des prophéties, dit-il, lorsqu'on sait ce qu'est vraiment le temps.» Au fond de la grotte, des momies, certaines allongées, certaines mi-adossées à la paroi, mais la plupart couchées sur le côté, prostrées. Étoffes grises, cassantes comme parchemin, peaux racornies, brunes, la texture d'un cuir fin et poussiéreux. Paupières et lèvres cousues, nez tombés.

Anasazi prend un tibia, le décroche sans peine et l'allume à une extrémité, tenant l'autre bout entre ses lèvres, tirant comme sur une pipe. Il le tend ensuite à Blackburn, ses yeux devenus entièrement noirs et brillants.

Blackburn aspire à son tour la fumée rosée, et tout instantanément devient transparent, un mirage de verre. Il voit Anasazi cueillir sous les momies de petits champignons, ronds comme des cailloux dans le lit d'un ruisseau, mais c'est un ru sans eau, sec depuis des âges.

Les champignons sont dans la paume du vieil Hopi, maintenant, gris et menus, cubiques tels des dés aux arêtes arrondies. Une lueur bleutée luit au cœur de chacun. «Le temps est une illusion», dit-il à mi-voix. «Tu sais cela, Denis.»

Blackburn sort des cavernes funéraires et prend pied sur la piste d'atterrissage, à Bagotville. Ses nausées se sont apaisées, sauf celle qui perdure dans sa tête, ce malaise diffus qui n'est ni une migraine ni une céphalée ordinaire.

Atterrir puis descendre de l'avion ne lui ont toutefois pas donné le vertige, aussi décide-t-il de réquisitionner un vélix et de conduire lui-même. Le ciel est couvert, quelques gouttes de pluie commencent à tomber dans la moiteur de la nuit. Grâce à l'écran rétroviseur, il identifie sans peine le vélix gris du Contrext qui le suit, avec à son bord, probablement, le pilote de l'avion.

Le port est intact, toute la basse-ville est intacte, même si des images d'incendies, de nuages de fumée, se superposent par moments à la réalité. **Cette** réalité, où Laura n'est pas morte broyée sous un meuble tombé des étages supérieurs, où Jodi n'a pas été tué par un fragment de ciment dans les caves de l'hôtel.

Blackburn a dû avoir un moment de distraction, car il arrive à un coin de rue où se dresse une église et, normalement, il n'aurait pas à passer par là. Il reconnaît l'endroit où, sous le bombardement, l'eau coulait dans une large crevasse et formait un lac dans un cratère au pied de l'église. Il avait eu, il **aurait eu** à s'y enfoncer jusqu'aux épaules, luttant contre le courant, bousculant un cadavre.

Cette nuit, rien de tel. Une semi-remorque transformée en théâtre est encore ouverte, la scène d'un spectacle itinérant comme il y en avait au Moyen Âge. Il n'y a aucun public mais la pièce continue, sous des projecteurs sans éclat. Drame ou comédie, Blackburn ne sait, mais le décor est celui d'un quartier pauvre, mur de brique avec la lèpre d'anciennes affiches, fenêtres placardées. Une table est dressée, dans cette ruelle ou cette arrière-cour, et ce n'est qu'un battant de porte couché sur deux poubelles formant tréteaux. Les convives sont mornes, et non sans raison: il y a là Primeau, Laurin, Rondeau et les autres agents du Contrext tués durant l'opération Café Filtre, il y a Virgil, Trois-Doigts et quelques femmes naskapies, il y a la prostituée Sophie et le préposé de la tourelle laser.

«En quel honneur, ce festin?» s'entend demander Blackburn, qui n'est pas sûr de son rôle dans cette pièce. «Il n'y a pas de quoi fêter, lui répond Laurin. Pas de futur alternatif pour nous. Je t'ai sauvé, à Harcel; es-tu revenu les empêcher de me tuer?» Blackburn se retourne, s'éloigne en courant, se heurte à son propre vélix dont la portière est soulevée; il tournoie et se retrouve assis.

— Le soldat a pris un verre de trop? demande une voix jeune et sarcastique.

Devant lui, une bande d'adolescents, dix-huit ou dix-neuf ans, le genre qu'il vaut mieux ne pas croiser seul. Ils sont (et le vélix aussi, note Blackburn) sur la pelouse de l'église. Derrière eux, la tablée de morts s'évanouit lentement dans la nuit.

— Tu nous passes ton vélix? demande un des voyous, tandis

qu'un autre, le croyant presque inconscient, passe la main sous sa veste, trouve sa ceinture et veut ouvrir à tâtons son étui à pistolet.

Un cri lui échappe quand la main de Blackburn prend son poignet avec la force d'un étau et lui enfonce le pouce entre les os de l'avant-bras. Celui-là s'éloigne en gémissant dès que Blackburn le laisse, mais le cercle de ses congénères se resserre; des lames luisent soudain à leurs poings, dans la lueur d'un lampadaire proche. Au moment de la ruée, l'un des voyous s'écroule, atteint à la rotule par le pied de Blackburn; un autre se plie en deux, touché à l'entrejambe par un coup de jointures. Deux coups de feu éclatent dans la rue; les têtes se retournent, puis c'est la débandade. Dans la confusion, Blackburn aperçoit une silhouette pointant une arme en l'air, puis commençant à la baisser. L'homme se retourne et s'éloigne dès que les jeunes se débandent, mais Blackburn a le temps de reconnaître l'agent qui l'a piloté de Sept-Îles à Bagotville, et l'a suivi en vélix depuis.

Il a dû supposer que Blackburn s'est remis de sa perte de conscience, car il ne fait pas mine de lui porter assistance et regagne son vélix gris, stationné dans une zone d'ombre.

Blackburn fait le tour de son propre vélix, tandis que les éclopés s'éloignent aussi vite qu'ils le peuvent. Nul dommage à la carrosserie. À aucun moment Blackburn n'a dû perdre entièrement conscience, puisqu'il a su éviter les obstacles en quittant la rue, puis arrêter le véhicule.

Ébranlé, il se remet en route.

En cette saison, les nuits sont courtes; l'aube n'est plus loin. Voyous mis à part, la ville est plutôt tranquille même si, il y a quelques heures à peine, c'était samedi soir. En raison de l'offensive en cours au Labrador, les permissionnaires sont absents.

La façade du LaSarre est rosée, à cause de ses propres enseignes au néon et celles des établissements d'en face. Blackburn dépasse un peu l'entrée et gare le vélix. Tandis que se rabat la portière du véhicule, il regarde vers l'entrée et voit arriver un piéton, un jeune officier qu'il a déjà aperçu et qui cette nuit porte un bras en écharpe. N'est-ce pas le client de Laura, celui qui recherche en elle sa mère?

Avant de gagner le porche et ses quelques marches, Blackburn s'approche de la façade et, se haussant sur la pointe des pieds, glisse un regard par une des fenêtres du salon. À travers le rideau translucide, il ne voit qu'une scène ordinaire, quelques filles attendant le dernier client, Jodi dormant sur un canapé, beau comme un ange, Laura se versant un dernier verre de liqueur, de son éternelle bouteille de Parfait Amour qu'elle remet ensuite dans le cabinet vitré.

Une montée d'émotion lui bloque momentanément la poitrine. Laura, vivante, souriante, Laura fille de joie, mais aussi l'ancienne, la plus jeune, Lola chanteuse de cabaret, en vedette, en affiches, applaudie, aimée. Laura mûrie, aimant ses filles, tendre, consolatrice. Laura, vivante. Le bon sens et la sérénité, dans un monde en tourmente.

Blackburn marche vers le perron. Plus loin, à l'angle de la bâtisse, un chien émerge à demi d'une allée, guettant les rares passants d'un regard de loup. Blackburn s'en alarme, sans pouvoir s'expliquer pourquoi, cependant le chien s'enfuit à l'approche de vélix de la police qui filent à pleine vitesse mais sans sirène ni gyrophares. L'inquiétude de Blackburn s'accroît et, la main sur la poignée de la porte, il reste un moment pour voir de quoi il retourne. Le premier vélix manœuvre pour entrer dans l'étroite allée, deux autres ralentissent devant l'hôtel. L'un d'eux est un véhicule noir, sans identification; Moreau, du Contrext, et son collègue Fafard, en descendent.

— Blackburn, je vous croyais au front. Ça ne fait rien, content de vous voir ici.

Ils entrent dans le hall du LaSarre. Moreau fait signe au videur, Lamielle, de quitter sa console et de s'approcher. À l'entrée du bar, près de Lili Marlène peinte sur verre, le jeune client attend, et Noisette venant du salon lui annonce à mi-voix:

— Laura va te rejoindre dans une minute, mon beau.

Moreau demande à Blackburn:

— Vous savez que Dragon... Bien sûr que vous le savez, c'est de chez vous qu'il s'est échappé. Mais saviez-vous qu'il a été aperçu à Chicoutimi, cette nuit même?

— En est-on sûr? s'alarme Blackburn.

— Identification positive. Dans le quartier du port. Ça m'a donné l'idée de venir voir ici, au cas où il lui prendrait l'envie...

— De quoi?

— De s'en prendre à vous, Blackburn. Vous avez oublié? Tenter de vous assassiner était devenu son passe-temps. Et il sait sûrement que cet hôtel est votre pied-à-terre.

— Il pourrait vouloir se venger, avance le collègue à demi chauve de Moreau. Il sait que les Irréguliers sont tous coffrés ou morts, il se doute peut-être que vous y avez été pour quelque chose.

— En tout cas il n'est pas venu ici cette nuit, déclare Lamielle: j'ai couplé la surveillance vidéo à un logiciel anthropométrique, avec la fiche de Tournier, aussitôt que vous m'avez prévenu durant la soirée.

Blackburn s'approche du salon, n'aperçoit pas la patronne.

— Où est Laura? demande-t-il à Noisette.

— À sa chambre. Elle est allée retoucher son maquillage.

D'un pas qu'il veut calme et posé, Blackburn entre dans le salon, suivi après une hésitation par Lamielle et les hommes du Contrext. Il contemple au passage Jodi, dont le ventre se creuse un peu au rythme de sa respiration. *Si j'en réchappe,* lui promet-il intérieurement, *je t'emmène loin d'ici, quelque part au soleil...*

Mais un cri brise ce regard affectueux, et Blackburn se rue dans le bureau de Laura. Un cri de surprise et de peur, un cri de douleur. Une voix féminine.

Dans la chambre, un bruit de chute, un verre se brise. Laura est sur le dos, près de la chaise renversée, une tache rouge s'élargissant sur sa robe au niveau du cœur, autour d'une entaille. Sur la moquette beige, les débris d'un petit verre à liqueur et une tache de rimmel indigo.

Par la fenêtre ouverte, les voix métalliques d'un échange radio entre vélix de police; un projecteur passe, repasse, illumine les rideaux.

Dressé entre la fenêtre et la coiffeuse, Dragon, **le** Dragon, long couteau sanglant à la main, les yeux étincelants, la peur et la haine tordant sa bouche.

Il se rue vers Blackburn mais trois pistolets tonnent simultanément, brisant son élan, perçant son chandail à la poitrine et à l'abdomen.

Il s'écroule en pivotant, se retrouve couché sur le côté, prostré, dans la position des momies de la caverne, mais les yeux ouverts, grands ouverts, tandis qu'un sang pourpre coule de son ventre déchiré.

Épilogue

À nouveau le désert, rocailleux sous le soleil. Une chaîne de montagnes s'étire à l'horizon, on la dirait faite en pâte de verre, une pâte brune et transparente qui aurait figé, informe, rugueuse. Des lueurs muettes la traversent, visibles même en plein jour, évoquant quelque feu tellurique, froid et malsain.

Jamais Blackburn n'ira dans cette direction, c'est trop sinistre. Il choisit l'horizon plat et sans limite.

Il marche des heures durant, sans eau, sans ombre. Des cônes de lumière se dressent parfois dans son champ de vision, si brillants qu'ils se détachent même dans l'éblouissante clarté solaire, emprisonnant des trombes de poussière arrachées au désert.

Parfois aussi des cachalots viennent le flairer, flottant à un mètre du sol, faisant de l'ombre sur le sable, mais une ombre si froide qu'on se croirait immergé dans une eau glaciale.

Les bracelets massifs que porte Blackburn lui meurtrissent les poignets; ceux à ses chevilles alourdissent son pas déjà si pénible. Ses lèvres sont sèches, craquelées.

Par endroits, le sable s'ourle autour de carcasses blanchies, des troncs d'arbres secs par-delà tout souvenir de l'eau, arbres noueux comme des os, leurs rameaux courbés telles des côtes, leurs troncs couverts d'apophyses comme des échines. Mais, au contact, c'est du bois, léger tel du liège. Et sec, comme dans sa bouche la chose qui est sa langue.

Son passage à travers une jonchée de cerveaux ne fait qu'aviver sa soif: un fluide repose dans les replis de ces masses fraîches et molles, mais lorsqu'il en cueille pour les porter à ses lèvres, cette eau se répand dans le sable. Il pense à tordre et à presser les cerveaux, pour extraire ce jus limpide, si frais. Mais lorsqu'il coule effectivement, généreux, abondant, le fluide s'évapore au contact de la bouche, volatil comme une essence de térébenthine. Découragé, Blackburn jette au loin un des cerveaux, qu'un harfang bleu vient cueillir au vol. Lorsque l'homme reporte son regard sur la jonchée de cerveaux, il voit un essaim de mustélidés occupés à les dévorer: hermines incarnates, furets mordorés, belettes bleutées.

Il se remet en route. Au loin, parfois, un reflet nacré, comme sur un lac de lait ou de sperme; mais ce sont des mirages, évanouis lorsqu'il y parvient.

Les dunes sont basses, chétives. Un lézard surgit de derrière une crête, et Blackburn sursaute devant sa laideur: aussi gros qu'un homme qui se traînerait sur le ventre, il a par moments le visage cancéreux d'un général, qui appelle Blackburn avec une voix semblant venir de très loin, «Blackburn, vous m'entendez? Blackburn?» Le reptile est d'un gris vert sale, comme sorti d'un dépotoir. Il se rue vers Blackburn avec un râle sifflant, féroce, la bouche grande ouverte, étirée en un rictus rageur.

Blackburn a fait quelques pas de côté; maintenant il court, de toutes ses forces. Bientôt ses foulées font jaillir des éclaboussures blanches: une mare! Mais il n'a pas le temps d'y boire, pour une fois qu'elle est tangible. Heureusement, le fluide dissout les sombres bracelets à ses chevilles; ils se disloquent, tombent en fragments, allègent sa course. La rapidité du lézard est effrayante, comme dans un cauchemar. Une collerette de pointes acérées s'est dressée autour de son cou, elles ont la texture du vieux caoutchouc.

L'homme bute sur une carcasse blanchie, s'y étale dans un fracas de poterie brisée. Le lézard est tout proche, fétide.

Soudain, une ombre sur Blackburn: un Amérindien, brun, sec, un petit arc à la main. Sa flèche file, courte, dure. Elle déchire le flanc pâle du lézard, embroche un viscère et se fiche dans le bois d'un tronc qu'enjambait la bête.

Blackburn a le temps de se lever. L'Amérindien a maintenant le visage rosé d'un homme blanc, la tête d'un professeur, cheveux blancs en abondance. Il parle, sans ouvrir la bouche, et sa voix paraît venir de loin, de très très loin. «Denis, reviens! Denis, nous sommes en train de te perdre!» L'Amérindien devient transparent, comme une bouteille brune qui aurait forme humaine et serait vêtue de lin. Puis il disparaît, par taches, des taches de vide qui s'étendent et se rejoignent.

Blackburn se remet à fuir. Le lézard, en effet, n'a été arrêté qu'un moment. Maintenant il court, de toute la vitesse de ses quatre pattes, à peine embarrassé par le cordon de viscères qu'il déroule et laisse derrière lui, cloué à un bout par la flèche. Un sang fluide, orangé, gicle de sa blessure; le sable le boit aussitôt.

Et Blackburn court, il court. Le boyau glaireux du lézard se dévide toujours, après des centaines de mètres. L'homme crie une longue plainte de dégoût, renonce à regarder derrière lui.

Il s'arrête, le cri coupé: un lézard géant, blindé, se dresse dans son chemin, la gueule ouverte telle la passerelle d'une péniche de débarquement, la langue rose et poreuse comme du caoutchouc mousse.

Sans voix, Blackburn tourne à angle droit. Il trébuche et roule au bas d'une courte déclivité. Dans le sable, il se retourne.

Le monstre ne s'occupe pas de lui. Son flanc est rugueux et sombre, mais fait de plaques boulonnées comme un véhicule blindé; sa tête à elle seule a la masse d'un char d'assaut. Le lézard éviscéré se précipite dans sa gueule. Les mâchoires se referment, tranchant la bête avec un claquement mou; l'arrière-train et la queue retombent au sol, la tranche de la blessure est grouillante de viscères, comme si le lézard n'en avait pas déjà perdu un kilomètre.

Avec un haut-le-cœur, Blackburn se relève, reprend sa fuite, espérant échapper à la vue de ce dinosaure de série B. Mais un regard derrière lui le terrorise: la lourde tête se tourne lentement vers lui, et les deux globes de plexi blanc qui lui servent d'yeux se braquent sur lui.

Blackburn court de plus belle, regardant où il pose chaque pied, évitant les roches, les branches, les os. Toutes les fois qu'il lance un coup d'œil derrière lui, le dinosaure est aussi proche, mais ses pattes ne semblent pas bouger, et le monstre lui-même ne semble pas se déplacer.

Ce qui devait arriver arrive: le pied de Blackburn glisse sur le corps humide et lisse d'un phoque, et il s'étale de tout son long. Le sol est mouvant, visqueux tel un bac de poissons fraîchement pêchés: une masse compacte de phoques puants, tout mouillés. Impossible de reprendre pied.

Et le dinosaure qui se rapproche!

Les phoques fondent, comme de la crème glacée grise au soleil, et le sable les absorbe. Blackburn se relève. Le saurien géant a disparu.

• • •

Blackburn marche, marche toujours. Il lui semble marcher depuis des jours. Sa bouche est une masse de laine rugueuse.

Le désert est moins désert, graduellement: quelques broussailles, quelques cactus, de loin en loin. Puis, une route.

La chaleur de l'asphalte ajoute à son calvaire. Quelle direction choisir? L'une d'elles n'éveille en lui qu'angoisse, appréhension: elle mène vers la région d'où naît le ciel, un immense tourbillon bleu, onctueux, un vortex qui creuse la terre et duquel l'azur monte en une mince trombe qui se déverse là-haut, fluide, céruléenne.

Blackburn opte pour l'autre direction. Nul véhicule, hormis un camion que Blackburn aperçoit au loin. Il s'avère être immobile, à mesure que le marcheur approche, il s'avère même être renversé. Un serpent l'aura effrayé et il aura fait une embardée.

C'était un camion à plate-forme. Autour de la carcasse, la chaussée est jonchée de jeunes hommes, quelques jeunes femmes. Membres brisés, crânes fracassés, fractures ouvertes, mâchoires cassées, la chaussée est rouge de sang, des lambeaux de cuir chevelu traînent ici et là, dont une toison très blonde et bouclée. Étouffé par l'horreur et le chagrin, Blackburn observe que tous ces jeunes portaient l'uniforme militaire, le bleu-gris du simple soldat.

Ensuite il voit les serpents.

De toutes ces bouches, ouvertes, cassées, tordues, de toutes ces bouches rampent de longs serpents azur. Mais intangibles: ce sont des ectoplasmes, qui serpentent un moment sur l'asphalte avant de s'élever en ondulant. Ils enflent, prennent forme humaine, de jeunes prêtres en tuniques de plumes vertes, turquoise, bleu paon, des enfants-prêtres en atours précolombiens. Ils dansent, les enfantômes, un rituel durant lequel chacun à son tour se penche sur la chaussée pour recueillir avec deux doigts un peu du sang répandu et en colorier son intangible visage.

Blackburn quitte la route, s'éloigne dans la plaine, mais longtemps des spectres le suivent, ombres azur et vaporeuses dans l'ocre rugueux du paysage.

Lorsque enfin il est seul, le désert est devenu savane; l'orée d'une jungle ou d'une forêt marque l'horizon. Blackburn s'arrête pour souffler et les fragments de chaînes à ses poignets cessent un instant de tinter. À quelque distance, un bâtiment blanc aux murs de crépi se profile à l'ombre d'un bouquet de palmiers.

Blackburn se hâte. Sous le porche, il croise un garçon dont le visage lui est familier, un jeune qui n'a peut-être pas vingt ans; beau visage, boucles châtain clair sur un front hâlé. Sa chemise est ouverte sur une poitrine glabre; il porte un jean et ses pieds sont nus dans ses espadrilles. Il soutient au passage le regard de Blackburn, peut-être sourit-il un instant, mais l'homme est traqué et trop assoiffé pour penser à autre chose qu'à une bière froide.

«*Cerveza*», commande-t-il en espagnol, ayant lu *taberna* sur la vitrine. Intrigué, il se retourne vers la vaste fenêtre et, à travers les lattes des stores, les caractères lui paraissent maintenant en arabe. Il voit avec chagrin le jeune homme qui s'éloigne, suivant son ombre déjà longue; il lui semble qu'il le connaît depuis toujours, ce garçon, même si son nom ne lui revient pas en mémoire.

Ventilateur au plafond, distributrice de Tapio-Cola dans un angle, la salle est fraîche dans son clair-obscur. Une tête de caribou empaillée domine le comptoir, mais Lili Marlène sur un panneau de verre accueille les clients avec un sourire hautain.

Blackburn regarde derrière lui, vers la porte, guettant un long moment le bout de route devant l'établissement, mais aucun reptile n'y apparaît; serait-il enfin seul, libre?

Il y a quelques personnes dans la salle, des mulâtres surtout, du type brésilien, et quelques Noirs américains ou jamaïcains, leurs épaules oscillant avec celles du pianiste, indolemment. Des Blancs aussi, hâlés, cheveux noirs et gominés, petites moustaches.

La première gorgée de bière a mis des larmes aux yeux de Blackburn. Les autres ont la fraîcheur de l'eau de source.

À un bout du bar se dresse une petite scène où une affiche est posée sur un tréteau, près d'un piano droit dont joue un homme discret, tournant le dos à la salle. Seul un nom, «Lola», figure sous la photo d'une femme jeune, épaules fines et visage arrondi, une fleur à la racine des cheveux, sur le côté de la tête. Elle sourit, lèvres entrouvertes, rouges dans un visage clair de brunette. Lola, revenant à la scène?

La salle s'est remplie, discrètement, et il semble maintenant que les Arabes dominent, certains portant le burnous, d'autres coiffés d'un fez et vêtus à l'occidentale. Quelques Européens se mêlent à la clientèle, les moins âgés en uniformes fripés, les plus vieux en civil, grisonnants et distingués, l'œil clair et la main baguée, un pli amer ou hautain au coin des lèvres.

L'un esquisse un sourire à l'intention de Blackburn: bien conservé, la soixantaine peut-être, la stature fine mais vigoureuse. À ses tempes on voit qu'il a été blond, mais le reste de ses cheveux est blanc, clairsemé, et son front est chauve. Blackburn reconnaît ces yeux bleus, pétillants, cet air narquois: Jac Marin.

Il veut le rejoindre, mais le spectacle commence à cet instant, on entend un trio de jazz qui s'est joint au pianiste. Voici la chanteuse. Elle aussi, Blackburn la reconnaît, à demi. C'est bien Laura, ses yeux bleu faïence, ses longs cheveux ramenés sur l'épaule, sa taille encore mince et sa poitrine généreuse sous une robe pailletée. Elle chante déjà, elle a toujours chanté, d'une voix chaude et parfois grave. En anglais, en allemand, mais Blackburn comprend sans peine.

Les cadences de la contrebasse se transforment peu à peu, deviennent le bourdonnement sourdement rythmé d'hélicoptères lourds. Blackburn les aperçoit, par une fenêtre apparue pour l'occasion. Ils grossissent, les hélis, un vaste filet suspendu entre eux, sa frange frôlant les arbustes de la savane. Ils se rapprochent; les appliques murales vibrent bientôt du battement de leurs pales tant ils volent bas. Blackburn rentre la tête dans les épaules, il tremble en guettant l'entrée de la salle. Mais rien ne se passe et les engins s'éloignent graduellement, avec seulement quelques palmes accrochées dans leur filet.

Lola chante toujours, les yeux graves, un sourire triste aux lèvres, et cette fois elle chante pour Blackburn, elle s'adresse à lui. Le contrebassiste a troqué son instrument pour une guitare à douze cordes; au refrain, lui et le pianiste font un chœur murmuré. Le trompettiste a pris une clarinette, le saxophoniste joue feutré; ils interprètent une ballade très douce, mélancolique.

«Quelque part, chante Lola,
il y a quelque part une contrée
où les hommes ne s'entretuent pas.
Quelque part tu trouveras
un lieu où les hommes vivent sans soif.
Quelque part,
si tu continues de marcher,
un jour tu seras libre.
Jamais, non jamais
ils ne t'asserviront.
Jamais, non jamais,
ne les laisse jamais gagner.»

Sa main est sur le poignet de Blackburn, maintenant, elle ne chante plus mais lui parle. «Va, lui souffle-t-elle, va jusqu'au bout du monde.» Ses yeux de faïence sont devenus gris, tristes mais en même temps pleins d'assurance.

«Comment la reconnaîtrai-je, cette contrée?»

«Elle est au soleil, ses plages sont beiges au bord d'une mer turquoise.»

«Mais encore?»

«Ses maisons sont de pierre blanchie au soleil, ses avenues sont de gazon et ses remparts de buissons en fleurs. Ses places sont ombragées de palmiers.»

«Où est-elle?»

Elle ne répond pas, mais elle l'embrasse doucement, et regagne la scène.

Il s'éloigne, se retourne, se heurte presque à Jac Marin, qui lui prend les poignets. Blackburn se fige, incapable de réagir. Mais, avant qu'il sache s'il doit s'inquiéter, il sent ses menottes se briser entre les doigts d'acier de Marin. Qui s'éloigne avec un clin d'œil d'encouragement et disparaît derrière deux couples qui se croisent.

Dehors, il fait encore soleil et Blackburn plisse les paupières, dans la lumière dorée d'une fin d'après-midi.

«Vers où?» demande Blackburn à mi-voix, et le vieil Hopi assis dans l'ombre du porche lève les yeux sur lui. C'est ce vieux sage au sourire édenté, au collier de petits champignons gris, que Blackburn a connu à l'époque des *pueblos*.

Il tend une main vers l'est: «Suis ton ombre», dit-il. «Tu vois ce garçon, là-bas?» C'est l'adolescent que Blackburn a croisé tout à l'heure, celui dont le visage lui était connu. «Suis le même chemin que lui.»

Blackburn le remercie et se met en route, le soleil dans son dos, le ciel d'un bleu profond en face de lui, avec un croissant de lune tel un filament d'ouate sur un plancher bleu. Le garçon est loin, néanmoins il le voit distinctement, sa haute taille, la minceur de ses cuisses et de ses hanches, ses épaules robustes. Mais il marche sans hâte, et Blackburn le rattrapera aisément.

La mer est à l'horizon, le rivage n'est plus très loin, on distingue même l'écume phosphorescente de ses rouleaux, sa teinte turquoise qui vire lentement au bleu royal. Au loin, des mirages de paquebots ou de temples flottants.

Le garçon a déjà atteint la plage. Sans s'arrêter, il enlève une espadrille, puis l'autre. Il oblique pour suivre la ligne de rivage, et Blackburn le voit de profil. À chaque vague, l'écume nimbe ses chevilles.

Il est à portée de voix, maintenant, il tourne la tête vers Blackburn, une image extraordinairement claire malgré la distance. Le soleil dore son visage et ses boucles châtaines, allumant le bleu de ses yeux qui sont comme deux fenêtres ouvertes sur le ciel et la mer confondus derrière lui.

Enfin? Est-ce que j'y serais, enfin? Au bout de tout, auprès de lui?

Mais le garçon pâlit, ses yeux bleus restent clairement visibles tandis que son image devient translucide, puis transparente, puis se dissipe tel un mirage, et Blackburn reste désespérément seul devant le bleu de l'horizon.

Le garçon atteint la plage. Ses jeans déjà roulés découvrent ses mollets nimbés d'or. Il oblique en direction de la cité blanche qu'on devine au loin, et Blackburn le voit de profil. À chaque vague, la mer vient baigner ses pieds, l'écume asperge ses chevilles.

Il est tout près, maintenant, il tourne la tête vers Blackburn. Le soleil couchant dore son visage et ses boucles châtaines, allumant le bleu de ses yeux qui sont comme des lucarnes jumelles ouvertes sur le ciel et la mer derrière lui.

Le garçon s'arrête et lui sourit, comme on sourit à quelqu'un que l'on attendait.

MARQUIS
Montmagny, Qc
mars 1992